le roman
depuis la Révolution

Michel Raimond

le roman

depuis la Révolution

Nouvelle édition
augmentée et mise à jour

Armand Colin

103 bd Saint-Michel, Paris 5ᵉ

Document de couverture : Dalou, *Liseuse* (Photo Giraudon).

196273

© Armand Colin Éditeur, Paris, 1981
ISBN 2-200-31082-X

HISTOIRE DU ROMAN
depuis la Révolution

Il était impossible, dans les limites d'un tel ouvrage, d'écrire une histoire du roman. Il faudrait plusieurs volumes pour rendre compte, même en s'en tenant aux œuvres essentielles, du développement du genre romanesque depuis la Révolution jusqu'à nos jours. Nous proposons seulement ici une chronique où sont marquées les étapes d'une évolution, où sont définies les principales orientations de ce genre. Il nous a semblé qu'il était préférable de nous consacrer, même rapidement, à l'analyse de quelques œuvres majeures plutôt que de nous perdre dans les généralités. Il fallait faire des choix, nous les avons faits. Nous nous sommes interdit de procéder à des énumérations de noms et de titres ; simplement, nous avons cherché à situer, dans des vues d'ensemble, l'analyse d'œuvres privilégiées.

CHAPITRE I

LE ROMAN FRANÇAIS
AVANT BALZAC

1. Un genre conventionnel

Sociologie du roman
Pendant tout le XVIIIe siècle, le genre romanesque ne cessait de se développer ; il affirmait sa vitalité par la multiplicité des formes qu'il était susceptible de prendre. Il atteignait un public que ni le théâtre ni la poésie ne parvenaient à conquérir. En raison de la liberté que lui conférait l'absence de toute poétique officielle, il était en mesure d'exprimer tout ce que les genres nobles, encombrés de règles et de conventions, laissaient de côté : la peinture des milieux, l'évocation des mœurs du temps, la présentation de personnages proches de la réalité quotidienne. A ce titre, il était lié, plus qu'aucun autre genre, à l'évolution de la société. En même temps, il affirmait sa *puissance* en proposant à ses lecteurs des images de la passion, des représentations du bonheur et du désespoir qui agissaient comme autant de ferments dans la transformation de la sensibilité française. *La Nouvelle Héloïse* avait été,

à cet égard, un phénomène sans précédent : non seulement son auteur connaissait une immense popularité, mais, surtout, il proposait à ses contemporains, par le truchement de ses héros, des leçons d'amour, de sagesse et de bonheur. C'est avec ce livre que s'établit « l'empire moderne du roman » ; c'est à partir de lui que chaque génération devait demander à ses romanciers, comme l'écrit René Pomeau, « de changer la vie par l'invention d'un style neuf de l'amour, par la suggestion d'une ambiance nouvelle du sentiment »[1]. *René, Atala, Corinne, Adolphe* devaient, à leur tour, proposer, bien des années avant *La Comédie humaine*, de nouvelles façons de vivre et de sentir. Les héros de Mme de Staël, de Benjamin Constant ou de Chateaubriand reflétaient sans doute, par leur désarroi, les bouleversements de la société française ; mais aussi, déjà, ils donnaient le ton à toute une génération.

Un autre phénomène mérite d'être signalé : l'apparition, à partir de la Révolution française, d'un public populaire avide de romans. Pigault-Lebrun et Ducray-Duminil sont les premiers représentants de ce que Sainte-Beuve devait appeler, en 1840, la « littérature industrielle » et que Pontmartin, vingt ans plus tard, baptisait la « littérature facile ». Du roman populaire de Pigault-Lebrun au roman-feuilleton d'Eugène Sue, de Paul de Kock ou de Frédéric Soulié, le public ne fera que s'élargir ; mais déjà, pour ne prendre qu'un exemple, *Cœlina ou l'enfant du mystère* de Ducray-Duminil fut onze fois réimprimé entre 1798 et 1825, et l'ouvrage aurait été tiré à plus d'un million d'exemplaires. Il va de soi que les lecteurs qui faisaient leurs délices de ces aventures pleines de puérilités et d'invraisemblances ne demandaient à ces livres que l'occasion d'un divertissement efficace : on dirait, avec juste raison, qu'il ne s'agit plus ici de littérature. Mais il ne faut pas oublier que Balzac a fait son apprentissage de romancier en écrivant pendant dix ans des ouvrages qu'il était le premier à mépriser, et qui n'étaient que des produits de consommation courante ; c'est en partant des procédés du roman noir qu'il a, peu à peu, réussi à créer un monde. Nous aurons à revenir à plusieurs reprises sur l'importance croissante que prend, au XIXe siècle, cette littérature industrielle ; mais il faut souligner que, dès le début du siècle, la *littérature romanesque* n'occupe plus qu'un secteur privilégié dans une vaste industrie du roman. Dans le procès du roman que chaque génération s'emploie à rouvrir, les procureurs ne se sont pas fait faute, au cours du XIXe siècle, de déplorer dans leurs réquisitoires, le caractère industriel et commercial d'un genre qui leur paraissait s'abaisser à offrir des articles de consommation courante à un public sans culture ; mais les défenseurs du roman avaient beau jeu de leur donner des exemples d'artisans besogneux qui étaient devenus des maîtres, et de leur rétorquer qu'il ne fallait pas confondre « une haute lignée d'artistes avec une fabrique d'aventures à la ligne ».

---

1. *La Nouvelle Héloïse*, Garnier, 1960, p. XXIV.

Le roman noir   Le roman noir, qui venait de l'étranger, rencontra en France un prodigieux succès à la fin du XVIIIᵉ siècle : jusque vers 1840, les traductions devaient se multiplier et susciter de nombreuses imitations. *Le Château d'Otrante* (1764) d'Horace Walpole avait été un des premiers livres qui fît de la terreur le ressort de l'intérêt, mais il passa longtemps inaperçu, et ce sont les romans d'Ann Radcliffe, *L'Italien*, *Les Mystères d'Udolphe*, qui exercèrent en France la plus profonde influence avec *Ambrosio ou le moine* de Lewis, sur lequel bien plus tard les surréalistes devaient attirer l'attention. Il est assez difficile de faire l'histoire de ce roman noir, qui va du roman populaire de Ducray-Duminil au *Jean Sbogar* de Théophile Gautier ou au *Bug-Jargal* de Victor Hugo. On peut distinguer[1] le « roman à spectres » — celui d'Ann Radcliffe par exemple, — dans lequel interviennent des phénomènes surnaturels ; le « roman de brigands », dans lequel des attaques à main armée, des séquestrations, des disparitions mystérieuses constituent le ressort de l'intérêt ; des romans dont l'originalité (comme le *Moine*, de Lewis, traduit en 1797) tient au caractère monstrueux du criminel, à la dépravation de ses instincts qui conduit à de sombres histoires de sang et de folie ; enfin, des romans dans lesquels figure un personnage surnaturel, ou, à tout le moins, un personnage qui a obtenu, fût-ce pour quelques instants seulement, une puissance surnaturelle après avoir conclu un pacte avec le démon. A vrai dire, ces distinctions sont arbitraires ; il est fréquent que, dans tel ou tel roman, tous les caractères indiqués ci-dessus se trouvent réunis. Il y a, par exemple, dans le *Moine*, l'apparition surnaturelle de la Nonne Sanglante ; le récit d'un guet-apens tendu à d'innocents voyageurs au milieu d'une forêt ; un personnage monstrueux, Ambrosio, qui conclut avec Satan un pacte qui lui confère des pouvoirs surnaturels ; des jeunes filles séquestrées dans les souterrains d'un couvent.

En tout cas, le roman noir est le roman de la persécution. Le ressort de l'intérêt tient aux rapports du scélérat et de sa victime. Le héros, l'héroïne, le scélérat et le protecteur en constituent les personnages essentiels. Le criminel est souvent un hypocrite (c'est le cas d'*Ambrosio* dans le *Moine*) qui est châtié à la fin ; si le justicier arrive trop tard pour sauver la victime innocente, il arrive assez tôt pour démasquer le coupable. A côté de cela, tout un bric-à-brac de la terreur envahit toutes ces œuvres du début du siècle : des spectres, de vieux châteaux, des orages, des enfants persécutés. Au plus bas niveau, *Victor ou l'enfant de la forêt* (1796), *Cœlina ou l'enfant du mystère* (1798) : l'invraisemblance des épisodes et l'absurdité de leur enchaînement caractérisaient cette littérature mercantile. Mais les plus grands romanciers de l'époque romantique devaient s'inspirer plus d'une fois des procédés du roman noir. Hugo a commencé par là : *Bug-Jargal* et *Han d'Islande* sont ses premiers essais de romancier ; et l'auteur de *Notre-Dame de Paris*, et, bien plus tard, des *Misérables*, est resté marqué par les romans noirs qu'il lut pendant son adolescence. Ducray-Duminil

---

1. Voir Maurice BARDÈCHE, *Balzac romancier*, chapitre I : « L'Art du roman en 1820 ».

fut un des premiers maîtres de Balzac ; du moins les ennemis de celui-ci se plaisaient-ils à le rappeler. *L'Héritière de Birague* est un mélange d'Ann Radcliffe, de Ducray-Duminil et de Pigault-Lebrun. C'est quand le romantisme commença à décliner, vers 1840, que le roman noir tendit à disparaître. Mais la littérature populaire, et en particulier le roman-feuilleton, qui connut alors un foudroyant succès, devait utiliser à nouveau, en les accommodant, toutes les conventions qui avaient, depuis la fin du XVIIIe siècle, si bien réussi.

Le roman d'intrigue sentimentale

Les critiques du temps opposaient déjà aux extravagances du roman noir les conventions et les artifices du roman d'intrigue sentimentale. Ce type de roman, très répandu dans les premières années du XIXe siècle, était souvent écrit par des femmes et pour des femmes. *Claire d'Albe* de Mme Cottin, *Valérie* de Mme de Krüdener, *Charles et Marie* de Mme de Souza, *Caliste* de Mme de Charrière, et surtout *Delphine* et *Corinne* de Mme de Staël en constituent les meilleurs exemples. Ce n'étaient là que pâles imitations de *Werther* ou de *La Nouvelle Héloïse*. Selon qu'il était destiné à des jeunes filles ou à des jeunes femmes, il faisait la meilleure part aux leçons de morale ou à la peinture complaisante de passions illégitimes. Le plus souvent, il montrait des âmes sensibles en proie au vertige des passions, mais fidèles aux impératifs du devoir. *Grosso modo*, le schéma de l'intrigue demeure à peu près constant : deux jeunes gens ne peuvent s'épouser, malgré leur amour, parce que leurs parents s'y opposent, ou parce qu'ils sont déjà eux-mêmes engagés, — à moins qu'ils ne soient victimes d'une fourberie comme celle que commet, dans *Delphine*, Mme de Vernon. Ce qui est frappant, quand on lit quelques-uns de ces romans, c'est leur ressemblance ; on a l'impression qu'ils ont tous été coulés dans le même moule ; ils présentent les mêmes situations éculées, les mêmes personnages stéréotypés, les mêmes épisodes conventionnels. S'il n'y avait, au début du XIXe siècle, ni une théorie, ni une esthétique, ni un art du roman, il y avait une surabondance de conventions romanesques.

Situations romanesques

Il arrive souvent que, par suite de circonstances fort artificiellement agencées, le héros en vienne à douter de la sincérité de celle qu'il aime, jusqu'au jour où un incident lui révèle son erreur et vient lui donner l'assurance que la personne qu'il avait choisie était la plus digne qui fût de mériter son amour. *Claire d'Albe* ou *Valérie*, *Corinne* ou *Delphine* racontent l'histoire de deux êtres qui s'aiment et qui se voient contraints de se quitter pour ne pas manquer aux règles de l'honneur et au respect qu'ils se doivent. Prenons quelques exemples : l'héroïne de Mme Cottin, dans *Claire d'Albe*, est une jeune femme qui demeure avec son mari, beaucoup plus âgé qu'elle, dans une propriété de Touraine ; à leurs côtés vit le jeune Frédéric, orphelin que M. d'Albe a recueilli en vertu d'une ancienne promesse. Frédéric éprouve bientôt pour Claire un tendre sentiment : pour ne pas trahir l'hospitalité de M. d'Albe, il s'enfuit, et Claire en meurt de chagrin. La situation est presque identique dans *Valérie* de Mme de Krüdener. Valérie est mariée au comte de M..., ambassadeur de Suède à Venise ; près d'eux vit Gustave de Linar, fils adoptif du comte, qui se décide à partir pour des raisons identiques à celles de Frédéric dans *Claire d'Albe*. Mais c'est lui qui tombe gravement malade, et le lecteur assiste à une agonie où les déclamations pathétiques occupent une cinquantaine de pages. Delphine, dans le roman de Mme de Staël, est une jeune veuve qui vient de doter Mathilde, fille de son amie, Mme de Vernon. Mathilde était destinée à un jeune gentilhomme, Léonce ; or, dès que Delphine aperçoit Léonce, elle éprouve pour lui un sentiment aussitôt partagé ; mais la perfidie de Mme de Vernon, soucieuse avant tout d'établir sa fille, parvient à jeter des doutes dans l'esprit de Léonce sur la vertu de Delphine : il épousera Mathilde, mais apprendra aussitôt la vérité ; il souffrira, toute sa vie, d'un amour malheureux et impossible.

Portrait des héros   Ils sont dépourvus de vie vraie, ils ne sont que des silhouettes aimables, leurs passions se déploient dans le décor uniforme du meilleur monde, et Bardèche était fondé à définir ce type de fiction comme une histoire sentimentale à dénouement variable entre personnes de la société. Les plus belles villes d'Europe sont le décor obligé de ces amours. Le héros appartient à l'aristocratie anglaise dans la plupart des cas ; c'est un diplomate, à moins qu'il n'ait embrassé la carrière des armes ; il tient son prestige de ce quelque chose d'impassible et de fiévreux qui lui communique un air fatal. Il n'est pas rare que, dans le cours du récit, on le voie exposer sa vie dans un combat dont il revient couvert de gloire. Sa bravoure devant le danger n'a d'égale que sa faiblesse devant l'amour : une marque de froideur de la part de celle qu'il aime suffit à le faire entrer en pâmoison. Surtout, le monde auquel il appartient n'est jamais un milieu véritable, ce n'est qu'un vague décor. L'inconsistance du personnage ne tient pas seulement à une psychologie conventionnelle et sommaire, mais aussi à quelque chose de vague et de désincarné. Le héros n'affronte aucune difficulté véritable. S'il est victime de fréquents malentendus, ce n'est pas en vertu des erreurs que chacun peut commettre sur soi-même ou sur autrui : c'est à cause des tromperies d'une personne méchante. Si nous insistons sur ces traits, c'est qu'ils permettent de mieux comprendre l'apport du roman balzacien ou stendhalien : la première vertu de leur réalisme sera d'insérer le personnage dans un milieu, de le faire se mesurer à des forces hostiles avec lesquelles il lui faut compter.

Les épisodes conventionnels   Flaubert[1] évoquait de la façon suivante ces romans romanesques dont Emma Bovary faisait ses délices pendant sa jeunesse : « Ce n'étaient qu'amours, amants, amantes, dames persécutées s'évanouissant dans des pavillons

---

1. Pléiade I, p. 358. Voir aussi CHATEAUBRIAND, *Mémoires d'Outre-Tombe*, Pléiade I, p. 410. (Livre 12, chap. 2) : « les romans se remplirent de châteaux, de lords et de ladies, de scènes aux eaux, d'aventures aux courses de chevaux, au bal, à l'opéra, au Ranelagh, avec un *chitchat*, un caquetage qui ne finissait plus. La scène ne tarda pas à se transporter en Italie ; les amants traversèrent les Alpes avec des périls effroyables et des douleurs d'âme à attendrir les lions (...) ».

solitaires, postillons qu'on tue à tous les relais, chevaux qu'on crève à toutes les pages, forêts sombres, troubles du cœur, serments, sanglots, larmes et baisers, nacelles au clair de lune, rossignols dans les bosquets, messieurs braves comme des lions, doux comme des agneaux, vertueux comme on ne l'est pas, toujours bien mis, et qui pleurent comme des urnes ».

Les procédés du roman   Le mot de *procédé*, ici, convient mieux que celui de technique : il désigne des habitudes qui ont été prises par les romanciers, mais qui ne se réfèrent à aucun dessein spécifique. Disons, *grosso modo*, que l'action est constituée d'une suite hasardeuse d'épisodes plus ou moins divergents. Ces épisodes sont très nombreux. Le roman, au début du siècle, est généralement d'une belle longueur : il comprend, dans les éditions du temps, trois, quatre, et même cinq volumes de deux ou trois cents pages. La structure par épisodes (souvent conventionnels et d'importance variable) constitue une composition desserrée : on a l'impression, à la lecture de *Delphine* ou du *Moine* que l'on pourrait retrancher tel ou tel morceau sans que l'intelligibilité ni l'intérêt de l'ensemble se trouvent compromis. C'est Walter Scott qui devait, avec ses romans historiques, donner l'exemple d'une forte organisation dramatique : exposition, crise et dénouement. Chez lui, un agencement savant et rigoureux accordait à chaque élément du roman sa place et sa valeur, et assurait une progression constante de l'intérêt dramatique. On peut dire qu'avant l'apport de Walter Scott, dont l'influence ne s'exerce en France qu'à partir de 1820, le roman ne possédait pas d'unité organique : tel épisode était agrémenté d'une longue description qui n'avait d'autre mission que de rehausser l'éclat de la fiction ; dans de nombreux cas, les dialogues occupaient une place envahissante : ils n'avaient aucune efficacité dramatique ; au lieu des dialogues nerveux, réduits à l'essentiel, contribuant à la progression de l'action, qu'on devait trouver dans les romans de Walter Scott, ce n'étaient, jusque vers 1820, que tirades encombrées d'indications inutiles. Pourtant, il arrive parfois dans le roman noir, si souvent proche du mélodrame, que le dialogue atteigne à une tension dramatique. Et il est vrai aussi que, dans certains romans noirs, l'auteur obtenait une sorte d'unité dans la progression dramatique, dans la mesure où, après un mystère initialement posé, — un crime, une disparition — chacun des épisodes venait apporter quelque lumière : on passait, par une suite de révélations, de l'inconnu au connu, et les auteurs obtenaient là des effets qui devaient être, un siècle plus tard, l'objet de recherches beaucoup plus subtiles et savantes.

La théorie du roman   Bardèche, au début de sa thèse sur Balzac[1], observait que, dans les premières années du XIXe siècle, le roman offrait des caractères si contradictoires qu'il était bien difficile de définir le genre, et il se proposait, modestement, de décrire des habitudes et des recettes, plus qu'une poétique. Il n'y avait, au début du XIXe siècle, aucune étude sérieuse consacrée à la technique du roman

1. *Op. cit.*

ou à la définition du genre. On agitait seulement, dans les préfaces ou dans quelques traités théoriques, la question de la moralité du roman, ou l'on se contentait de déplorer les extravagances de l'intrigue. Parmi ces écrits théoriques, il faut citer : *L'Essai sur les fictions* de Mme de Staël, *L'Idée sur le roman* du marquis de Sade, la *Satire des romans du jour* de Millevoye, l'*Introduction à l'histoire d'Adolphe et de Silvérie* de Quesné, et le traité de Dampmartin intitulé : *Des Romans*.

La première chose qu'on trouve, dans ces écrits théoriques, c'est une critique des procédés auxquels avaient recours les romanciers. Par exemple, dans la *Satire des romans du jour* (1802), poème d'une dizaine de pages, Millevoye se livrait à une violente critique du roman noir :

> « Non, je ne lirai plus que Molière et Racine.
> C'en est trop, je suis las de ces tristes récits,
> Gigantesques enfants de cerveaux rétrécis.
> Loin de moi ces cachots, ces lampes sépulcrales,
> Ces spectres échappés des rives infernales
> Et ces châteaux affreux, noirs séjours de la mort ».

Dans les commentaires qu'il avait eu le soin d'ajouter à ses vers, Millevoye évoquait ces « tristes romans », — *Ambrosio ou le moine, Les Mystères d'Udolphe, L'Abbaye de Graville* — « qui se ressemblent tous et qui, tous, ne ressemblent à rien ». Il s'en prenait aussi aux romans historiques, qui osent « mêler l'Histoire avec d'absurdes fables », aux romans de Sade, « dégoûtant amas de lubriques fureurs ».

J.-S. Quesné, en 1822, regrettait qu'aucun auteur n'eût réussi à donner « des règles précises pour fonder le roman »[1]. C'était, selon lui, une chose surprenante qu'un genre qui connaissait un si grand succès n'eût point suscité de recherches esthétiques. Aussi se proposait-il de montrer « à quels signes, à quels caractères » on pouvait « reconnaître un bon roman ». Mais, avec les meilleures intentions du monde, il s'en tenait, comme les autres théoriciens de son temps, à des considérations banales, qui, chose frappante, rappelaient les préfaces des tragédies du XVIIe siècle : on recommandait une action simple et unique, de la vérité dans la peinture des caractères comme dans la marche des événements, enfin le double dessein de plaire et d'instruire.

Pourtant certaines indications révélaient l'espoir d'un roman futur qui devait conduire loin des piètres conventions du roman noir ou du roman d'intrigue sentimentale. Mme de Staël assurait que « les romans qui peindraient la vie telle qu'elle est (...) seraient les plus utiles de tous les genres de fiction »[2]. Quesné, de son côté, notait que « le bon roman ne doit avoir rien de roma-nesque », et il répudiait toutes les conventions en usage chez les romanciers. Il voulait que le roman devînt « la peinture naturelle des mœurs du siècle

---

1. *Introduction à l'histoire d'Adolphe et de Silvérie*, Paris, Pillet aîné, 1822, p. v
2. *L'Essai sur les fictions*, in *Œuvres*, tome I, Paris, Lefèvre, 1838, p. 129.

présent ou des siècles passés »[1]. Idée semblable chez Dampmartin : « Les hommes, disait-il, ont reconnu que le roman était l'histoire de la vie privée tandis que l'Histoire n'était souvent que le roman de la vie publique »[2]. Trente ans avant Balzac, Mme de Staël (dans son traité théorique, non dans ses romans) proposait aux romanciers de l'avenir un immense domaine : celui des passions humaines autres que l'amour. « L'ambition, disait-elle, l'orgueil, l'avarice, la vanité pourraient être l'objet principal de romans dont les incidents seraient plus neufs et les situations aussi variées que celles qui naissent de l'amour »[3].

Bref, les auteurs des traités sur le roman, au début du XIXe siècle, déploraient l'état actuel du genre, et ils espéraient le voir s'orienter vers de nouveaux domaines et bénéficier d'une composition moins relâchée.

2. La vérité de la vie

Crise du roman
Pendant le XVIIIe siècle, le genre roma-nesque bénéficiait d'une liberté qui lui avait donné la possibilité de présenter une peinture des mœurs du temps. Or, entre 1800 et 1820 — c'est-à-dire jusqu'au moment où l'influence de Walter Scott bouleverse l'*esprit* et la *facture* du roman, le progrès vers la vraisemblance et la vérité qui s'était effectué de Marivaux à Restif de la Bretonne s'arrête brusquement. Les conventions se substituent au réalisme. Diderot avait pourtant insisté sur la *condition* des personnages et les influences du milieu. Mais on ne paraît pas s'en souvenir. Au demeurant, la liberté qui avait fait la force du genre était aussi sa faiblesse : il n'avait point de dignité esthétique, aux yeux de beaucoup de gens, car on ne parlait guère de lui dans les arts poétiques. C'était un genre sans loi, il était enfant de bohème. Il serait reconnu comme *genre* le jour où l'on pourrait préciser ses exigences propres et ses modalités spécifiques. Il fallait attendre Stendhal et Balzac pour qu'on pût assister à la naissance du roman moderne. Mais alors, c'était déjà un phénomène remarquable que les meilleurs romans de cette période, *René, Atala, Corinne, Adolphe, Obermann*, fussent préci-sément ceux qui échappaient aux conventions en cours. Le roman offrait à Chateaubriand, à Mme de Staël, à Benjamin Constant, un moyen d'expression extrêmement souple : c'était pour eux la « forme » la plus appropriée à leur désir de confier ce qui leur tenait à cœur. Mme de Staël trouvait dans le roman l'occasion d'exprimer ses idées, Chateaubriand d'y livrer ses sentiments,

---

1. *Op. cit.*, pp. XXV-XXVI.
2. *Des Romans*, Paris, Ducauroy, 1803, p. 50.
3. *Op. cit.*, p. 140.

et Constant de procéder à l'analyse la plus aiguë de ses états d'âme. L'idéologie, la poésie et l'analyse constituaient, en ce début du siècle, les trois tentations majeures du genre.

Mme de Staël et la tentation de l'idéologie Beaucoup de traits, dans *Corinne* ou dans *Delphine*, ressortissaient aux conventions du roman sentimental. Mais dans un cadre conventionnel, Mme de Staël trouvait le moyen de glisser nombre de ses idées. De nos jours, elle paraît plus près de Mme de Souza que de l'auteur de *René*, mais il ne faut pas oublier qu'elle connut en son temps, avec ses romans, un succès presque égal à celui de Chateaubriand. C'est qu'ils étaient remplis d'une idéologie qu'on chercherait en vain dans les autres romans féminins. Mme de Staël, qui « parlait » son chapitre avant de l'écrire, y faisait passer la substance de ses improvisations brillantes. Beaucoup de développements donnent, certes, une impression de surcharge et de confusion, mais on trouverait d'abord des observations de moraliste qui se situent dans une grande tradition française, et qui, réunies, constitueraient un volume de « maximes » ou de « pensées » non négligeable. Ces maximes n'étaient pas sans intérêt quand elles soulignaient les complexités ou les contradictions du cœur humain. Il faudra, certes, bien des années, — presque un siècle, pour qu'une telle « psychologie » soit inscrite dans les *pensées* et les *actions* des personnages au lieu d'être exposée par l'auteur de façon abstraite.

À côté des réflexions ou des analyses d'une moraliste, il y avait, surtout dans *Corinne*, toute une part lourdement didactique qui était consacrée à Rome et à l'Italie. Mais ce qui nous paraît maintenant illisible a séduit nombre de ses contemporains. Si trente ans plus tard Stendhal devait se garder d'introduire dans *La Chartreuse de Parme* ses notes de voyage en Italie, Mme de Staël n'a pas hésité à mêler ses notes de voyage à l'histoire de Corinne. Il y avait parfois du charme dans l'évocation de la campagne romaine ou de Venise, mais on était loin des subtiles et puissantes musiques de Chateaubriand ou de Barrès.

Surtout, à l'aube du XIXe siècle, Mme de Staël faisait du roman un moyen privilégié de revendications féministes. Les lectrices ont aimé ces plaintes : « Le sort d'une femme est fini, quand elle n'a pas épousé celui qu'elle aime ; la société n'a laissé dans la destinée des femmes qu'un espoir ; quand le lot est tiré et qu'on a perdu, tout est dit... ». Ou encore : « Une promesse inconsidérée, dans un âge où les lois ne permettent pas même de statuer sur le moindre des intérêts de fortune, décidera pour jamais le sort d'un être dont les années ne reviendront plus, qui doit mourir, et mourir sans avoir été aimé ». Si *Delphine*, en 1802, affirmait les droits de la femme, *Corinne*, en 1807, affirmait ceux de la femme de génie. L'idée que la femme était victime de l'opinion du monde et de toutes les institutions sociales était défendue avec beaucoup d'insistance. Déjà, Mme de Staël agitait la question du divorce qui, cent ans plus tard (voir *Un Divorce* de Paul Bourget), alimentait encore la littérature romanesque. *La Nouvelle Héloïse* avait déjà exercé une profonde influence sur des lectrices de province. Sans bénéficier d'autant de prestige, les romans de Mme de Staël ont certainement contribué à l'évolution des mœurs.

Les avatars du roman et les premiers récits de Chateaubriand

René et *Atala* faisaient d'abord partie des *Natchez*. Chateaubriand, dès 1789, avait entrepris cette « épopée de l'homme de la nature ». Pendant une dizaine d'années, il entassa « pêle-mêle ses études, ses lectures », et il vit ce long travail aboutir à un immense manuscrit de trois mille pages. En 1800, il commença par en extraire deux morceaux assez minces : *Atala* et *René*. Il fit paraître *Atala* en 1801 ; puis, il fit figurer ces deux récits, en 1802, dans le *Génie du Christianisme* ; enfin, il les publia, en 1805, après les avoir extraits du *Génie* comme ils l'avaient été des *Natchez*. Quant aux *Natchez*, Chateaubriand ne les fit paraître qu'après avoir élagué un manuscrit surabondant. Il est clair qu'il n'envisageait pas le roman comme un genre qui eût ses exigences et aux lois duquel il dût se soumettre : ses premiers récits n'étaient à ses yeux que des épisodes au sein d'un vaste ensemble, il pouvait indifféremment les publier à part ou les incorporer à un ouvrage théorique. Encore n'étaient-ils point constitués d'éléments spécifiquement narratifs : la narration le cédait souvent à des descriptions, à des élans lyriques, à des observations générales sur la condition humaine. Chateaubriand ne voyait dans le récit qu'un moyen de s'exprimer ; il l'utilisait pour illustrer de façon vivante ses desseins apologétiques ou incarner une nouvelle forme de la sensibilité.

La tentation de l'épopée

Chateaubriand admettait si peu que ses premiers récits fussent des romans qu'il définissait lui-même *Atala* comme une « sorte de poème, moitié descriptif, moitié dramatique »[1]. Il eût pu dire aussi : *épique*. Et, de fait, il rappelait qu'il avait divisé son ouvrage en prologue, récit, épilogue, ayant essayé de lui donner « les formes les plus antiques ». Le récit lui-même était distribué en épisodes ; et cette structure épique lui conférait une dignité dont le roman, en ce début de siècle, paraissait dépourvu à un homme qui était l'héritier d'une culture classique. Si le ton de l'*épopée* (et, en particulier, le « style indien ») l'exposait au risque de l'affectation, Chateaubriand entendait se garder, dans *Les Natchez*, d'un écueil tout aussi redoutable : la trivialité que devait comporter, selon lui, le seul compte rendu des événements. C'est pourquoi, dans ces premiers récits, Chateaubriand s'employait de toutes ses forces à atteindre le ton de l'épopée : à défaut, il les relevait par l'éclat du style ou la vibration du lyrisme. De *René* aux *Martyrs*, des *Natchez* aux *Aventures du dernier Abencérage*, on établirait sans peine une hiérarchie dont chacune de ces œuvres marque un degré. *Les Martyrs* étaient une épopée en prose qui représentait la plus haute ambition de Chateaubriand. *Atala* ou le *Dernier Abencérage*, qui avaient quelque chose de moins tendu, atteignaient parfois au ton de l'épopée : l'auteur ne peignait que la « belle nature » et il voulait qu'il y eût une part d'émotion esthétique dans le pathétique qu'il se proposait de susciter. Quant aux *Natchez*, il était fort significatif qu'ils fussent constitués de deux parties qui avaient subi un traite-

---

1. *Préface* de la première édition d'*Atala*.

ment différent : la première avait bénéficié d'une élaboration plus poussée, elle comportait du *merveilleux*, des allégories, des invocations ; dans la seconde, comme l'indiquait Chateaubriand lui-même, « le merveilleux disparaît, mais l'intrigue se complique, les personnages se multiplient ; quelques-uns d'entre eux sont pris presque dans les rangs inférieurs de la société. Enfin, le roman remplace le poème, sans néanmoins descendre au-dessous du style de *René* et d'*Atala* »[1]. Les complications de l'intrigue, la « bassesse » des personnages, leur multiplicité, tels étaient donc les caractères qu'il attribuait au roman : il n'y voyait qu'une dégénérescence de l'épopée ; ou plutôt, en ce qui le concernait, le *canevas*, le brouillon d'une épopée que seul un travail plus soutenu lui eût permis de mener à bien.

« René », une biographie intellectuelle

Quand la prose narrative, chez Chateaubriand, n'atteignait pas au ton de l'épopée, comme c'était le cas avec *René*, elle devenait une sorte de poème. En tout cas, elle demeurait bien éloignée des conventions du genre romanesque. Dans un temps où le roman était constitué d'un grand nombre de péripéties, *Atala* avait déjà séduit beaucoup d'esprits par la simplicité dépouillée de l'action autant que par les prestiges de l'exotisme. Avec *René*, pouvait-on encore parler d'une *action* ? Le romanesque n'était plus dans les situations, mais dans l'âme des personnages. René racontait « non pas les aventures de sa vie », puisqu'il n'en avait point connues, mais « les sentiments secrets de son âme », « l'histoire de son cœur ». Loin de se perdre dans l'exposé de péripéties, Chateaubriand traçait à grands traits une sorte de biographie intellectuelle. Par l'éclat d'un grand style, il rendait contagieux, malgré qu'il en eût, les tourments de son héros. La puissance de ce bref récit tenait à l'attitude morale, au *style de vie* qu'il esquissait : ce héros romanesque et désenchanté était la vivante incarnation du mal du siècle. *René* n'était même pas, comme *Adolphe*, le récit d'une aventure psychologique. C'était plutôt, pour emprunter des expressions que Barrès réservait pour son *Culte du Moi*, des « mémoires spirituels », un « livret métaphysique ». Le monde, dans *René*, n'était pas un milieu dans lequel on est pris, cette somme de forces hostiles que le héros stendhalien ou, surtout, balzacien, devra affronter, il était seulement un lieu d'exil : *René* y trouvait partout des bornes, et était-ce sa faute « si ce qui (était) fini » n'avait pour lui aucune valeur ? Avant *La Confession d'un enfant du siècle*, avant *A Rebours*, avant *Le Culte du Moi*, avant *La Nausée* ou *L'Étranger*, *René* était la première de ces biographies morales dans lesquelles chaque génération pourrait reconnaître une des figures de son inquiétude. Le caractère souvent autobiographique de *René* lui donnait un accent de vérité. Dans le *Génie du Christianisme*, Chateaubriand avait livré son secret : « Nous sommes persuadés que les grands écrivains ont mis leur histoire dans leurs ouvrages. On ne peint bien que son propre cœur en l'attribuant à un autre, et la meilleure partie du génie se compose de souvenirs ».

---

1. *Préface* des *Natchez*.

Le roman d'analyse d' « Adolphe »

En 1816, Benjamin Constant publia *Adolphe* qu'il avait écrit plusieurs années auparavant. Il s'était proposé, en 1807, de faire un roman qui fût son histoire, et s'il faut l'en croire, il l'acheva en une quinzaine de jours. Rien n'est plus frappant que la désinvolture qu'il a toujours manifestée à l'égard de ce livre. Il n'était pas, il ne se voulait pas romancier : ses écrits politiques, les soins de sa carrière, ses livres de philosophie religieuse retenaient toute son attention. Il ne fit réimprimer *Adolphe* que pour prévenir des contrefaçons. Il disait que ce livre lui était devenu fort indifférent et qu'il n'attachait « aucun prix à ce roman ». Il disait aussi avoir entrepris d'écrire cette anecdote dans l'unique pensée de « convaincre deux ou trois amis réunis à la campagne de la possibilité de donner une sorte d'intérêt à un roman dont les personnages se réduisaient à deux et dont la situation serait toujours la même »[1]. Ce livre serait-il donc, en même temps qu'un lambeau de sa vie, le fruit d'une gageure esthétique ? On le voit volontiers situé entre les vérités du journal intime et les beautés d'une transposition artistique. Par un singulier paradoxe, cet ouvrage, apparemment négligé par son auteur, demeure un de nos plus purs romans. Ici encore, comme l'écrit Gaëtan Picon, « nous voyons le roman moderne naître sans le vouloir ni le savoir, en tout cas aux antipodes de l'imagination romanesque »[2].

Comme *René*, *Adolphe* était dépouillé de péripéties : c'est par la confession que le roman français, en ce début de siècle, se dégageait des conventions et en venait à la vraisemblance et à la vérité. *Adolphe* était aussi écrit en réaction contre le lyrisme qui avait envahi la prose narrative : le roman personnel revenait au roman d'analyse ; il rappelait, par la sobriété racée de l'expression et l'acuité de l'observation psychologique, Mme de La Fayette ou Choderlos de Laclos ; il annonçait Stendhal ou Mérimée. Il appartenait à une lignée qui va de *La Princesse de Clèves* aux *Récits* d'André Gide, et dont la simplicité dépouillée confère au roman français sa teinte la plus originale. *Adolphe* est si peu chargé de matière qu'on lui a volontiers attribué l'appellation de nouvelle : c'est, dans le domaine romanesque, l'équivalent de ce qu'est, au théâtre, la *Bérénice* de Racine : un drame à deux personnages. *Adolphe* exposait la simple histoire d'un amour, d'un faux amour, qui a vite cessé d'être un « but » pour devenir un « lien », et le héros, par pitié autant que par faiblesse, n'ose briser ce lien tout en rêvant à « l'aurore de sa liberté future ». C'est là que le roman d'analyse trouvait sa matière privilégiée : dans les sentiments qui animaient chacun de ces deux êtres et qui les faisaient bientôt s'entre-déchirer. Il n'y avait là rien d'étonnant de la part d'un auteur qui observait que « la grande question de la vie », c'est « la douleur qu'on cause ». Pourquoi eût-il été contraint d'avoir recours à des péripéties, lui qui écrivait aussi : « Les circonstances sont bien peu de chose, le caractère est tout » ? Le *caractère* est tout : avec quelle précision les traits en étaient-ils accusés ! Aux élans lyriques de René, à une rêverie qui rendait ses contours indistincts et le faisait volontiers se fondre dans

---

1. *Préface* d'*Adolphe*.
2. Encyclopédie de la Pléiade, *Histoire des littératures*, tome III, p. 1 015.

l'univers, s'opposait la sécheresse d'une analyse qui s'acharnait à mettre à nu les arêtes par lesquelles deux êtres se blessaient. Au-delà des circonstances qu'il rapportait et qu'il subordonnait toujours à ses analyses, le romancier se faisait volontiers moraliste, en passant à chaque instant du cas particulier à la loi générale. Combien de *maximes* dans *Adolphe*, et d'une singulière modernité, quand elles démêlaient les complexités de la conscience : « Nous sommes, écrivait Constant, des créatures tellement mobiles que les sentiments que nous feignons, nous finissons par les éprouver ». Ou encore : « Il n'y a point d'unité complète dans l'homme, et presque jamais personne n'est tout à fait sincère ni tout à fait de mauvaise foi ». *Adolphe*, ou le démon de la conscience de soi : Adolphe agissait ; se jugeait lui-même ; et Benjamin Constant jugeait Adolphe. Ces jeux de miroirs de la lucidité devaient plus tard ravir Barrès qui prisait fort l'auteur d'*Adolphe* parce qu'il « surveillait ironiquement son âme si fine et si misérable ».

Constant, dans son *Journal*, succombe volontiers aux dangers auxquels l'expose une lucidité aussi farouche : elle analyse si bien les événements et les êtres qu'elle les réduit à une poussière d'observations minuscules. Il n'y avait rien de tel dans *Adolphe*, qui s'impose d'emblée par l'éclat d'une parfaite réussite artistique. C'est un de nos plus beaux romans, parce que Constant a su donner du relief à tout ce que la réalité lui proposait de foisonnant et de divergent. Il a groupé, dans le seul personnage d'Ellénore, des traits empruntés à Mme de Staël autant qu'à Charlotte de Hardenberg, et il s'est bien gardé de placer Adolphe dans la situation précise qui avait été la sienne. La sincérité, en art, est faite de ces constantes transpositions. Une composition rigoureuse retraçait la courbe d'une aventure psychologique : chaque chapitre en éclairait un moment et, dans sa brièveté, renonçait à tout ce qui n'était pas essentiel. Les menues circonstances que relatait l'auteur figuraient là comme autant d'exemples et paraissaient être appelées par le caractère démonstratif et progressif de l'analyse.

3. Le renouvellement du genre

Le roman historique Le succès de Walter Scott fut considérable en France sous la Restauration : il s'était dessiné dès 1817, et il devint, de 1820 à 1830, un véritable engouement : jusqu'en 1830, aucun écrivain ne fut, en France, plus glorieux que Walter Scott. Son roman historique est vite apparu comme un renouvellement total du genre romanesque. Victor Hugo écrivait en 1820 : « On nous promet *Le Monastère*, nouveau roman de Walter Scott. Tant mieux, qu'il se hâte ! Car tous nos faiseurs semblent possédés de la rage des mauvais romans ». Les romans de Scott, en rendant à l'imagination ses droits, offraient un contraste saisissant avec les ternes et fades récits de la Restauration et de l'Empire : la description de vastes tableaux, la présentation d'êtres pittoresques, l'évocation de grandes scènes, comme le célèbre tournoi d'*Ivanhoé*, tout cela a séduit d'emblée un large public. On sait que Balzac a rendu hommage à Walter Scott dans l'*Avant-Propos* de *La Comédie humaine* : c'est dans l'œuvre de Walter Scott qu'il a appris son métier de romancier. Il ne fut pas le seul à s'en inspirer : toute une génération s'est tournée vers le roman historique, et Scott a été le modèle qu'elle se proposait d'imiter. Dans le tableau de la vie littéraire française que Balzac a brossé dans *Illusions perdues*, la faveur dont jouit le roman historique est montée à son comble vers 1822 : c'est par *L'Archer de Charles IX*, roman dans la manière de Scott, que le héros de Balzac, Lucien de Rubempré, espère obtenir le succès.

L'apport de Walter Scott

Le roman de Walter Scott séduisait beaucoup de lecteurs par la vérité qu'il manifestait dans la résurrection du passé. Il faisait revivre une époque historique, montrait ses mœurs et ses croyances, peignait ses différentes classes sociales. Il donnait une importance nouvelle au menu peuple, jusque-là méprisé dans le roman. Scott accordait au décor une attention particulière ; il s'attardait à décrire le costume de ses personnages ; bref, il composait des tableaux d'Histoire animés de vives couleurs. Scott reléguait au second plan ce qui, jusqu'alors, avait constitué l'essentiel du roman : les péripéties d'une intrigue sentimentale. Au-delà des amours d'Isabelle et de Quentin Durward, de Lady Rowena et du Chevalier Wilfrid, il entreprenait de peindre l'Écosse avec ses divisions et ses luttes. L'*Histoire* n'était plus le *décor* d'une banale intrigue amoureuse, elle devenait le sujet même du livre, elle constituait le ressort de l'intérêt dramatique. L'intrigue recevait, de ce fait, une dignité et une ampleur nouvelles ; mais aussi, les sentiments des personnages devenaient, comme l'observait Louis Maigron, « généraux et publics ». C'est là un des points essentiels de l'apport de Walter Scott : ses personnages étaient représentatifs des groupes humains auxquels ils appartenaient ; ils étaient certes marqués de traits individuels qui conféraient à leurs figures un relief pittoresque, mais ils incarnaient la mentalité de leur temps et les croyances de leur race. Cedric, dans *Ivanhoé*, représentait à lui seul toute une période de l'Histoire : il incarnait le Saxon vaincu, soumis, la rage au cœur, à l'envahisseur normand. C'est chez Walter Scott que Vigny, Hugo et Balzac ont trouvé la conception de personnages typiques qui, loin d'être abstraits et purement moraux comme ceux du théâtre classique, pouvaient s'imposer au lecteur par leur relief individuel et incarner en même temps l'esprit d'un temps et d'une nation.

C'est dans la facture même du récit que l'apport de Walter Scott a été le plus considérable : au récit linéaire, constitué d'épisodes successifs, Scott substituait un récit dont les épisodes, au lieu d'être ajoutés les uns aux autres sans grande rigueur, devenaient en quelque sorte convergents, chacun d'eux contribuant à faire progresser l'action. Bref, Walter Scott *remplaçait le roman narratif par le roman dramatique* dont Hugo et Balzac ont très vite compris la nouveauté et l'intérêt. Le romancier s'attachait à ne présenter en détail que les scènes essentielles, qu'il reliait entre elles par quelques chapitres de sobre narration. Il brossait d'abord le décor, puis décrivait les personnages, et, quand le *tableau* était ainsi composé, l'animait en faisant mouvoir les individus et les groupes ; surtout, il redonnait au dialogue la première place : un dialogue naturel, familier, parfois humoristique, mais qui participait activement à l'action, qui, souvent, constituait l'action elle-même, comme au théâtre, qui remplaçait fréquemment l'analyse, les sentiments des personnages se peignant dans les propos qu'ils tenaient, bref, un dialogue qui devenait un instrument dramatique.

On comprend que le roman de Scott fût constitué de grandes masses, les moments essentiels étant seuls retenus et exposés par le romancier. Mais on comprend du même coup que, plus l'auteur avance dans son roman, et moins il éprouve le besoin de donner les tenants et les aboutissants : le savoir acquis par le lecteur dans les chapitres précédents l'en dispense. Une fois posées dans toute leur ampleur les données du drame, la composition de Scott procède par accélération : elle nous précipite vers le dénouement. Quelques pages suffisent, vers la fin, pour des scènes qui, au début, requéraient des développements considérables. Ce déchaînement progressif a beaucoup frappé Balzac, et on le voit mis en œuvre dans de nombreux romans de *La Comédie humaine*.

« Cinq-Mars »   Dans l'histoire du roman historique en France, *Cinq-Mars* (1826) est la première œuvre sur laquelle il vaut la peine de s'arrêter. Vigny qui, très jeune, avait lu les *Mémoires* du Cardinal de Retz, et qui, un peu plus tard, s'était intéressé aux romans de Walter Scott, entreprit en 1824 de raconter les luttes qui, sous Louis XIII, opposèrent les nobles aux ambitions de Richelieu. A l'instar de Walter Scott, il traitait un sujet d'Histoire : les passions particulières s'effaçaient devant des intérêts plus généraux. La *couleur locale* était répandue à profusion, les personnages avaient les goûts, les sentiments, le langage même de leur temps. Toutefois, à la différence de Scott, Vigny mettait sur le devant de la scène des personnages historiques et il contribuait ainsi à faire apparaître les difficultés d'un genre qui est peut-être un genre faux. D'autant qu'il prenait beaucoup de libertés avec l'Histoire et que, loin de se contenter de faire revivre une époque, il avait l'ambition de créer des types humains dont la « vérité idéale » lui importait plus que l'exactitude pittoresque. C'est dans ses *Réflexions sur la vérité dans l'Art*, écrites en 1827, et publiées en 1833 en tête de la cinquième édition du roman, que Vigny exposait son esthétique du roman historique : esthétique quelque peu incohérente puisqu'il s'agissait à la fois de « connaître tout le vrai de chaque siècle » et de « choisir et grouper autour d'un centre inventé » afin d'offrir le « spectacle philosophique de l'homme ». D'où quelques tiraillements, dans *Cinq-Mars*, entre la chronique d'un temps et les desseins de l'auteur. D'ailleurs, par la nature même de son talent, abstrait et hautain, Vigny était peu à l'aise dans l'art de faire vivre les foules. Il fallait une familiarité plus expansive — celle de Walter Scott ou de Balzac — pour faire dialoguer les gens du commun et pour donner le sentiment du foisonnement et de la complexité des choses. Vigny devait plus tard, dans son *Journal*, admettre que « le vrai réel des faits » était le point faible de son livre. Il faut voir dans *Cinq-Mars*, comme nous y invite

Pierre Flottes, le « testament d'une jeunesse ». Vigny laissait s'exprimer dans ce livre son amertume de jeune aristocrate déçu[1].

« Les Chouans »

Pour les romans de sa jeunesse qu'il avait signés de pseudonymes, Balzac s'était inspiré de Maturin, de Pigault-Lebrun, de Ducray-Duminil : en 1829, pour le premier roman qui était signé de son nom, — *Les Chouans* — il s'inspirait de Walter Scott. Il en avait déjà écrit quelques épisodes en 1825, et il existait, en 1827, un manuscrit qui portait comme titre *Le Gars* : un projet d'avertissement accompagnait ce récit ; l'auteur déclarait son admiration pour Walter Scott, il lui savait gré d'évoquer l'esprit et le génie de chaque siècle, il disait son intention de présenter, lui aussi, des « tableaux de genre » où l'histoire nationale fût peinte. Il présentait son livre comme la « première assise » d'une œuvre immense. De fait, l'auteur des *Chouans*, roman publié deux ans plus tard, utilisait largement les procédés du romancier anglais.

Pour écrire son livre, Balzac s'est minutieusement documenté ; il a lu des mémoires et des études ; mais surtout, il est allé sur place, à Fougères, s'informer des événements, recueillir des témoignages, contempler des sites. Il inaugurait la méthode documentaire. Mais, plutôt que de tenir registre de ses observations, il se fiait à sa prodigieuse mémoire. Il trouvait, dans cette expérience personnelle des choses et des gens, le moyen de suggérer le foisonnement et la complexité du réel. Au-delà de ce que ses portraits ou ses descriptions pouvaient avoir de pittoresque, il faisait vivre l'âme d'une région. Dès le début, il décrivait une vallée, s'arrêtait à des expressions locales, entrait dans la mentalité des habitants, scrutait la nature du sol, observait des coutumes encore féodales. Avec *Les Chouans*, le roman historique devenait déjà une étude sociale. Balzac prenait à Scott sa conception du type représentatif : la description pittoresque d'un personnage recouvrait souvent un caractère typique. Voici, dès le combat de la Pélerine, un jeune chef rebelle dont on nous décrit le costume et l'allure : mais aussitôt, le romancier ajoutait : « Son exaltation consciencieuse (...) faisait de cet émigré une gracieuse image de la noblesse française, il contrastait vivement avec Hulot qui, à quatre pas de lui, offrait à son tour une image vivante de cette énergique république »[2]. Balzac trouvait dans le roman historique l'occasion d'incarner déjà des « espèces sociales » sous les traits de personnages typiques.

Son roman était aussi un beau roman d'amour et, sur ce point, l'auteur oubliait quelque peu les leçons de Walter Scott. Balzac, relisant plus tard *Les Chouans*, confiait à Mme Hanska : « C'est décidément un magnifique poème. La passion y est sublime. Le pays et la guerre y sont dépeints avec une perfection et un bonheur qui m'ont surpris ». C'était le jugement d'un bon critique.

---

1. Sur *Cinq-Mars*, voir P.-G. CASTEX, *Alfred de Vigny*, Hatier, « Connaissance des Lettres », chapitre III.
2. BALZAC, *La Comédie humaine*, Pléiade, VII, p. 795.

La « Chronique du règne de Charles IX »

Mérimée, en 1828, se proposait seulement de « tracer une esquisse des mœurs des Français sous le règne de Charles IX ». Il déclarait n'aimer dans l'Histoire que les anecdotes où il trouvait « une peinture vraie des mœurs et des caractères d'une époque ». Aussi se gardait-il, par souci d'exactitude autant que par probité artistique, de défigurer l'Histoire, comme l'avait fait Vigny, au nom d'une philosophie. Il entreprenait patiemment de faire revivre le passé à partir des menues anecdotes qu'il trouvait dans les chroniques ou dans les mémoires : la réalité historique y apparaît de façon fragmentaire, mouvante, complexe. Il évitait de mettre au premier plan des personnages historiques, dont la vie, disait-il, « est trop connue pour qu'il soit permis d'y changer ou d'y ajouter quelque chose ». Une des conséquences de son propos était de faire presque disparaître l'intrigue : elle n'était plus, entre ses mains, qu'un lien ténu qui reliait les divers tableaux. Le titre même de *chronique* annonçait assez qu'il ne fallait point attendre une action dramatique puissamment conduite comme chez Scott ou Balzac. Mérimée, par cet art fragmentaire et capricieux, renonçait même aux descriptions organisées et aux portraits en pied : il égrenait les indications pittoresques au fil du récit, et ne se privait pas d'intervenir malicieusement en apostrophant son lecteur. Il réussissait à séduire par l'exactitude et la minutie de son observation plus qu'à édifier une ample construction : par là, il renouait, en 1829, avec la tradition réaliste de Diderot, de Lesage, de Marivaux et de Prévost. Avec Mérimée aussi, le roman historique préludait aux exigences du réalisme.

« Notre-Dame de Paris »

« En 1830, écrit Thibaudet, le roman historique est le roman à la mode, ou plutôt le roman où un poète romantique peut verser à flots tout ce qui fait le plus brillant et le plus achalandé de son métier, pittoresque, couleur, truculence. Le modèle se trouve à pied d'œuvre, et ses procédés sont de ceux qui s'attrapent facilement : Walter Scott, qu'un Hugo peut bien démarquer avec la même facilité que l'auteur de *Cinq-Mars* »[1]. Après Vigny, Mérimée et Balzac, Hugo s'essayait au roman historique. Il avait, dès 1828, conçu l'idée de *Notre-Dame de Paris*[2]. On sait qu'il lut beaucoup d'ouvrages sur le Paris du xve siècle à la bibliothèque de l'Archevêché. Sa connaissance minutieuse et passionnée de la cathédrale rejoignait ses lectures érudites. Il procédait, comme le Scott de *Quentin Durward*, à la résurrection d'une époque. Il se défendait pourtant d'écrire une œuvre historique. « Le livre, disait-il à son éditeur, n'a aucune prétention historique, si ce n'est de peindre avec quelque science et conscience, mais uniquement par aperçus et par échappées, l'état des mœurs, des croyances, des lois, des arts, de la civilisation enfin, au xve siècle »[3]. Hugo disait que l'unique mérite de son roman était d'être une œuvre « d'imagination, de caprice et de fantaisie ».

---

1. *Réflexions sur le roman*, p. 207.
2. Sur *Notre-Dame de Paris*, voir J.-B. BARRÈRE, *Hugo*, Hatier, « Connaissance des Lettres », pp. 61-67.
3. Cité par J.-B. BARRÈRE, *op. cit.*, p. 63.

Il manifestait son originalité par rapport à ses prédécesseurs. Alors que Vigny avait fait de Richelieu, de Cinq-Mars, de Louis XIII, les héros de son roman, Hugo donnait les rôles les plus importants, non à des personnages historiques, mais aux héros nés de son imagination. Encore ces derniers tendent-ils à s'effacer devant la grandeur de Notre-Dame. Chez Vigny, ou chez Balzac, comme chez Scott, ce sont les personnages qui sont représentatifs de leur époque. Ici, c'est la cathédrale qui résume le Moyen Age. L'auteur sait lui prêter une vie intense. Le roman historique, avec *Notre-Dame de Paris*, devient une épopée médiévale. La vie puissante du monument, les mouvements de foule, la vision d'une ville entière constituaient une fresque grandiose. « L'idée, écrivait Thibaudet[1], consistait à tenter une œuvre panoramique, analogue par sa simplicité, sa richesse, son fouillis et sa vie, au coup d'œil jeté sur une ville d'un lieu élevé d'où l'on embrasse tout (...). *Notre-Dame* est si bien cela, le roman urbain d'un Parisien amoureux de sa ville (...) que, comme le Paris d'alors autour de sa cathédrale, ce roman nous semble agglutiné, tassé autour de ce chapitre magistral, (...) *Paris à vol d'oiseau*. » La truculence et le pittoresque de la cour des Miracles ou de l'assaut des truands étaient liés à un mouvement, à un grouillement autour de la cathédrale.

Hugo, à propos de Walter Scott, avait dit son idéal d'un roman qui fût « à la fois drame et épopée ». Dans *Notre-Dame de Paris*, il atteignait l'épopée par la vie tumultueuse qu'il donnait à une ville et à une cathédrale ; mais aussi par le caractère symbolique des personnages ; ils incarnaient des idées abstraites : Quasimodo, la laideur et la bonté, Claude Frollo, la concupiscence et l'ascétisme, Phœbus, la beauté stupide. Surtout, ces trois hommes, épris de la Esmeralda, subissaient le poids de cette fatalité que l'auteur inscrivait, en lettres grecques, en tête de son roman. C'était bien une ample vision épique que celle d'un lieu sacré abritant dans les secrets de son architecture et dans l'ombre de ses tours des êtres voués au malheur et à la mort. En même temps, les épisodes essentiels donnaient lieu à une structure dramatique. Le drame reposait sur une intrigue assez extravagante ; mais il naissait aussi, comme l'observe Jean-Bertrand Barrère, du « choc des idées abstraites dont le poète a fait ses personnages ». La construction dramatique n'excluait pas les *digressions*, dont Balzac lui aussi devait être coutumier, et qui venaient, à des titres divers, constituer une atmosphère et conférer au récit sa résonance.

Le roman historique et le romantisme

Le roman historique, apparu au lendemain de l'Empire, a coïncidé avec l'avènement du romantisme. Il est vrai qu'il procédait en partie de l'influence de Walter Scott. Ce serait pourtant une erreur de croire que la vogue du roman historique, au temps du romantisme, s'est développée selon les principes rôle Walter Scott. La grandeur du romancier anglais était d'incarner de façon vivante des types qui résumaient de grands courants historiques et sociaux. Il parvenait à saisir une réalité historique

---

1. *Op. cit.*, pp. 207-208.

en train de se faire à travers le jeu des conflits. Ses apports techniques n'étaient pas chez lui des procédés gratuits. Ils mettaient en cause toute une conception de l'Histoire. La peinture des mœurs et des circonstances, le caractère dramatique de l'action, le rôle nouveau des dialogues dans le roman se référaient à l'ambition de saisir les éléments d'un vaste conflit historique dans une période de crise. Le dialogue en particulier permettait de mettre aux prises des héros qui, tout en étant fortement individualisés, incarnaient les forces en présence. Les héros de Scott, loin d'être des personnages historiques qui inclinaient à leur gré les événements, étaient en quelque sorte les incarnations contradictoires du devenir historique.

Au contraire, un écrivain comme Alfred de Vigny, selon les analyses de Georges Lukacs[1], laisse voir, dans sa préface de *Cinq-Mars*, une conception du roman historique qui est tout à fait opposée à celle de Scott. Est-elle liée aux données historiques et sociales de la Restauration ? à la mentalité d'un aristocrate partisan d'un retour au passé ? « Nous avons tous, disait-il, les yeux attachés sur nos chroniques, comme si, parvenus à la virilité en marchant vers de plus grandes choses, nous nous arrêtions un moment pour nous rendre compte de notre jeunesse et de ses erreurs ». La préoccupation historique avait, pour Vigny, la vertu d'une mise en garde. Il s'agissait de mettre en évidence les erreurs qui ont fâcheusement abouti à la Révolution. Vigny remontait à l'époque de Richelieu pour les découvrir : la noblesse avait perdu son indépendance, la bourgeoisie capitaliste, dès ce moment, n'avait cessé de progresser. Si bien que chez Vigny, selon Georges Lukacs, « la modernisation décorative de l'Histoire sert à illustrer une tendance politique et morale d'actualité ». Vigny, certes, mettait en lumière le conflit entre le pouvoir central et l'indépendance de la noblesse. Mais, loin de saisir le mouvement qui s'accomplit comme un progrès, il y voyait une erreur. Au lieu de comprendre, il jugeait et condamnait. Lukacs a voulu montrer de la même façon que Victor Hugo avait construit *Notre-Dame de Paris*, — et *Les Misérables* —, selon des principes semblables. Certes, Hugo empruntait à Scott le goût du pittoresque, l'art de faire se mouvoir les foules, la force de la construction dramatique, l'art du dialogue. Mais, au lieu de représenter les forces historiques en lutte, comme Scott réussit à le faire souvent, Hugo brosse un tableau vigoureux de l'affrontement du bien et du mal, du vice et de la vertu. Dans *Notre-Dame de Paris*, comme dans *Les Misérables*, il passe du *social* au *moral*. La reconstitution du passé séduit son imagination enfiévrée. Il y trouve des jouissances esthétiques. Un pittoresque flamboyant se substitue à une compréhension profonde du caractère historique.

Opposé à Hugo et à Vigny, Mérimée est un héritier du XVIIIe siècle. Il trouve dans l'Histoire deux choses qui l'éloignent lui aussi de Walter Scott. D'une part, le relativisme et l'empirisme d'une reconstitution anecdotique qui profile les événements selon leur dimension quotidienne, d'autre part, des leçons de scepticisme et des vérités générales qui se rattachent à une idéologie liée au culte des lumières. Il réussit à présenter d'une manière réaliste les mœurs d'une époque. Mais il échoue à reconstituer le lien organique

1. *Le Roman historique*, Payot, 1965.

qu'il y a entre un grand événement historique — comme la nuit de la Saint-Barthélemy — et les destinées individuelles.

Selon les analyses de Georges Lukacs, le roman historique, qui était chez Walter Scott un effort pour saisir les données complexes d'une réalité historique en train de s'accomplir, est devenu entre les mains des écrivains français du romantisme l'occasion de proposer des leçons politiques, morales ou intellectuelles valables de tout temps. Le sens de *l'historicité* aurait ainsi été trahi, puisqu'il s'éclipsait au profit d'un déguisement historique de soucis actuels et subjectifs.

Seul Balzac a compris la leçon de Scott dans toute sa profondeur. Non seulement dans *Les Chouans*, mais dans toute *La Comédie humaine*. Scott était parvenu à rendre dramatiquement les crises par lesquelles s'est construit le devenir historique. Balzac devait montrer les rapports de forces qui ont constitué le passé de la Révolution et qui constituent le présent de la Restauration et de la monarchie de Juillet. Sa grandeur est d'avoir aperçu les processus qui étaient à l'œuvre dans la transformation de la société, en particulier les conflits entre les tentatives de restauration absolutiste et les forces croissantes du capitalisme. Avec lui, le roman historique disparaissait au profit d'une peinture de la société actuelle. Il devait renaître, selon les analyses de Georges Lukacs, après l'échec de la révolution de 1848, quand la conscience historique perdait de son acuité. Flaubert prétendra, avec *Salammbô*, appliquer à la narration historique les méthodes réalistes de la documentation minutieuse. L'objectivité à laquelle il s'applique lui interdit les erreurs romantiques qui consistent à chercher dans la réalité historique l'illustration d'une idéologie actuelle. Mais il se souciera très peu de reconstituer, comme le faisait Scott, le tissu quotidien de l'Histoire, les conflits profonds dont les héros seraient l'incarnation. Il développera, avec les méthodes du réalisme documentaire, un rêve qui lui permette d'échapper à l'étroitesse de la vie bourgeoise et à l'oppression de la laideur. L'Histoire pour lui est un *ailleurs* décoratif et pittoresque. C'est un monde de costumes et de décors somptueux. Il faut voir dans *Salammbô*, selon Georges Lukacs, « l'image rehaussée jusqu'au symbole décoratif des aspirations et des tourments hystériques des jeunes filles de la classe moyenne dans les grandes villes » à l'époque de la révolution industrielle. Il est vrai que dans *Salammbô*, il n'y a guère de relation entre la tragédie humaine et l'action politique. Au lieu de restituer les conflits par lesquels la vie nationale s'est acheminée progressivement vers le présent, Flaubert choisit une civilisation tout à fait en marge de celle à laquelle il appartient. Alors que Balzac, dans la lignée de Scott, concevait le caractère historique du *présent*, chez Flaubert, l'Histoire est répudiation du présent. Il *évoque* le passé, il ne veut pas comprendre, mais rêver. « L'Histoire pour lui, dit Lukacs, devient une scène vaste et fastueuse qui sert de cadre à des événements purement privés, intimes, subjectifs ».

A vrai dire, cette évasion dans l'Histoire n'était pas propre à Flaubert, elle tenait à une des orientations les plus profondes du romantisme. D'autre part, le roman historique, quand bien même il rencontrerait par hasard un processus dialectique, permet-il de rendre compte sérieusement de l'Histoire ? Dans le meilleur cas, fera-t-il autre chose que de donner une lointaine approximation de la complexité du réel et des forces en présence ? Lukacs peut montrer que Scott a une vision dynamique du devenir historique et que cela fonde sa supériorité, ou du moins son originalité sur les romanciers français qui l'ont imité. Mais les crises de l'Histoire que Scott s'est attaché à peindre n'étaient-elles pas infiniment plus complexes qu'il ne le laisse entendre ? On comprend que la critique marxiste ait salué cette dramatisation romanesque de l'Histoire. A travers les analyses de Lukacs, on retrouve les difficultés propres au roman historique, qui est un genre faux dans la mesure où il est un effort pour concilier deux entreprises contradictoires : l'une qui consiste à faire du roman, l'autre qui consiste à faire de l'Histoire. Autre chose est la qualité d'un diagnostic sur une crise historique, autre chose la valeur esthétique d'une reconstitution. Si l'on écrit un *roman* sur telle période du passé, l'historien se récrie devant les libertés que l'auteur a pu prendre avec le réel. Si l'on s'engage sur la voie d'une minutieuse analyse historique, le lecteur, qui attend qu'on lui conte une histoire, rencontre l'Histoire. Comment, au demeurant, faire coïncider des personnages historiques et des personnages imaginaires ? On peut atteindre la vérité, dans le roman, par la seule évocation de personnages et d'événements entièrement fictifs. Mais le mélange du fictif et du réel est forcément grinçant. Au surplus, peut-on écrire le roman de *ce qui a eu lieu* ? Le roman fait vivre le possible, il échoue à faire revivre le révolu. Avec *Salammbô*, Flaubert, qui a choisi une civilisation en marge, cherche moins à reconstituer un passé qu'à faire vivre un possible. Il retrouve vraiment le roman dans la mesure où il trahit l'Histoire et où il cherche à faire *éprouver* plutôt qu'à faire comprendre.

CHAPITRE II

LA NAISSANCE
DU ROMAN MODERNE

1. Le romanesque stendhalien

Un romancier tardif   Stendhal est venu au roman tardivement.
Il écrivit *Armance* à 44 ans, *Le Rouge et le Noir* à 47 ans. *La Chartreuse de Parme* était l'œuvre d'un homme de 56 ans. Avant d'écrire son premier roman, Stendhal avait publié des ouvrages de toutes sortes : les *Lettres sur Haydn, Mozart et Métastase* (1814) étaient un travail de compilateur, et même de plagiaire. Il en allait de même pour l'*Histoire de la peinture en Italie* (1817), où il apportait cependant des réflexions personnelles qui venaient agrémenter une adroite compilation. *Rome, Naples et Florence* était le troisième ouvrage d'Henri Beyle, mais le premier qui fût signé du nom de Stendhal : recueil de souvenirs de voyages, de réflexions sur « la chasse au bonheur ». *De l'Amour*, en 1822, exposait ses idées les plus chères : il considéra longtemps ce livre comme son œuvre principale. En 1823, il conquit la célébrité avec *Racine et Shakspeare*, qui devait lui valoir, de

la part de Sainte-Beuve, la plaisante dénomination de « hussard du romantisme ».

A côté de ces œuvres, combien de pages n'ont été publiées que beaucoup plus tard, vers 1930, par les soins d'Henri Martineau : *Ecoles italiennes de peinture, Pages d'Italie, Mélanges de politique et d'Histoire, Mélanges de littérature* témoignent de la prodigieuse activité intellectuelle de Stendhal. Sa correspondance, les articles qu'il adressait à des revues anglaises, le *Journal* qu'il tint de 1801 à 1823, les *Pensées* qu'il nota, de 1801 à 1805, sous le titre de *Filosofia Nova* constituaient, dès sa jeunesse, une somme considérable d'observations et de réflexions.

Sa destinée littéraire offrait, à vrai dire, un cas singulier. Voilà un homme qui à vingt ans, s'assignait comme but « d'être le plus grand poète possible », et, pour cela, de « connaître parfaitement l'homme ». Il voulait devenir dramaturge. Il rêvait d'être le Molière de son temps. Pendant plus de quinze ans, l'art dramatique a été sa principale préoccupation : le *Journal*, la *Filosofia Nova*, la *Correspondance* en font foi. Dès son adolescence, Stendhal commente, la plume à la main, Molière, Goldoni, Beaumarchais, Corneille, Alfieri, Racine. Il a laissé beaucoup de plans, d'esquisses, de projets de comédies. Mais il en restait, dans ce domaine, aux projets. Cet apprentissage n'a pas été inutile. C'est dans le trésor de notations psychologiques accumulé pendant sa jeunesse que le romancier, plus tard, devait puiser. « J'ai besoin de vérité tout de suite, avait-il écrit, je pourrai les arranger dans un autre temps ». C'est dans ses romans, et non au théâtre, qu'il a réussi à les « arranger ».

Sa notion du roman   Stendhal n'a pas laissé une théorie en forme du genre romanesque. On trouve, cependant, dans ses avant-propos, dans ses notes, dans sa correspondance, les éléments d'un art du roman. La question du roman, en tout cas, n'a cessé de le préoccuper. Il ne lui a pas échappé qu'il était en passe de devenir le grand genre du XIXe siècle. Dans ses *Promenades dans Rome*, il observait que « ce qui est indispensable pour toucher le vulgaire choque les hommes bien nés : de là, ajoutait-il, difficulté et, peut-être, impossibilité du drame en 1834, et le règne du roman ». Et, sur un exemplaire de *Rouge et Noir* : « Depuis que la démocratie a peuplé les théâtres de gens grossiers, incapables de comprendre les choses fines, je regarde le roman comme la comédie du XIXe siècle ».

Déjà dans *Filosofia Nova* il se faisait, en pensant au théâtre, sa propre doctrine du roman. Songeant sans doute à *La Nouvelle Héloïse*, il y voyait une idéalisation de la réalité : « Dans les romans, écrivait-il en 1803, on ne nous offre qu'une nature choisie. Nous nous formons nos types de bonheur d'après les romans. Parvenus à l'âge où nous devons être heureux d'après les romans, nous nous étonnons de deux choses : la première, de ne pas éprouver du tout les sentiments auxquels nous nous attendions. La deuxième, si nous les éprouvons, de ne pas les sentir comme ils sont peints dans les romans. Quoi de plus naturel, cependant, si les romans sont une nature choisie ? »[1]. Un an plus tard, l'apologue du sténographe ruinait par avance les ambitions d'un réalisme à courte vue. Stendhal récusait la valeur de la notation minutieuse des paroles et des gestes ; en revanche, il soulignait l'intérêt qu'il pourrait y avoir à pénétrer dans l'intériorité d'un individu quelconque, à enregistrer fidèlement ses pensées. « Supposons, écrivait Stendhal[2], qu'un sténographe pût se rendre invisible et se tenir tout un jour à côté de M. Pétiet, qu'il écrivît tout ce qu'il dirait, qu'il notât tous ses gestes, un excellent acteur, muni de ce procès-verbal, pourrait nous reproduire M. Pétiet tel qu'il a été ce jour-là. Mais, à moins que M. Pétiet n'eût un caractère très remarquable et n'eût fait des actions très remarquables aussi, ce spectacle ne pourrait intéresser que ceux qui le connaissent. Il y aurait un autre procès-verbal de la même journée bien plus intéressant, ce serait celui que nous donnerait un Dieu qui aurait tenu un compte parfaitement exact de toutes les opérations de sa *tête* et de son *âme*. C'est-à-dire de ses pensées et de ses désirs. »

Stendhal, dans ses écrits sur l'art, déclarait que l'artiste doit opérer un choix dans ses souvenirs et s'attacher à peindre « le trait principal de chaque chose» : idéalisme sélectif qui annonçait l'esthétique de Taine[3]. Il ne devait pas se priver, dans ses romans, de montrer des particularités qui ont valeur générale et significative. Mais son idéal du roman est la vérité la plus dépouillée d'artifices. « Le roman contemporain, observe-t-il, a cette grande difficulté qu'il faut faire ressemblant sous peine de ne trouver de lecteurs que parmi les abonnés des cabinets littéraires de la dernière classe »[4]. Une image revient constamment sous sa plume : celle du miroir. Dans *Le Rouge et le Noir*, il attribuait à Saint-Réal la fameuse formule : « Un roman, c'est un miroir qu'on promène le long d'un chemin ». Il paraissait là ne se proposer, dans le roman, que l'enregistrement, en quelque sorte passif, de tout ce qui survient au fur et à mesure que l'histoire se déroule. Le roman est ainsi défini comme une chronique : il expose, en suivant le cours du temps, la biographie du personnage principal. Stendhal entendait fonder la fiction sur l'étude du *vrai*, et « copier les personnages et les faits d'après nature ». Avec lui s'accomplit déjà la naissance d'un roman moderne qui se détourne des mensonges d'un idéalisme édulcoré — celui du roman d'intrigue sentimentale — et des reconstitutions historiques à la Walter Scott. Stendhal se défiait des généralités, il avait le culte du *petit fait vrai* que les historiens, à ses yeux, négligeaient trop souvent. D'où il concluait à la supériorité du roman sur l'Histoire. Dans une note du 24 mai 1834, il observait : « J'ai écrit dans ma jeunesse des biographies (...) qui sont une espèce d'Histoire. Je m'en repens. Le vrai, sur les plus grandes comme sur les plus petites choses, me semble presque impossible à atteindre, du moins un *vrai un peu détaillé*. M. de Tracy me disait : on ne peut plus atteindre au vrai que dans le roman. Je vois tous les jours que partout ailleurs, c'est une prétention »[5].

---

1. Cité par Jean PRÉVOST, *La Création chez Stendhal*, Mercure de France, 1959, p. 87.
2. *Ibid.*, p. 89.
3. Voir Georges BLIN, *Stendhal et les problèmes du roman*, Corti, 1954, pp. 26 sq.
4. Cité par Georges BLIN, *ibid.*, p. 60.
5. Cité par Georges BLIN, *ibid.*, p. 86.

« Armance »

L'actualité littéraire inspire à Stendhal le sujet d'*Armance*. La duchesse de Duras, qui avait publié *Ourika* en 1824 et *Edouard* en 1825, était l'auteur d'une nouvelle, *Olivier ou le secret*, qu'elle ne fit jamais imprimer, mais qu'elle lut à des amis. Le personnage, Olivier, s'éloignait en raison d'une secrète infirmité, de la femme dont il était épris. Sur ces entrefaites, Thabaud de la Touche, amateur de supercherie littéraire, publia de façon anonyme, en 1826, *Olivier*, un roman qui portait sur le même thème. Stendhal en rendit compte dans une revue anglaise. Puis l'idée lui vint d'entrer à son tour dans le jeu et d'étudier la psychologie d'un babilan, c'est-à-dire, selon l'aimable expression d'Henri Martineau, d'un « amoureux platonique par décret de la nature ». Octave, dans *Armance*, est un jeune homme étrange et fantasque : son caractère s'assombrit au fur et à mesure qu'il est plus épris de sa cousine Armance. Il ne lui avoue son amour qu'au moment où, à la suite d'un duel, il se croit mourant. Guéri contre toute espérance, il ne l'épouse que parce qu'il pense l'avoir compromise ; et il se tue quelques jours après son mariage.

Stendhal s'était gardé d'avertir le lecteur par une préface. Les indications qu'il lui donnait dans le cours de son livre demeuraient si discrètes qu'elles sont souvent passées inaperçues. Le public, déconcerté, ne comprit rien à cette histoire d'amour où l'on voyait le héros renoncer à ce qu'il aimait. Octave mettait autant de passion à fuir ce monde que Julien en devait mettre à le conquérir. Est-il sujet moins romanesque que celui d'un renoncement ? Stendhal, par un double dénouement, réussissait cependant à ménager l'intérêt. Le *mariage* était la conclusion, sinon l'accomplissement, de cet amour. La mort venait en souligner tragiquement l'impossibilité.

Jamais livre n'eut plus besoin de préface. On peut apprécier en tout cas la subtilité avec laquelle Stendhal rend son héros tour à tour violent, taciturne, mélancolique et sournois. Toutes les conduites d'Octave orientent le lecteur vers un secret qu'il pressent sans jamais pouvoir le saisir. Les nuances psychologiques constituent, comme on l'a noté, une « épuisante exhibition de délicatesse ». Octave s'applique à se détacher d'Armance, qu'il aime de plus en plus. Elle, de son côté, parce qu'elle est sans fortune, ou qu'elle se méprend sur les réticences d'Octave, veut lui cacher l'amour qu'elle éprouve pour lui. C'est bien là, comme l'a dit Georges Blin, le « drame du scrupule et du malentendu », un roman qu'on a pu comparer à l'œuvre de Mme de La Fayette : une passion partagée se heurte sans espoir à des obstacles insurmontables.

Stendhal n'entendait pas seulement présenter un caractère peu commun et peindre l'affrontement de deux âmes exaltées et scrupuleuses ; il a cherché, comme il le disait lui-même, à « peindre les mœurs actuelles telles qu'elles sont depuis deux ou trois ans ». Le sous-titre, quand parut l'ouvrage, avait son importance : « Quelques scènes d'un salon de Paris en 1827 ». Tout en exposant un cas singulier de psychologie, Stendhal montrait la société observée par un homme qui ne pouvait espérer « ni de se faire aimer, ni de fonder une famille, et qui est assez intelligent pour tout juger de ce point de vue si personnel ». A ce titre, le roman de Stendhal offrait, comme l'a noté Jean Prévost, « une nouvelle vue sur l'ensemble des choses, et non pas seulement un détail curieux ».

« LE ROUGE ET LE NOIR »[1]

Genèse et signification

On sait, par des notes marginales de Stendhal, que l'idée de *Julien* lui est venue dans la nuit du 25 au 26 octobre 1829 à Marseille. Stendhal y séjourna plusieurs semaines, pendant lesquelles il rédigea la première ébauche de son roman. Elle lui parut trop mince, et il se remit au travail à Paris, dès le début de 1830. C'est en mai qu'apparut le titre définitif de *Rouge et Noir*. Stendhal remanie son texte, y ajoute beaucoup en corrigeant ses épreuves. Un an s'était écoulé depuis la première idée de *Julien* quand *Le Rouge et le Noir* fut mis en vente, en novembre 1830.

Stendhal s'est souvenu de l'affaire Berthet : le procès avait eu lieu aux assises de l'Isère en décembre 1827. Berthet était le fils d'un maréchal-ferrant de Brangues, près de Grenoble. A vingt ans, il fut précepteur chez un notable du lieu : M. Michoud. Puis, il devint, après un séjour au séminaire, précepteur chez M. de Cordon, qui le remercie de ses services pour des raisons qui paraissent se rattacher à une intrigue sentimentale nouée dans sa maison. Dans son ambition déçue, Berthet tira, à l'église, deux coups de pistolet sur Mme Michoud. C'est la trame même de l'histoire de Julien Sorel. Mais Stendhal a rehaussé cette affaire de toute l'originalité de sa pensée. Berthet était, dans la réalité, un être tout opposé à Julien, un faible, volontiers plaintif et vite déprimé. La lecture du *Mémorial de Sainte-Hélène* est venue donner relief et intensité au caractère de Julien. On a proposé d'autres sources : Stendhal s'est sans doute inspiré de Lafargue qui avait tiré par jalousie sur une jeune femme, et dont le procès était venu, en mars 1829, à Tarbes, devant les assises des Hautes-Pyrénées. Mais Julien Sorel n'est pas plus Lafargue qu'il n'est Berthet. De même, Mme de Rênal n'évoque avec précision aucune des femmes que Stendhal a connues : elle est, après Mme de Clèves, après la présidente de Tourvel dans *Les Liaisons dangereuses*, après la Julie de *La Nouvelle Héloïse*, une des plus touchantes incarnations littéraires de la femme vertueuse et tentée. Mathilde de la Mole emprunte certains de ses traits à Alberte de Rubempré, que Stendhal avait rencontrée vers la fin de 1828 et dont l'humeur capricieuse le fit souffrir. Elle évoque aussi cette Giulia, auprès de laquelle Stendhal s'est consolé de l'abandon d'Alberte. Peut-être doit-elle aussi quelque chose à Marie de Neuville qui, en janvier 1830, avait défrayé la chronique en s'enfuyant à Londres avec un jeune homme d'origine roturière qu'elle ne pouvait espérer épouser. Tous ces modèles ne suffisent pas à *expliquer* Mathilde, dont le caractère a été *pensé* par Stendhal. *Le Rouge et le Noir* n'est pas un roman à clefs. Les éléments que le romancier emprunte à la vie réelle ne sont que le point de départ de son activité créatrice. Les recherches érudites, en ce domaine, permettent seulement de comprendre comment le génie de l'écrivain « a su magnifier et transfigurer la réalité sur laquelle il a pris appui »[2].

---

1. En plus des études citées dans notre bibliographie, nous nous appuyons, dans cet exposé, sur le livre de P.-G. Castex, *Le Rouge et le Noir*, S.E.D.E.S., 1967.

2. *Ibid.*, p. 41.

Le roman de Stendhal est riche de toute son expérience personnelle. Certes, l'auteur nous a prévenus que, «pour éviter de toucher à la vie privée», il a *inventé* une petite ville, Verrières, et « qu'il a placé tout cela à Besançon où il n'est jamais allé ». Mais dans ce cadre franc-comtois, il a glissé le souvenir de paysages qu'il avait connus et aimés. Il a mis beaucoup de lui-même dans le portrait de Julien. Il lui a donné la prodigieuse mémoire dont il était doué. Il lui a prêté les sentiments de répulsion qu'il avait lui-même éprouvés à l'égard de son père. Beaucoup de rêves d'amour et de gloire, avant d'être ceux de Julien, ont été ceux de l'auteur. Stendhal a glissé dans son personnage deux traits de sa nature qu'il a idéalisés et purifiés : la sensibilité et l'énergie. S'il ne se prive pas de juger son héros, il sait l'animer de ses propres aspirations. Les souvenirs vécus sont moins importants par eux-mêmes que par les sources d'émotion qu'ils ont constituées et qui viennent alimenter l'imagination. « C'est sous cet aspect de revanche imaginaire, écrit Jean Prévost, qu'il faut voir la transposition de Stendhal en Julien (...). Les souvenirs directs gardent leur accent secret et déchirant parce qu'ils sont placés parmi les enthousiasmes de la revanche imaginaire »[1].

Il y a, dans *Le Rouge et le Noir*, à côté de souvenirs personnels et de faits divers trouvés dans *La Gazette des tribunaux*, des éléments qui sont empruntés à la chronique de 1830. Ces « pilotis » historiques donnent à un roman qui a été écrit sous le ministère Polignac son accent « de vérité, d'âpre vérité ». Les menées de la congrégation, l'existence d'une opposition libérale impuissante, les rivalités auxquelles on assiste, en province, dans les sphères du pouvoir municipal, tout cela confère à l'aventure individuelle de Julien son prolongement social. La visite royale, le bal du duc de Retz, l'affaire de la note secrète, autant d'allusions précises à des événements réels[2] dont Stendhal s'est librement inspiré et qui ont donné à son récit son poids de réalité contingente. Il est significatif que Stendhal, en étoffant son roman, ait renoncé au titre de *Julien* pour ce titre énigmatique de *Rouge et Noir*. Couleurs des jeux de hasard ? Le *Noir* de la congrégation opposé au *Rouge* de la robe des magistrats qui condamnent Julien ? Il semble plutôt que le *Rouge* désigne l'état militaire par opposition au *Noir* évocateur de l'état ecclésiastique. Vingt ans plus tôt, sous l'Empire, Julien eût été soldat ; il eût pu déployer, à travers l'Europe, ses hautes qualités d'intelligence et de cœur. Le régime sous lequel il vit lui impose, s'il veut réussir, de se plier aux exigences des forces dominantes. *Le Rouge et le Noir* est un des premiers romans du XIXe siècle dans lesquels le héros doit affronter les rigueurs du monde véritable. La revanche imaginaire, chez Stendhal, se garde bien de forger des événements selon les pentes d'une rêverie complaisante ; elle s'applique à dresser le héros dans toute sa stature, elle s'emploie à ménager, au pire, sa noblesse de vaincu. Stendhal avait noté, le 4 janvier 1821 : « Il faut que l'imagination apprenne les droits de fer de la réalité ». Avant Balzac, avant Tolstoï, Stendhal opposait « à une âme vue du dedans, à une âme lyrique, toute l'épaisseur de la réalité ». C'est là que Hegel a vu, dans

1. Jean PRÉVOST, *op. cit.*, p. 246.
2. Voir P.-G. CASTEX, *op. cit.*

sa *Poétique*, le fondement du roman moderne, dans ce « conflit entre la poésie du cœur et la prose opposée des relations sociales et du hasard des circonstances extérieures »[1].

La peinture des mœurs

Stendhal a fait la part belle à l'observation de la vie réelle. Dans les années mêmes où Balzac manifestait son réalisme dans les premières *Scènes de la vie privée*, *Le Rouge et le Noir* rompait avec les extravagances du roman noir et avec les reconstitutions historiques dans le goût de Walter Scott. Le roman stendhalien reposait sur des faits observés et présentait une image vivante des mœurs de son temps. C'est un des apports de l'érudition moderne que d'avoir réussi à mettre en évidence le *réalisme* d'un auteur en qui l'on s'était longtemps contenté de voir un psychologue ou un moraliste. Réalisme agressif : cette chronique de 1830 était un acte d'accusation. En plus d'un endroit, le romancier reprend à son compte les railleries et les mépris de Julien pour les gens en place. Si M. de Rênal est, comme le dit Stendhal dans un commentaire, un « ministériel », Valenod est « le jésuite de robe courte, tel qu'il était en province, hardi, remuant, fourbe, ne se trouvant humilié de rien, se prêtant à tous les rôles pour plaire à son général »[2]. Parce qu'il est l'homme de la congrégation, Valenod supplantera son rival. La congrégation l'emporte partout ; partout elle fait triompher les siens : à Besançon, l'évêque, prélat d'un autre temps, est à la merci de M. de Frilair, son vicaire général. Le directeur du séminaire, l'abbé Pirard, est lui aussi dominé par l'abbé Castanède. A travers toutes ses expériences provinciales ou parisiennes, Julien aperçoit la puissance du clergé. Aux gloires de l'Empire, lui semble-t-il, se sont substituées, sous la Restauration, les manœuvres secrètes d'une puissance occulte. Quant à l'aristocratie du Faubourg, elle compte des hommes de qualité, comme le marquis de la Mole ; mais aussi des fantoches imbus de la supériorité de leur titre, dissimulant sous leur superbe la pauvreté de leur esprit et la sécheresse de leur cœur. Les *grands*, pour mieux assurer leur domination, s'appuient eux aussi sur le clergé, quand ils ne font pas appel à une puissance étrangère, comme le révèle l'affaire de la Note Secrète. *Le Rouge et le Noir* est un tableau passionné de la société française sous la Restauration ; mais la sûreté de l'information, l'acuité du coup d'œil en font une peinture que Martineau jugeait « irréprochable ».

Les personnages

Mme de Rênal est une des plus belles figures du roman français. Élevée chez les religieuses, elle a été mariée, toute jeune, à un homme pour qui elle n'éprouve pas d'amour, mais qu'elle respecte. Elle n'est pas romanesque comme Mme Bovary. Elle ne cherche point, dans la lecture, des motifs d'exaltation sentimentale. Elle a commencé par reporter sur ses enfants tout l'amour dont elle est capable. La rencontre de Julien bouleverse tout d'un coup sa vie, qui était calme. Elle devient la proie d'une passion qui la modifie pro-

---

1. Jean PRÉVOST, *op. cit.*, p. 275.
2. Cité par M. BARDÈCHE, *Stendhal romancier*, La Table Ronde, 1947, p. 188.

fondément, elle passe de l'innocence à la perfidie. Après le départ de Julien, elle est en plein désarroi, elle n'est plus, bientôt, qu'un instrument entre les mains de son directeur de conscience. Stendhal nous a laissé d'elle un portrait d'un modelé lumineux, d'une « admirable tendresse pudique » (Martineau).

Il a indiqué lui-même qu'il avait ménagé un contraste entre Mme de Rênal et Mathilde de la Mole. « Mme de Rênal, écrivait-il dans un projet d'article sur *Le Rouge et le Noir*[1], (...) est une de ces femmes qui ne savent pas si elles sont belles, qui l'ignorent, qui regardent leur mari comme le premier homme du monde, tremblantes devant ce mari et croyant l'aimer de tout leur cœur, douces, modestes, tout entières à leur ménage, chastes et retirées, aimant Dieu et priant. Sans compter que leur négligé est élégant, qu'elles sont le plus souvent en robes blanches, qu'elles aiment les fleurs, les bois, l'eau qui coule, l'oiseau qui chante (...), femmes charmantes, sans faste, sans tristesse, sans gaieté, et qui meurent souvent sans avoir connu l'amour ». En face d'elle, Mathilde de la Mole qui a pour elle la beauté, la naissance et l'esprit, et qui s'ennuie dans l'attente d'une grande passion, représente *l'amour de vanité* tel qu'on le trouve dans la brillante société parisienne. « L'auteur, dit Stendhal, a osé peindre le caractère de la femme de Paris qui n'aime son amant qu'autant qu'elle se croit tous les matins sur le point de le perdre (...). Cette peinture de l'amour parisien est absolument neuve. Elle fait un beau contraste avec l'amour vrai, simple, *ne se regardant pas soi-même*, de Mme de Rênal (...). Tel est l'*amour de tête*, tel qu'il existe à Paris chez quelques jeunes femmes ». Mathilde est séduite par l'énergie de Julien. Son imagination, exaltée par la grandeur de sa famille, la conduit à voir en lui une intrépidité dont les hommes de son monde ne sont plus capables. Elle ne l'aime que dans la mesure où il la *domine*, et la *dompte* par des marques de froideur. Il ne lui déplaît pas qu'il représente pour elle un risque et un défi.

Julien est un être *noble*. La plupart des milieux qu'il traverse et des êtres qu'il rencontre ne lui inspirent que du mépris. Il souffre d'un décalage entre son *génie* et sa *condition*. Il est moins soucieux de conquérir la puissance que d'affirmer sa supériorité. Stendhal l'a comblé de tous les dons : il est beau, il est mince, il a une mémoire et une intelligence exceptionnelles, la sensibilité, chez lui, est aussi vive que l'énergie est intense. C'est un *passionné*. Il y a, en lui, une méfiance d'enfant battu, toujours sur le *qui vive*, mais qui cède souvent à des élans de jeunesse. Tout son être est fidèle aux exigences de l'univers moral qu'il s'est choisi : il a le culte de l'énergie, Napoléon est son dieu. Il adopte volontiers le vocabulaire du combat. Il obtient la victoire, en amour, par des calculs suivis de coups d'audace. Il se veut stratège parmi les hommes, ses ennemis ; mais on aurait grand tort de ne voir en lui qu'un calculateur cynique. Cette âme, qui s'est donné de si hauts modèles, est une âme sensible, vite émue par la bonté des autres, désarçonnée par leur austérité : Julien reconnaît qu'il a « le cœur facile à toucher », il

---

1. Cité par M. BARDÈCHE, *op. cit.*, pp. 209-210. Voir *Le Rouge et le Noir*, 2e partie, chapitre X : Julien compare Mathilde à Mme de Rênal en des termes semblables.

pleure devant la générosité de l'abbé Chélan, il s'évanouit devant le regard implacable de l'abbé Pirard. Julien a beau se contraindre, on le voit tout d'un coup céder à de brusques mouvements d'enthousiasme. Avec Mᵐᵉ de Rênal, sa disposition naturelle au bonheur prend vite la place de la méfiance : il est des instants où, au lieu de tendre son énergie, il s'abandonne à la joie. Dans son Panthéon intérieur, Rousseau figure à côté de Napoléon. A la fin, après sa condamnation, quand il attend la mort, lorsque tout a été joué, il peut enfin être lui-même. Il a poursuivi des chimères. Mᵐᵉ de Rênal eût suffi à tout. Il était né pour le bonheur de Clarens. Le roman satirique et politique s'achève comme un beau roman d'amour romantique.

Comment expliquer son crime ? L'auteur a-t-il pensé que la réussite l'eût avili ? Ou bien, après qu'il eut prêté à Julien ce qu'il y avait en lui de meilleur, n'a-t-il pas laissé Antoine Berthet reprendre le dessus ? Le meurtre était vrai ; à quoi bon se donner la peine de le rendre vraisemblable ? Pourquoi ne pas lui laisser son aspect de fait divers ? La thèse de Faguet a longtemps prévalu : « Le dénouement de *Rouge et Noir*, disait-il en 1892, est bien bizarre et, en vérité, un peu plus faux qu'il n'est permis ». Henri Martineau s'est insurgé, a volé au secours de Stendhal, admirant qu'il ait montré là son génie de psychologue : pourquoi se mêler d'analyser des sentiments, quand Julien est en proie à une sorte d'état second, quand il cède à une « irréductible impulsion », qu'il ne s'appartient plus lui-même ? Sur ce point délicat, on peut se reporter aux sûres analyses de Pierre-Georges Castex : d'abord, Faguet avait bien tort de s'étonner que Julien n'eût pas le cran de tenir bon quelques heures de plus : le marquis de la Mole ne se fût point laissé fléchir. La lettre de Mᵐᵉ de Rênal constitue la réponse qu'il attendait. Il pouvait tout pardonner à Julien, excepté le projet de séduire sa fille par intérêt. Il donne à Mathilde sa parole d'honneur que, vu le contenu de la lettre, il ne consentira pas à ce mariage. Elle sait, comme Julien, ce que représente sa parole. Le « tout est perdu » résonne comme un glas. Mais pourquoi, d'un autre côté, parler de monomanie, d'état second, de psychologie morbide ? Il faudrait s'attacher à mettre en lumière tous les détails qui manifestent la constante lucidité de Julien : il comprend parfaitement la décision de M. de la Mole, il trouve même le moyen de masquer sa déception sous l'ironie. Il ne cessera jamais de revendiquer son crime, de déclarer qu'il l'a prémédité, de dire qu'il s'est vengé comme il le devait. Ce qui s'est emparé de son esprit, après l'écroulement de ses rêves, c'est un désir de vengeance. Pourquoi Stendhal eût-il privé Julien de cette énergie lucide qu'il admirait chez Berthet et surtout chez Lafargue ? En tirant sur Mᵐᵉ de Rênal, Julien va jusqu'au bout de sa destinée. Il continue d'être, à ses propres yeux, le héros qu'il a voulu être. On ne peut forcer les circonstances. Mais il faut rester fidèle à soi-même.

La composition　　　　　　Stendhal échappe à l'influence de Walter Scott qui renouvelait en France, dans les années vingt, l'art du roman. Son roman ne comporte en aucune façon la structure que Scott avait apportée et dont Balzac devait hériter : une lente exposition, qui procède par description des lieux et présentation des personnages, la montée de la tension dramatique, et une action qui se précipite, sous la pression des circonstances, vers le dénouement. Rien n'est plus éloigné de l'art romanesque de Stendhal que cet agencement calculé. L'auteur du *Rouge* progresse selon un rythme libre, il adopte une composition qui est faite d'une simple succession d'épisodes, il suit les étapes d'une vie plutôt qu'il ne s'acharne à exposer les tenants et les aboutissants d'une crise. La division par chapitres est parfois un peu hasardeuse. Le récit suit l'ordre du temps, avec le héros nous traversons divers milieux, le roman est bien « ce miroir qu'on promène le long d'un chemin », ces tableaux qui se succèdent font songer au roman picaresque, le seul ordre est celui d'une découverte progressive.

Faut-il voir de subtils effets de composition dans le contrepoint de l'action et des digressions qu'organise un conteur soucieux, comme l'a suggéré Jean Prévost, de ménager des moments de repos et d'obtenir des effets de variété au sein même de la progression du récit ? L'épisode de Geronimo, la querelle de Julien avec un fat d'estaminet, l'épisode du chevalier de Beauvoisis, font figure de hors-d'œuvre. Caprices de l'improvisation ? Tant qu'il a voulu, pour ses comédies, combiner des intrigues en les adaptant à la logique des caractères, Stendhal n'a rien produit qui vaille. La réussite est venue quand, dans la création romanesque, il a osé substituer aux calculs de l'agencement la fraîcheur d'une invention qui s'installe dans la durée et qui aboutit à un ordre vivant. On aurait tort d'affirmer, comme le fait Maurice Bardèche, que, dans le *Rouge*, Stendhal « ne respecte même pas l'unité d'action », qu'il « met bout à bout trois fragments d'existence ». Il y a dans *Le Rouge et le Noir* une forte structure d'ensemble. L'unité tient à la constante présence du protagoniste. Stendhal « raconte l'histoire d'un héros, décrit une expérience qui s'accomplit, un destin qui se consomme »[1]. Le roman est divisé en deux livres : chacun d'eux comporte un épisode sentimental. A la fin du premier, le séjour de Julien au séminaire est comme une retraite qui lui permet de faire réflexion. A la fin du second, l'épisode de la prison lui offre l'occasion d'un suprême recueillement avant la mort. *Le Rouge et le Noir* bénéficie « d'autant de souplesse dans la conduite du récit » que « de rigueur dans la conception générale ».

Le point de vue de Julien   Formé par la pensée relativiste du XVIIIe siècle, Stendhal a toujours eu le souci du point de vue à partir duquel on envisage une réalité donnée. Il n'a été à l'aise que dans les formes littéraires qui lui permettaient de s'en tenir à un point de vue particulier : journal, autobiographie, roman, pour peu qu'il fût conçu comme une monographie. Le personnage principal, dans un roman à la troisième personne, devient centre de perspectives. Ce que l'auteur montre, le lecteur, spontanément, le rapporte à l'optique du protagoniste : il est d'autant plus autorisé à le faire, dans *Le Rouge et le Noir*, que Stendhal s'est attaché, en bien des cas, à ne donner la réalité fictive que comme le produit de l'optique de Julien[2]. Certaines indications nous sont fournies

---

1. Pierre-Georges CASTEX, *op. cit.*
2. Sur ces problèmes, voir Georges BLIN, *op. cit.*, deuxième partie, *Les Restrictions de champ*.

par l'auteur, mais, presque toujours, comme l'a noté Jean Prévost, nous sommes dans l'âme du héros, nous voyons les choses et les événements par ses yeux. Les autres personnages, sauf à rappeler quelques brusques plongées dans leur conscience, sont vus par Julien : tout au plus, la lucidité de l'auteur vient-elle confirmer le diagnostic que son héros porte sur eux. Stendhal a même poussé le scrupule, en plus d'un endroit, jusqu'à s'en tenir strictement à l'optique de son personnage, usant ainsi de procédés qui annonçaient, avec plus d'un siècle d'avance, les techniques du réalisme subjectif. En fait de descriptions et de portraits, il s'applique souvent à ne nous suggérer que *l'impression* retenue par Julien[1] : qu'il soit préoccupé, et le décor est presque aboli, réduit fugitivement à tel ou tel de ses aspects. Comme l'a montré Georges Blin, Stendhal ne nous présente la « scène de la *mainmise* » qu'à travers « l'agressive intentionalité du jeune précepteur ». De même, c'est par les yeux de Julien qu'il nous fait voir l'abbé Pirard, avec « sa figure longue », son front « d'une pâleur mortelle », ses « petits yeux noirs ». Autant d'impressions qui emplissent Julien de terreur. Il est vrai que parfois, dans les portraits, et par exemple dans celui du chevalier de Beauvoisis, les notations impressionnistes émanent de l'auteur : ses raccourcis saisissants rappellent l'art de Saint-Simon, et font vivre intensément des silhouettes, tout en· ne trahissant guère les impressions éventuelles du protagoniste. Stendhal a horreur du pur *pittoresque*, il ne consent à décrire que s'il juge la chose digne d'intérêt. A quoi bon consacrer plus de quelques mots à l'évocation de la citadelle de Besançon que Julien aperçoit dans le lointain, puisque ses préoccupations l'empêchent de porter attention au décor ? Mais, pour peu que son héros ait le loisir de regarder le monde, Stendhal ne répugne pas à brosser un tableau : on le voit se complaire à évoquer les grands cercles que dessine, dans le ciel, un épervier. C'est qu'il perçoit une correspondance symbolique entre la rêverie du héros et le spectacle qui s'offre à lui. Mais il se refuse à cette description en forme qui a été une des modes du romantisme, de Chateaubriand à Walter Scott. Il devait s'opposer, sur ce point, à Balzac, soucieux de justifier la description par l'influence du milieu sur les êtres : Stendhal se garde bien de commencer par une description exhaustive du milieu ou par un portrait en pied des personnages. Il évite de planter *a priori* le décor comme une sorte de cadre à l'intérieur duquel viennent évoluer des personnages ; il ne révèle du monde que ce qu'en découvre progressivement son héros, bref, il conçoit le *milieu* comme une succession de réalités perçues plutôt que comme une totalité déterminante.

L'optique de Julien est limitée au *présent* de sa perception. La mise en perspective n'est pas seulement spatiale, mais temporelle. Avec Julien, le lecteur épouse une expérience immédiate. Il est, à chaque instant, à l'extrême pointe de son présent. A l'attente du héros répond celle du lecteur. L'avenir est perpétuellement incertain. L'improvisation, qui est peut-être,

---

1. Les impressions sont, d'un moment à l'autre, en fonction de ses variations d'humeur, contradictoires. Par exemple, devant Mathilde, au chapitre VIII (2ᵉ partie) : « Ce que cette grande fille me déplaît ! (...) ». Et, au chapitre IX : « Réellement, se dit Julien, cette robe noire fait briller encore mieux la beauté de sa taille. Elle a un port de reine·(...) ».

parce qu'elle est refus de prévoir, la seule création romanesque véritable, implique comme son domaine d'élection ce présent qui laisse leur chance à tous les futurs. Julien invente, à chaque instant, son avenir. Même quand l'auteur change son angle de prise de vue, c'est toujours en suivant le cours d'une vie : il ne bloque jamais la temporalité pour assurer des effets de simultanéité. L'authenticité de l'expérience présente est si intense qu'il arrive que Julien perçoive une scène avant d'en comprendre la signification. Dans l'abbaye de Bray-le-Haut, Julien *voit* un jeune homme en robe violette donner gravement des bénédictions devant un miroir. « Que peut signifier ceci ? » se demande-t-il. Il comprend plus tard qu'il s'agit de l'évêque d'Agde. Scène irrévérencieuse, qui doit son intensité au fait qu'elle est *surprise* avant d'être *comprise*. L'entrée au séminaire est vécue, d'instant en instant, à travers la curiosité et l'angoisse du héros. Celui-ci, après de longs mois, a l'audace de venir nuitamment frapper à la fenêtre de Mme de Rênal ; Stendhal y trouve l'occasion de nous offrir un admirable exemple de réalisme subjectif. Dans cette obscurité, Mme de Rênal n'est d'abord, à travers la vitre, qu'une « ombre blanche » qui traverse la chambre, puis voici une joue qui s'appuie à la fenêtre contre laquelle se trouve Julien. Le roman de Stendhal, en plus d'un endroit, se déroule comme un film.

Le monologue intérieur était l'aboutissement naturel d'une entreprise soucieuse de nous donner accès à la conscience du protagoniste. Dans le *Rouge*, il est constitué de brefs morceaux insérés dans la trame du récit. Il est, pour le héros, un instrument d'élucidation plutôt qu'une occasion de rêverie : il est un effort pour comprendre le sens de ce qui arrive, il lui permet de s'étonner de ce qu'il éprouve et de s'interroger sur ce qu'il doit faire.

Les intrusions de l'auteur[1]   Stendhal ne donne jamais l'impression qu'il dirige arbitrairement ses personnages par des interventions intempestives. Il se garde bien de les enfermer dans des définitions ou de les soumettre aux lignes d'un caractère établi *a priori*. Il donne avec beaucoup de discrétion, dans le cours du récit, des indications qui nous permettent, sinon de procéder à une psychanalyse du héros, du moins de diagnostiquer le complexe maternel de Mme de Rênal à l'égard de Julien ou « le masochisme à base de frigidité » qui peut expliquer Mathilde[2]. Plus simplement, ces indications visent à informer le lecteur de ce dont le personnage n'a pas conscience.

La crédibilité du roman est assez forte pour que l'auteur n'ait pas à recourir à toutes les ruses qui furent en usage pendant le XVIIIe siècle, le romancier, en plus d'un cas, ne se voulant que le dépositaire d'un manuscrit qu'il livrait tel quel au public. Stendhal fondait le roman moderne, en assumant, dans le *Rouge*, la responsabilité des faits rapportés. Il ne se privait pas, d'autre part, d'intervenir franchement dans son récit, retrouvant ainsi une vieille tradition de l'art romanesque qui allait de Scarron à Fielding et de Diderot à Walter Scott. Mais ces intrusions de l'auteur ne compromettent

---

1. C'est le titre de la troisième partie de l'ouvrage de G. BLIN.
2. G. BLIN, *op. cit.*, p. 204.

jamais la crédibilité de l'histoire ni l'autonomie des personnages. C'est Flaubert qui posera en principe la non-intervention du romancier, et ce dogme de l'impassibilité devait régenter l'essentiel du roman français pendant plus d'un demi-siècle. Balzac non plus ne se prive guère d'intervenir dans son récit ; mais c'est pour nous apporter des renseignements plus que pour nous faire part de ses réactions devant l'histoire qu'il conte ou les personnages qu'il met en scène. Les interventions de Stendhal, entre autres avantages, lui permettent de marquer son approbation ou sa répulsion. Tout en nous présentant ce qui est, il trouve l'occasion de dire ce qu'il en pense. En appréciant le spectacle comme s'il n'en était pas responsable, l'auteur confère à son récit une crédibilité supplémentaire.

« LUCIEN LEUWEN »

Le travail du romancier

Comme les autres romans de Stendhal, *Lucien Leuwen* est né d'un hasard. Mme Jules Gaulthier lui avait confié le manuscrit d'un roman qu'elle avait intitulé : *Le Lieutenant* et sur lequel elle lui demandait son sentiment. Le 4 mai 1834, Stendhal lui adresse, de Civita-Vecchia, une lettre remplie de critiques et de conseils. Il lui reprochait un langage « horriblement noble et emphatique », il lui conseillait de « tout mettre en dialogues », il déplorait la platitude du dénouement, il la mettait en garde contre un ton guindé. « Racontez-moi cela, lui disait-il, comme si vous m'écriviez ». Il l'engageait à plus d'exactitude : « En décrivant un homme, une femme, un site, songez toujours à quelqu'un, à quelque chose de réel ». — Là-dessus il commença à « barbouiller cruellement » le manuscrit de son amie, songea un moment à récrire *Le Lieutenant*, puis l'idée lui vint de reprendre par lui-même ce sujet et de le traiter selon son inspiration. Il esquissa un plan sommaire : il écrirait un roman d'amour qui serait lié à l'histoire de la société de son temps. Il prévoyait trois parties : l'une serait consacrée à la vie de province, à la naissance de l'amour de Lucien, en garnison à Nancy, pour Mme de Chasteller ; la deuxième, après la brouille qui les sépare, présenterait Lucien à Paris, dans les milieux de la banque, de la Chambre, des ministères ; la troisième le montrerait à l'ambassade de Rome, mêlé à la plus brillante société cosmopolite. Stendhal n'a jamais réalisé entièrement ce plan. Il a renoncé à la dernière partie. Il lui sembla qu'il était trop tard, après les deux premières, pour présenter de nouveaux milieux et de nouveaux personnages.

De tous ses romans, c'est celui qu'il a le plus travaillé. C'est qu'à la différence de ce qui s'était passé pour le *Rouge*, il avait « à inventer le plan », il devait penser « à la convenance de l'action, et non à la façon de la raconter ». Il disait avec un brin d'emphase qu'il avait, pour *Lucien*, procédé « par voie de découverte successive et de perfectionnement graduel ». Les manuscrits de *Leuwen*, qui nous sont parvenus, permettent de suivre de près la genèse du livre. Ils contiennent, dans les marges, les précieux commentaires de Stendhal. Nous voici dans le laboratoire d'un romancier en plein travail. Il commence par rédiger les grandes masses, en se laissant, comme toujours, aller à sa verve ; il *arrangera* par la suite : « Je fais le plan, note-t-il, après avoir fait l'histoire comme dicte le cœur, autrement, l'appel à la mémoire tue l'imagination (...) ». Rien de plus naturel que de commencer par l'intrigue avec Mme de Chasteller : « Dans l'embryon, la colonne vertébrale se forme d'abord, le reste s'établit sur cette colonne. De même ici : d'abord l'intrigue d'amour, puis les ridicules qui viennent encombrer l'amour, retarder ses jouissances, comme dans une symphonie Haydn retarde la conclusion de la phrase ».

Certaines de ces remarques jettent des lumières sur sa technique. Il note : « Ne pas faire paraître en ces termes Mme de Chasteller, on devinerait que c'est l'héroïne ». Stendhal veut laisser aux êtres et aux événements leur aspect de banalité contingente. Rien n'est plus éloigné de l'art de Balzac qui dès l'abord énumère les forces en jeu, présente ses personnages et nous livre leur fiche d'identité.

Stendhal observe souvent que le romancier doit s'attacher à être précis, exact, à entrer dans les détails, à n'être pas chiche de *petits faits vrais*. Il avait écrit à Mme Gaulthier : « Ne dites jamais (...) la *passion brûlante* (...) Le pauvre romancier doit tâcher de faire croire à la *passion brûlante*, mais ne jamais la nommer : cela est contre la pudeur ». Il note : « Je ne dis point : il jouissait des doux épanchements de la tendresse maternelle, ces conseils si doux du cœur d'une mère, comme dans les romans vulgaires. Je donne la chose elle-même, le dialogue »[1]. Ailleurs : « Caractère de cet *opus* : chimie exacte. Je décris exactement ce que les autres annoncent par un mot vague et éloquent ». On trouve, dans la *Correspondance* de Marcel Proust, des assertions semblables. Le grand romancier se garde de procéder par généralisation. Il consent à entrer dans les détails. Ce n'est qu'à ce prix qu'il est vrai et qu'il réussit à se faire croire.

Un roman balzacien ? René Boylesve voyait, dans *Lucien Leuwen*, le roman le plus balzacien de Stendhal. Il est vrai que Stendhal n'a jamais poussé plus loin le scrupule d'exactitude. Il a versé, dans ce roman, beaucoup de souvenirs, de documents, de témoignages directs. La division même du livre, vie de province, vie de Paris, n'est pas sans évoquer les grandes divisions balzaciennes des études de mœurs. Stendhal montrait d'abord cette société légitimiste de Nancy qui n'a pas admis la révolution de Juillet et qui attend des jours meilleurs. Puis il peignait des scènes de la vie parisienne : Lucien, secrétaire particulier du comte de Vaize, ministre de l'Intérieur, était bien placé pour être au fait de toutes les vilaines affaires du régime : coups de bourse, intrigues policières, sordides manœuvres électorales.

On reste pourtant très loin de Balzac. Bourgeois et nobles, chez Stendhal, sont moqués ou jugés. Ils appartiennent à un clan, ils ne participent pas aux mouvements profonds de la société française. Certes les faits sur lesquels s'appuie Stendhal sont plus *vrais* que ceux qu'utilise Balzac. Mais, comme le dit Maurice Bardèche, « de *Lucien Leuwen* aux romans de Balzac, il y a

---

1. Cité par M. BARDÈCHE, *op. cit.*, p. 282.

la différence d'un dessin à un tableau ». Balzac a l'intuition des forces sociales qui entrent en conflit, il est capable de saisir l'élan d'une classe ; Stendhal s'en tient aux affaires qui ont défrayé la chronique. Il est plus soucieux de dire les sentiments qu'elles lui inspirent que de démêler leurs racines profondes. Il juge en moraliste, il ne *sent* pas en sociologue ou en historien. La réalité sociale lui échappe. Il n'en retient que des figures odieuses ou grotesques.

Noblesse et humour　　　　　　« Que faire pour s'estimer soi-même ? », telle est, dit Jean Prévost, la question que se pose Lucien. C'est le problème moral d'un homme comblé. Julien Sorel, démuni, se fait une morale de l'énergie ; Lucien, riche, aimé de sa mère, compris de son père, adopte une morale de la conscience. Ce qui le rapproche de Julien, c'est la *noblesse*. Comme tous les héros de Stendhal, il se sent *étranger* au monde qui l'entoure, il veut vivre d'une façon qui soit digne de lui-même. Julien combat pour obtenir ce qu'il convoite ; Lucien ne cherche qu'à mériter ce qu'il a reçu en partage. Il s'impose des *épreuves*. Il veut savoir ce qu'il vaut. Il a moins d'âpreté que Julien : point de défiance en lui, ni de tension, mais du *naturel*, une légère moquerie de soi-même que Stendhal appelait l'*humour à l'italienne*. C'est avec *Lucien Leuwen* qu'apparaît le ton enjoué.

« LA CHARTREUSE DE PARME »

La dictée du génie　　　　　　Stendhal a rédigé *La Chartreuse de Parme* en cinquante-deux jours. Il ne s'interrompait d'écrire que pour dicter ou se relire. Brusque flambée d'inspiration. Cette aisance dans l'improvisation était le fruit de longues années de réflexions et de travaux. Une si heureuse facilité était le fait d'un homme de 56 ans qui, dès l'adolescence, avait connu la passion d'écrire. Pour la *Chartreuse*, il s'inspirait librement d'une chronique italienne, *Origine de la grandeur de la famille Farnèse*, qui lui fournissait les personnages et les événements essentiels qu'il allait mettre en œuvre. Stendhal transposait dans l'Italie du début du XIXe siècle les « habitudes et les usages suivant lesquels on cherchait le bonheur en Italie en 1515 ». Sur le canevas que lui proposait une chronique du XVIe siècle, il laissait s'opérer en lui une brusque cristallisation de souvenirs : l'expérience vécue rejoignait les données livresques. « C'est le livre de la cinquantaine de Stendhal, écrit Pierre Martino. Il enferme toutes ses expériences, les anciennes et les récentes. La mort s'annonçait prochaine, et il voulait passionnément ressaisir tout son passé, le panorama moral et intellectuel de sa vie, les choses qu'il avait le plus aimées, les spectacles et les paysages préférés, ses plus grandes émotions, les rêves qu'il avait réalisés et ceux plus nombreux qui avaient dû mourir étouffés, ou même qui n'étaient pas parvenus jusqu'à la claire conscience. Richesse fébrile de la vision, hâte fiévreuse à la saisir (...). L'angoisse de vieillir et la peur d'oublier ce qu'il a été tourmentent Stendhal : il veut trop pour pouvoir tout ; mais il finit par écrire le plus cher de ses livres, (...) et c'est, avant tout, un hymne à sa vie, à la vie »[1].

Les soucis d'une stricte composition eussent à coup sûr ralenti le rythme de sa création. Mais il adoptait, une fois de plus, une forme romanesque qui favorisait le libre jeu de l'improvisation. Cette simple suite d'épisodes lui permettait une grande variété de ton, laissait libre cours à sa verve. Balzac, au milieu de tous les éloges qu'il lui fit, lui reprocha son manque de préparation dramatique. A quoi Stendhal répliquait, dans un brouillon de réponse : « Le défaut dans lequel je suis tombé me semble fort excusable ; n'est-ce pas la vie de Fabrice qu'on écrit ? ». Dans ce roman biographique, il n'avait qu'à se laisser porter par la suite des aventures. Il y est plus préoccupé de la qualité du ton que de la rigueur d'une construction imaginaire. Son inspiration procède de libres variations sur les thèmes qui lui étaient les plus chers : Napoléon, l'énergie, l'aventure, l'amour, l'Italie, la jeunesse. « Oeuvre véritablement inspirée, écrit Gaëtan Picon, (...) parce que (l'auteur) a enfin ouvert la porte par où peuvent s'engouffrer toutes les images, vécues ou rêvées, de son bonheur »[2].

La séduction des personnages Le roman est ce monde imaginaire que Stendhal invente pour vivre avec des êtres selon son cœur. Il leur prête le meilleur de lui-même. Balzac admirait qu'il ait réussi à peindre dans la *Chartreuse* des figures d'une prodigieuse difficulté : la *favorite* et le *premier ministre*. En quoi, il jugeait la *Chartreuse* comme s'il se fût agi d'un des tomes de *La Comédie humaine*. Et Balzac de voir, en Mosca, « un homme de génie de la force de Monsieur de Choiseul, de Potemkine, de Metternich », et dans la Sanseverina, « tout à la fois Madame de Montespan, Catherine de Médicis, Catherine II (...), le génie politique le plus audacieux et le génie féminin le plus étendu caché sous une beauté merveilleuse ». Mais Mosca est aussi une incarnation de Stendhal, qui lui a donné ce mélange de détachement supérieur et de passion secrète, d'intelligence désabusée et de fraîcheur d'esprit, de qualités d'homme d'État et d'égotisme subtil. Mosca et la Sanseverina ne se contentent pas de déployer, au milieu des événements, les immenses possibilités de leurs caractères hors série : ils gardent leur distance vis-à-vis de toutes les affaires auxquelles ils sont mêlés. La chasse au bonheur est leur préoccupation secrète. La passion et l'humour les *distinguent*.

Clélia Conti est, dans la *Chartreuse*, cette figure féminine d'abord inaccessible et finalement conquise qui n'a cessé de hanter l'imagination de Stendhal. Quant à Fabrice, le romancier lui a donné la beauté, l'intelligence, le courage, mais surtout une merveilleuse aptitude au bonheur. Il est son vrai fils spirituel. En Julien Sorel, Stendhal pouvait se reconnaître : « Il est sa rêverie sombre, amère, son âme ambitieuse, implacable, — vainqueur de l'amour et vaincu par les hommes, archange décapité. Alors que Fabrice

---

1. Cité par Henri MARTINEAU, *L'Œuvre de Stendhal*.
2. *Op. cit.*, p. 1 049.

est sa rêverie heureuse, par quoi il se donne tout ce qu'il souhaite avoir »[1]. Avec quelle tendresse ne le suit-il pas ! Une tendresse de père. Stendhal est pour Fabrice ce que M. Leuwen était pour Lucien : l'homme d'expérience qui assiste aux premiers pas que fait dans la vie un fils de vingt ans, plein de noblesse et d'ingénuité. Stendhal romancier n'est jamais Dieu le Père ; ici, il est père, simplement. Et quelle différence avec Balzac ! La paternité balzacienne est désir de façonner un être, elle se réfère à une démiurgie, elle illustre un mythe de la création. Balzac rêve, pour ses jeunes hommes, d'un homme mûr capable de leur enseigner la vie. Les héros de Stendhal découvrent tout par eux-mêmes. Ils *s'essayent* devant un père indulgent et souriant. S'ils ne sont pas de plain-pied avec le monde, c'est que le monde n'est pas à leur niveau. Chez Balzac, c'est le monde qui est impitoyable ; chez Stendhal, c'est le héros qui est méprisant.

La justesse d'une voix « On se dit d'abord, en lisant la *Chartreuse*, écrivait Bardèche, que c'est le ton qui est parfait. » Un ton qui passe de l'aimable satire d'un univers de fantoches au lyrisme dépouillé du bonheur simple. Le *naturel*, ici, est la grâce de l'esprit : il procède, en partie, des libertés que s'accorde le conteur, de l'humour léger qu'il dispense, de cette pudeur qu'il met dans l'expression de ce qui lui tient le plus à cœur.

A l'égard des événements qu'il rapporte, l'auteur garde comme une distance ; il ne s'indigne pas ; il n'y a pas de place pour l'âpreté. La *Chartreuse* est l'œuvre d'un homme apaisé, qui se souvient peut-être qu'il a voulu être, au début de sa vie, poète comique. Il fait rire, ou sourire. Les êtres odieux ou ridicules ne sont que des pantins. Stendhal raconte sans aigreur leur méchanceté. Rassi lui-même, dont la bassesse est si sournoise et si haineuse, n'est qu'un bouffon. Les êtres de cette sorte, Fabrice ne leur fait jamais injure, sinon la pire injure : il ne les voit pas. Tout ce qui n'est pas noblesse, grâce, bonheur, beauté est raillé. Stendhal se moque des importants, et de ceux qui veulent le paraître. Mosca, lui, est sympathique parce qu'il joue à être premier ministre.

L'auteur, dans la *Chartreuse*, est partout présent par son esprit. La qualité du célèbre récit de la bataille de Waterloo ne saurait être réduite aux avantages d'une technique qui réussissait à profiler les événements selon l'optique du protagoniste ; elle tient à un subtil mélange de candeur et d'ironie. Stendhal réussit ce miracle de nous situer à la fois dans l'optique de Fabrice et dans celle de l'auteur, à nous donner accès en même temps à la grâce d'une ingénuité et à la tendresse d'un sourire.

Il y a, dans la *Chartreuse*, des minutes de bonheur inoubliables. La première rencontre de Clélia, par une belle matinée d'été, une promenade en barque, le beau coup d'œil que Fabrice jette sur le lac de Côme du haut du clocher de l'abbé Blanès, la vue sublime qu'il a de la tour Farnèse, les apparitions de Clélia, la jeune fille aux oiseaux, — tous ces instants sacrés

---

1. Gaëtan PICON, *op. cit.*, p. 1 048.

illuminent l'œuvre. Ils en disent le sens le plus profond : un émerveillement ingénu devant la lumière du jour et la beauté du monde.

Roman et autobiographie   En 1830, *Le Rouge et le Noir* nous fait assister à la naissance du roman moderne. L'exacte représentation des mœurs du temps, la peinture d'un héros qui éprouve sa valeur au contact du monde, la fermeté de la structure d'ensemble, la constitution d'un univers en trompe-l'œil qui s'impose autant par sa vérité que par sa crédibilité, tout cela précédait de peu les grandes réussites balzaciennes des années trente. Balzac, pourtant, demeure le premier romancier à qui le roman soit apparu comme un genre, ayant ses ambitions, ses lois, ses recettes. Stendhal y a vu un moyen de s'exprimer plutôt qu'un genre auquel il dût se vouer entièrement. Il est l'auteur du *Journal*, de la *Filosofia Nova*, l'essayiste de l'*Amour*, autant que le romancier du *Rouge* ou de la *Chartreuse*. Deux ans après *Le Rouge et le Noir*, il racontait, dans les *Souvenirs d'égotisme*, sa vie sous la Restauration, de 1821 à 1830. Le 14 mai 1835, dans une marge du manuscrit de *Lucien Leuwen*, il notait : « Si ceci ne vaut rien, j'aurai perdu mon travail ; il valait mieux les *Mémoires* de Dominique ». Et, abandonnant son *Leuwen*, il écrivit son autobiographie dans la *Vie de Henry Brulard* : il s'y livre à la chasse aux souvenirs, il y raconte son enfance et son adolescence. Il laisse *Henry Brulard* inachevé pour écrire *La Chartreuse de Parme*. La création, chez lui, oscille entre l'autobiographie et le roman, entre la vérité et la fiction.

Il écrit dans *Henry Brulard* : « (...) Quel encouragement à être vrai et simplement vrai, il n'y a que cela qui tienne ». On ne voit, chez lui, aucun plaidoyer en faveur de lui-même. Il s'applique à restituer, dans *Brulard*, le cadre de chacun des épisodes qu'il rapporte, à situer scrupuleusement ses souvenirs, à préciser même l'angle sous lequel telle ou telle scène lui est jadis apparue. Il a souvent l'impression, dans cette recherche, qu'il découvre en lui-même l'*autre* qu'il a été. Les souvenirs et les rêveries se réfèrent toujours à la réalité d'un fait qui a sa consistance ; dans les romans, au contraire, ce sont les rêveries et les souvenirs qui ont donné sa consistance à la réalité fictive. Y a-t-il chez Stendhal tant de distance entre les souvenirs et les fictions ? Ses fictions sont pleines de souvenirs. Elles disent ce qui aurait pu être, quand ses mémoires disent ce qui a été. A quel moment est-on plus près de la vérité de soi-même ? Comment se connaître, sinon en s'*essayant* ? L'expérience imaginaire permet au romancier de saisir la vérité d'un être qui ne peut se connaître qu'en se créant. Dans chacun des romans de Stendhal, la biographie de ses héros n'est qu'une autobiographie de ses possibles. « Il y a un univers balzacien, a dit Pierre-Georges Castex. Il n'y a que des héros stendhaliens ». Et ces héros ne sont que des avatars de l'auteur. S'il a cherché dans *Brulard* les sources lointaines de sa personnalité, il a souvent dit, dans le *Rouge* ou dans la *Chartreuse*, certains secrets de sa vie. La rêverie romanesque a été pour lui une des pentes de l'investigation de soi-même. Il est remarquable que l'autobiographie d'*Henry Brulard* annonce avec un siècle d'avance les développements du roman moderne : cette recherche du temps perdu, cette descente dans les profondeurs du moi et les souvenirs de la lointaine enfance, cette alternance, déjà, du présent et du passé, des faits et des impressions, cette fidélité à l'ordre du souvenir plutôt qu'à celui de la chronologie, tout cela annonce Proust et les romanciers du monologue intérieur et de la mémoire affective. Quant à ses romans, dans la mesure où ils ont été pour l'auteur une expérience imaginaire qui était un accomplissement de soi-même, ils annoncent un type de livre fort répandu en notre temps. Beaucoup de romans du xxᵉ siècle font-ils autre chose que narrer les aventures d'un héros qui n'est qu'un avatar de l'auteur et qui lui permet de confier par personnage interposé son expérience des hommes et de la vie ?

L'opposition entre Balzac et Stendhal sur ce point esquisse un des rythmes essentiels du roman français. Chez Stendhal, l'inspiration est un élan qui ne se préoccupe guère des *formes* dans lesquelles elle se logera et qui, de toutes les formes, préfère la plus souple et la plus libre. Avec Balzac, mais mieux encore avec Flaubert, — qui sont les premiers véritables *artisans* du roman — le souci primordial est celui de l'organisation intrinsèque du récit. Pour eux, *l'expression* doit d'abord passer par les structures de la narration. Dans quelle mesure la trame d'une fable peut-elle être, par elle-même, porteuse de sens, tel est le problème que pose la comparaison de Stendhal et de Balzac.

2. Balzac et la création d'un monde

LA FORMATION DU GÉNIE

Premiers essais

Balzac n'est pas parvenu d'emblée à la maîtrise que nous admirons dans les romans de sa maturité. Il a commencé par écrire, sous des pseudonymes, et la plupart du temps en collaboration, des romans qu'il était le premier à mépriser. *Les Chouans* sont, en 1829, le premier ouvrage qu'il ait consenti à signer de son nom. En 1820, il avait d'abord considéré le roman comme un cadre commode pour l'exposé de ses théories philosophiques ou religieuses ; mais *Sténie* et *Falthurne* sont restés des œuvres inachevées. Dans les années qui suivent, Balzac sacrifie au goût du jour, il s'inspire de Maturin, de Ducray-Duminil, de Pigault-Lebrun, d'Ann Radcliffe ; il accumule des péripéties invraisemblables, il respecte les conventions d'un genre fondé sur les rapports de la victime, du monstre et du sauveur. Sa collaboration avec Vieillerglé n'a fait qu'accentuer cette tendance à la facilité. Il publie *L'Héritière de Birague*, qu'il traite lui-même de « cochonnerie littéraire» ; puis, *Jean-Louis ou la fille trouvée, Clotilde de Lusignan, Le Centenaire ou les deux Beringheld, Le Vicaire des Ardennes*. De 1823 à 1825, il semble qu'il ait apporté plus de soin à ses ouvrages. Ses commentateurs ont tenté de déceler ses progrès vers la vraisemblance et le réalisme, ses efforts pour fonder le drame sur les passions humaines plus que sur une suite d'événements incongrus. Mais, même avec *Wann-Chlore*, en 1826, on était encore loin de la formule du roman balzacien. Balzac aurait confié à Champfleury, en évoquant ses romans de jeunesse : « J'ai écrit sept romans comme simple étude : un pour apprendre le dialogue, un pour apprendre la description, un pour grouper les personnages, un pour la composition ». Les choses ont-elles été aussi simples ? En tout cas, ses premières œuvres lui ont permis de faire son apprentissage de romancier. Il lui restait à découvrir que le savoir-faire ne suffit pas ; que l'expérience technique reste subordonnée à une expérience humaine, et que le génie est une aventure où l'être tout entier se trouve engagé.

De 1825 à 1829, Balzac paraît abandonner le roman. Ses biographes le montrent absorbé dans une entreprise commerciale malheureuse. Elle eut le mérite de lui faire découvrir le monde réel. En même temps, il subissait l'influence du roman historique. Après *Les Chouans*, le succès de la *Physiologie du mariage*, qui opposait les réalités de l'amour physiologique aux élans éthérés des amours romantiques, n'a pas peu contribué à l'orienter vers le réalisme de la peinture des mœurs : le problème du mariage était la question centrale des *Scènes de la vie privée*, qui bénéficiaient aussi de l'engouement du public pour les dessins d'Henri Monnier ou les prestes croquis de journalistes habiles à saisir la vie des bourgeois et du peuple.

Les « Scènes de la vie privée » Les *Scènes de la vie privée*, publiées en 1830, comprenaient plusieurs contes : *La Paix du ménage, Le Bal de Sceaux, Gobseck, La Maison du Chat-qui-pelote, La Vendetta, Une Double Famille*. C'en était fini des péripéties du roman noir ou de la pure analyse des états d'âme. Balzac venait de découvrir la vie réelle. Il *situait* ses personnages ; il présentait les premières images de Paris. Gobseck pouvait évoquer encore le protecteur de Pixérécourt ; c'était surtout un usurier de 1830. Balzac entreprenait de raconter l'histoire de crimes légaux. Les conflits du roman noir devenaient des rivalités d'intérêts. M. Guillaume, le commerçant de la rue Saint-Denis, était la silhouette réaliste d'un de ces bourgeois de 1830 que Balzac s'était exercé à peindre dans ses chroniques journalistiques ; c'était aussi une figure représentative de son temps à la manière des personnages de Walter Scott. Au-delà de ce pittoresque satirique, Balzac déployait son génie. Il prodiguait les détails de la vie familiale, il entrait dans l'intimité des drames privés, il étudiait les causes et les conséquences de mauvais mariages, il apercevait l'importance de l'argent. Il découvrait l'union du personnage et de son milieu. Il écrivait, dans *Une Double Famille* : « S'il est vrai, d'après un adage, qu'on puisse juger une femme en voyant la porte de sa maison, les appartements doivent *traduire son esprit* avec encore plus de fidélité ». La description devenait une explication des caractères. Le portrait, celui de Gobseck, cherchait à saisir, au-delà de l'exactitude pittoresque, l'expression fugitive de sa vie profonde.

Les personnages de ces premières *Scènes* n'agissent guère : ce sont des portraits plutôt que des personnages de roman. Il y a quelque chose de statique dans le Gobseck de 1830 ; c'est seulement dans les enrichissements qu'il lui a apportés plus tard que Balzac l'a fait vivre. Dès 1832, la publication de la seconde série des *Scènes de la vie privée* marquait une évolution de l'art du conteur vers l'art du romancier. Qu'il s'agît de la peinture d'une figure de femme (*La Femme de trente ans, La Femme abandonnée*) ou du récit mouvementé d'une lutte judiciaire (*Le Curé de Tours, Le Colonel Chabert*), le romancier s'installait dans la pleine substance d'une durée ; au-delà du récit d'une crise, il contait l'histoire d'une vie.

Il la meublait d'une infinité de détails concrets. *Le Curé de Tours* donnait, à cet égard, la mesure du génie balzacien. Les grandes passions, le romancier les enracinait dans le quotidien. Ce faisant, il appliquait, en 1832, un principe qu'il avait formulé dans la première série des *Scènes de la vie privée* : « L'auteur croit fermement que les détails seuls constituent désormais le mérite des ouvrages improprement appelés romans ». Ce sont les détails qui, dans *Le Curé de Tours*, composent l'armature du drame. Le génie du romancier, c'est l'invention des circonstances minuscules dans lesquelles se révèlent d'âpres passions.

C'est dans ses nouvelles de 1832 que Balzac met au point la formule de ses expositions. Dans *Le Colonel Chabert*, après une ouverture descriptive, on voit le héros expliquer comment il a été laissé pour mort sur le champ de bataille d'Eylau. Le *retour en arrière* commence à faire partie de l'exposition, il opère un sondage dans le passé, il donne les tenants et les aboutissants du drame ; dans *Le Curé de Tours*, il est savamment intégré à la scène initiale : pendant que Birotteau attend sous l'averse, à la porte de la maison, on nous expose les circonstances dans lesquelles il est venu habiter cette maison, puis on le voit s'interroger sur les raisons de sa disgrâce. Voilà ce que Balzac appelle « l'avant-scène de ce drame bourgeois ». Il a dès lors trouvé la formule du roman balzacien : au diptyque de 1830, fondé sur l'opposition d'un *avant* et d'un *après*, succède une structure en trois parties : l'exposition, le noyau du récit, qui montre en action les personnages pendant quelques journées de leur vie, puis une partie dramatique, conduite beaucoup plus rapidement en vertu de la force acquise.

Les « Études philosophiques »

Avant les secondes *Scènes de la vie privée*, Balzac publiait, en 1831, *La Peau de chagrin*, une des clefs de son œuvre. Puis, il faisait paraître les *Romans et contes philosophiques*, constitués de contes ou de nouvelles comme *Les Deux Rêves, L'Élixir de longue vie, Jésus-Christ en Flandre, Les Proscrits, Le Chef-d'œuvre inconnu, El Verdugo, L'Enfant maudit*. A la peinture des mœurs du temps qu'il avait donnée dans les *Scènes de la vie privée*, s'opposaient ainsi des œuvres de réflexion qui proposaient une explication de la vie humaine.

Le héros de *La Peau de chagrin*, Raphaël, a acquis chez un antiquaire un talisman, une peau de chagrin, qui lui permet d'obtenir ce qu'il convoite ; mais il voit se rétrécir la peau chaque fois qu'il réalise un désir ou satisfait une passion ; il sait qu'il mourra quand elle sera réduite à rien. Symbole de la vie humaine, qui s'use d'autant plus vite qu'on se dépense davantage. De la même façon, Louis Lambert, à force d'abuser de la pensée, sombre dans la folie. Les *Contes philosophiques* étaient autant d'exemples dramatiques des ravages de la pensée. « Ainsi, écrivait Félix Davin[1], dans *L'Adieu*, l'idée du bonheur, exaltée à son plus haut degré social, foudroie l'épouse (...). Dans *Le Réquisitionnaire*, c'est une mère tuée par la violence du sentiment

---

1. Introduction aux *Études philosophiques*, Pléiade, XI, p. 217.

maternel (...). Dans *El Verdugo*, c'est l'idée de dynastie mettant une hache dans la main d'un fils (...) » etc. Balzac s'est expliqué, dans une œuvre inachevée, sur la puissance pernicieuse de la pensée : « La pensée, écrit-il[1], est le plus violent de tous les agents de destruction ; elle est le véritable ange exterminateur de l'humanité (...). Savez-vous ce que j'entends par pensée ? Les passions, les vices, les occupations extrêmes, les douleurs, les plaisirs sont des torrents de pensée ». Un tel texte jette une vive lumière sur bien des romans écrits après les *Contes philosophiques* : Birotteau sera tué par l'idée de probité comme par un coup de poignard, Goriot sera rongé par la passion paternelle, Claës sera victime de son enthousiasme pour la science. Les grands romans balzaciens inscriront dans le cadre d'une étude de mœurs réaliste les ravages d'une passion destructrice. *Eugénie Grandet* et *La Recherche de l'Absolu* seront les premiers romans à opérer la fusion de ce double courant qui avait porté Balzac successivement vers la peinture des mœurs et l'expression des idées.

Balzac opérait, en 1834, une célèbre distinction entre *type* et *individu*. « Je vous aurai peint dans les *Études de mœurs*, écrivait-il à Mme Hanska, les sentiments et leur jeu, la vie et son allure. Dans les *Études philosophiques*, je dirai pourquoi les sentiments, sur quoi la vie (...). Ainsi, dans les *Études de mœurs* sont les individualités typisées ; dans les *Études philosophiques*, les types individualisés. Ainsi, partout j'aurai donné la vie : au type, en l'individualisant; à l'individu en le typisant »[2]. De fait, M. Guillaume représentait les marchands de la rue Saint-Denis comme Gobseck représentait les usuriers de 1830 : c'étaient des individus typisés. Au contraire, dans les *Études philosophiques*, le romancier partait d'une *idée* qu'il incarnait dans un personnage caractérisé par des traits individuels. Foedora, vivante image de l'égoïsme, était un type individualisé. La distinction de Balzac, si on la prend à la lettre, est un peu fragile ; elle donne l'impression d'une construction de l'esprit qui vient masquer une réalité vivante de la création. Car *pensée* et *observation* chez Balzac sont intimement liées, à partir de 1833.

La formule du roman balzacien *Eugénie Grandet* évoque les mœurs de la province tout en présentant un personnage qui est devenu la proie d'une idée fixe, la passion de l'or. Balthazar Claës, le héros de *La Recherche de l'Absolu*, est l'héritier d'une immense fortune flamande ; sa maison nous est décrite ; on le voit entouré par les siens ; il est situé dans son époque ; il va se ruiner et ruiner sa famille par sa passion de la science. Le romancier ne propose plus une sorte d'allégorie de la vie humaine ; il insère l'histoire qu'il conte dans le tissu de la quotidienneté. Si les principes philosophiques ont fécondé la peinture des mœurs, la peinture des mœurs a donné leur assise et leur profondeur aux principes philosophiques. Les personnages ne symbolisent plus les ravages de la passion ; ils *vivent* la folie de leur passion ; ils en montrent les méfaits au fil des jours. Leur folie ne les tue plus sur le coup, elle les dégrade peu à peu. Parce que

1. Cité par P.-G. Castex, *Nouvelles et contes de Balzac*, C.D.U., p. 5.
2. Cité par A. Maurois, *op. cit.*, pp. 264-265.

le romancier a découvert la durée, il a pu créer de véritables héros. L'histoire qu'il nous conte, c'est « l'érosion d'un homme vigoureux par une idée fixe ». L'intérêt pathétique de l'histoire contée tient à cette progressive dégradation. Sa valeur dramatique est fondée sur le *conflit* qui oppose le *possédé* à son entourage, en particulier à ses enfants. La puissance destructrice de la pensée se heurte à des obstacles naturels et ne se déploie que dans le champ du concret.

La structure d'*Eugénie Grandet* présente un des schémas les plus courants de la composition balzacienne. C'était déjà celle du *Curé de Tours* : une lente exposition, une vaste partie centrale, une phase dramatique plus rapide. La description de Saumur ou de la maison des Grandet n'a pas seulement une valeur pittoresque ; elle aide à comprendre. Grâce au procédé du retour en arrière, l'exposition gagne de la profondeur ; en permettant de confronter des images du passé à celles du présent, elle donne du relief au personnage. Le passé est évoqué, le présent est suivi de près : la durée pénètre ainsi le roman. Tout le passé pèse sur le présent. Donner les tenants et les aboutissants, pour Balzac, ce n'est pas seulement faire le point des circonstances, ou procéder à un état des lieux avant que ne débute l'action ; c'est rendre le lecteur sensible à la qualité d'une existence qui a modelé à son image *l'espace* dans lequel elle s'est accomplie. Il y a, dans l'atmosphère d'une maison, l'empreinte d'une vie, comme il y a, sur les traits d'un visage, le poids des années.

Balzac, dans la partie centrale d'*Eugénie Grandet*, parvient à donner de l'importance à des détails minuscules. L'intensité du drame repose sur des riens. Grandet fait régner dans sa maison la terreur ; la vieille Nanon souligne, par son affolement, l'audace des pauvres initiatives d'Eugénie en faveur de son cousin. Maurice Bardèche a montré les effets d'opposition qui constituent l'agencement esthétique de la matière romanesque : opposition entre les demandes d'Eugénie et la distribution des provisions par son père ; entre la conversation serrée de l'avare avec son notaire et la prévenance avec laquelle Eugénie arrange le repas ; entre la frivolité de Charles gobant ses mouillettes et la frugalité du père Grandet. La réalité fictive, parce qu'elle est ici *mise en acte* et tissée de détails, prend sa consistance. Nous sommes entraînés, dit Maurice Bardèche, « par un courant de petites choses vers les tempêtes du drame ». Mais aussi vers la signification qu'il comporte, et qui repose sur l'opposition d'Eugénie et de son père : celle-ci, âme pure et généreuse, tout occupée d'abord des affaires du cœur, et bientôt des choses du ciel ; celui-là, plein d'avidité, brûlé par l'âpre passion de posséder les biens de ce monde.

On trouverait, en comparant *Eugénie Grandet* à *La Recherche de l'Absolu*, une opposition significative des deux directions dans lesquelles Balzac devait s'engager tour à tour dans l'édification de *La Comédie humaine*, le roman d'une crise et le roman d'une vie. Il y a, dans *Eugénie Grandet*, une lutte brève, qui ne s'étend que sur quelques semaines ; la partie centrale du roman, dans ce cas, présente les escarmouches qui conduisent au conflit de deux caractères. Dans *La Recherche de l'Absolu*, au contraire, Balzac décrit une lente évolution, il raconte l'histoire de toute une vieillesse ; la partie centrale est alors constituée par les paliers d'une déchéance qui, peu à peu, achemine au drame. Mais comment prétendre résumer en quelques mots les procédés de

Balzac ? A l'intérieur de la structure qu'il a héritée de Walter Scott, il a inventé presque autant de formes qu'il a créé de personnages et de drames. Il reste qu'entre 1829 et 1833, Balzac a presque tout inventé : les types, la structure, l'intime fusion de l'observation des mœurs et de la réflexion philosophique, la progression dramatique d'une histoire insérée dans le concret et fondée sur la durée. Il avait d'abord appris à tresser des péripéties ; puis il avait été un observateur des mœurs et un philosophe qui exposait les principes de la vie humaine. Il ne lui restait qu'à trouver l'idée géniale du retour des personnages. Il pouvait dès lors édifier son univers.

« LA COMÉDIE HUMAINE »

« Le Père Goriot »

« LE GRAND DESSEIN ». — C'est avec *Le Père Goriot* que Balzac utilisait pour la première fois de façon systématique le procédé du retour des personnages. C'est en 1833 qu'il en avait eu l'idée, dans une soudaine illumination : il accourait un jour de la rue Cassini au Faubourg Poissonnière pour dire aux siens : « Saluez-moi, car je suis tout bonnement en train de devenir un génie ». Cette trouvaille avait germé peu à peu dans son esprit. Félix Davin la commentait, dans sa préface aux *Études de mœurs* : « Un grand pas a été fait dernièrement, écrivait-il. En voyant reparaître dans *Le Père Goriot* quelques-uns des personnages déjà créés, le public a compris l'une des plus hardies intentions de l'auteur, celle de donner la vie et le mouvement à tout un monde fictif dont les personnages subsisteront peut-être, alors que la plus grande partie des modèles seront morts et oubliés »[1]. Dans *Le Père Goriot*, le nombre des « personnages reparaissants » qui était de vingt-trois dans l'édition originale, a été, dans les éditions suivantes, porté à cinquante. La comtesse de Restaud avait déjà paru dans *Gobseck*. Le passé de Mme de Beauséant, que *La Femme abandonnée* avait montrée dans sa retraite normande, était ici dévoilé. Il y avait aussi des personnages destinés à reparaître dans des œuvres postérieures ; en tout premier lieu, Vautrin, un des héros les plus importants de *La Comédie humaine*. On le reverra sous les traits de Carlos Herrera, à la fin d'*Illusions perdues*, ce sera le Jacques Collin de *Splendeurs et misères des courtisanes*. Rastignac, qui était, dans *La Peau de chagrin*, réduit à la silhouette d'un homme arrivé, se trouvait ici présenté à ses débuts : la chronologie de la création ne recouvre pas celle des existences fictives. Il réapparaîtra dans beaucoup d'autres œuvres, en particulier dans *La Maison Nucingen*. C'est lui que Balzac choisissait, en 1837, dans la préface d'*Illusions perdues*, pour illustrer son procédé. « Quand un de ces personnages, écrivait-il, se trouve, comme M. de Rastignac dans *Le Père Goriot*, arrêté au milieu de sa carrière, c'est que vous devez le retrouver dans *Profil de Marquise*, dans *L'Interdiction*, dans *La Haute Banque* [dans *La Maison Nucingen*] et enfin dans *La Peau de chagrin* (...). »[2]

1. Pléiade, XI, p. 238.
2. *Ibid.*, p. 332.

Le retour des personnages devenait aussitôt un système. Balzac n'eut de cesse qu'il ne transformât, à chaque réédition, ses ouvrages antérieurs pour les intégrer à l'ensemble. Son œuvre prenait ainsi son unité. Elle bénéficiait d'une composition organique, non d'un développement artificiel. Balzac parvenait à constituer un monde avec ses médecins, ses policiers, ses avoués, ses financiers, ses coquettes, ses dandys, ses commerçants. Le moindre épisode ouvrait maintenant sur l'ensemble. La réalité du tout l'emportait sur celle des parties. Là où bien des romanciers n'eussent réussi qu'à reproduire des noms, Balzac a su tirer des effets de perspectives. Tout se passe, dit excellemment André Maurois, « comme dans la vie, que nous découvrons baignée d'ombre ». M\ume de Beauséant est une belle figure de la douleur dans *La Femme abandonnée* ; elle donne la mesure de sa fierté et de son courage dans *Le Père Goriot*. Il faut, pour atteindre sa vérité, lire ces deux œuvres. Dans *La Fille aux yeux d'or*, de Marsay est un dandy ; dans *Le Contrat de mariage*, c'est un ami précieux; on le voit conduire élégamment une rupture dans *Autre Étude de femme*. Son vrai visage apparaît quand on confronte ces diverses images. Grâce au procédé balzacien, on possède, du même homme, des images différentes, prises sous des angles différents, à différents moments de sa destinée. Le personnage est toujours au-delà de chacun de ses avatars. Balzac, avant Proust, avait inventé à sa façon ce que M. Bardèche appelle la « troisième dimension » du personnage imaginaire.

UNE STRUCTURE COMPLEXE. — Nous connaissons la cellule initiale d'où est sorti *Le Père Goriot* ; c'est une note d'un album où Balzac enregistrait ses projets : « Un brave homme — pension bourgeoise — 600 francs de rente — s'étant dépouillé pour ses filles qui toutes deux ont 50 000 francs de rente — mourant comme un chien ». Balzac a écrit, dans une lettre à M\ume Hanska, qu'il avait voulu peindre « un sentiment si grand que rien ne l'épuise ». Comment douter, dès lors, que son premier dessein ait été de centrer son livre sur la figure du père Goriot, Rastignac n'étant qu'un témoin lucide qui assiste douloureusement à ce drame horrible ? L'œuvre, sous sa forme définitive, continue à faire la part belle au père Goriot : on le suit depuis ses débuts jusqu'à sa mort, l'ouvrage se termine sur ses obsèques. On voit s'accomplir son destin « d'homme ruiné par une passion généreuse et meurtrière ».

Pourtant le récit du *Père Goriot* n'est pas linéaire comme celui d'*Eugénie Grandet* ou de *La Recherche de l'Absolu*. Les épisodes qui concernent Vautrin n'entretiennent guère de rapport avec la passion malheureuse du vermicelier. Rastignac défiant Paris des hauteurs du Père-Lachaise, c'est la conclusion de ce qui précède, c'est aussi la promesse de tout un avenir. A côté du drame d'un vieillard ruiné par ses filles, Balzac nous conte celui d'un forçat arrêté par la police, celui d'une grande dame abandonnée par l'homme qu'elle aime, celui d'un jeune homme tenté par le démon de l'ambition. Le roman, à chaque instant, s'ouvre sur un nouveau drame. Le romancier ne nous conte plus seulement une aventure domestique. C'est la vie entière qu'il veut étreindre. Il se sent de taille à faire vivre un monde. Il ne nous donne pas le sentiment d'une hésitation sur le cheminement de son récit, comme une ancienne critique a pu le prétendre ; mais plutôt celui d'une sorte d'accès aisé à la complexité d'une réalité fictive. Avec *Le Père Goriot*, Balzac, dans une brusque inspiration, découvre l'univers de *La Comédie humaine*. Paris s'agite sous ses yeux. Les destins s'entrecroisent dans la pension Vauquer. Le récit n'éclate pas en histoires diverses : Rastignac est au centre du drame ; il est l'ami de Goriot, le favori de Vautrin, le confident de Mme de Beauséant, l'éventuel mari de Victorine Taillefer. Le roman de l'amour paternel est devenu le récit d'une éducation, et, à l'agonie de Goriot, répond l'histoire d'un début dans la vie.

Ce roman des destins mêlés reste fidèle aux structures du récit balzacien ; mais il bénéficie d'une plus large orchestration. A la description de la pension succède le portrait de chacun des pensionnaires. Après la peinture d'une journée à la pension, la partie centrale est consacrée à l'éducation de Rastignac. Il rend visite à Mme de Restaud, à Mme de Beauséant, à Mme de Nucingen ; il a, avec Vautrin, une conversation capitale. La partie dramatique est centrée sur deux grandes scènes : l'arrestation de Vautrin et l'agonie de Goriot. La présence continuelle de Rastignac assure au récit son unité ; Goriot meurt, Vautrin est arrêté, mais c'est le destin de Rastignac qui se joue.

Au-delà des structures du récit, il faudrait apprécier les subtilités d'une composition par contraste. Aux personnages qui, comme Goriot ou Mme de Beauséant, ont obéi à un sentiment noble et désintéressé, s'opposent les « adorateurs de Baal », Vautrin ou les filles de Goriot. Rastignac est situé entre les deux : le désir de parvenir s'allie en lui à la pureté de la jeunesse. L'arrestation de Vautrin illustre les dangers de la révolte, comme la mort de Goriot et la retraite forcée de Mme de Beauséant montrent le sort que la société réserve aux nobles sentiments. Le contraste, à vrai dire, est une des lois de la création balzacienne. Il est, à lui seul, porteur de significations. *Le Père Goriot*, loin d'être une photographie de la réalité sociale, est le fruit d'une construction puissante et d'un subtil agencement esthétique. On va d'une pension bourgeoise aux richesses de la Chaussée d'Antin et aux splendeurs de l'hôtel de Beauséant. Mais, ces divers milieux, c'est Rastignac qui les découvre. Il veut même passer de l'un à l'autre. Ils ne lui apparaissent pas seulement comme différents secteurs de la société française ; ils sont des *valeurs* qui agissent sur lui comme autant de puissances d'attraction ou de répulsion. Chez Mme de Beauséant, il est « étourdi par les scintillements d'une richesse merveilleuse », « le démon du luxe le mordit au cœur », « la fièvre du gain le prit, la soif de l'or lui sécha la gorge ». Pendant qu'il déjeune à la pension Vauquer il évoque le bal de Mme de Beauséant. Dans le monde, en revanche, il revoit « sous les diamants des deux sœurs, le grabat sur lequel gisait le Père Goriot ». Ces surimpressions comportent un relief esthétique et significatif. La description de la pension, au début du roman, n'est pas seulement explicative, elle n'a pas pour seul objet de manifester les interactions du héros et du milieu, elle prend ici une valeur musicale, c'est le premier coup d'archet de la symphonie.

LES GRANDS PERSONNAGES[1]. — Goriot est, comme le suggérait André Billy, le « contre-pied du père Grandet ou de Claës », qui sacrifiaient leurs

---

[1]. Sur ce point, voir P.-G. CASTEX, *Introduction* au *Père Goriot*, Garnier, 1963, pp. XI-XXXVII.

filles à leur passion : lui se sacrifie pour ses filles. Balzac restait fidèle à la conception des ravages meurtriers de l'idée fixe. Dans quelle mesure s'est-il inspiré, pour son personnage, de Marest, son propriétaire rue Cassini, qui était marchand de blé à la Halle ? Du côté des souvenirs littéraires, c'est au *Roi Lear* qu'on est amené à songer. Au demeurant, dès ses premières tentatives littéraires, Balzac s'était plu à évoquer la force de l'amour paternel, dans *Falthurne*, puis chez Ferragus. Goriot prend une autre dimension. Il *est* la paternité. Il est au nombre de ces grands personnages balzaciens qui sont comme des figures symboliques des grandes forces qui conduisent les hommes. L'accent que Balzac lui prête, peut-être est-ce en lui, qui venait d'être père, qu'il l'a trouvé.

Rastignac est un jeune provincial qui monte à Paris. Il fait songer à Julien Sorel. Comme lui, il est bien ce héros du roman moderne, chez qui « la poésie du cœur » est affrontée à une réalité prosaïque [1]. Il a, comme Julien, la candeur de son âge, la conscience de sa valeur, une âpre résolution à la lutte, il connaît les mêmes souffrances de l'amour-propre blessé, il laisse échapper les mêmes réflexions secrètes, parfois, dans des bribes de monologue intérieur. Il veut, comme Julien au sortir de sa province, conquérir Paris. Image du jeune Balzac, bien sûr, désireux vers ses vingt ans de s'élancer, lui aussi, à la conquête du monde. Le succès de Rastignac, parallèlement à l'échec de Rubempré, est aussi la peinture d'un fait capital de l'époque. Après lui, comme après Julien Sorel, combien d'âpres ambitions de jeunesse vouées à l'échec ou couronnées de succès, depuis le Frédéric Moreau de Flaubert, jusqu'aux *Déracinés* de Barrès, qui sont, disait Pierre Moreau, comme les *Illusions perdues* de la fin du siècle ! Et combien de jeunes gens désireux de conquérir la puissance et la gloire, non plus seulement dans l'univers des romans mais dans le monde réel ! Les hommes imitent bientôt les fictions que le génie leur propose.

Vautrin est une des plus puissantes figures que Balzac ait créées. Balzac assurait que le modèle existait et qu'il était « d'une épouvantable grandeur ». Était-ce l'ancien forçat Vidocq, qui devint, sous la Restauration, chef de la Police ? Balzac le rencontra, on sait qu'il s'intéressa beaucoup à lui. Il a donné à Vautrin certains des traits physiques de Vidocq. Mais Pierre-Georges Castex a montré qu'il y a, entre eux, plus de différences que de ressemblances. La révolte de Vautrin hériterait plutôt du *Neveu de Rameau*. Il y avait, dans ce personnage singulier de Diderot, une vision de la lutte acharnée pour la vie, l'amour des grands crimes et des beaux monstres, la dénonciation des hypocrisies sociales, la passion de l'or, le mépris d'une justice qui n'est jamais qu'au service des forts. Que ne trouverait-on pas, chez Vautrin ! Des souvenirs de Restif de la Bretonne, des résidus du roman populaire, un nouvel avatar d'Argow-le-Pirate ou de Ferragus, une prestigieuse incarnation de Balzac lui-même, possédé par des rêves de domination, plein de goût pour la puissance magnétique qu'il s'appliquait à exercer sur les êtres, créant une troupe secrète sur laquelle il comptait s'appuyer pour conquérir Paris.

---

1. Pierre-Georges CASTEX, *Introduction* au *Père Goriot*, Garnier, p. XXI.

Il y a, dans la création de personnages comme Rastignac, Goriot ou Vautrin, quelque chose de proprement balzacien. Goriot, certes, incarne l'amour paternel, Rastignac, l'ambition, Vautrin, la révolte. Peu importe, au demeurant, les modèles dont Balzac a pu s'inspirer. Il est venu un moment, dans sa création, où ils se sont effacés. Dans les tirades de Vautrin, dans le monologue de Goriot pendant son agonie, ce n'est plus l'auteur qui parle : il devient son personnage. C'est peu de dire qu'il a connu lui-même, à tel moment de sa vie, la frénétique ambition de Rastignac, la passion dominatrice de Vautrin. La création romanesque lui ouvre un espace imaginaire où il se donne le loisir, pendant qu'il écrit, d'être Vautrin, Rastignac ou Goriot. Il tient la gageure de leur prêter sa verve en s'exprimant à travers leur langage. Il trouve en lui-même une voix qui n'est pas seulement la sienne. On se heurte ici au mystère du génie créateur. L'inspiration romanesque ne saurait connaître de plus hauts moments que ceux où elle réussit à faire parler un personnage comme Vautrin parle à Rastignac, comme Goriot crie dans son agonie. Les mots sont alors en prise directe sur les réalités profondes d'un être fictif. Le romancier n'est plus qu'une sorte de médium. Les personnages, à ce niveau, s'emparent de lui. Il existe une réalité fictive qui tout d'un coup se déploie, ayant sa consistance, exerçant sa pression, obéissant à sa logique interne.

Signification du « Père Goriot » *Le Père Goriot* n'est pas, malgré la pension Vauquer, un roman descriptif. Ce n'est pas seulement, malgré Goriot ou Vautrin, un roman centré sur quelques figures effrayantes. C'est le roman d'une initiation. Un jeune homme découvre comment va le monde. Il aperçoit les chemins qu'il faut parcourir pour parvenir à la réalisation de ses désirs. Le message de Vautrin rejoint celui de Mme de Beauséant. Il est repris par les sursauts de lucidité de Goriot pendant son agonie. La vie est affreuse et le monde est horrible. Il n'est que d'avoir assez d'esprit pour obtenir les moyens de le dominer. Le réalisme balzacien, dans sa profondeur, est la peinture de l'envers du décor. Un des plus grands moments du livre, c'est la soirée donnée par Mme de Beauséant. Tout ce qu'il y a de brillant dans Paris est là, il y a les lumières de la fête, la richesse des équipages, la splendeur des salons, la beauté des femmes. Tout ce beau monde est curieux de voir comment sait souffrir Mme de Beauséant. Elle n'a plus d'illusion sur le monde, il n'en a pas sur elle. La fête n'est qu'un beau décor qui cache les souffrances du cœur et la laideur des âmes. De même, après un bal, on voit, au petit matin, une des filles de Goriot errer à travers de pauvres rues. Vautrin, l'homme des bas-fonds, est celui qui montre l'envers du décor et qui dit la vérité de la vie : l'adultère, les soucis d'argent, la méchanceté. Goriot meurt en accusant : « En ce moment, je vois ma vie entière, je suis dupé ». Le cimetière est le lieu privilégié où la vérité éclate. C'est là que tout finit ; les yeux sont désillés. Du haut du Père-Lachaise, la ville propose son immense mascarade. La loi des forts est de ne pas s'y refuser. Tout s'éclaire dans le demi-jour blafard. Il y a une loi d'airain de la société : il faut s'y soumettre pour mieux triompher. Au-delà de tout pittoresque, le réalisme balzacien n'est que le dévoilement de *l'atroce*.

« La Comédie humaine »   Par l'ampleur de la composition, par la diversité des milieux présentés, par le nombre des personnages reparaissants, *Le Père Goriot* constituait une étape décisive dans la carrière de Balzac. Son œuvre est née ensuite d'une sorte de prolifération spontanée qui procédait par opposition, distinction, similitude. D'un roman à l'autre, les situations se répondent. Bardèche a montré que les perspectives de l'ensemble s'éclairent encore mieux si l'on tient compte des projets que Balzac n'a pas réalisés : Spoelberch de Lovenjoul a publié 53 titres de romans qui n'ont pas été écrits. A *Louis Lambert*, homme de génie sombrant dans la folie, devait répondre *Le Crétin*. *Le Contrat de mariage* appelait un *Inventaire après décès* qui ne fut jamais écrit.

C'est en 1842 que Balzac s'est arrêté au titre général de *La Comédie humaine*, qui évoquait *La Divine Comédie* de Dante. Le premier volume contenait le célèbre *Avant-Propos* dans lequel Balzac exposait ses intentions. Il se recommandait de Geoffroy Saint-Hilaire. Il entendait procéder à un inventaire complet des types humains. Il entreprenait d'étudier les espèces sociales comme le naturaliste étudiait les espèces animales. Il était ainsi conduit à peindre les hommes, les femmes, les choses. Il étudiait l'interaction de l'individu et du milieu. Il s'attachait à révéler les complexités de la nature sociale. Il n'était que le secrétaire de la réalité. Il se faisait l'historien des mœurs de son temps, l'historiographe de la vie privée. Il portait dans son esprit une société entière qui était constituée des deux ou trois mille figures saillantes d'une génération. Il faisait concurrence à l'état civil. Il peignait la noblesse et la bourgeoisie, l'administration, l'armée, le crédit, le commerce, la presse. Il étudiait Paris et la province. Il ne se contentait pas de décrire la société ; il entendait exprimer sa pensée politique et sociale. Il écrivait, disait-il, « à la lumière de deux vérités éternelles, la Religion et la Monarchie ».

La construction de cet immense édifice est restée inachevée. Tel qu'il est, l'ensemble est imposant. Balzac l'a réparti en plusieurs divisions : les *Études de mœurs*, qui étaient l'assise de l'édifice ; puis les *Études philosophiques* et les *Études analytiques*. Il ne pouvait guère faire entrer, dans ces dernières, que la *Physiologie du mariage*. Les *Études philosophiques* s'ordonnaient autour d'une intuition centrale : il y faisait figurer les *Contes philosophiques*, des romans comme *La Peau de chagrin* ou *La Recherche de l'Absolu*, des romans mystiques comme *Louis Lambert* ou *Séraphita*. Les *Études de mœurs* étaient la partie la plus développée. Balzac y aménageait des subdivisions : les *Scènes de la vie privée*, récits avec lesquels il avait fait ses débuts dans l'art réaliste, auxquels il adjoignait *Béatrix*, *Modeste Mignon*, et même *Le Père Goriot*, d'abord rangé parmi les *Scènes de la vie parisienne*. Les *Scènes de la vie de province* comportaient *Eugénie Grandet*, *Ursule Mirouët*, *Illusions perdues*. Parmi les *Scènes de la vie parisienne*, figuraient *Le Cousin Pons*, *La Cousine Bette*, *Splendeurs et misères des courtisanes*. Dans les *Scènes de la vie politique*, *Une Ténébreuse Affaire* évoquait le Consulat ; *Z. Marcas* ou *Le Député d'Arcis* peignait la monarchie de Juillet. Balzac rangeait, dans les *Scènes de la vie de campagne*, *Le Curé de village*, *Les Paysans*, *Le Lys dans la vallée*. Il avait songé à toute une série de *Scènes de la vie mili-*

taire : il n'a pu ranger sous cette rubrique que *Les Chouans* et *Une Passion dans le désert*.

Le Saint-Gothard de « La Comédie humaine »

« Le bloc formé par *Illusions perdues* et *Splendeurs et misères des courtisanes*, écrit Albert Béguin[1], occupe une place privilégiée dans *La Comédie humaine* (...). On n'exagèrerait pas beaucoup en disant que la lecture de ces deux vastes romans peut suffire à donner une image complète de l'univers balzacien ». Ce sont, d'abord, les deux romans dans lesquels il y a le plus grand nombre de personnages reparaissants. Leur genèse s'étend sur les dix ans qui vont de 1836 à 1847, et occupe dans l'immense production de Balzac une place privilégiée. Les œuvres constituent, surtout si on leur adjoint *Le Père Goriot*, la ligne de crête de *La Comédie humaine*. C'est avec *Le Père Goriot* que débute le cycle de Vautrin. Ce que Vautrin avait tenté auprès de Rastignac, il le réussit avec Lucien. Il y a, à la fin d'*Illusions perdues*, une scène très belle, qui est comme un écho du *Père Goriot* : elle unit les deux œuvres par un lien d'une profondeur organique. C'est celle où Carlos Herrera passe, avec Lucien qu'il vient de rencontrer, devant la demeure provinciale de Rastignac. D'ailleurs, du *Père Goriot* à *Splendeurs et misères*, les perspectives sur la société française deviennent de plus en plus vastes.

S'il y a chez Balzac un mythe de Paris, c'est dans *Illusions perdues* qu'il apparaît le mieux. Tout le Paris de Balzac est là, avec les salons légitimistes, le pauvre logis où d'Arthez s'exalte au travail, le monde du théâtre et de l'édition, le tableau babylonien des galeries du Palais-Royal et de la terrasse des Feuillants, la descente des tilburys le long des Champs-Élysées. Cette fantasmagorie parisienne, ce monde du plaisir, de l'intelligence et du cynisme s'appuient sur les fortes assises provinciales du début et de la fin. Jamais Balzac n'a montré à la fois autant de milieux, autant de personnages. L'immense prostitution des idées et des personnes qu'il s'attache à peindre donne à sa fresque une allure grandiose. Le génie de Balzac se déploie avec profusion. « Nulle part, écrit Antoine Adam[2], n'apparaissent mieux, avec plus de force et de pureté, les caractères du génie balzacien, le don de comprendre le réel, de pénétrer jusqu'aux forces secrètes qui le dominent, et de le reconstruire ensuite en un univers nouveau. »

Quand Balzac est inspiré, il atteint une prodigieuse rapidité de conception et d'exécution. La première partie d'*Illusions perdues* fut écrite en une vingtaine de jours. Les suivantes vinrent d'une seule coulée. Il est vrai que l'auteur n'avait jamais été plus près de lui-même. Il traitait là des sujets qui lui tenaient à cœur. Mais le romancier a fondu, au creuset de son imagination, tous les éléments que la réalité lui proposait. Il pouvait se souvenir, quand il peignait l'amour de Lucien pour Mme de Bargeton, de l'aventure de George Sand et de Jules Sandeau, songer même à Rosa de Saint-Surin, évoquer encore l'image de la Dilecta. Il n'avait qu'à puiser dans ses souve-

---

1. *Balzac lu et relu*, p. 169.
2. *Introduction* à *Illusions perdues*, Garnier, 1961, p. XXXI.

nirs pour peindre l'imprimerie de Séchard, pour exposer ses projets et ses recherches. Tous les secrets d'Angoulême lui avaient été dévoilés par Zulma. Dans *Un Grand Homme de province à Paris*, il entendait écrire « le poème de ses luttes et de ses rêves déçus ». Lucien de Rubempré brisé par les duretés de la vie parisienne, ce pouvait être Jules Sandeau ou le jeune Chaudesaigues ; c'était aussi, en grande partie, lui-même. Son tableau de la vie journalistique et littéraire avait l'âpre accent d'une revanche. Lucien aux abois après la faillite de Fendant et Cavalier, c'est Balzac après la faillite de Werdet. Lousteau pilotait Lucien dans le dédale des intrigues comme Latouche l'avait sans doute fait pour Balzac vers 1829. Le désir de s'imposer par le talent du journaliste, les longs labeurs de l'écrivain ou les souffrances de l'inventeur, Balzac l'avait connu. C'est lui-même qu'il a représenté sous les traits de David Séchard, de d'Arthez ou de Lucien, tirant ces figures de la diversité de ses *possibles* intérieurs.

« Illusions perdues », Le poème de la destinée

Il n'y a rien de plus beau, dans le roman français, que le début d'*Illusions perdues* : les deux figures fraternelles de David et de Lucien y sont montrées : l'un, massif et solide, l'autre, féminin et léger. Tous deux, d'un même cœur, à l'aube de leur vie, s'élancent vers leur avenir. Lucien brûle de conquérir les hautes sphères de la société ; il rêve de succès littéraires et mondains ; David, moins brillant, mais d'une intelligence plus vaste et plus profonde, se consacrera, dans le calme de la vie provinciale, à sa passion de la recherche. Il ne faut jamais oublier ce début à travers les incidents du parcours. Tout grand roman commence par un semblable élan. La vie se chargera de détruire les illusions et de ruiner les espérances. Voilà bien le contraste dont parlait Alain entre « le tumulte de l'attente » et « la réalité de la chose ». Ce passage des illusions aux désillusions est un des axes du grand roman européen au XIXe siècle.

Les intentions de Balzac, à l'origine, étaient modestes. Dans *Les Deux Poètes*, il voulait seulement montrer les illusions qu'on se fait en province sur soi-même et sur les autres. Une note sur une page de son manuscrit ne laisse aucun doute sur la première signification de son œuvre : « David et Eve perdent leurs illusions sur Lucien. Mme de Bargeton *idem*. Lucien sur Mme de Bargeton ».

Balzac eut vite le sentiment que ce récit n'était que le prélude d'une œuvre plus importante : *Un Grand Homme de province à Paris*. Dès lors, le titre d'*Illusions perdues* se chargeait de résonances nouvelles. Balzac y retrouvait un de ses thèmes favoris : la montée vers Paris d'une jeunesse déracinée. Il mettait l'accent sur la destinée de Lucien, secrètement accordée aux faiblesses de son caractère. Ce qui le sert un instant est aussi ce qui le perdra. Il se laisse étourdir par ses premiers succès. Il faut être, pour asseoir sa domination, calculateur comme Rastignac, cynique comme de Marsay, persévérant comme d'Arthez. Le cénacle offrait l'occasion d'un redressement moral, mais Lousteau, qui s'oppose à d'Arthez comme le vice à la vertu, fait miroiter les tentations du journalisme. La destinée de Lucien se noue quand il choisit la vie facile. A partir de là, il est entraîné dans un tourbillon. Sa vie est ballottée par les événements. Balzac donne à son récit un mouvement endiablé. Le réalisme ici est le fruit d'une suite serrée de menues circonstances qui, au bout du compte, constituent une destinée. La psychologie est dépassée ; ce n'est pas une âme qu'on analyse, c'est une vie qui se fait sous nos yeux. Aux succès éphémères s'oppose bientôt une déchéance précipitée. Balzac n'a jamais donné à aucun récit une plus prodigieuse densité.

Dans la troisième partie, *Les Souffrances de l'inventeur*, il proposait une illustration moderne des malheurs de Bernard Palissy. Il voulait faire, disait-il à Mme Hanska, « le magnifique contraste de la vie de David Séchard en province avec Ève Chardon, pendant que Lucien faisait toutes ses fautes à Paris ». Après la destinée manquée de Lucien, celle de David. Il avait tout pour lui, la sagesse, l'intelligence, l'amour de sa femme. Et il lui faut abdiquer quand il touche au but. Balzac a écrit là un magnifique poème de l'échec. David est vaincu par des adversaires habiles à manœuvrer dans le maquis des procédures. Son rêve à lui aussi s'écroule sous le poids des circonstances. Il offre l'exemple d'une grande pensée étouffée par de petits hommes. Peut-être Balzac n'est-il pas allé jusqu'au bout de son personnage. Au lecteur de rêver à la mélancolie de David, dix ans après son échec. Ce qu'il y a de fort, chez Balzac, c'est qu'il y a toujours des *suites* à imaginer.

« Splendeurs et misères des courtisanes ». Les séductions du romanesque C'est la suite d'*Illusions perdues*. C'est aussi, en écho, une réponse au *Père Goriot*. On sait que Balzac a écrit les quatre parties de ce long roman pour rivaliser avec Eugène Sue. « Je fais du Sue tout pur » écrivait-il à Mme Hanska. Après le suicide manqué de Lucien au bord de la Charente, c'est comme un rêve qui se déroule. On sort souvent du naturel, de la vérité, du vraisemblable. Comment Rubempré peut-il espérer, lui qui vit entretenu entre une fille et un ancien forçat, épouser la fille d'un des plus grands seigneurs du royaume ? Vautrin lui-même est ici un peu étouffé sous le poids de péripéties romanesques. Balzac explore un nouveau secteur de la société, le milieu des aventuriers et des courtisanes, mais un romanesque à la Eugène Sue s'y déploie. Balzac rejoint par là une veine qu'il n'avait jamais tout à fait abandonnée ; il retrouve l'inspiration de l'*Histoire des Treize*. C'est un nouvel avatar du roman noir. André Maurois voit dans ce roman « un étonnant mélange de thèmes romantiques, d'absurdités mélodramatiques et d'observations vraies ».

Balzac et le roman-feuilleton Sainte-Beuve s'en prenait, dans un célèbre article de 1839, à ce qu'il appelait « la littérature industrielle ». Il est vrai qu'à l'époque de Balzac, l'élément commercial a commencé à prendre une place prépondérante dans la vie littéraire. On assiste, de 1836 à 1848, à la vogue croissante du roman-feuilleton. Le phénomène était lié à la création d'une presse quotidienne à bon marché. Pour retenir la clientèle, on piquait sa curiosité. À partir de 1836, avec *La Presse* et *Le Siècle*, le roman touchait un public de moins en moins exigeant sur la qualité. D'abord, les œuvres littéraires parurent en feuilleton avant de sortir en librairie. Mais, dès 1839, des écrivains ont fait effort pour tirer parti de la situation nouvelle. Le procédé du découpage conduisait à l'art de tenir en haleine l'attention du lecteur à la fin de chaque numéro. Eugène Sue fait paraître dans *La Presse*, en 1839, *Arthur* et *Hercule Hardi* ; Dumas publie, dans *Le Siècle*, *Adam le Calabrais*. Les premiers véritables romans-feuilletons apparaissent à partir de 1840. Les longues séries d'une interminable histoire succèdent aux nouvelles publiées en quelques numéros. *Les Quatre Sœurs* de Soulié occupent 27 feuilletons des *Débats* ; *Le Chevalier d'Harmenthal* de Dumas s'étend, dans *Le Siècle*, sur 47 feuilletons. Sue prend la tête du mouvement avec les 89 feuilletons de *Mathilde* dans *La Presse* et surtout avec l'extraordinaire succès, en 1842-1843, des *Mystères de Paris*.[1]

Balzac, dès 1836, a fait paraître dans les journaux la plupart de ses œuvres avant de les publier en librairie. Mais au fur et à mesure que se précisait la technique du roman-feuilleton, il rencontrait des déboires. Avec *Béatrix*, déjà, il s'était heurté aux réticences du public. Ses romans se prêtent mal au découpage, son génie s'accommode difficilement d'une action vive, qui rebondit en cascades de péripéties romanesques. En 1841, il ne réussit guère à placer que des nouvelles dans les grands journaux. Il figure encore, grâce à *Une Ténébreuse Affaire* et à *Ursule Mirouët* parmi les « maréchaux du feuilleton ». Mais il lui faut de plus en plus s'incliner devant l'hégémonie de Dumas et d'Eugène Sue. Il obtient encore quelques succès, en 1843, avec *Honorine*, *Esther ou les amours d'un vieux banquier*, *David Séchard ou les souffrances de l'inventeur*. Mais, après l'échec des *Paysans*, et malgré ses efforts pour rivaliser avec Eugène Sue dans *Splendeurs et misères des courtisanes*, il se voit contraint d'abandonner à ses rivaux triomphants l'empire du roman-feuilleton.

BALZAC ET L'ART DU ROMAN

La création balzacienne

Tout grand romancier recourt à une technique qui est en rapport avec la nature de son génie et les exigences de son tempérament. Balzac est, au XIXᵉ siècle, le premier grand romancier réaliste : mais tout l'oppose, dans sa façon de travailler, à Flaubert, à Goncourt, à Zola... Il enregistre, il observe, il écoute, mais il ne se livre guère à un travail préalable de documentation méthodique. La matière de son roman est en lui, elle est dans sa vie que le jeu de l'imagination agrandit et libère. Il procède par amalgame, il brouille les pistes, il s'amuse à prêter à Mᵐᵉ Vauquer telle prononciation particulière de Mᵐᵉ Hanska. Il se refuse à constituer, avant d'écrire, un plan qu'il lui faudrait suivre. Il compose par grandes masses, qui viennent, au moins dans un premier état du texte, d'un seul jet. Il écrit de verve, en quelques

---

1. Parmi les grands succès du roman-feuilleton, signalons : A. DUMAS, *Les Trois Mousquetaires* (1844), *Le Comte de Monte-Cristo* (1844-45), *Vingt Ans après* (1845), *Le Chevalier de Maison Rouge* (1846), etc. ; Frédéric SOULIÉ, *Les Mémoires du diable* (1837-38), *Si jeunesse savait, si vieillesse pouvait* (1841-45) ; Eugène SUE, *Les Mystères de Paris*, *Le Juif errant* (1844-45), *Les Mystères du peuple* (1849-57) ; Paul FÉVAL, *Les Mystères de Londres*.

semaines d'un travail frénétique. Pendant ces périodes de quinze ou de dix-huit heures de travail quotidien, toutes ses facultés sont tendues. Dès que « le café est tombé dans l'estomac », « tout s'agite, dit-il[1]. Les idées s'ébranlent comme les bataillons de la Grande Armée (...), les souvenirs arrivent au pas de charge ». Dans ces flambées d'inspiration, tout est porté à un point d'incandescence où les éléments sont fondus en une substance nouvelle. Le romancier, alors, « va en esprit à travers les espaces », « l'inspiration (lui) déroule (...) des transfigurations sans nombre et semblables aux magiques fantasmagories de nos rêves »[2]. S'il arrive que le roman se présente mal, Balzac est capable d'attendre des années pour écrire la suite : ce fut le cas pour *César Birotteau* ou *Béatrix*. L'inspiration a ses caprices. Elle ne s'exerce que sous une double pression, extérieure et intérieure. Le besoin d'argent, les promesses faites aux éditeurs et aux créanciers décuplent ses facultés ; loin de compromettre son talent, elles ont peut-être favorisé son génie. La fièvre de la rédaction communique au récit sa rapidité haletante. Les drames qu'il a vécus, ou frôlés, revivent en lui d'une façon intense. Il les raconte, sous la pression de l'émotion. Qui plus est, il est tout entier pris par la grandeur et par la beauté de son sujet. Il part presque toujours d'une *idée* qu'il veut mettre en relief. Ses projets de romans tiennent en quelques mots qui résument une situation frappante, un contraste pathétique. Il ne perd jamais de vue, en cours de rédaction, l'effet à produire par le caractère saisissant des personnages et des situations. Mais aussi, en avançant dans la rédaction, ou même en corrigeant ses épreuves, il découvre dans son sujet des profondeurs nouvelles, il entreprend d'orchestrer les nouveaux thèmes qu'il vient de rencontrer. Bernard Guyon a montré sur le vif, à propos du *Médecin de campagne*, cette loi essentielle de la création balzacienne.

Ce qui est frappant, dans cette prodigieuse activité d'esprit, c'est qu'elle *invente le vrai*. L'imagination balzacienne est liée à une démarche de l'intelligence. Inventer, chez Balzac, c'est comprendre. Il éclaire en racontant, il explique en décrivant. C'est pourquoi il crée un monde. Stendhal ne se quitte guère, quand il crée ; l'œuvre de Balzac ne naît pas d'un subtil rapport qu'il entretiendrait avec lui-même ; elle est le fruit de l'adéquation de son intelligence aux choses dont elle s'empare. Car comprendre, pour lui, c'est posséder. Il a donné, avec Vautrin, la figure mythique du pouvoir créateur. « Moi, dit Vautrin, je me charge du rôle de la Providence ». L'art pour Balzac n'est pas seulement *expression*, mais *connaissance*. Le romancier veut « s'emparer du monde par l'intermédiaire du langage ». Son entreprise est un effort démesuré pour rivaliser avec le Créateur. Il vit par procuration avec ses héros, comme Vautrin avec Rubempré, comme Goriot avec ses filles, comme Gobseck avec son or. Le mythe de la Paternité chez lui débouche sur une intuition de l'acte créateur. Il est Dieu le Père dans le monde qu'il anime. Son entreprise procède d'une exigence d'Absolu. La création romanesque, à ce niveau, est une aventure métaphysique.

---

1. Cité par André ALLEMAND, *op. cit.*, p. 44.
2. A. ALLEMAND, *op. cit.*, p. 56.

Le personnage balzacien.
Type et individu

Balzac redonnait de la profondeur à la notion de *personnage représentatif* qu'il avait hérité de Walter Scott, quand, dans l'*Avant-Propos* de 1842, il établissait l'existence des *espèces sociales*. Puisque « les différences entre un soldat, un ouvrier, un administrateur, un avocat (...), sont (...) aussi considérables que celles qui distinguent le loup, le lion, l'âne, le corbeau, le requin etc.(...), il reste au romancier à incarner dans quelques individus représentatifs ces diverses espèces sociales ». Le romancier devient un savant *naturaliste*. Il ne lui suffit plus d'animer des personnages représentatifs de son temps, il faut qu'il les distingue en autant d'espèces qu'il y a de catégories sociales.

L'*Avant-Propos* de 1842 contient une phrase capitale. Elle concerne les personnages de Walter Scott : on l'appliquerait aussi bien à ceux de Balzac. Elle éclaire, de façon frappante, les trois aspects qui sont parfois mêlés dans les grands personnages balzaciens : un type social, un type moral, un type philosophique. « (Ces personnages), écrit Balzac, (...) ne vivent qu'à la condition d'être une grande image du présent. Conçus dans les entrailles de leur siècle, tout le cœur humain se remue sous leur enveloppe, il s'y cache souvent toute une philosophie ».

Le demi-solde Bridau, dans *La Rabouilleuse*, est d'abord conçu « dans les entrailles » de son siècle. M. de Mortsauf, c'est l'émigré. Le colonel Chabert, c'est l'ancien combattant qui se sent de trop dans un monde qui a changé. Diverses catégories d'employés sont présentées dans le roman qui porte ce titre. Il y a plusieurs espèces de journalistes dans *Illusions perdues*. Certaines déclarations de Balzac ne laissent aucun doute sur ses intentions. « *Le Cabinet des antiques*, annonce-t-il[1], est l'histoire de ces jeunes gens pauvres, chargés d'un grand nom, et venus à Paris pour s'y perdre, qui par le jeu, (...) qui par un amour heureux ou malheureux. Le comte d'Esgrignon est la contrepartie de Rastignac, autre type du jeune homme de province, mais adroit, hardi, qui réussit là où le premier succombe ». Et on lit dans la préface d'*Illusions perdues*[2] : « Il y aura dans la superposition du caractère de Rastignac qui réussit à celui de Lucien qui succombe, la peinture (...) d'un fait capital dans notre époque ». Et de citer tous les jeunes ambitieux de *La Comédie humaine* qui incarnent « l'histoire tragique de la jeunesse depuis trente ans ».

« Tout le cœur humain, disait Balzac, se remue sous leur enveloppe ». Au type social, se superpose parfois un type moral. Le romancier *naturaliste* devient le peintre des passions. Il leur donne une intensité exemplaire. Il élimine ce qui ne lui paraît pas essentiel. Il pousse ses personnages jusqu'au bout d'eux-mêmes. Hulot, dans *La Cousine Bette*, a tous les caractères du vieillard débauché ; Balthazar Claës est *possédé* par la passion de la recherche ; la cousine Bette est une effrayante figure de la jalousie méchante. Goriot incarne l'amour paternel jusqu'à l'aveuglement.

---

1. *Préface* de la première édition, Pléiade, XI, p. 365.
2. *Préface* de l'édition Dumont à *David Séchard*, *Illusions perdues*, troisième partie, Pléiade, XI, p. 342.

« Non seulement les hommes, dit Balzac, mais encore les événements principaux de la vie se formulent par des types. Il y a des situations qui se représentent dans toutes les existences, des phases typiques, et c'est là l'une des exactitudes que j'ai le plus cherchées »[1]. La tâche du romancier est de déterminer les circonstances dans lesquelles les valeurs typiques, sur le plan social ou moral, apparaissent le plus nettement. La faillite est, pour le commerçant qu'est Birotteau, une de ces phases typiques. Quand il affronte Du Tillet, il résume l'opposition du petit commerce et de la grande banque. La campagne de presse, c'est la phase typique de la vie d'un journaliste. La visite à l'éditeur est le moment caractéristique d'une vie d'écrivain. L'épisode révélateur, dans la vie du bagnard, c'est l'arrestation. C'est pendant ces phases typiques que les passions se révèlent. La naissance de l'amour, chez Eugénie Grandet ou Ursule Mirouët, est un moment crucial. L'agonie n'est-elle pas, par excellence, la phase typique d'une vie ? Combien d'agonies, dans Balzac, où sont prononcés les mots de la fin ! Celles de Mme de Mortsauf, de Mme Graslin, du Père Goriot !

Il se cache souvent toute une philosophie, il est vrai, chez les grands personnages balzaciens. L'amour paternel inspire à Goriot des mots étonnants : « Quand j'ai été père, j'ai compris Dieu. » Il n'est plus seulement un vermicelier qui a fait fortune sous la Révolution, — type social — ou un père qui adore ses filles, — type moral — , mais il figure, dans la mythologie de Balzac, une sorte de « Christ de la Paternité ». Balzac a laissé de côté *César Birotteau* pendant plusieurs années, en désespérant de pouvoir jamais intéresser ses lecteurs aux malheurs d'un petit commerçant qui ne peut payer ses échéances. Jusqu'au jour où il eut l'idée d'en faire le « martyr de la probité commerciale ». Il avait vu d'abord en lui « une victime (...) de la civilisation parisienne », puis il en a fait une figure de la « pureté archaïque ». C'est un homme du commun élevé tout d'un coup à la hauteur d'un personnage épique. Le voici qui fait un aval sur les billets de Du Tillet : « Du Tillet, écrit Balzac, ne soutint pas le regard de cet homme et lui voua sans doute en ce moment cette haine sans trêve que les anges des ténèbres ont conçue contre les anges de lumière ». Le roman de mœurs bourgeoises bascule vers une sorte de cosmogonie épique. L'arrestation de Vautrin, dans *Le Père Goriot*, est un passage hautement significatif. On connaît le personnage, haut en couleur, râblé, bricoleur, toujours chantonnant et blaguant. On l'arrête. Sa tête et sa face sont « illuminées comme si les feux de l'enfer les eussent éclairées ». Cet homme « ne fut plus un homme, mais le type de toute une nation dégénérée ». « En ce moment, dit encore Balzac, Collin devint un poème infernal. (...) Son regard était celui de l'archange déchu qui veut toujours la guerre ».

---

1. *Avant-Propos* de 1842, Pléiade, I, p. 14.

La structure romanesque   Si *La Comédie humaine* nous donne le sentiment d'un monde complexe, elle nous offre l'exemple d'une foisonnante richesse de procédés techniques. D'Arthez, dans *Illusions perdues*, donne à Lucien, romancier débutant, le conseil de varier ses procédés. « Il y a loin, disait Balzac de son côté, du procédé littéraire du *Père Goriot*, d'*Illusions perdues*, de *Splendeurs et misères des courtisanes*, à celui de *Louis Lambert*, de *Séraphita*, de *La Peau de chagrin* (...) »[1]. Ici, l'auteur utilise le roman comme un cadre commode pour l'exposé de ses idées sociales, politiques et philosophiques. Là, il met en œuvre une construction dramatique dans laquelle la précipitation finale s'oppose aux lenteurs de l'exposition.

Les exégètes de Balzac ont pu, pour les commodités de l'exposé, étudier successivement la *statique* balzacienne — portrait, description, exposition, et la *dynamique* balzacienne, fondée sur l'*intrigue* (convoitise d'un héritage, manœuvres de procédure, complot) et l'*action*, qui relève de l'opposition des caractères[2]. Mais les deux choses sont liées : parce que le romancier a commencé par nous donner les tenants et les aboutissants, le moindre mot, le moindre geste, dans la partie dramatique, prennent toute leur portée. Au surplus, il y a unité de structure dans l'univers balzacien. Tous les critiques ont souligné l'interaction du milieu et du personnage. C'est en parlant de Gobseck et de sa demeure que Balzac écrit : « Vous eussiez dit de l'huître et de son rocher ». Il dit de Mme Vauquer que « toute sa personne explique la pension, comme la pension implique sa personne ». Il y a plus : les descriptions ne retardent pas l'action ; elles la contiennent virtuellement, elles en constituent la figure matérielle. Le drame est inscrit dans les visages et dans les lieux avant d'être inscrit dans le déroulement d'une aventure. Les forces de la nature participent aux destinées humaines. Dans le *Lys*, la nature dans laquelle se promènent Félix et Mme de Mortsauf est le reflet de leurs sentiments. Une série de rapports s'établissent entre le personnage, le milieu et l'action. Dans *Ferragus*, les rues ont une physionomie secrètement accordée à l'histoire qu'on raconte. Les meubles, dans la pension Vauquer, ne sont pas seulement des *objets*, ils deviennent des *signes*. Les choses sont là en fonction de ce qu'elles représentent. Michu, avec son cou « court et gros » qui « tentait le couperet de la loi » incarne, dès qu'il paraît, dans *Une Ténébreuse Affaire*, le destin du condamné à mort.

A cette structure analogique d'un univers plein, répond une structure essentiellement dramatique. On peut dire, certes, qu'elle a été empruntée à Walter Scott, et que Balzac a remplacé le roman narratif, de tissu lâche, par un roman serré, à la fois *dramatique* et *réaliste*. Faut-il voir, aussi, dans le goût du *drame*, une influence du théâtre ? Il y a, chez Balzac, liés au sentiment de la durée, à l'abondance des détails, des effets proprement romanesques. Au demeurant, le caractère dramatique du récit balzacien implique une vision du monde. Le roman de Balzac consiste en un affrontement de forces opposées. Qu'il réussisse ou qu'il échoue, le héros balzacien est un

---

1. Cité par H.-U. FOREST, *L'Esthétique du roman balzacien*, p. 42.
2. Voir en particulier Ramon FERNANDEZ, *Balzac*, et H.-U. FOREST, *op. cit.*

être de désir. Il veut obtenir ce qu'il convoite. Il affronte le monde, il entre en conflit avec les autres. Le roman est alors fondé sur le heurt des passions en même temps que sur des batailles d'intérêt. Balzac emprunte de fréquentes comparaisons à l'art militaire. Il identifie le contrat de mariage à des hostilités, précédées d'escarmouches et conduisant à une bataille.

Un réalisme visionnaire

« J'ai souvent été étonné, écrivait Baudelaire dans une page célèbre, que la grande gloire de Balzac fût de passer pour un observateur ; il m'avait toujours semblé que son principal mérite était d'être visionnaire, et visionnaire passionné »[1]. Baudelaire réagissait avec bonheur contre la conception puérile d'un romancier « enregistreur » ou « photographe ». Métaphores qui sont d'ailleurs dépourvues de toute signification. Aucun écrivain n'a jamais « copié » la réalité. Lire ou écrire un roman, ce n'est pas être placé devant un équivalent du réel, c'est pénétrer dans l'univers d'un discours. Mais la mise au point de Baudelaire a, depuis, suscité des débats un peu scolaires sur le point de savoir si Balzac était observateur ou visionnaire. Il était les deux. Tranchons la question, et parlons d'un réalisme visionnaire.

Balzac situe ses romans dans un univers constitué de détails concrets. Ses héros affrontent des difficultés réelles ; le monde est pour eux un obstacle ; ils ne parviennent qu'en s'appuyant sur des forces qui les dépassent. Il y a, chez Balzac, un poids des choses, un enracinement de toute aventure morale ou spirituelle dans le concret. Taine est un des premiers critiques à avoir donné au réalisme balzacien sa dimension véritable. «Balzac, disait-il[2], nous présente la vie que nous menons, il nous parle des intérêts qui nous agitent ». Parce qu'il était à la fois un architecte, un tapissier, un tailleur, un notaire, etc., il a fait du roman une étude de mœurs, et non le déploiement d'une aimable fiction ou l'analyse abstraite d'une âme située hors du temps et de l'espace. Il a montré des hommes réels aux prises avec des difficultés réelles. L'unité de son œuvre lui a permis d'éviter le défaut inhérent à un roman isolé « qui ne découpe qu'un événement dans le vaste tissu des choses ». Balzac, disait Taine, « a saisi la vérité parce qu'il a saisi les ensembles ». Il a été un grand romancier réaliste parce qu'il était un savant qui avait entrepris une histoire naturelle de l'homme. Son œuvre, concluait Taine, « est le plus grand magasin de documents que nous ayons sur la nature humaine ».

Taine avait senti l'importance capitale donnée par Balzac à la question d'argent. Gautier, lui aussi, dès 1859[3], soulignait le fait. Le roman, avant Balzac, s'était borné à la peinture de l'amour « dans une sphère idéale, en dehors (...) des misères de la vie ». Balzac avait eu « le courage de représenter un amant inquiet, non seulement de savoir s'il a touché le cœur de celle qu'il aime, mais encore s'il aura assez de monnaie pour payer le fiacre

---

1. *L'Art romantique*, Pléiade, p. 1037.
2. Dans une remarquable étude, in *Nouveaux Essais de Critique et d'Histoire*, Hachette, 1865.
3. *Honoré de Balzac*, Paris, 1859.

dans lequel il la reconduit ». Gautier voyait là « une des plus grandes audaces qu'on se soit permises en littérature ».

Balzac appuie ses constructions imaginaires, comme l'a montré Jean-Hervé Donnard[1], sur une solide connaissance des réalités de son temps. Il est vrai qu'il n'a pas accordé au *peuple* toute son importance. Il a été sévère, mais juste, à l'égard de la noblesse, qu'il montre oisive, improductive, endettée, trafiquant de ses noms. Quand il montre des nobles épousant de riches roturières, il enregistre un phénomène social caractéristique du XIXe siècle. L'opposition entre la haute ville oisive et la basse ville industrieuse, à Angoulême, a la valeur d'un diagnostic exact sur le rapport des forces sociales en France. Quand Derville gagne un procès pour faire remettre à ses propriétaires l'hôtel de Grandlieu, Balzac fait état de mesures prises sous la Restauration pour que soient restitués aux émigrés leurs biens non vendus. Quand il montre Birotteau lancé dans une nouvelle forme de commerce, il décrit les agissements de commerçants qui, dès l'Empire, recherchaient une vitrine attrayante, une publicité efficace, une fabrication rationnelle. La déconfiture de Birotteau, qui succombe faute de crédits, alors que ses affaires présentent toutes les garanties, reflète le manque d'organisation du crédit sous la Restauration, qui en fait l'âge des usuriers, auxquels Balzac n'a pas donné une importance démesurée. Ce n'est qu'en 1837 que Laffitte ouvre une banque favorable au petit commerce. La spéculation de Birotteau sur les terrains de la Madeleine est fondée sur des données historiques précises et exactes. Balzac voit juste quand il montre dans la parfumerie et la papeterie deux industries en plein essor sous la Restauration ; il est historiquement significatif que Cointet devienne pair de France et épouse la fille de Popinot, député de Paris. Le plan Rabourdin, dans *Les Employés*, n'est pas utopique. *La Maison Nucingen* dévoile les machinations de la haute banque, et Nucingen, loin d'incarner Rothschild, emprunte des traits à Ouvrard, à Laffitte et à Girardin. Balzac, en montrant l'ascension de Grandet, « a donné à son analyse, écrit Pierre-Georges Castex, une réalité que les historiens n'hésitent pas à reconnaître »[2]. On comprend l'intérêt que Marx a pris à la lecture de *La Comédie humaine*, et l'on sait que Engels prétendait avoir appris plus de choses dans l'œuvre de Balzac que dans tous les traités des économistes.

Mais Balzac n'est pas un économiste ou un historien qui analyse tel ou tel secteur de l'activité. C'est un romancier qui recrée un monde à lui, c'est un grand écrivain qui accuse. C'est le monde de la Restauration qu'il peint, mais vu par lui, agrandi, exagéré, dramatisé. Balzac expose sa vision du monde à travers l'observation du réel. Dans cette solitude nocturne de la chambre où il travaille, l'esprit en feu, la réalité prend des proportions gigantesques. La vue devient seconde vue. Ce qui, dans l'univers réel, était contingence, devient signe et symbole. « La mission de l'art, disait Balzac, n'est pas de copier la nature, mais de l'exprimer ». Il définissait l'art comme « la

---

1. Dans sa thèse, *Les Réalités économiques et sociales dans « La Comédie humaine »*, A. Colin, 1961.
2. Dans une communication au colloque Balzac, *Europe*, janvier-février 1965, pp. 248-249.

création idéalisée » ou « la Nature *concentrée* ». Tout devient signifiant, dans l'univers balzacien, et pourtant tout garde sa « pesanteur concrète ». Balzac était bien cet artiste dont parlait Malraux qui « ne se soumet jamais au monde », mais qui « soumet le monde à ce qu'il lui substitue ».

3. Le roman idéaliste de George Sand

Le romantisme de George Sand George Sand, déçue par son mariage, s'installe à Paris en janvier 1831. On assiste alors à une magnifique éclosion de jeunesse et de génie. Victor Hugo, auréolé par le prestige d'*Hernani*, va donner *Notre-Dame de Paris*, Musset vient de lancer ses *Contes d'Espagne et d'Italie*, Stendhal a publié *Le Rouge et le Noir*, et Balzac *La Peau de chagrin*. George Sand va publier coup sur coup quelques romans qui lui assurent la gloire. *Indiana* est, en 1832, une éclatante révélation de son talent, *Valentine* et bientôt *Lélia* connaissent un immense succès.

George Sand transposait là ses aventures sentimentales, elle laissait voir ses déceptions. Ses romans nous content l'histoire d'une jeune femme mal mariée. C'est le cas d'*Indiana* et de *Valentine*. *Lélia* est aussi une femme qui a été éprouvée par la vie, déçue par l'amour. Dans un cadre romanesque, on est sensible à l'accent d'une confidence. L'auteur ajoutait à l'occasion des revendications féministes qui faisaient écho à celles qu'on trouvait dans les romans de Mme de Staël, mais avec quelque chose de moins intellectuel, de plus vibrant, de plus passionné. C'est dans *Jacques* surtout que George Sand s'en prenait, par le truchement de ses personnages, à l'institution du mariage, qui lui paraissait « une des plus barbares que la société ait ébauchées ». L'âpreté des revendications et la violence des sentiments conféraient quelque relief à des situations romanesques qui rappellent souvent celles du roman d'intrigue sentimentale. Tous les thèmes à la mode en 1830 venaient relayer les fadeurs des romans de l'Empire. Il est frappant que les thèmes du roman romantique rejoignent ceux de la poésie lyrique. Le roman n'est alors, pour George Sand, qu'un instrument d'expression du moi. Il s'y prête d'autant mieux qu'il est de forme plus libre. Les dissertations morales et les développements lyriques viennent à chaque instant s'insérer dans le déroulement du récit. *Lélia* est moins un roman qu'une sorte de « poème philosophique bâti sur une intrigue romanesque assez lâche ». Les premiers romans de George Sand s'opposaient par là aux solides structures balzaciennes et à la rigueur que Stendhal apportait dans la conduite du récit.

Dans cette lignée du roman personnel qui va de Rousseau à Fromentin, les romans de 1830 marquaient une sorte d'apogée de la passion. On avait perdu, avec l'exaltation du romantisme, l'équilibre fragile qu'il y avait dans *La Nouvelle Héloïse* entre bonheur et vertu, passion et sagesse. Les personnages de Rousseau ne connaissaient que la *tentation* du suicide, la tentation de l'adultère. On espérait et on craignait tout à la fois les orages de la passion. On savait tirer un certain bonheur de l'activité quotidienne, de la fidélité aux promesses, du respect des institutions. Mais le roman romantique des années trente est celui des passions folles et du désespoir sans remède. Que de suicides dans les premiers romans de George Sand ! Stenio, dans *Lélia*, se donne la mort après s'être livré, pour oublier son malheur, à de sombres débauches. C'est beaucoup plus tard, avec le *Dominique* de Fromentin, que s'opère le retour à la mesure. Aux orages de la passion et à l'inutilité du désespoir succède une leçon de sagesse pratique.

George Sand, dans une lettre du 28 février 1832, parlait en ces termes du sujet d'*Indiana* : « Il n'est ni romantique (...) ni frénétique, c'est de la vie ordinaire, c'est de la vraisemblance bourgeoise, mais malheureusement, c'est beaucoup plus difficile que la littérature boursouflée ». Il n'est pas sûr qu'elle ait réussi à venir à bout des difficultés dont elle faisait ici état. Mais c'est un fait que ses romans de la passion rompaient avec la frénésie du roman noir aussi bien qu'avec les déploiements en trompe l'œil du roman historique. Ce qu'il y avait de vrai dans le témoignage de cette femme de génie, par-delà les conventions en cours, donnait à ses romans un accent naturel. Enfin, dans *Valentine*, par exemple, il y avait, à côté d'un roman sentimental, un roman champêtre. Pour la première fois, George Sand célébrait son pays natal ; elle plaçait la scène dans cette vallée noire si chère à son cœur. Elle exerçait une malice pleine de finesse, déjà, dans les portraits qu'elle traçait des hobereaux ou des paysans. Si elle préludait ainsi à ce que son inspiration rustique devait avoir de meilleur, elle usait aussi d'un symbolisme un peu élémentaire qui était bien de son temps. Indiana était « l'être faible chargé de représenter les passions opprimées », elle incarnait la déception et le désespoir. Et Stenio disait à Lélia : « Ne personnifiez-vous pas, avec votre beauté et votre tristesse, avec votre ennui et votre scepticisme, l'excès de douleur produit par l'abus de la pensée ? ». *La Peau de chagrin* n'était pas loin. George Sand était alors partagée entre la transparence de l'allégorie et la vérité de l'observation, de même qu'elle hésitait entre l'étalage de ses sentiments et l'expression de ses idées.

L'évolution de George Sand vers le roman social   George Sand a été elle aussi, à sa façon, l'écho sonore de son siècle. Après les thèmes du romantisme sentimental, elle a fait siens les thèmes du romantisme social. Vers 1840, le roman social succédait au roman personnel, de même que le roman personnel avait pris la place du roman historique. Cette évolution était liée à l'apparition du roman-feuilleton qui s'adressait à un vaste public. *Les Mystères de Paris*, d'Eugène Sue, étaient par certains côtés un roman social. C'est dans les années quarante que Victor Hugo entamait *Les Misères*. George Sand s'engagea dans cette direction nouvelle en mettant à profit les influences directes qu'elle subissait, celles de Michel de Bourges, de La Mennais, de Pierre Leroux. Dans *Simon*, elle donnait à son héros des traits de Michel de Bourges, elle opposait la générosité du peuple aux soucis mesquins de la noblesse. En 1836, quand elle refaisait *Lélia*, le cardinal Annibal qu'elle y introduisait, était un La Mennais qui consentait à des audaces qu'elle regrettait de n'avoir pas trouvées chez l'auteur des *Paroles d'un croyant*. Ses romans étaient comme le déversoir de sa pensée et de ses enthousiasmes successifs. L'enthousiasme le plus durable fut celui que lui inspira Pierre Leroux, en qui elle vit bientôt le maître de sa pensée. « Je ne suis, disait-elle en 1844, que le vulgarisateur à la plume diligente (...) qui cherche à traduire dans des romans la philosophie du maître ». Les théories de Leroux étaient à la fois sociales et mystiques. Il voulait assurer le salut des classes pauvres, et il croyait en même temps à la réincarnation des âmes dans l'humanité. George Sand a d'abord écrit des romans mystiques, comme *Les Sept Cordes de la lyre* ou *Consuelo* ; elle a ensuite mis en œuvre la doctrine proprement sociale de Pierre Leroux dans *Le Compagnon du tour de France*, *Le Meunier d'Angibault*, *Le Péché de M. Antoine*.

Les Sept Cordes de la lyre montraient une jeune fille qui avait communication avec les esprits et qui était bientôt initiée aux secrets de l'univers : on songe, en plus d'un endroit, à *Séraphita*. C'est *Consuelo* qui, à cette époque, exprime le mieux toutes les aspirations de la pensée de George Sand. *Consuelo*, avec la suite que constituait *La Comtesse de Rudolstadt*, était un long et vaste roman qui se ressentait de bien des manières de l'influence d'Ann Radcliffe. Mais l'idéologie mystique, la croyance dans la réincarnation, les scènes d'initiation donnaient au roman noir une dimension nouvelle. A vrai dire, il y avait de tout dans *Consuelo*, un roman picaresque, un roman historique, un roman mystique, et surtout l'histoire de Consuelo, la suite des aventures au cours desquelles elle découvre le monde. Alain, qui faisait le plus grand cas de cette œuvre, y voyait le roman d'une éducation, l'équivalent de *Wilhelm Meister*. George Sand avait adopté là une forme souple ; le roman, entre ses mains, n'était plus qu'une suite d'épisodes narratifs, de développements philosophiques ou lyriques.

Les romans de l'aventure mystique ne faisaient que préluder aux romans de la croisade sociale. *Le Compagnon du tour de France* était son premier essai de littérature populaire. Son héros, Pierre Huguenin, était l'incarnation romanesque de cet Agricol Perdiguier, auteur du *Livre du compagnonnage*, dont elle s'était inspirée. Menuisier de son état, Pierre Huguenin était appelé au château de Villepreux pour y travailler. La noble Yseut s'éprenait de l'ouvrier, il l'épousait. Façon bien légère et bien romanesque de traiter le problème social. Le mérite de George Sand était d'apercevoir qu'il y aurait « toute une littérature nouvelle à créer avec les véritables mœurs populaires ». Elle glorifiait, dans le cours du livre, le travail manuel, elle évoquait les rites du compagnonnage, elle exaltait le peuple, elle dénonçait l'exploitation des ouvriers. C'était le premier roman d'un vaste ensemble auquel elle songeait, une sorte d'épopée du travail, dont elle ne devait rédiger que quelques bribes. Dans ces perspectives, Pierre Hamp écrira au siècle suivant *La Peine des hommes*.

En attendant, l'épopée chez elle tournait au roman d'intrigue sentimentale. Dans *Le Meunier d'Angibault*, Marcelle de Blanchemont s'éprend d'un serrurier, et, dans *Le Péché de M. Antoine*, un héritage arrive à point nommé pour permettre aux jeunes mariés de fonder une colonie agricole où règne le communisme le plus absolu. Le mérite de ces romans n'est pas de contenir de lourdes dissertations sur la question sociale ; elles sentent leur époque ; c'est de constituer les premiers balbutiements d'une littérature populaire. Ils ont marqué, à leur façon, souvent mièvre, l'entrée du peuple dans le roman, s'ils n'ont guère réussi, malgré leur publication en feuilleton, à faire pénétrer la littérature dans le peuple.

George Sand et l'inspiration rustique

On oppose traditionnellement les romans champêtres aux romans sociaux. Mais George Sand est passée insensiblement du *Péché de M. Antoine* à *La Mare au diable* : simplement, l'idéal social cesse d'être prêché avec intempérance, il s'efface bientôt devant la simplicité du conte rustique. Sand, après l'immense déception que lui a causée la révolution de 1848 s'écarte définitivement du roman social. Elle renonce aux tirades qui alourdissaient le récit et risquaient de semer la haine chez les humbles. L'évangile de la sérénité rejoint une esthétique de la maturité. Il faut maintenant apaiser les esprits et toucher les cœurs. Dans *La Mare au diable*, dans *François le Champi*, dans *La Petite Fadette*, les complications de l'intrigue ont disparu en même temps que les digressions idéologiques. La campagne berrichonne est là, évoquée plutôt que décrite. Sand a trouvé le ton du conteur, plein de malice narquoise et de simplicité tranquille. Elle a réussi à constituer une langue littéraire relevée d'une pointe de saveur populaire. Le charme du parler paysan atteint parfois, dans *Les Maîtres sonneurs*, un ton épique, et un idéal rousseauiste vient donner à certaines pages la pure sonorité d'une religion de la nature. Il y a, dans *Les Maîtres sonneurs*, du réalisme, de la satire et de la poésie. Le mythe de la forêt y rejoint le mystère de la vie, et la musique, pour Huriel, est comme un chant de la nature.

George Sand renonçait au roman socialiste, non à son idéal d'une littérature populaire : *La Mare au diable*, *François le Champi*, *La Petite Fadette* paraissaient en feuilletons, comme ç'avait été le cas pour *Le Meunier d'Angibault* et *Le Péché de M. Antoine*. Elle utilisait à sa façon les procédés du roman-feuilleton. A vrai dire, elle donnait l'impression de les dominer, elle les employait avec quelque désinvolture, elle avait le sentiment de sa supériorité sur Eugène Sue. Elle ne cherchait guère à satisfaire les besoins d'émotion du lecteur par les secousses renouvelées de péripéties innombrables ; elle entendait « faire l'églogue humaine ». En 1851, elle rédige des notices pour ses romans en préparant une édition populaire illustrée de ses œuvres. Il lui semblait que le devoir de sa vie était de « populariser des ouvrages faits en grande partie pour le peuple, mais que, grâce aux spéculations stupides et aristocratiques des éditeurs, les bourgeois seuls ont lus ». Dans *Les Maîtres sonneurs*, elle exaltait un art populaire et spontané. C'est dans le peuple qu'elle cherchait son inspiration, c'est au peuple qu'elle destinait ses œuvres.

Le roman idéaliste de George Sand

Dans la préface de *La Mare au diable*, George Sand affirmait son originalité par rapport à certains romanciers de son temps qui, disait-elle, « jetant un regard sérieux sur ce qui les entoure, s'attachent à peindre l'abjection ou la misère ». Sans doute est-ce à Balzac et à Eugène Sue qu'elle pensait. Elle admettait qu'on pût se consacrer à la peinture des pires laideurs, mais pour sa part, elle jugeait que le devoir de l'artiste était ailleurs. A la place des « scélérats à effets dramatiques », elle proposait des « figures douces et suaves ». A l'étude de la réalité positive, elle substituait la « recherche de la *vérité idéale* ». Cette expression, qu'elle avait pu trouver chez Chateaubriand, ne désignait pas un univers de fantaisie, édulcoré et mensonger. Encore qu'elle admît que le romancier pouvait « embellir un peu » la réalité qu'il présentait, elle était soucieuse de ne pas sortir du vrai. Mais la douceur et la bonté étaient à ses yeux aussi vraies que la laideur ou la cruauté. Elle entendait faire la part belle à ce qu'il y a de charité et de noblesse dans les êtres.

Au lendemain de la révolution, sa pensée évolue. Sand se réfugie dans le roman champêtre comme dans une « innocente distraction ». Elle veut « distraire l'imagination en se reportant vers un idéal de calme, d'innocence et de rêverie ». Elle conçoit alors le roman comme un merveilleux instrument d'évasion. Plus le réel est brutal et décevant, plus les consolations que proposent les aventures fictives sont précieuses. Non qu'elle renonce alors à sa mission, qui est de se consacrer à une œuvre « de sentiment et d'amour ». Mais il lui semble que ce n'est pas par un engagement politique que l'écrivain peut accomplir sa mission. Il lui faut penser, non pas en années, mais en décennies et même en siècles. L'idéalisme de George Sand est une évasion dans le futur. L'idéal, pour elle, c'est la rêverie d'aujourd'hui, mais c'est le réel de plus tard. La lignée qui va de *La Nouvelle Héloïse* et de *Paul et Virginie* aux *Maîtres sonneurs* s'oppose au roman de Stendhal et de Balzac. Taine a défini au mieux son univers romanesque : « C'est un monde idéal, et, pour en maintenir l'illusion, l'écrivain efface, atténue et souvent esquisse un contour général, au lieu de peindre une figure individuelle. Il n'insiste pas sur le détail, il l'indique à peine en passant, il évite d'approfondir ; il suit la grande ligne poétique de la passion qu'il plaide ou de la situation qu'il décrit sans s'arrêter sur les irrégularités qui en rompraient l'harmonie. Cette façon sommaire de peindre est le propre de tout art idéaliste ; et s'il en faut reconnaître les inconvénients, on doit en noter les avantages. Sans doute, les figures qu'on produit ainsi sont moins corporelles et moins visibles ; elles n'ont pas la complexité, la profondeur, le relief des choses vivantes ; ce ne sont pas, selon le mot de Balzac, de nouveaux êtres apportés à l'état civil (...), mais elles sont d'un autre monde, plus aérien, plus lumineux, celui du désir et du rêve ».

4. Le romantisme et le roman

Pendant que le roman, avec Stendhal et Balzac, se constituait en tant que genre, les poètes du romantisme ne dédaignaient pas de recourir à la forme romanesque. Ce fut, dès les années trente, le cas de Vigny, de Musset, voire de Sainte-Beuve. Lamartine et Hugo donnèrent plus tard, au temps du réalisme, des romans de l'âge romantique. On peut dire que « le romantisme a donné au roman ses lettres de noblesse littéraire ». Il faut ajouter que le roman était sans doute, avec le drame, la littérature la plus susceptible de donner du plaisir aux hommes du XIXe siècle. Sans parler d'une littérature industrielle qui va des romans noirs de Ducray-Duminil aux romans-feuilletons d'Alexandre Dumas, d'Eugène Sue ou de Frédéric Soulié, le succès grandissant du roman, dans les décennies qui suivent la Révolution, est lié à l'apparition d'un immense public de lecteurs. L'évolution du roman au XIXe siècle ne tient pas seulement à des changements dans les habitudes de penser et de sentir, elle participe aux bouleversements de la société française, elle a des implications sociologiques, et non plus seulement littéraires. Il est frappant que l'idée d'un roman populaire apparaisse au moment où le roman-feuilleton, lié au développement d'une grande presse à bon marché, prend un essor considérable.

Le roman offrait aux écrivains romantiques une forme souple qui ne venait en rien gêner les caprices de leur inspiration. En un temps où l'on était porté à bousculer toutes les contraintes, le roman bénéficiait du prestige de la liberté. Les poètes romantiques ont trouvé dans ce genre sans loi (et, paradoxalement, au moment même où Balzac lui inventait des structures) un instrument privilégié d'*expression du moi*. Expression du moi qui allait de l'autobiographie plus ou moins transposée à l'expression des idées de l'auteur, et qui, même, conduisait aux premières descentes dans les profondeurs du rêve.

Combien de romans, au temps du romantisme, demeurent la confidence voilée des souffrances de l'écrivain ! Il y a certes une part d'autobiographie dans le roman le plus objectif. Mais, dans les premiers romans de George Sand, la vie de l'écrivain, les élans de son cœur affleurent constamment sous la trame du récit, ils donnent lieu à de brusques interventions lyriques. *La Confession d'un enfant du siècle* de Musset, en 1836, transposait l'aventure passionnelle du poète des *Nuits*. Certes, au-delà d'une confidence, Musset entendait apporter le témoignage d'une génération. Mais, cet Octave qui poursuit la femme aimée d'une jalousie morbide et qui, finalement, s'efface pour la laisser connaître le bonheur avec un autre, ressemble à Musset comme un frère. Dans *Volupté* de Sainte-Beuve, le récit est fait par le héros lui-même, Amaury, et le ton du roman personnel rejoint comme dans l'*Obermann* de Senancour, celui du journal intime, du compte rendu minutieux d'une expérience vécue. *Volupté* était, pour Sainte-Beuve, l'occasion d'une sorte de confession. C'était le roman de son échec et de son trouble. Mais la lucidité de l'analyse, la distance que l'auteur prenait avec lui-même apportait de la lumière dans les fourrés les plus touffus de l'intériorité. On songe à Proust, parfois, devant cette aptitude singulière à mettre à nu les racines des pensées les plus confuses.

Exprimer son moi, ce n'était pas seulement confier le secret de son cœur, c'était dire le résultat de ses réflexions sur la vie, c'était proposer les symboles qui rendaient compte, au plus juste, de cette transformation d'une *expérience* en *conscience*. Quand Vigny écrivait, dans les années trente, avec *Stello*, avec *Servitude et grandeur militaires*, avec *Daphné*, une épopée de la désillusion, que proposait-il dans ces récits, sinon des images de son amertume et de son pessimisme ? Il faisait assister ses lecteurs à la mort de toute spiritualité, il leur montrait le sort que la société réserve aux êtres noblement dévoués à leur idéal, le poète, le soldat ou le croyant. Chacun des récits qui constituaient ces livres était profondément lié aux expériences de l'auteur ; il en était l'expression philosophique. Au fond, le roman pour Vigny, si tant est qu'on puisse parler de roman, avait les accents du *Journal d'un poète* et il rejoignait parfois le message des *Destinées*. Il était situé entre le journal intime et le symbolisme élaboré du recueil poétique.

« Des romans de Lamartine, écrit Gaëtan Picon[1], de Musset, de Vigny, de Hugo, on doit dire qu'ils sont des romans de poètes, en ce sens que le lyrisme des passions vécues et l'imagination créatrice de symboles expressifs les dominent, comme ils dominent la poésie romantique ». Il y avait une autre voie plus secrète, qui conduisait le récit romantique aux confins du rêve, du souvenir et du mythe. *Sylvie* et *Aurélia*, ces incomparables récits poétiques étaient-ils encore des romans ? C'était plutôt l'évocation transparente et pure d'une patrie de l'âme ouverte aux élancements de l'angoisse, au charme et à la terreur des songes. Il faudrait parler de *roman poétique*, de poème en prose. Il y avait la plus fine pointe du romantisme dans ces œuvres de structure si neuve, fondées sur le contrepoint de la vie et du rêve, du présent et du passé, du souvenir et de la rêverie. L'existence de différents plans de réalité, l'exploration du rêve et des obsessions, tout cela était, de Nodier à Nerval, en marge du roman, comme le courant souterrain qui, à travers la poésie de Baudelaire, viendrait, beaucoup plus tard, s'épanouir chez Alain-Fournier, Marcel Proust et André Breton, en gerbes magnifiques. Il y a une ligne secrète et pure qui va de *Sylvie* au *Grand Meaulnes* et au *Temps perdu*, d'*Aurélia* à *Nadja*. Le génie de Nerval a été d'inventer une forme à la mesure de la singularité de son entreprise. La notion même de genre romanesque était dépassée. Le récit dans *Aurélia* était, pour ainsi dire, le journal de l'expérience la plus intime, la description des rêves était le compte rendu d'une descente dans les profondeurs du moi, elle avait la valeur d'une cure psychanalytique. En revanche, le *Voyage en Orient* était en même temps qu'un reportage, le roman d'une découverte progressive, une sorte de quête du Graal, une marche vers la lumière, l'anxieuse recherche d'une chose ou d'un être dont on éprouve le manque.

Chose frappante, les structures romanesques de Balzac, et, plus tard celles de Flaubert, vaudraient, en gros, pour le XIXᵉ siècle. Mais les œuvres les plus originales du XXᵉ siècle seront écrites en fonction de tout autres principes : ceux qui, au XIXᵉ siècle, ont germé dans des textes poétiques ou autobiographiques. Il y avait dans l'autobiographie stendhalienne d'*Henry Brulard* une chasse aux souvenirs qui annonçait bien des développements ultérieurs du roman. Le chant de la grive, chez Chateaubriand, dans les *Mémoires d'Outre-Tombe*, opérait déjà ce télescopage des temps qui était lié au phénomène de la mémoire affective. C'est, avec la *Sylvie* de Gérard de Nerval, un des textes qui ont inspiré Marcel Proust. Le roman du XIXᵉ siècle, dès l'époque du romantisme, a inventé des structures qui permettaient de rendre compte des complexités de la vie sociale, de procéder à une analyse

---

1 *Op. cit.*, p. 1033.

des mœurs ; le romancier marquait l'affrontement entre l'individu et la société, il peignait la lutte pour la vie. Dans le même temps, toute une littérature autobiographique et poétique, en marge du roman, trouvait les moyens de rendre compte d'expériences beaucoup plus proches du vécu. Le roman depuis ses origines entend se rapprocher de la vie. Il était naturel qu'il procédât à l'inventaire de la vie sociale, avant de peindre la vie profonde de la conscience.

L'APOGÉE DU ROMAN RÉALISTE

1. En marge du réalisme

La diversité des orientations — Dans les dix années qui suivent la mort de Balzac, le roman n'a produit qu'un seul chef-d'œuvre : *Madame Bovary*. Pendant ces dix ans de crise, combien de tendances s'entrecroisent, combien d'essais préludent aux nouvelles orientations du genre ! Les Goncourt faisaient leur apprentissage de romanciers dans le journalisme et l'Histoire pendant que Flaubert préparait *Madame Bovary* et *Salammbô*. On héritait alors de valeurs multiples et contradictoires. Stendhal commençait à prendre dans l'opinion la place qui lui revenait. On rééditait ses œuvres complètes, on publiait *Armance* et Taine le présentait comme « un grand romancier » et « le plus grand psychologue du siècle ». L'ombre de Balzac planait sur le roman français. On continuait à voir en lui, dans les colonnes de la presse conservatrice, un feuilletoniste, à qui l'on reprochait quelque chose d'outré et de surchauffé dans l'invention. Si l'on discernait déjà en lui, à l'occasion, un voyant ou un visionnaire, on prêtait surtout attention à ses qualités de romancier réaliste. Quelques esprits fidèles à l'esthétique du daguerréotype regrettaient qu'il eût peint « un monde qu'il avait dans la tête » plutôt que le monde réel, mais on reconnaissait généralement qu'il avait ramené le roman à la vérité, qu'il avait élargi son domaine, qu'il était le père du *roman moderne*, le créateur d'un monde, l'égal d'Homère ou de Shakespeare. Taine, en 1858, admirait dans *La Comédie humaine* la « triomphante épopée de la passion », et il reconnaissait à Balzac le mérite d'avoir fait du roman une vaste étude des mœurs contemporaines en étudiant les interactions de l'individu et du milieu.

Il restait dans les années cinquante beaucoup de survivants de la génération romantique, et, par exemple, Monnier dont on rééditait les *Scènes populaires*, et qui donnait en 1857 les *Mémoires de Joseph Prudhomme*. En face de son réalisme pittoresque, Lamartine et George Sand publiaient des romans qui n'étaient guère marqués au sceau du scrupule réaliste. Avec *Raphaël* en 1849, et *Graziella* en 1852, Lamartine donnait libre cours à l'expression de ses sentiments. Dans les années où George Sand publiait ses romans rustiques, de *La Mare au diable* (1846) aux *Maîtres sonneurs* (1853), il rencontrait parfois une sorte de réalisme populiste dans *Le Tailleur de pierres* ou *Geneviève*, mais, ici encore, il donnait des *poèmes* plutôt que des *romans*.

Entre *Volupté* et *Dominique*, on ne trouve point d'exemple notable du roman d'analyse. On voit se développer, en revanche, un roman qu'on appellerait, selon les cas, mondain, idéaliste, ou romanesque, et qui narrait les péripéties sentimentales que suscitaient des incompatibilités sociales. *Le Roman d'un jeune homme pauvre* a rencontré un beau succès en 1858, et Octave Feuillet, avec Jules Sandeau, a instauré, sous le Second Empire, une tradition romanesque qui héritait des romans d'intrigue sentimentale du début du siècle, mais qui avait, dans une certaine mesure, bénéficié de l'apport balzacien. Après Feuillet, il devait y avoir André Theuriet, Victor Cherbuliez et, avec autant de succès, mais moins de bonne grâce, Georges Ohnet.

Où classer Barbey d'Aurevilly, qui donnait ses premiers romans dans les années cinquante ? C'est un des esprits qui ont, alors, salué le mieux la grandeur de Balzac. Ce n'est pas assez de dire que c'est un romantique attardé dans l'ère du réalisme. Il était romantique et réaliste à la fois. Il a méprisé l'école du daguerréotype, la mesquine minutie de ses obscurs représentants, mais il a évoqué avec fidélité des paysages de la Normandie. La lande de Lessay, dans *L'Ensorcelée*, c'est la lande de Saint-Sauveur. Il a eu le culte du détail exact qui frappe l'imagination. On trouve, dans *Un Prêtre marié* comme dans *L'Ensorcelée*, une sorte de chronique campagnarde. Mais il y a comme une épouvante répandue à travers les paysages qu'il évoque. Et quand, dans *L'Ensorcelée*, les *bleus* arrachent les pansements du prêtre et saupoudrent de braises son visage ensanglanté, la brutalité du réalisme rejoint un fantastique terrifiant. Comme on était loin, avec Barbey d'Aurevilly, du réalisme de Champfleury et de Duranty, celui-ci animant, en 1856-1857, la revue *Réalisme*, celui-là publiant en 1857, *Le Réalisme*. A vrai dire, il y avait, alors, autant de *réalismes* qu'il y avait de *réalistes*. Que d'oppositions entre eux ! Et surtout, que d'oppositions entre leurs théories et leurs œuvres ! Duranty a écrit des romans estimables, *Le Malheur d'Henriette Gérard* (1860) et *La Cause du beau Guillaume* (1862) qui a été réimprimée en 1920. Mais *Les*

Bourgeois de Molinchart ou *Les Souffrances du professeur Delteil*, de Champfleury, suffiraient à prouver, s'il en était besoin, que les théories ne valent jamais que ce que vaut l'écrivain. Il se recommandait de Balzac, mais il n'a réussi qu'à esquisser quelques croquis de personnages pittoresques dans des milieux mesquins. Il s'attachait à la singularité d'un cas, quand Balzac et Flaubert tendaient à la généralité du type.

Zola devait rendre hommage à Duranty et même, quoique avec des réserves plus marquées, à Champfleury. Il devait rattacher le courant du réalisme et du naturalisme à cette tradition française qui allait de Furetière à Diderot et de Diderot à Balzac : ils avaient été les premiers à souligner cette filiation. Leurs œuvres étaient, dans les années cinquante, comme les premières chaînes de ce massif du roman français, qui va des Goncourt à Zola et de Flaubert à Maupassant. Combien de différences entre ces romanciers ! Comme chacun était jaloux de son originalité, de sa méthode, de son tempérament ! Il est un peu dérisoire de ranger tant d'efforts contrastés sous une étiquette commune. On peut dire, à coup sûr, que pendant quarante ans, de 1850 à 1890, le roman était en général conçu comme une vaste enquête sur la nature et sur l'homme, et que, dans la mesure où il était une *étude*, on en venait à reléguer au second plan la part de l'intrigue et de l'affabulation ; qu'on faisait sa part à la physiologie et qu'on peignait, par prédilection, les mœurs de milieux modestes ou populaires ; qu'on montrait l'influence de ces milieux sur les individus. Mais ce n'étaient là que des principes généraux, et chaque romancier les illustrait selon les exigences de son tempérament.

Victor Hugo,
romancier d'un autre âge
Les Misérables[1] parurent en 1862. L'œuvre rencontra, auprès d'un vaste public, un immense succès. Elle se heurta aux réticences des romanciers de l'école réaliste. Flaubert, les Goncourt et Zola estimaient que l'on n'avait plus le droit, en un temps où l'on écrivait des *études* psychologiques et sociales, de montrer tant de fantaisie dans la peinture du réel. Conflit de générations ; conflit de doctrines. Le réalisme s'opposait au romantisme, le positivisme au spiritualisme. Entre *Madame Bovary* et *Germinie Lacerteux*, l'œuvre de ce sexagénaire prestigieux *détonnait*. Elle aurait reçu peut-être, auprès de l'opinion éclairée, un meilleur accueil, si elle avait été publiée dix ou quinze ans avant. Elle eût joué son rôle dans l'offensive romanesque de George Sand et de Lamartine. Elle eût été mieux accordée aux valeurs de la génération de 1820. Il y avait plus de réalisme, dans *Les Misérables*, que Flaubert ou Goncourt ne consentaient à en voir. Mais, si Hugo était réaliste, il l'était, comme l'observe Jean-Bertrand Barrère, « à la manière de Balzac, pour accréditer une histoire éminemment romantique ». *Les Misérables*, avec vingt ans de retard, formaient la synthèse magistrale du roman social et du roman populaire des années quarante. La peinture des

---

1. Sur *Les Misérables*, voir l'introduction de Marius-François GUYARD à l'édition qu'il en a donnée chez Garnier ; Jean-Bertrand BARRÈRE, *op. cit.* ; et, à l'occasion du centenaire du roman, l' « Hommage à Victor Hugo », publication de la Faculté des Lettres de Strasbourg, 1962.

bas-fonds y était liée, comme dans l'œuvre d'Eugène Sue, à un dessein d'apostolat. Hugo donnait leur place aux événements historiques : le Waterloo des *Misérables* faisait concurrence, avec une technique différente, au Waterloo de *La Chartreuse de Parme*. En situant dans les bas-fonds de la société des péripéties romanesques mouvementées, Hugo se trouvait à mi-chemin des *Mystères de Paris* et de *Splendeurs et misères des courtisanes*. Depuis la publication des *Mémoires* de Vidocq, en 1828, le personnage du forçat avait envahi la littérature romanesque et dramatique. On pouvait voir, dans le roman de Hugo, une étude *sociale* et une étude *philosophique*. On y trouvait, comme chez Balzac, un mélange d'observation et d'imagination.

Genèse et signification des « Misérables »

Les Misérables étaient l'œuvre d'un temps. Mais aussi celle d'une vie et la *somme* d'un esprit. Hugo avait écrit des romans dans sa jeunesse, *Han d'Islande* (1823), *Bug-Jargal* (1826), *Le Dernier Jour d'un condamné* (1829), *Notre-Dame de Paris* (1831), *Claude Gueux* (1834). Il avait très tôt compris tout l'intérêt du *roman dramatique* de Walter Scott ; il en avait aussi perçu les limites. Il écrivait, en 1824, à propos de *Quentin Durward* : « Après le roman pittoresque, mais prosaïque de Walter Scott, il restera un autre roman à créer, plus beau et plus complet selon nous. C'est le roman à la fois drame et épopée, réel, mais idéal, vrai, mais grand, qui enchâssera Walter Scott dans Homère »[1]. Hugo devait mettre près de quarante ans pour réaliser cette ambition. Il visitait les bagnes de Brest et de Toulon, en 1834 et 1839. Vers 1835, il prenait des notes sur Mgr. de Miollis ; en 1841, il assistait à une scène de rue, et ce fait-divers est à l'origine du personnage de Fantine. Le 17 novembre 1845, Hugo commençait à rédiger le livre auquel il songeait et pour lequel il se documentait depuis une douzaine d'années. Les événements politiques l'interrompirent, en 1848. En 1853, il faisait annoncer la prochaine parution des *Misérables*. Ce n'est qu'en 1860 qu'il put relire le manuscrit, le corriger, y ajouter pour « pénétrer de méditation et de lumière l'œuvre entière ». Il rédigea ensuite toute la fin. Cette dernière rédaction donnait toute son ampleur à la fresque sociale que brossait Hugo. Elle faisait sa part à la philosophie de la lumière qui était celle du proscrit. Son roman devenait l'épopée de la conscience humaine passant du mal au bien, de l'ombre à la lumière ; il était aussi l'épopée du peuple qui prépare, par la révolte, le ferment des temps futurs. Hugo écrivait dans le célèbre chapitre intitulé *Une Tempête sous un crâne* : « Faire le poème de la conscience humaine, ne fût-ce qu'à propos d'un seul homme, ne fût-ce qu'à propos du plus infime des hommes, ce serait fondre toutes les épopées dans une épopée supérieure et définitive ». « Le livre que le lecteur a sous les yeux, écrivait-il ailleurs, c'est, d'un bout à l'autre, dans son ensemble et dans ses détails, quelles que soient les inter-mittences, les exceptions ou les défaillances, la marche du mal au bien, de l'injuste au juste, du faux au vrai, de la nuit au jour, de l'appétit à la cons-cience, de la pourriture à la vie, de la bestialité au devoir, de l'enfer au ciel, du néant à Dieu. L'hydre au commencement ; l'ange à la fin. »

---

1. Cité par Marius-François GUYARD, *op. cit.*

L'architecture du roman Elle a le fouillis et l'ordonnance grandiose d'une cathédrale. Beaucoup de « morceaux » dont l'ensemble donne d'abord une impression un peu chaotique. Mais aussi de nobles perspectives. Dès 1845, Hugo laissait voir une nette volonté d'organisation. Certaines de ses notes révèlent que, dès le début de la rédaction, il entendait mener de front plusieurs intrigues : « Histoire d'un saint — Histoire d'un homme — Histoire d'une femme — Histoire d'une poupée ». Avec une toile de fond historique, il voulait faire mouvoir Monseigneur Bienvenu, Jean Tréjean (futur Jean Valjean), Fantine, Cosette. Marius venait bientôt prendre un rôle de premier plan. Sur les cinq parties de l'ouvrage entre lesquelles se répartit harmonieusement la matière, quatre portent le nom d'un personnage ; les trois premières : *Fantine, Cosette, Marius*, et la dernière, *Jean Valjean*. *Fantine* conduit le lecteur d'octobre 1815 à la fin de 1823 ; *Cosette*, de juin 1815 à mars 1924 ; Marius, de l'Empire à février 1832. Ces trois parties, dit M.-F. Guyard, « racontent les cheminements des principaux personnages vers cette barricade de la rue de la Chanvrerie où ils se retrouvent tous le 5 et le 6 juin 1832 ». Dès la quatrième partie, *L'Idylle rue Plumet et l'épopée rue Saint-Denis*, Hugo réunissait tous les fils de l'intrigue ; le rythme haletant du récit, après les lenteurs d'une triple préparation, emportait d'un seul coup tous les personnages. C'était une entreprise singulièrement ambitieuse pour l'époque que celle qui substituait au déroulement d'une *action* unique un « montage » qui donnait l'impression de la complexité et du foisonnement de la réalité. Marius-François Guyard a montré, dans le détail, comment chacune des parties débutait par une *ouverture*, puis était constituée de chapitres de récits et d'analyses, les uns exposant les événements, les autres évoquant « les étapes d'une autre action, celle qui se passe dans les âmes ». Les débats de conscience de Jean Valjean, dans *Une Tempête sous un crâne*, l'évolution politique de Marius, dans *Ce que c'est que d'avoir rencontré un marguillier*, l'évolution sentimentale de Cosette, dans *Cosette après la lettre*, les perplexités de Javert, dans *Javert déraillé*, constituaient une sorte de contrepoint à l'action extérieure. L'histoire contée se déroulait sur deux plans : le monde et l'âme. En somme, Hugo *démultipliait*, si l'on ose dire, l'*action* romanesque, au niveau de la diversité apparente comme à celui de la profondeur cachée.

Roman et épopée Hugo écrivait à Albert Lacroix, le 13 mars 1862 : « Ce livre, c'est l'Histoire mêlée au drame, c'est le siècle, c'est un vaste miroir reflétant le genre humain pris sur le fait à un jour donné de sa vie immense »[1]. Il y avait un grand souci d'exactitude dans les indications que Hugo donnait sur la vie de son temps. « Dante a fait un enfer avec de la poésie, disait-on, moi j'ai essayé d'en faire un avec de la réalité ». Son roman oscillait entre la fresque historique et le tableau épique. La période envisagée (1815-1832) était la même que celle qui avait servi de matière à Balzac. Balzac avait peint la noblesse ou la bourgeoisie du faubourg Saint-Germain ou de la Chaussée d'Antin ; Hugo

1. Cité par Henri MESCHONNIC, *Europe*, février-mars 1962, p. 55.

évoquait le peuple du faubourg Saint-Antoine. Fantine incarnait le malheur d'une ouvrière au XIXᵉ siècle. Valjean, Javert, Gavroche, Thénardier étaient des êtres en marge plutôt que des représentants du peuple. Dans *Les Misérables*, pourtant, palpite un Paris qu'on cherche en vain dans Balzac, celui qui, au XIXᵉ siècle, faisait le coup de feu sur les barricades.

Hugo évoquait le Paris des faubourgs ; mais il ne présentait guère le peuple comme une force qui monte. Son diagnostic n'était pas sociologique, mais moral et philosophique. Balzac avait saisi la montée de la bourgeoisie après la Révolution. La révolte populaire, pour Hugo, n'était pas le conflit de forces en présence ; ce n'était qu'une « convulsion vers l'idéal », un sacrifice expiatoire qui annonçait le paradis de l'avenir. Balzac se fût intéressé à la façon dont Jean Valjean faisait fortune. Au lieu de montrer une âpre conquête, Hugo décrétait une subite métamorphose. Il ne s'arrêtait pas à la réussite, mais au *salut* de son héros. L'épopée d'une conscience en marche vers le bien se substituait au récit d'une ascension sociale. Le roman de Hugo, pourtant plus réaliste qu'on ne voulait bien le dire, ne donnait pas l'impression du poids des choses, — qu'on a souvent à la lecture de Balzac. De Balzac à Hugo, on était passé du roman des réalités matérielles à l'épopée des valeurs spirituelles. Hugo ne s'attachait pas à peindre la conquête des richesses, mais les avatars de la lumière dans un monde de ténèbres.

Ses héros ont une vie romanesque puissante. Ils s'imposent à l'esprit du lecteur. On n'a guère songé à leur disputer cette intensité de *présence*, mais on ne s'est pas fait faute de déplorer leur psychologie sans nuances. Ils étaient, pour Baudelaire, des « abstractions vivantes ». Jugement pertinent à bien des égards. On a pu montrer pourtant que beaucoup de personnages secondaires n'étaient ni des marionnettes ni des symboles ; que, par les répliques que Hugo lui avait prêtées, Gavroche était « une des plus admirables créations de la littérature, une extraordinaire générosité joyeuse sur fond de détresse » ; et que « seuls, le don de familiarité dans le dialogue, l'invention d'un style qui fût propre au personnage pouvait faire naître tant de nuances vraies à partir d'une invraisemblance de l'action »[1].

On ne peut apprécier *Les Misérables* que si l'on accepte de se placer sur le terrain où Hugo a voulu se situer. Il y a une *psychologie* hugolienne, mais elle est de nature cosmique et mythique[2]. Chaque personnage porte en lui un mélange d'animalité et de spiritualité. Javert est une sorte de chien-loup, Enjolras est un ange ; Jean Valjean illustre le mythe d'un Satan-Christ. En lui s'affrontent l'ombre et la lumière. Toute psychologie individuelle repose sur un immense pan d'ombre. On comprend que Hugo ait pu écrire : « Le premier personnage de ce livre est l'infini. L'homme est le second ». Le silence fait sur la brusque conversion du forçat, laisse pressentir le mystère d'une grâce qui est venue l'habiter.

C'était une œuvre étrange que ces *Misérables*. « Un poème, plutôt qu'un roman », avait dit Baudelaire, un « roman construit en manière de poème »,

---

1. Robert RICATTE, in *Hommage à V. Hugo*, Faculté des Lettres de Strasbourg, 1962, p. 145.
2. Voir Pierre ALBOUY, « Psychologie des *Misérables* », in *Europe*, février-mars 1962.

offrant « dans une indéfinissable fusion les riches éléments consacrés généralement à des œuvres spéciales (le sens lyrique, le sens épique, le sens philosophique) ». C'étaient bien, en effet, les trois directions dans lesquelles s'orientait une œuvre qui demeurait cependant un roman, c'est-à-dire le récit
d'une suite d'aventures et la présentation de personnages à l'existence desquels nous sommes amenés à croire. L'action se déroule, dans le même temps,
sur plusieurs plans. Jean Valjean dans les égouts portant le corps de Marius,
c'est une scène digne d'Eugène Sue ; mais c'est aussi un chemin de croix.
Jean Valjean tient beaucoup de ce personnage tutélaire des romans-feuilletons ; mais en lui agit, à long terme, la grâce que lui a transmise Mgr Bienvenu.

Les Misérables ont, depuis un siècle, rencontré un immense succès populaire. Une sociologie du roman devrait s'interroger sur l'influence qu'a pu
avoir un tel livre sur l'évolution de la mentalité française. Hugo a réussi à
se faire lire par tous en délivrant un très haut message spiritualiste. Les
doctes commencent à s'intéresser à ce roman qu'ils ont longtemps été
tentés de mépriser.

2. Flaubert ou l'envers du romanesque

Une abondance heureuse   Il n'y a pas de génie plus précoce que
Flaubert. Il est élève de troisième, en
1836, quand il est pris par la fureur d'écrire. On le voit alors multiplier les
essais de toutes sortes, mener de front son travail scolaire et une considérable
activité littéraire : le *Portrait de Lord Byron*, *La Peste à Florence*, *Un secret
de Philippe le Prudent*, une *Chronique du Xe siècle* sont le résultat de ses
premiers efforts. En juin 1838, à la fin de son année de rhétorique, il achève
les *Mémoires d'un fou* après avoir mené à bien un drame en cinq actes, deux
nouvelles et diverses fantaisies. Puis c'est *Smarh*, au printemps de 1839,
Novembre en 1842, et bientôt la première *Éducation sentimentale* et la première *Tentation de saint Antoine*. Sur le conseil de ses amis, il a rangé dans
ses tiroirs, en 1849, ce dernier manuscrit, parmi tous les autres. A trente ans,
il a beaucoup écrit, n'a rien publié et entreprend *Madame Bovary* : ce n'est
plus dès lors qu'un long effort de rigueur, c'en est fini pour toujours de cette
abondance heureuse de la jeunesse, dont *La Tentation de saint Antoine*
était la dernière et la plus remarquable expression. Seule, sa correspondance
lui permettra de s'abandonner à sa verve. Il lui faut cinq ans pour mener
à bien chacun de ses romans. Il a fallu attendre la fin du XIXe siècle, et même
notre époque, pour avoir connaissance de toutes ces œuvres de jeunesse,
dont certaines contiennent des pages admirables. Elles n'ont pas cessé de
nous livrer leur secret.

S'il y a un romantisme de Flaubert, c'est dans ces œuvres de jeunesse
qu'il faut aller le chercher. Les *Mémoires d'un fou* (1838), constitués de
« fragments d'autobiographie romancée », livraient, comme Flaubert le

disait à Le Poittevin, « une âme tout entière ». Il y contait ses premiers émois sentimentaux et, en particulier, la célèbre rencontre de Trouville. En 1842, *Novembre*, d'un ton plus amer, contenait beaucoup de souvenirs de collège, d'analyses sentimentales, d'aveux de désespoir. La première *Éducation* comportait maints éléments autobiographiques, elle s'achevait, selon le mot de Louis Bertrand, « en un véritable poème de la vie intellectuelle ». Un des héros du livre, meurtri par la vie, incarnait l'idéal de Flaubert, il trouvait une exaltante consolation dans l'art. La première *Tentation* était une somme de sa pensée et de ses rêves ; c'était une sorte de roman dialogué où toutes les voix de son âme se faisaient entendre successivement.

Ces œuvres de jeunesse ont le mérite de nous faire comprendre l'unité profonde de l'œuvre de Flaubert. Il avait, avant vingt ans, ouvert toutes les perspectives dans lesquelles il devait s'engager. Il avait préludé à *L'Éducation sentimentale* de 1869 avec les *Mémoires d'un fou*, *Novembre*, la première *Éducation* ; avec *Smarh* et la première *Tentation*, il avait abordé ce cycle philosophique qui allait le retenir toute sa vie ; avec *Une leçon d'histoire naturelle genre commis*, il avait tracé les premières esquisses de ce cycle satirique qui devait aboutir à *Bouvard et Pécuchet*.

Le bilan d'un apprentissage

Ces premiers essais lui ont permis de faire l'apprentissage de son métier de romancier. C'est vers 1845 que vont apparaître les scrupules de l'impersonnalité. Il avait déjà découvert, à ce moment, les mérites d'une observation minutieuse, les rapports entre l'âme humaine et les spectacles de la nature. La première *Éducation sentimentale* fut une étape importante dans ses réflexions sur le métier de romancier. L'influence du théâtre et du roman historique s'est exercée sur son art de la présentation, l'a conduit à substituer la scène à l'analyse et à la narration, et à fondre, avec bonheur, les éléments de description, de dialogue, d'analyse et de narration.

La première *Tentation de saint Antoine* avait été condamnée par Bouilhet et Du Camp. Flaubert s'inclina devant le verdict de ses juges, qui lui auraient conseillé, selon le témoignage de Du Camp, de renoncer aux sujets diffus, de mettre son lyrisme au pain sec, de prendre « un sujet terre à terre » comme ceux de Balzac, et même d'écrire « l'histoire de Delamare », d'où devait sortir *Madame Bovary*. Si douloureuse que fût pour lui cette condamnation, Flaubert eut le sentiment qu'elle était justifiée. Il avait conscience, au moment où il entreprenait *Madame Bovary*, de n'avoir encore rien réussi. La *Tentation* lui paraissait une œuvre manquée dans la mesure où la progression dramatique était insuffisante, où le « cancer du lyrisme » avait tout envahi. La première *Éducation* avait été, à ses propres yeux, un vain effort de fusion entre les « deux bonshommes distincts » qu'il trouvait en lui, l'un qui était épris de lyrisme, l'autre qui aimait fouiller le vrai. « Maintenant, ajoutait Flaubert, j'en suis à ma troisième tentative. Il est temps de réussir ou de se jeter par la fenêtre »[1].

---

1. Lettre à Louise Colet, 16 juillet 1852, citée par René DUMESNIL, *La Vocation de Gustave Flaubert*, Gallimard, 1961, p. 211.

LA DOCTRINE DE FLAUBERT

L'élaboration de *Madame Bovary* dura près de cinq ans, de septembre 1851 à mai 1856. Pendant cette longue et minutieuse construction le rythme du travail de Flaubert n'est plus du tout ce qu'il était encore dans *La Tentation de saint Antoine*. « L'homme qui ·se précipitait, observe M. J. Durry[1], s'est transformé en celui qui tâche et qui ahane, malgré des flambées d'enthousiasme et d'inspiration. » Effet des drogues qu'on lui fait absorber depuis qu'il est atteint de sa maladie nerveuse ? Conséquence des exigences minutieuses de Bouilhet, qui fait figure de Boileau impitoyable ? On a pu s'imaginer aussi que *Madame Bovary* était un *pensum* auquel Flaubert avait été condamné par ses amis, et dont il ne s'était acquitté qu'avec une sorte de répugnance, dans la mesure où « sujet, personnages, tout était hors de lui ». *Madame Bovary* n'était pas seulement une victoire de la volonté sur le tempérament, mais « le résultat des réflexions d'un artiste sur la nature et les conditions de son art »[2]. « Je tourne beaucoup à la critique, notait Flaubert ; le roman que j'écris m'aiguise cette faculté, car c'est une œuvre surtout de critique ou plutôt d'anatomie »[3]. Flaubert rompait avec le lyrisme romantique ; il se défiait de « cette espèce d'échauffement que l'on appelle l'inspiration », de ces « bals masqués de l'imagination » où l'on n'a « vu que du faux et débité que des sottises »[4].

Le roman,
œuvre d'objectivité scientifique

« Tout se passe, écrit Thibaudet, comme si, en ces années cinquante, décisives pour l'histoire du roman, se développait de Balzac à Flaubert une logique intérieure au roman, comme, de Corneille à Racine, se développe une logique intérieure à la tragédie »[5]. *Madame Bovary* devait demeurer, pour de longues années, le modèle du roman français. Balzac était le père du roman moderne ; Flaubert, lui, aménageait l'héritage. Il apportait un grand souci de la vérité minutieuse. Balzac appartenait à la génération des grands imaginatifs, il avait créé *La Comédie humaine* dans une sorte de fièvre. A ses emportements succédait la méthode de Flaubert. C'était une méthode scientifique. Flaubert était fils de médecin ; il appartenait à un temps pendant lequel se développait la philosophie positive. Avant Taine, Flaubert souhaitait voir la littérature s'inspirer des principes des sciences naturelles et de la biologie. En 1857, *Madame Bovary* était au roman ce que l'*Introduction à l'étude de la médecine expérimentale* de Claude Bernard, en 1864, était à la science. Sainte-Beuve ne s'y était pas trompé, lui qui s'était écrié, au lendemain de la parution de *Madame Bovary* : « Anatomistes et physiologistes, je vous retrouve partout ». Flaubert avait écrit, dès 1853, dans sa correspondance : « La littérature prendra de

---

1. *Flaubert et ses projets inédits*, p. 9.
2. THIBAUDET, *Gustave Flaubert*, Gallimard, 1935, p. 78.
3. Cité par THIBAUDET, *op. cit.*, p. 83.
4. Cité par THIBAUDET, *op. cit.*, p. 77.
5. *Ibid.*, p. 93.

plus en plus les allures de la science, elle sera surtout *exposante*, ce qui ne veut pas dire didactique, il faut faire des tableaux, montrer la nature telle qu'elle est, mais des tableaux complets, peindre le dessous et le dessus »[1]. La *beauté* de l'âge moderne devait être pétrie de *vérité*. Les fantaisies de l'imagination et les mensonges du romanesque étaient discrédités. Flaubert déplorait, en 1852, que les personnages de *Graziella* ne fussent pas des êtres humains, mais des mannequins. Dix ans plus tard, à propos des *Misérables*, il protestait qu'il n'était pas permis « de peindre si faussement la réalité quand on est le contemporain de Balzac et de Dickens ». Le roman, selon lui, devait être scientifique, c'est-à-dire « rester dans les généralités probables ». L'observation et la documentation devaient fournir les éléments à partir desquels l'artiste pouvait procéder à un agencement esthétique qui n'avait pas la fragilité d'une fantaisie arbitraire, mais la rigueur et la vérité de la vie. A la suite de Balzac, Flaubert orientait le roman vers les scrupules de l'exactitude. Le romancier, avant d'écrire, devait faire une ample moisson de renseignements de toutes sortes. Flaubert était le premier maître de l'école de la documentation.

Le dogme de l'impassibilité

Le corollaire de l'observation scientifique, c'est l'impassibilité de l'observateur. Dès le début de la genèse de *Madame Bovary*, Flaubert confiait : « Autant dans mes autres livres, je suis débraillé, autant dans celui-ci, je tâche d'être boutonné et de suivre une ligne droite géométrique : nul lyrisme, pas de réflexions, la personnalité de l'auteur absente »[2]. En août 1853, il disait « adieu pour toujours au personnel, à l'intime, au relatif » ; en novembre, il déclarait que « l'impersonnalité est le signe de la force (...) ». Il s'opposait aux auteurs de la génération précédente, quand il observait, le 12 décembre 1857 : « Eh bien ! je crois que jusqu'à présent, on a fort peu parlé des autres. Le roman n'a été que l'exposition de la personnalité de l'auteur et, je dirai plus, toute la littérature en général, sauf peut-être deux ou trois hommes. Il faut pourtant que les sciences morales (...) procèdent, comme les sciences physiques, par l'impartialité. Le poète est tenu maintenant d'avoir de la sympathie pour tout, pour tous, afin de les comprendre et de les décrire ». Il y avait, dans le culte de l'impassibilité, le scrupule d'un entomologiste ; le romancier prétendait observer les hommes comme le savant naturaliste observait les espèces animales. Le refus de l'intervention personnelle était le respect de la vérité. Le romancier devait se soumettre à ce que dictaient le déterminisme des phénomènes et l'enchaînement naturel des sentiments. L'histoire contée devait se suffire à elle-même. La crédibilité était plus grande quand le romancier s'abstenait d'intervenir. L'intelligibilité devait naître du seul agencement des données romanesques. Issue du scrupule scientifique et de l'efficacité esthétique, l'impassibilité flaubertienne était le masque d'une ferveur qui venait animer les créatures de l'imagination. Elle ne renonçait aux particularités superficielles du *moi* que pour entrer plus profondément

---

1. Lettre à Louise Colet du 6 avril 1853.
2. *Correspondance*, 1er février 1852.

dans les passions d'autrui. Elle était liée à un panthéisme profond, elle avait une sorte de vertu divine. On s'attendait à trouver un auteur, et l'on sentait la présence d'un Dieu caché. « J'éprouve une répulsion invincible, avouait Flaubert[1], à mettre sur le papier quelque chose de mon cœur ; je trouve même qu'un romancier n'a pas le droit d'exprimer son opinion sur quoi que ce soit. Est-ce que le Bon Dieu l'a jamais dite, son opinion ? ». La passion de tout comprendre ne pouvait aboutir qu'au refus de conclure. Le romancier se proposait de disparaître ; ce n'était que pour être partout : « C'est une délicieuse chose que d'écrire, notait Flaubert en 1853[2], que de n'être plus soi, mais de circuler dans toute la création dont on parle. Aujourd'hui, par exemple, homme et femme tout ensemble, amant et maîtresse à la fois, je me suis promené à cheval dans une forêt, et j'étais les chevaux, les feuilles, le vent, les paroles qu'on se disait. »

Réalité et beauté

Plus qu'aucun autre romancier, Flaubert entreprenait de ramener le roman à la vérité de la vie ; plus qu'aucun autre, il rêvait de lui conférer la dignité d'une œuvre belle. Tout le drame esthétique de Flaubert a été de vouloir tenir les deux bouts de la chaîne. Il poussait plus avant l'effort de Balzac pour entrer par le menu dans la médiocrité de l'existence quotidienne ; mais il regrettait, pour sa part, que Balzac se fût si peu soucié des exigences de la beauté. « Je crois, disait-il, que le roman ne fait que de naître. Il attend son Homère. Quel homme eût été Balzac, s'il eût su écrire »[3]. Il devait confier, au moment où il commençait *Salammbô*, qu'il voulait faire « à travers le Beau, vrai et vivant quand même. » Il eût pu dire, à propos de *Madame Bovary*, qu'il voulait atteindre, à travers le vrai, les prestiges du Beau. Dès 1852, il avait compris la nouveauté et la singularité de son entreprise : « marcher droit sur un cheveu suspendu entre le double abîme du lyrisme et du vulgaire »[4]. On le voyait un jour demander « comment faire du dialogue trivial qui soit bien écrit »[5]. Il entendait « donner à la prose le rythme du vers (en la laissant prose, et très prose), et écrire la vie ordinaire comme on écrit l'Histoire ou l'épopée »[6]. Par de telles recherches, Flaubert s'attaquait de façon exemplaire à un des problèmes les plus difficiles du roman : dès qu'un art se propose d'exprimer, non plus des impressions privilégiées ou des vérités générales, mais l'humble réalité quotidienne, il risque d'achopper à ce problème du style. Les affres du style, chez Flaubert, reflétaient les difficultés de cette conversion de la réalité en une substance uniformément belle. Marcel Proust devait opposer au style impur de Balzac le style de Flaubert, qui était comme une alchimie que l'artiste faisait subir à la réalité. Flaubert, dont on voulait faire un romancier réaliste, prétendait avoir écrit *Madame Bovary* en haine de la réalité ; il se disait « dévoré par un besoin

1. Lettre à G. Sand, cité par Hélène FREILICH, *Flaubert d'après sa « correspondance »*.
2. *Correspondance*, novembre 1853.
3. *Op. cit.*, décembre 1852.
4. *Op. cit.*, juillet 1852.
5. *Op. cit.*, août 1852.
6. *Op. cit.*, janvier 1853.

de métamorphoses », désireux d'écrire tout ce qu'il voyait, « non tel qu'il est, mais transfiguré ». « La narration exacte du fait réel le plus magnifique me serait impossible, écrivait-il, il me faudrait broder encore... »[1]. Par ce culte de la Beauté, il devait être amené, dans les dernières années de sa vie, à condamner la doctrine du naturalisme naissant.

« MADAME BOVARY »

L'envers du romanesque   La publication de *Madame Bovary*, en 1857, reste une date capitale dans l'histoire du roman français. Depuis la disparition de Balzac, comme l'observait Baudelaire, « toute curiosité relativement au roman s'était apaisée ou endormie ». L'œuvre frappait les esprits par la dureté de l'analyse, la vérité de la description, le caractère impitoyable d'une sorte de dissection morale. Flaubert était aux antipodes du réalisme de l'école, mais son livre est demeuré, pour les générations suivantes, comme la Bible du roman réaliste. Il apportait plus de scrupule que Balzac dans le culte de la vérité, il débarrassait le roman des scories qui l'avaient encombré, il s'écartait de ce qu'il y avait de *romanesque* dans les situations et les personnages de Balzac. Les « malices du plan » et les « combinaisons d'effets » ne lui servaient qu'à atteindre le *naturel*. Il s'était inspiré d'anecdotes empruntées à la chronique provinciale ; il avait choisi la donnée la plus triviale qui fût : l'adultère. Il présentait son héroïne à travers les événements quotidiens d'une vie platement bourgeoise. Un bourg de province était le décor de cette comédie de la bêtise humaine. Une noce normande, des comices agricoles, l'adultère hebdomadaire dans un hôtel de la ville voisine, les dégoûts, les soupirs et les quelques « pâmoisons fébriles » d'une « pauvre petite provinciale »[2], telles étaient les données que s'était proposées Flaubert. C'était *l'envers* du romanesque. Quand l'héroïne de *M. de Camors*[3] se lançait, au galop de sa monture, du haut d'une falaise abrupte, Emma *chipait* prosaïquement un peu d'arsenic au pharmacien d'en face. Les héros de Balzac avaient, pour la plupart, des existences mouvementées. Il y avait, dans leur échec même, quelque chose de retentissant. Flaubert appartenait à un temps où l'on était devenu plus sensible à la navrante monotonie des existences manquées. *Madame Bovary* était le roman de la fatalité, le roman des vies médiocres qui se laissent ballotter par les circonstances. La roublardise de Lheureux et le triomphe d'Homais venaient en contrepoint souligner la lente défaite de Charles et d'Emma. Le monde de Balzac était fantasmagorique, animé comme un rêve, mouvementé comme un cauchemar ; l'imagination *arrangeait* la vie, la faisait plus belle ou plus atroce qu'elle n'est dans la réalité. Flaubert s'acharnait, en revanche, à présenter des existences dénuées de relief. Les rêves d'Emma venaient accuser la monotonie de sa vie, ils n'étaient qu'une dérision du romanesque.

---

1. *Op. cit.*, août 1853.
2. BAUDELAIRE, *L'Art romantique*, Pléiade, p. 1006.
3. Roman d'Octave Feuillet, 1867.

Une nouvelle structure Flaubert écrivait le roman d'une vie plutôt que le roman d'une crise. Au lieu de nouer une intrigue et de multiplier les péripéties, il déroulait les épisodes d'une existence. A la forte construction dramatique de Balzac, qui avait emprunté à Scott l'armature d'une lente préparation, d'une crise et d'un dénouement, Flaubert substituait une composition qui procédait par une simple suite de tableaux ou de scènes. Au lieu de puissants effets de convergence, il suggérait l'écoulement d'une durée. La démiurgie balzacienne édifiait de puissantes architectures ; elle procédait par grandes masses jaillies d'un seul élan. Flaubert s'acharnait plutôt aux subtils accords que requérait cette organisation musicale de la durée. Dès le début du roman, la casquette, avec ses « profondeurs d'expression muette comme le visage d'un imbécile », était le prélude à une pauvre vie. Les comices faisaient entrer dans le roman un art de l'orchestration symphonique. Tostes était l'esquisse d'un thème que Yonville devait reprendre et enrichir. Les deux rêves parallèles d'Emma et de Charles avaient la valeur d'une dissonance. La première rencontre de Léon préfigurait l'abandon entre les bras de Rodolphe, annonçait les journées d'amour de Rouen. Le bal de la Vaubyessard cristallisait les rêves qu'avaient fait naître les lectures de l'adolescence, ces visions du beau monde contrastaient avec l'enfance d'une fille de fermier qui avait écrémé le lait dans les étables. L'idée mythique qu'Emma se faisait de Paris s'opposait aux tristes réalités d'Yonville, dans un roman qui était conçu comme un contrepoint entre la vie et les rêves. L'aveugle aperçu, à plusieurs reprises, sur le chemin de l'adultère, prenait, aux derniers moments de l'agonie, une figure de damnation. Le triomphe d'Homais répondait à l'agonie d'Emma ; la lucidité du docteur Larivière accusait la sottise de Charles.

L'élaboration artistique L'étude du manuscrit de *Madame Bovary* a montré à quel point le roman de Flaubert était une *œuvre d'art*, un « fait littéraire » bien plus qu'un « fait divers »[1]. Flaubert s'est livré à un long travail de polissage ; il a supprimé des passages, il a exercé un sévère contrôle sur ses propres trouvailles, il s'est appliqué à ramasser dans chacune de ses phrases la substance d'un développement initial, il a incorporé, comme Pierre Moreau l'a suggéré[2], la substance de certaines de ses lectures dans tel passage qu'il était en train de rédiger. Le réalisme flaubertien n'est en aucune façon à l'image du daguerréotype ; il est le fruit d'une patiente et minutieuse élaboration.

La transfiguration du réel « La poésie, disait Flaubert en 1853, n'est qu'une manière de percevoir les objets extérieurs, un organe spécial qui tamise la matière et qui, sans la changer, la transfigure ». Flaubert a donné à Emma Bovary une vive sensibilité. Il lui a prêté, tout en la dominant de son *ironie*, les trésors de son

---

1. Pierre MOREAU, *Information littéraire*, mai-juin 1957, p. 97.
2. *Ibid.*

lyrisme. On donnerait de nombreux exemples de cette transfiguration du réel par la vision d'Emma. A la Vaubyessard, elle est sensible aux « fulgurations de l'heure présente. » Quand le prêtre lui donne la communion, pendant la maladie qui l'a terrassée, « les rideaux de son alcôve se gonflaient mollement, autour d'elle, en façon de nuées, et les rayons des deux cierges brûlant sur la commode lui parurent être des gloires éblouissantes. Alors, elle laissa retomber sa tête, croyant entendre dans les espaces le chant des harpes séraphiques et apercevoir, en un ciel d'azur, sur un trône d'or (...) Dieu le Père tout éclatant de majesté, et qui, d'un signe, faisait descendre vers la terre des anges aux ailes de flamme pour l'emporter dans leurs bras ». Cela est resté, dans sa mémoire, comme une « vision splendide ». La description de Rouen est déjà stylisée en un tableau, avec ce mouvement d'ensemble du paysage qui remonte jusqu'à la « base indécise du ciel pâle », avec ces « îles » qui semblaient « de grands poissons noirs arrêtés » ; mais, pour cette femme adultère, la vieille cité normande « s'étalait (...) comme une capitale démesurée, comme une Babylone où elle entrait ». Dans la cathédrale où il lui a donné rendez-vous, Léon a la vision sacrilège d'un immense boudoir. Il y avait chez Flaubert une déformation visionnaire du réel, qui s'alliait avec les minuties d'une stricte observation. La description reflétait l'état d'âme du personnage. Le monde qu'elle avait sous les yeux, Emma le colorait de ses émotions. Le réalisme de Flaubert était déjà un réalisme subjectif ; en tout cas, un réalisme suggestif.

La part du rêve

Certaines minutes intenses parviennent à auréoler la réalité d'un nimbe de clarté magique. Mais les visions les plus splendides sont celles que proposent les rêves. Flaubert leur a fait la part belle dans ce roman de l'humble réalité. Il est vrai que le conflit du réel et du rêve était le sujet profond de son livre. On a défini le bovarysme comme le besoin de se concevoir autre qu'on est. C'est dans l'évocation de ces rêves que Flaubert a déversé avec profusion ses hautes facultés de lyrisme et d'ironie. La rêverie d'Emma venait parfois prolonger, comme en pointillé, une amorce de bonheur que la vie avait présentée ; elle permettait de savourer telle scène qu'elle revoyait en imagination « avec cet allongement de perspective que le souvenir donne aux objets ». Le plus souvent, les rêveries avaient une valeur compensatoire ; au lendemain de son mariage, Emma songeait à une idéale lune de miel. Dans la chambre conjugale, elle rêvait de départs, de pays lointains, de cathédrales de marbre rose, elle évoquait le parfum des citronniers et la douceur des golfes au bord de la mer. Dans sa vie étriquée, la rêverie perçait une issue. Flaubert recourait à un style indirect libre : l'imparfait donnait accès au contenu d'une conscience. Le monologue intérieur, chez Stendhal, avait souvent la vertu d'une délibération intime ; il était le moment de la lucidité et de la décision. Chez Flaubert, il épousait la durée d'une rêverie, il était la substance même d'une conscience qui cherche à combler, par les séductions de l'imaginaire, les insuffisances du réel. La part du rêve renvoyait à un tragique de l'absence, à un pathétique de l'inaccompli.

La présence de Flaubert   Flaubert avouait un jour qu'il avait, malgré ses principes, mis beaucoup de lui-même dans son œuvre. C'est par les points où « elle raconte plus qu'il ne veut » qu'elle nous touche le plus. Le soin minutieux apporté à un roman comme *Madame Bovary* témoigne de la présence constante de l'auteur. « Par les détails de composition, écrivait René Dumesnil, par le choix des épisodes, par le style enfin, le romancier le plus objectif signe son ouvrage tout aussi sûrement que le plus subjectif des auteurs ». La transposition romanesque de *Madame Bovary* constitue cette dimension mystérieuse dans laquelle la vie est à la fois *comprise et poétisée*. Le traitement des scènes, leur enchaînement tendent à rendre intelligible la réalité qui est présentée. Flaubert lui donnait une valeur générale par son art de peindre des personnages typiques : il disait, en 1857, quand il constatait qu'on cherchait des clefs pour son roman, qu'il avait voulu « reproduire des types ». Charles, Emma, Rodolphe, Homais avaient une belle stature de types littéraires. L'intervention du romancier, prétendu impassible, à la fin du portrait de la vieille servante, conférait une valeur typique à un personnage épisodique. Flaubert retenait les phases caractéristiques de la vie de son héroïne : l'éducation, le mariage, la naissance de l'enfant, l'adultère, l'agonie. Il cherchait à obtenir une concentration de lumière sur le personnage principal. L'art était pour lui une illusion, et cette illusion consistait à faire comprendre le sens des événements. L'explication ressortait du groupement des faits, non de l'intervention du romancier. A l'explication s'ajoutait un jugement. « L'auteur de *Madame Bovary*, disait Thibaudet, mettait autant de soin à créer ses personnages pour eux-mêmes (...) qu'à nous laisser entendre le jugement qu'il porte sur leur nature, qui est le grotesque triste ». Un relief romanesque naissait de cette constante superposition d'une image présentée et d'un jugement implicite.

De « Madame Bovary »   Aussitôt après avoir achevé *Madame*
à « Salammbô »   *Bovary*, Flaubert a songé à un roman carthaginois. Il a commencé par lire beaucoup d'ouvrages d'Histoire et d'archéologie ; il a pris des notes et constitué des dossiers en vue de *Salammbô*. Il a apporté autant de minutie dans l'évocation d'un monde disparu qu'il en avait montré dans la présentation de la vie normande. Du roman réaliste au roman historique, sa méthode de travail restait la même. Il a éprouvé le besoin d'un voyage en Tunisie pour mieux s'imprégner de l'atmosphère carthaginoise. Après avoir mis au net les notes qu'il en rapporta, il écrivait : « Que toutes les énergies de la nature que j'ai aspirées me pénètrent, et qu'elles s'exhalent dans mon livre. Résurrection du passé, à moi ! à moi ! Il faut faire, à travers le Beau, vivant et vrai quand même ». Vérité et beauté restaient les deux principes de sa création. Les affres du style avaient toujours pour fonction de créer de la beauté. Les recherches minutieuses auxquelles le romancier s'astreignait se proposaient d'obtenir une reconstitution du monde antique. D'un monde antique resté en marge de la civilisation latine, et qui regardait du côté de l'Orient et de l'Afrique. On sent la présence d'un monde lointain sous les sévères architectures et les beautés formelles de ce roman parnassien. C'était aussi un

roman chargé de valeurs symboliques. Il était né de rêveries poétiques. La figure féminine qu'il présentait n'avait pas, ne pouvait avoir la réalité psychologique d'Emma Bovary. Elle exerçait une fascination. Elle était un prétexte offert aux songeries. Elle évoque pour nous l'Hérodiade de Mallarmé ou la jeune Parque de Valéry.

« L'ÉDUCATION SENTIMENTALE »[1]

Le roman d'une vie

Flaubert a porté ce sujet dans sa tête pendant toute sa vie avant de publier le chef-d'œuvre de 1869. Beaucoup de textes antérieurs en sont comme les premières esquisses. On trouve, dans la version définitive, des phrases qui viennent des premiers textes que Flaubert ait écrits. La première *Éducation* n'avait pas l'ampleur ni la profondeur de la seconde, mais elle en annonçait certains développements.

On sait que l'autobiographie tient dans *L'Éducation sentimentale* une grande place. Flaubert a raconté dans ce livre, en la transposant, la rencontre qu'il avait faite en 1836 sur la plage de Trouville. Il y a inséré aussi beaucoup de personnages qu'il a effectivement connus, de lieux qui lui étaient familiers, d'événements dont il avait été le témoin. Maxime Du Camp a écrit : « Il a raconté là une période, ou, comme il disait, une tranche de sa vie ; il n'est pas un des acteurs que je ne puisse nommer, je les ai tous connus, côtoyés, depuis la Maréchale jusqu'à la Vatnaz, depuis Frédéric, qui n'est autre que Flaubert, jusqu'à Mme Arnoux, qui est l'inconnue de Trouville, transportée dans un autre milieu ». L'art de Flaubert était devenu moins impersonnel. *L'Éducation sentimentale* faisait revivre des souvenirs d'enfance. Quand on voit Frédéric rêver d'être un jour le Walter Scott de la France, on songe, autant qu'à Lucien de Rubempré, aux premiers essais littéraires de Flaubert, et, en particulier, à sa *Chronique normande du* x^e *siècle. L'Éducation sentimentale* est à l'image de sa vie.

A l'image de la vie. C'est un peu l'équivalent français du *Bildungsroman* ou du *life novel*. C'est le roman d'une éducation, il évoque le passage de l'adolescence à la maturité, il retrace les espoirs et les déboires d'une entrée dans la vie. Il évoque la grisaille des saisons mortes. Il est fait du tissu ordinaire des jours. Peut-être était-ce là l'origine de son échec. Personne n'avait encore poussé la probité aussi loin. Par cette absence de *dramatisation*, de *romanesque*, par cette évocation dépouillée des pauvres monotonies de la quotidienneté, le roman de Flaubert a exercé un grand rayonnement sur la génération naturaliste.

Le bilan d'une génération

Flaubert n'a pas seulement utilisé les souvenirs de sa vie. Il a brossé une fresque de son temps. Dans les carnets inédits qu'a publiés M.J. Durry, « on perçoit dans le plus fin détail l'oscillation ou l'entrecroisement de desseins

---

1. Voir René DUMESNIL, « *L'Éducation sentimentale* » *de Gustave Flaubert*, Nizet, 1963, et P.-G. CASTEX, *Flaubert, L'Éducation sentimentale*, C.D.U.

qui allie un roman du sentiment à un roman de *mœurs parisiennes* »[1]. Flaubert avait pu dire : « *Madame Bovary*, c'est moi ». Il eût pu ajouter : *L'Éducation sentimentale*, c'est mon temps. On s'est plu à reconnaître à son roman sa pleine valeur de document. On sait le mot de G. Sorel : « Un historien désireux de connaître l'époque qui précède le coup d'État ne peut négliger *L'Éducation sentimentale* ». On découvre, en la lisant, la plupart des problèmes qui ont été agités vers 1848. L'évocation de la révolution de 1848 est un véritable tableau historique. Il est constitué de scènes dont Flaubert avait été, les 23 et 24 février, le témoin direct, de documents qu'il a réunis, de témoignages qu'il a demandés à George Sand, à Barbès, à Maurice Schlésinger, à Jules Duplan. Flaubert a incarné dans Deslauriers, Sénécal et Dussardier trois types de révolutionnaires : Deslauriers est aigri et ambitieux, Sénécal connaît à la fois le besoin de dominer et le goût de la justice, Dussardier, belle figure enthousiaste et loyale, incarne l'esprit de 1848. Il est frappant que ces trois hommes soient promis à un échec qui fait écho à l'échec sentimental de Frédéric. Deslauriers se réfugie en province, Sénécal entre dans la police, Dussardier est tué le 2 décembre. Il n'y avait pas seulement une fresque historique dans *L'Éducation sentimentale* ; mais un témoignage sur la faillite d'une génération. Frédéric était un velléitaire ; il était incapable de saisir les occasions qui se présentaient à lui ; mais au-delà de ces défauts de caractère, il était le héros d'un temps désemparé. Barrès devait écrire, trente ans plus tard, *Le Roman de l'énergie nationale* : le roman de Flaubert faisait assister à la disparition de toutes les valeurs d'énergie. Flaubert retraçait l'épopée d'une génération perdue ; d'une génération qui s'était perdue dans les facilités d'un monde qui se défaisait. Il avait conscience, en tout cas, d'avoir écrit « le grand roman complet, balzacien, parisien, que réclamait son époque, et qui s'imposait à l'art de son époque ». Qui aurait dû lui servir de leçon avant que les catastrophes ne survinssent. Du Camp prétendait avoir dit à Flaubert, devant les Tuileries incendiées : « Et penser que cela ne serait pas arrivé si on avait compris *L'Éducation sentimentale* ».

L'épopée de la désillusion   *L'Éducation sentimentale* est le roman de l'échec. On y assiste à la faillite d'une génération et à la lente désagrégation d'une vie. Beaucoup de romans des années soixante présentaient volontiers des héros qui n'avaient pu réaliser dans l'âge mûr les rêves de l'adolescence. *Dominique*, de Fromentin, *Les Forces perdues* de Maxime Du Camp, *L'Éducation sentimentale* de Flaubert, s'inscrivaient dans un mouvement de réaction contre les chimères du romantisme. Il y avait, dans leurs œuvres, assortie de nuances diverses, la mélancolie des illusions perdues. Le héros de Fromentin, comme celui de Flaubert, était encore au collège quand il avait fait la rencontre d'une femme plus âgée que lui, destinée à un autre ; il devait l'aimer sans espoir, il renonçait bientôt à cet amour partagé et impossible. Il renonçait aussi à ses rêves de gloire. Il avait, plus que Frédéric, la conscience de sa médiocrité. Au lieu de se laisser ballotter par les circonstances, il se construisait, sur les ruines

---

1. Pierre MOREAU, art. cité.

de ses rêves, un destin à sa mesure. La perte des illusions était pour lui le commencement de la sagesse. Les chimères de la passion et de la gloire lui avaient seulement laissé au cœur la pointe d'une mélancolie qui venait contribuer à mieux assurer les conquêtes de la maturité.

Les Forces perdues, de Maxime Du Camp, en 1866, traitaient un thème proche de celui de L'Éducation. Flaubert en eut pleine conscience. C'était aussi une éducation sentimentale, la navrante histoire d'un échec. Horace, le héros de Du Camp, rencontrait des femmes qui eussent pu lui apporter le bonheur. Frédéric manquait sa vie parce qu'il n'avait pas su conquérir Mme Arnoux, Horace manquait la sienne parce qu'une passion comblée s'était dégradée en une folie de haine et de jalousie. Lui aussi a cherché dans les voyages un remède à ses déceptions ; ils ne l'ont pas empêché de se lamenter sur les occasions manquées, les efforts avortés et les forces perdues.

Ce thème de la désillusion qui court de Dominique à L'Éducation sentimentale était un des derniers avatars du mal du siècle. Le héros romantique, parce qu'il était épris d'absolu, ne pouvait, en ce monde, rencontrer que la déception. René et Adolphe, Rubempré et Amaury avaient eu des allures d'archanges déchus. Sainte-Beuve, dans Volupté, avait évoqué, en son temps, la faillite des chimères romantiques. Amaury était, comme Frédéric, un irrésolu, qui avait rêvé de conquérir la gloire, mais qui avait laissé passer toutes les occasions de s'illustrer. Il avait hésité, comme Frédéric, entre un amour idéal et des amours sensuelles, entre l'amour mondain et l'amour ingénu. Il n'avait employé les ressources de son esprit qu'à épier sa propre défaite.

L'échec de Frédéric Moreau était aussi celui de Félix de Vandenesse, le héros du Lys dans la vallée. Balzac y avait peint, rivalisant d'ailleurs avec Sainte-Beuve, l'amour d'un jeune homme pour une femme mariée plus âgée que lui. Déjà, il avait écrit cette histoire d'une passion partagée, mais insatisfaite. La maladie de son fils était, déjà, apparue à Mme de Mortsauf ainsi qu'à Mme de Couaën dans Volupté comme un avertissement de Dieu qui la préservait de céder à une passion illégitime. Entre elle et Mme Arnoux, combien d'analogies ! Chacune était « encadrée de ses deux enfants (...), chacune aimée, aimant d'un amour sans souillure »[1].

Quelle différence, pourtant, entre le roman de Flaubert et ces romans de l'âge romantique ! L'ironie et l'amertume succédaient à la ferveur. Il y avait, chez Balzac, un mysticisme de l'amour qui, chez Flaubert, était tourné en dérision. Amaury trouvait sa consolation dans l'exaltation religieuse. La religion avait été, au temps du romantisme, le suprême recours contre l'échec ; elle ouvrait, aux ferveurs déçues, les vastes espaces d'un autre monde. Il n'y avait plus aucun recours pour Frédéric Moreau. Il rencontrait un apaisement dérisoire, celui du vieillissement, qui flétrit la fleur de la passion et qui émousse la sensibilité. Parvenu à la cinquantaine, il ne s'exalte ni ne s'indigne de ce qui, jadis, l'eût bouleversé. Le plus tragique, dans son cas, n'était peut-être pas d'avoir manqué sa vie ; c'était de ne presque plus souffrir de l'avoir manquée. L'effritement des illusions au contact des réalités

---

1. M.-J. DURRY, op. cit.

quotidiennes faisait naître un pessimisme profond. Les rêves de gloire et d'amour, chez Flaubert, s'enlisaient dans les ornières de la vie bourgeoise.

Le traitement flaubertien　　　Les œuvres engendrent les œuvres. Un artiste affirme sa maîtrise et l'originalité de son talent en reprenant des thèmes déjà traités. Flaubert a sans doute eu la pensée de refaire, pour les hommes de son temps, *Volupté* et le *Lys*. Il déplorait en 1869 que Sainte-Beuve fût mort avant d'avoir pu prendre connaissance de *L'Éducation sentimentale,* qu'il avouait avoir écrite pour lui. On a pu montrer qu'il y avait, dans son roman, nombre de réminiscences balzaciennes et soutenir que Flaubert avait été un « émule et un disciple émancipé de Balzac »[1]. Son roman était aussi les « Illusions perdues » de sa génération. Il contenait des allusions à *La Comédie humaine.* Deslauriers proposait à Frédéric l'exemple de Rastignac. Frédéric vivait d'abord à Paris, comme Rastignac, dans une pension bourgeoise peu reluisante ; comme Lucien de Rubempré, il rêvait de conquérir la gloire littéraire mais se laissait vite corrompre par la vie parisienne. Toutefois, bien des rapprochements de détail n'ont pas grande portée. On mesure l'abîme qui sépare Flaubert de Balzac quand on compare Frédéric à Rastignac, l'un pétri de ténacité, l'autre, de faiblesse. Quand Rastignac, au Père Lachaise, jette un défi à Paris, Frédéric admire le paysage et s'ennuie. Le héros balzacien est un homme de proie, celui de Flaubert est atteint d'une sorte de prostration ; il laisse couler les jours sans leur imprimer sa marque. A la fin tragique de Rubempré, qui perd tout au moment où il était sur le point de tout obtenir, s'oppose l'enlisement progressif de Frédéric.

La technique flaubertienne se réfère à une vision du monde très différente de celle de Balzac. La succession des scènes, plus encore que dans *Madame Bovary,* rend sensible l'émiettement de la vie en une poussière de menues circonstances. Les épisodes de *Madame Bovary* représentaient des phases typiques ; ils bénéficiaient d'une concentration de lumière. Ceux de *L'Éducation sentimentale* se succèdent sans cette « fausseté de perspective » par laquelle l'artiste, ordinairement, donne un sommet à son œuvre, lui fait faire « la pyramide »[2]. Flaubert disait avoir poussé la probité jusqu'à un point où, à force d'art, l'art disparaît. Les démarches succèdent aux démarches, les visites aux visites, les conversations aux conversations. C'est comme un film qui se déroule. Il est des épisodes plus importants, comme le dîner chez les Arnoux, la soirée à l'Alhambra, la fête à Saint-Cloud, le bal masqué, où l'on a le sentiment que l'action pourrait se nouer. Mais rien de décisif ne se produit. Dans *Madame Bovary,* le romanesque était raillé : il est absent de l'*Éducation.* Le roman tire sa force de cette absence ; il parvient à donner l'impression de ce qui se passe souvent dans la réalité, où il ne se passe rien, où c'est la vie qui passe. Frédéric pouvait réussir grâce aux Dambreuse, séduire Mme Arnoux, épouser la petite Roque. Tout est en amorces d'aventures possibles, de drames qui n'auront pas lieu. Aux affrontements

---

1. Voir André VIAL, *Revue d'Histoire littéraire,* avril-juin 1948.
2. *Correspondance,* juillet 1879.

dramatiques du roman balzacien, Flaubert a substitué le tragique d'une dispersion qui ne conduit à rien. Il a écrit l'*envers* de plusieurs romans possibles. Il a eu pleine conscience de ce qui faisait l'originalité de sa tentative : l'absence de drame. C'est par là qu'il a exercé tant d'attrait sur les romanciers naturalistes dont l'effort consistait, au moins en théorie, à « tuer l'aventure dans le roman ».

L'architecture du roman

L'Éducation sentimentale est restée longtemps le type du roman dépourvu de toute composition. A ceux qui justifiaient, par un scrupule de vérité, cette absence d'organisation, Paul Bourget objectait qu'un roman était une œuvre d'art et que la composition en devait être le premier signe. Flaubert disait aux Goncourt que « l'histoire, l'aventure d'un roman » lui importaient peu, et qu'il voulait seulement « rendre une coloration, une nuance ». L'affabulation le préoccupait plus qu'il ne le prétendait. Les ébauches de son livre ont révélé son « labeur pour inventer, pour combiner, pour construire ». La construction de *L'Éducation sentimentale* n'est pas fondée sur un agencement de péripéties, mais sur l'entrelacement des thèmes. Le thème initial du glissement sur l'eau prélude à ce lent écoulement d'une durée qui constitue l'essentiel du livre. A travers les multiples démarches de Frédéric, il y a, d'une scène à l'autre, des correspondances, des contrastes, des rappels, toute une subtile architecture contrapuntique. La soirée à l'Alhambra rappelle la soirée du Palais-Royal. La fête à Saint-Cloud évoque le premier dîner chez les Arnoux ; au voyage de Paris à Nogent, répond le retour, de Nogent à Paris. Lors de ses débuts parisiens, Frédéric consacre sa première visite aux Dambreuse. Plus tard, sa première visite sera pour Mme Arnoux. Mme Dambreuse, Mme Arnoux, Rosanette et la petite Roque sont les quatre tentations de Frédéric ; on les voit, tour à tour, s'éclipser, reparaître avec plus d'insistance. Aux déceptions qu'il éprouve auprès de Marie Arnoux répond son premier échec auprès de Rosanette. A Nogent, où il est retourné pour épouser la petite Roque, trois lettres viennent le relancer, qui avivent les trois tentations du succès mondain, des amours faciles, d'un amour idéal. On a souligné l'importance de l'architecture classiquement tripartie de l'ensemble, la singulière fréquence du chiffre trois[1]. Pourtant les rappels et les contrastes opposent souvent les termes deux à deux. Frédéric a d'abord été supplanté auprès de Rosanette par le vicomte de Cisy, comme il le sera, à la fin, auprès de la petite Roque, par Deslauriers. Rue Tronchet, Mme Arnoux devait venir ; c'est Rosanette qui est venue. Les amours faciles constituent une sorte de contrepoint à la révolution de 1848. A la pathétique entrevue finale avec Mme Arnoux, répond le pathétique entretien avec Deslauriers. La structure du livre est en rapport avec l'absence de romanesque. Il y a une « pensée circulaire » de Flaubert[2]. Le temps passe, les situations restent à peu près les mêmes. Les seules amours nouées sont des amours faciles. Ce roman du voyage, de la promenade, de la mobilité donne l'impression du piétinement.

---

1. Voir Léon CELLIER, *Études de structures*, Archives des Lettres modernes, 1958.
2. Voir Georges POULET, *La Pensée circulaire de Flaubert*, N.R.F., 1er juillet 1955.

Le labyrinthe de la ville ramène toujours Frédéric aux mêmes lieux, et ses voyages ne sont que des allers et retours.

Le monde du «paraître»   Il est frappant que, dans *L'Éducation sentimentale*, nous épousons la plupart du temps le point de vue de Frédéric. Sans doute le romancier impassible vient-il souvent, par ses descriptions objectives, relayer le regard de son héros. Si Frédéric aperçoit un jardin, c'est Flaubert qui le décrit. Mais Mme Arnoux, comme les autres personnages, est toujours vue par Frédéric. On trouverait des exemples privilégiés de réalisme subjectif. Sur la Seine, de Paris à Nogent, « les berges (...) filèrent comme deux larges rubans que l'on déroule ». On est plus près du compte rendu d'une expérience perceptive dans le voyage en calèche qui ramène Frédéric à Paris : on dirait des choses vues, saisies sur le vif, telles qu'on en trouvait dans les récits de voyage plutôt que dans les romans. Frédéric n'apercevait, « au-delà de la croupe des limoniers », « que les crinières des autres chevaux » ; parfois, dans la nuit, la lueur d'un four de boulanger « projetait des lueurs d'incendie, et la silhouette monstrueuse des chevaux courait sur l'autre maison d'en face ». Frédéric, dans le train pour Creil, voyait « les maisonnettes des stations glisser comme des décors ». Dans le mouvement régulier du train, du bateau, de la calèche, c'est le monde qui bouge. Ce glissement du décor était un des leitmotive de l'œuvre. L'arrivée à Paris, la traversée de la banlieue sont perçues et senties comme une progressive métamorphose du décor. Frédéric se livre, à travers Paris, à d'interminables flâneries, ou bien, à tel moment, à une quête fiévreuse de l'adresse de Mme Arnoux. L'*Éducation* est le premier grand roman de l'*errance* à travers les rues de la ville, et les « maisons se succèdent » avec « leurs façades grises et leurs fenêtres closes ». Sur les Champs-Élysées, la descente des voitures, des calèches, des tilburys est comme un lent écoulement : la grande avenue était « pareille à un fleuve où ondulaient des crinières, des vêtements, des têtes humaines ». Certaines scènes privilégiées réalisent symboliquement ce tournoiement des images ; la soirée à l'Alhambra, les agitations du Champ de Courses, le bal chez Rosanette portent à leur comble ces impressions d'agitation, de dispersion. Après le bal masqué, tout continue à tourner dans les « hallucinations du premier sommeil » : Frédéric « voyait passer et repasser continuellement les épaules de la Poissarde, les reins de la Débardeuse, les mollets de la Polonaise, la chevelure de la Sauvagesse. Puis deux grands yeux noirs, qui n'étaient pas dans le bal parurent, et légers comme des papillons, ardents comme des torches, ils allaient, venaient, vibraient, montaient (...) ». Le rêve, chez Emma, s'opposait au réel. Ici, il le prolonge, on dirait que le réel a pris les allures d'un rêve. Pendant une promenade de Frédéric, diverses images de Paris se sont mises à graviter autour de Mme Arnoux. Pour la conquérir, il eût fallu « subvertir la destinée » ; Frédéric s'est contenté de laisser tournoyer les images. Dans ce défilé kaléidoscopique, tout est apparence, et glissement d'apparences. Mme Arnoux n'est qu'une image plus intense et plus prenante que les autres. Frédéric connaît déjà les intermittences du cœur : chaque vision qu'il a d'elle suscite en lui une bouffée d'amour ou une vague d'indifférence. Le tragique de la dernière entrevue tient au fait que l'image actuelle de Mme Arnoux n'éveille plus en lui les vibrations qu'y causaient les images d'autrefois. Frédéric glisse à la surface de la vie ; il est toujours loin de lui-même, ses rêveries sont comme des fulgurations « à l'horizon de sa vie ». L'essentiel n'a jamais lieu. *L'Éducation sentimentale* était le premier grand roman de la facticité.

A moins que l'essentiel ne soit en deçà de cette vie qu'on pourrait vivre ou de ces drames qu'on pourrait connaître, dans les seules vertus du *paraître*. Le *paraître* n'est pas seulement, chez Flaubert, le masque du néant, il est le déploiement d'une *apparition*. On est frappé par l'abondance, dans ce roman, du vocabulaire de la perception. Et quel usage fréquent de ce seul mot de *paraître* ! Sur le bateau, dès que Frédéric aperçut Mme Arnoux, « ce fut comme une apparition. Il la regarda (...) ». Elle n'en finit pas d'apparaître, à travers tout le livre, les autres aussi, et le paysage qui glisse, les collines qui surgissent, les façades qui défilent. Le monde de Flaubert se déploie sous le regard. La description, dans *L'Éducation sentimentale*, n'a pas seulement une valeur psychologique par les couleurs que le personnage prête à la réalité qu'il perçoit. Elle *dit* le monde. Elle dit la suite des apparitions qui surgissent. Elle est liée à l'absence de péripéties. Parce que le héros n'agit plus, il regarde. La présence du monde se déploie à la faveur d'une élimination de la volonté et de la convoitise. Frédéric est un héritier, il n'a plus à conquérir, il lui suffit de voir ce monde offert. Rastignac, devant les splendeurs de l'hôtel de Beauséant, est perdu de désir, la soif de l'or lui sèche la gorge. Parce qu'il *veut*, il ne *voit* plus. La perception s'annule dans le désir qu'elle aiguise. Flaubert « rend » le chatoiement des objets, des colliers, des bijoux, des porcelaines qui, dans toutes les scènes d'intérieur, rayonnent d'une douce splendeur. Il tend, au-dessus de la ville, des ciels de soie. Frédéric traverse ces beaux décors comme il traverse la vie ; il les voit presque avec indifférence. C'est le héros proustien qui s'interrogera plus tard sur la signification de ces apparences. Le lecteur de *L'Éducation sentimentale* conserve la nostalgie de ces fuyantes images. Ce roman de l'échec réussit à lui faire savourer les beautés du monde sensible.

Au-delà du roman   La genèse de *Bouvard et Pécuchet* remplit presque toute la période qui va de 1870 à la mort de Flaubert en 1880. Pendant ces dix années, pourtant, Flaubert a multiplié les travaux. Il a repris cette *Tentation de saint Antoine* qu'il avait abandonnée en 1849, puis en 1856. Il a donné l'analyse psychologique d'*Un Cœur simple*, la vision historique d'*Hérodias*, le récit épique de *Saint-Julien*. *Bouvard et Pécuchet* s'est édifié au milieu de cette effervescence intellectuelle accompagnée d'un immense découragement. Ce livre ne se rattachait en rien à la vie de l'auteur. C'était une œuvre objective, elle a coûté à Flaubert un labeur inouï. C'était l'aboutissement gigantesque et dérisoire de son drame intellectuel.

L'œuvre ne ressemblait guère à un roman. C'est à elle que Curtius faisait remonter la crise du genre romanesque. Le premier chapitre expose la rencontre des deux amis, l'héritage dont ils bénéficient, leur installation à la campagne ; le chapitre septième raconte leur expérience de l'amour. Ce sont les deux seuls qui font intervenir un récit circonstancié, et qui rappellent le roman traditionnel. Il n'est pas étonnant que la critique ait été désem-

parée et se soit répandue en sarcasmes. Il n'est pas étonnant que Rémy
de Gourmont ait vu là le chef-d'œuvre de Flaubert, le chef-d'œuvre de la
littérature. L'énumération des sciences auxquelles se consacraient Bouvard
et Pécuchet remplaçait la progression d'une action. Au lieu d'une histoire
contée, on avait l'exposé d'une nomenclature, le dénombrement d'un programme.

Dès *La Tentation de saint Antoine*, Flaubert s'était situé au-delà du
roman. Il était parti d'un tableau de Breughel, et il avait écrit, au terme
d'immenses lectures, un « drame philosophique, un poème fantastique à
personnage unique et à nombreuses apparitions ». Au lieu d'une aventure
vraisemblable située dans le temps et dans l'espace, on avait un drame métaphysique. Dans *Bouvard et Pécuchet*, au terme de sa vie, il voulait « exhaler
sa colère », comme il avait, dans la *Tentation*, chanté « la crainte de l'homme
devant le grand mystère de la nature et de la vie ». Il faisait défiler les sciences
devant ses deux imbéciles comme il avait fait défiler les tentations devant
saint Antoine. L'œuvre procédait, une fois de plus, d'une *accumulation*
plutôt que d'une *progression*. Elle présentait le passif d'un bilan plutôt
qu'elle ne conduisait à l'aboutissement d'une expérience vécue. Comme il
avait peint l'âme aux prises avec le monde, il montrait l'esprit en proie à
la science. Ce n'était pas, ce ne pouvait être un sujet de roman.

On a pu dire qu'il y avait une progression psychologique chez les deux
héros de Flaubert et qu'à force d'étudier, ils étaient devenus moins bêtes.
Il est vrai qu'ils se mettaient, vers la fin, à ressembler à leur auteur, puisqu'ils
ne pouvaient plus supporter la sottise. Mais cela tenait moins à leur évolution
qu'à l'ambiguïté du dessein de Flaubert qui incarnait en eux à la fois la
soif de la connaissance et le rassasiement de la bêtise. C'était, sur le registre
du grotesque triste, un avatar du mythe de Faust. Bouvard et Pécuchet
avaient commencé par incarner la somme des idées reçues, et ils finissaient
par où Flaubert avait débuté : ils collationnaient les idées reçues. Ces
imbéciles avaient, au début, l'esprit en friche ; à la fin, ils mettaient l'esprit
en fiches. Le comble du savoir rejoignait le dénuement de la connaissance,
car il n'était question que du savoir, jamais de l'intelligence. Flaubert n'évoquait pas les conquêtes de l'esprit, mais leurs résidus. Ces deux vieillards
abécédaires représentaient symboliquement la sottise que chaque esprit
porte en soi, comme M. Teste devait incarner, vingt ans après, la figure
symbolique du génie que tout esprit rêve d'être. « La bêtise n'est pas mon
fort » est la première phrase de *La Soirée avec M. Teste* : elle la situe aux
antipodes de *Bouvard et Pécuchet*. Il est frappant que ces deux tentatives
antithétiques aient amené Flaubert et Valéry à escamoter le roman : l'un
n'écrivait que le premier chapitre, l'autre renonçait au roman pour une
encyclopédie de la sottise.

Il y avait, dans *La Tentation de saint Antoine*, au-delà du lyrisme romantique, des illuminations dignes de Rimbaud. Il y a, dans *Bouvard et Pécuchet*,
au-delà de l'observation impassible et de la notation sèche, un drame de
l'esprit. Celui d'un élan qui retombe, d'une ferveur qui devient manie, d'une
soif de comprendre qui se fait collectionneuse d'idées reçues. Flaubert, dans
ses dernières années, a vécu l'échec de la littérature. Ce livre était le dernier
bilan d'une ultime faillite. Il témoignait d'une expérience où la littérature

et le langage étaient déjà mis en question. Flaubert rejoignait Mallarmé. Pour celui-ci, le monde entier ne paraissait fait que pour aboutir à un beau livre. Pour Flaubert, le monde entier n'existait peut-être que pour finir dans les colonnes d'un dictionnaire.

3. Les Goncourt et l'étude physiologique et sociale

Les historiens du présent « Un des caractères particuliers de nos romans, écrivaient les Goncourt en janvier 1861, (...) ce sera d'être les romans les plus historiques de ce temps-ci, les romans qui fourniront le plus de faits et de vérités vraies à l'histoire morale du siècle ». Ils s'inscrivaient ainsi comme les héritiers de Balzac, qui avait dit dans l'*Avant-Propos* de 1842 son intention d'être le secrétaire de la société française et d'écrire « l'histoire oubliée par tant d'historiens, celle des mœurs ». Balzac était passé du roman historique au roman de mœurs ; les Goncourt sont passés de l'Histoire au roman[1]. « Cela n'est guère d'usage, ajoutaient-ils en 1860. Et pourtant nous avons agi très logiquement. Sur quoi écrit-on l'Histoire ? Sur les documents. Et les documents du roman, c'est la vie ». Pour eux, comme pour Taine, à la même époque, le roman devenait une *étude*, et, particulièrement, une étude des mœurs contemporaines. On connaît leurs formules : « Le roman depuis Balzac n'a plus rien de commun avec ce que nos pères entendaient par roman. Le roman actuel se fait avec des *documents*, racontés ou relevés d'après nature, comme l'Histoire se fait d'après des documents écrits. Les historiens sont des raconteurs du passé, les romanciers sont des raconteurs du présent ». A vrai dire, en passant de l'Histoire au roman, les Goncourt n'avaient guère changé leur méthode. Ils avaient conçu leurs études historiques comme une sorte de montage de documents et d'anecdotes qui jetaient des lumières sur un temps. Ils ont édifié leurs romans, qu'il s'agisse de *Sœur Philomène* ou de *Madame Gervaisais*, en s'inspirant de documents livresques ou de *documents humains*. Ils adoptaient, dans les années soixante, un principe de composition qui devait être commun à la plupart des romanciers réalistes et naturalistes.

« Nous essayons, observaient-ils dans une note, de faire l'histoire de la société de ce temps-ci par l'étude des classes de cette société. Son train. Grandes catégories : artistes, bourgeois, peuple ». En ce qui concerne les artistes, ils avaient commencé par la peinture des milieux littéraires avec *Les Hommes de lettres*, en 1860, qui étaient presque un roman à clefs. En 1867, avec *Manette Salomon*, ils décrivaient des ateliers de peintres, évoquaient

---

1. Sur les Goncourt romanciers, voir Robert RICATTE, *La Création romanesque chez les Goncourt*, Armand Colin. Nous nous sommes appuyé essentiellement sur cet ouvrage.

les théories esthétiques en vogue, donnaient une peinture de ces milieux artistiques. Après la mort de Jules de Goncourt, en 1870, Edmond devait évoquer à nouveau le monde de l'art avec *La Faustin*, qui faisait vivre une actrice et son milieu. Les Goncourt avaient fixé les traits de la bourgeoisie dans *Renée Mauperin* dont le titre initial était *La Bourgeoisie* : Edmond craignait que le nouveau titre ne restreignît la portée sociale du roman. Il révélait ainsi l'importance qu'il attribuait à cet aspect de leur œuvre. *Renée Mauperin* comportait ce que Paul Bourget devait appeler des « planches d'anatomie morale » ; on n'y trouvait guère de descriptions des costumes, du mobilier, du décor. Les Goncourt s'opposaient à Balzac et à Flaubert. Ils reprochaient à *Madame Bovary* d'accorder autant d'importance aux accessoires qu'aux personnes et ils déploraient que Balzac eût été un peintre d'intérieur plutôt qu'un psychologue, un romancier plus soucieux du mobilier que des caractères, — jugement, à coup sûr, partial et sommaire. En tout cas, ils conféraient aux *dialogues*, dans *Renée Mauperin*, plus d'importance qu'aux descriptions. Leur roman des mœurs de la bourgeoisie française comportait beaucoup d'anecdotes et d'expressions savoureuses, il piquait souvent la curiosité du lecteur, mais il ne parvenait guère à lui imposer la vision d'une classe sociale.

La réussite était plus complète avec *Sœur Philomène* et *Germinie Lacerteux* qui peignaient des mœurs populaires. Le sujet de *Sœur Philomène* leur avait été suggéré par une anecdote que Bouilhet leur avait contée. Ils avaient décidé de se documenter sur la vie d'un hôpital et, grâce à une lettre de recommandation de Flaubert, ils étaient entrés, le 18 décembre 1860, à l'hôpital de la Charité, où ils ne devaient d'ailleurs rester qu'une huitaine de jours, quitte à participer, en février 1861, à un dîner d'internes à Saint-Antoine. *Sœur Philomène* préludait à *Germinie* par la tristesse navrante qui était liée à la vie quotidienne de l'hôpital et par quelques silhouettes bouleversantes des gens du peuple qui venaient s'y faire soigner.

« *Germinie Lacerteux*, disait Zola, est une date. Le livre fait entrer le peuple dans le roman. Pour la première fois, le héros en casquette et l'héroïne en bonnet de linge y sont étudiés par des écrivains d'observation et de style »[1]. Murger n'avait peint, dans les *Scènes de la vie de Bohème*, que des grisettes de convention. Hugo, dans *Les Misérables*, venait d'évoquer les faubourgs de Paris ; mais il avait décrit les agissements de criminels plutôt que la vie des ouvriers, et Gavroche était comme une figure féerique et symbolique du gamin de Paris. Dans *Germinie Lacerteux*, le Paris du peuple était présent. On entrait à « La Boule Noire », les romanciers évoquaient les danseurs d'un bal populaire. A travers les rues, Germinie croisait les ouvriers qui se rendaient à leur travail. Jupillon était gantier, Gautruche, peintre en bâtiment : c'étaient les premiers *amants* de la littérature romanesque qui fussent ouvriers de leur état. Le *parler* du peuple de Paris venait renforcer l'effet des descriptions.

De *Sœur Philomène* à *Germinie Lacerteux* et de *Germinie* à *La Fille Élisa*, que les deux frères avaient projetées ensemble, mais qu'Edmond écrivit seul, le réalisme des Goncourt se manifeste dans le soin qu'ils ont apporté à peindre

---

1. Cité par R. RICATTE, *op. cit.*, p. 268.

la société française de leur temps. Mais, sauf à rappeler la réussite de *Germinie*, leur art fragmentaire et discontinu, procédant par juxtaposition d'anecdotes et de traits de mœurs, n'est guère parvenu à faire se lever un monde.

Monographies d'un cas   Les Goncourt ont souvent voulu étudier un cas plutôt que peindre un milieu. Quand Bouilhet, par exemple, leur signalait l'histoire d'une religieuse de l'hôpital de Rouen amoureuse d'un interne, ou quand les hasards de la vie leur fournissaient la singulière aventure de leur servante, Rose, dont ils apprirent les turpitudes morales après avoir assisté à sa déchéance physique, ils étaient spontanément amenés à écrire une monographie. Chose frappante, ils en venaient souvent à restreindre la portée sociale de leur entreprise en insistant sur le portrait d'une individualité. Les titres de leurs romans portent le nom du personnage auquel ils accordent une attention privilégiée. A plusieurs reprises, les Goncourt ont substitué un nom propre à un titre plus général : *Les Hommes de lettres*, en 1860, ont été baptisés, en 1868, *Charles Demailly*; *La [Jeune] Bourgeoisie* était le titre initialement prévu pour *Renée Mauperin*, et *Manette Salomon* devait d'abord s'intituler *L'Atelier Langibout*. Ces changements de titres manifestent clairement leur tendance à présenter la monographie d'un cas, même quand ils partaient d'une peinture des mœurs.

Les milieux littéraires étaient décrits dans *Charles Demailly*, mais le roman racontait aussi l'anéantissement par une femme, d'un homme de grand talent, thème que les Goncourt devaient reprendre dans *Manette Salomon*. Chez Charles Demailly, ils ont étudié, à travers une chronique conjugale, un acheminement vers la folie. *Sœur Philomène* retraçait l'évolution secrète d'une femme, en restituant l'atmosphère de l'hôpital. Ils ont relaté l'enfance de Philomène. Ils ont analysé chez elle les troubles de la puberté. Ils y ont trouvé la cause de ses exaltations mystiques. Ils ont dépisté les composantes de sa personnalité, marqué les étapes de sa formation. Ils ont laissé voir les fibres par lesquelles étaient unies, en elle, la religieuse, l'infirmière, la femme amoureuse. Ils ont même cherché, dans ses rêves, l'expression symbolique de ses désirs inconscients[1].

Avec *Germinie Lacerteux*, ils ne se sont pas contentés de se documenter de façon livresque. Ils ont reconstruit, après coup, la vie de Rose, ils ont éprouvé de la pitié pour les dépravations de cette femme à laquelle ils avaient donné leur affection. C'était une assez étonnante illustration de la complexité humaine que le cas de cette servante qui avait mené près d'eux, sans qu'ils s'en fussent d'abord aperçus, une double vie : la journée, dévouée à leur service, ponctuelle et scrupuleuse, la nuit, sombrant dans la plus basse débauche. L'*hystérie* rendait compte de ces contradictions de la conduite, elle expliquait la vie de Germinie, elle l'excusait. Leur héroïne était une *malade*.

Ils faisaient la part belle à la maladie dans les cas qu'ils étudiaient. Avec eux, la physiologie entrait dans le roman[2] : *Manette Salomon* et *Les*

---

1. Sur tous ces points, voir Robert RICATTE, *op. cit.*
2. Voir R. RICATTE, « Les Romans des Goncourt et la médecine », *Revue des Sciences humaines*.

Frères Zemganno étaient les seuls ouvrages qui échappaient à cet envahissement des données médicales. Les Goncourt n'ont guère décrit l'apparence physique de leurs personnages ; mais ils ont ausculté leurs organes, repéré l'apparition des symptômes, suivi, dans les profondeurs organiques, les progrès de leur mal. Ils les ont fait mourir des suites de leurs maladies. *Charles Demailly* présentait un cas de démence scientifiquement analysée. C'était une grande nouveauté dans le roman français, en 1860, que ce tableau clinique d'une névrose. Ils s'étaient inspirés d'un traité savant. Ils ont commis des bévues en attribuant à Charles des troubles qui, dans le traité qu'ils avaient consulté, étaient les symptômes de maladies différentes, et qui ne pouvaient guère se trouver réunies chez le même patient. Il reste que leur roman a bénéficié de données scientifiques. Pour *Germinie Lacerteux*, ils ont aussi emprunté des indications à un traité sur l'*hystérie*, mais ils ont suivi eux-mêmes l'évolution de la maladie chez leur servante, ils en ont, dans le roman, retracé les différentes étapes : pleurésie, ulcération pulmonaire, tuberculose, hémoptysie. Ils ont été, en l'occurrence, si avisés dans leur observation sur le vif, qu'ils ont anticipé d'une vingtaine d'années sur les découvertes médicales en établissant, dès 1864, une liaison entre la pleurésie et la tuberculose[1].

Dans *Sœur Philomène*, les romanciers nous font assister à une opération du cancer du sein. Renée Mauperin mourait d'une hypertrophie du cœur. C'était aussi une malade que Mme Gervaisais ; une poitrinaire, et son itinéraire spirituel était, selon les romanciers, secrètement lié au progrès de sa maladie. Avec elle, ils prétendaient étudier les influences de la tuberculose sur l'exaltation mystique. Lors d'un dîner Magny, ils avaient demandé une consultation improvisée à un médecin de leurs amis sur les effets psychologiques de la tuberculose. Ils se sont inspirés de ses réponses, mais il les ont interprétées si librement qu'il n'a pas reconnu sa pensée dans la façon dont leur sujet fut traité. Que leur documentation ait été livresque, orale, ou *vivante*, elle n'a pas toujours été aussi scrupuleuse qu'on s'est longtemps plu à le soutenir. Mais elle a eu le mérite de conférer à leurs romans, dans les domaines qu'ils abordaient, un accent de vérité[1].

Edmond, resté seul, n'a guère eu le courage de renouveler sa documentation. Il a utilisé d'anciennes notes de lecture pour *La Fille Élisa* comme pour *Chérie*. Mais il a continué à accorder la part belle à la physiologie.

La structure romanesque

Il faudrait, pour s'en former une idée juste, étudier successivement chacun de leur roman : il n'y a, en ce domaine, que des cas d'espèce. Les Goncourt ont abandonné, puis repris, des procédés qu'ils avaient d'abord adoptés. Pourtant, disons, *grosso modo*, qu'il y a eu chez eux un désintérêt croissant à l'égard de l'intrigue et de la construction dramatique. Le *document* tendait à supplanter l'*affabulation*.

Dans *Charles Demailly* comme dans *Sœur Philomène* ou *Renée Mauperin*,

---

1. R. RICATTE, *ibid.*

l'*action* était déclenchée seulement vers la fin du livre. Dans maints romans de *La Comédie humaine*, cette brusque précipitation des événements se produisait sous la pression d'une énergie qui s'était accumulée pendant toute la *préparation*. Chez les Goncourt, le drame survenait inopinément, et la brutalité de son apparition et de sa progression contrastait avec le calme plat qui l'avait précédé. *Charles Demailly* était constitué de quatre parties dont chacune avait une certaine autonomie : la présentation des journalistes et des écrivains ; la chronique conjugale de Charles et de Marthe ; le récit du complot qui va ébranler la raison de Charles ; un épilogue qui est une description clinique de son aliénation mentale[1]. Il n'y avait pas de complot secrètement ourdi dans *Sœur Philomène*, mais un concours de circonstances, qui faisait que Barnier reconnaissait, dans la femme qu'il devait opérer, son ancienne maîtresse. Cette *crise* n'intervenait qu'au terme d'une lente préparation : le roman s'ouvrait, comme c'était fréquent chez Balzac, sur un tableau animé placé en avant-scène : dans une salle d'hôpital une religieuse était brutalement rabrouée par un interne ; puis, un long retour en arrière qui occupait le tiers du roman, présentait le passé de Philomène. Ce passé rejoignait progressivement le présent, débouchait sur une période de crise au terme de laquelle les romanciers nous faisaient assister à la dégradation de l'interne, comme ils avaient montré l'aliénation de Charles Demailly[2]. Même procédé de l'avant-scène dans *Renée Mauperin* ; un retour en arrière, là aussi, qui exposait le passé de Mauperin, à quoi s'opposait un tableau du présent, puis, comme dans *Charles Demailly*, le récit fiévreux d'un obscur complot et la déchéance physique de Renée. L'action contrastait là encore, avec la lente présentation des milieux et des personnages.

En revanche, elle progressait régulièrement dans *Germinie Lacerteux*[3]. La lente dégradation de Germinie apparaissait dans les épisodes successifs de sa vie : le drame de l'adolescence, la maternité malheureuse, la brouille avec Jupillon, la réconciliation, la rupture, la liaison avec Gautruche, les amours de rencontre, la maladie et la mort. Dans ce roman naturaliste avant la lettre, les Goncourt n'avaient nul besoin d'un artifice pour déclencher l'action : elle résultait de la seule évolution du personnage. Ils ont vite renoncé au procédé balzacien de la machine infernale qui vient, vers la fin, brusquer les événements. L'agencement dramatique passait au second plan, et c'était naturel de la part d'auteurs qui entendaient écrire des *études* plutôt que des *romans*. On percevait même les prémices d'une crise du récit, car il y avait, dans *Germinie* comme dans *Madame Gervaisais*, une suite de *tableaux* plutôt qu'une narration continue. L'histoire contée tendait à éclater en *morceaux*. Il y avait, chez eux, une sorte d'impuissance à inventer, à fondre, au creuset de l'imagination, les éléments qu'ils empruntaient au réel, à lancer leurs personnages dans le courant d'une aventure. Leurs héros sont des portraits crayonnés, ils ne parviennent guère à vivre comme des *types* romanesques. Chacun des morceaux de leurs romans était brillamment

---

1. R. RICATTE, *La Création romanesque chez les Goncourt*, pp. 109 sq.
2. *Ibid.*, pp. 155 sq.
3. *Ibid.*, pp. 255 sq.

exécuté, mais ils ont manqué du souffle qui eût animé ces *collages* hétérogènes. Bourget a compris que personne, depuis Balzac, n'avait à ce point modifié l'art du roman. Ils l'avaient, peu à peu, dépouillé de tout élément *romanesque*. En 1884, Edmond déclarait : « Je crois que l'aventure, la machination livresque a été épuisée par Soulié, Sue, et par les grands imaginateurs du commencement du siècle, et ma pensée est que la dernière évolution du roman pour arriver à devenir tout à fait le grand livre des temps modernes, c'est de se faire un livre de pure analyse, livre pour lequel, je l'ai cherché sans réussite, un jeune trouvera peut-être une nouvelle dénomination »[1]. Et un an avant, lors de la préparation de son dernier roman, il avait noté dans son *Journal* : « Je cherche, dans *La Petite Fille du maréchal*, quelque chose ne ressemblant plus à un roman. Le manque d'intrigue ne me suffit plus ; je voudrais que la contexture, la forme, fût différente, que ce livre eût le caractère de mémoires d'une jeune fille écrits pour une amie. Décidément, le mot de *roman* ne nomme plus les livres que nous faisons »[2].

Un réalisme impressionniste

Les Goncourt ont été des héritiers de Gautier, des hommes pour qui le monde extérieur existe. Mais il y a chez eux l'idée que l'art, c'est le réel *reflété* par une conscience d'artiste. Ils se situent aux confins du réalisme et de l'idéalisme. « Personne, lit-on dans leur *Journal*, n'a encore caractérisé notre talent de romanciers. Il se compose du mélange bizarre et presque unique qui fait de nous à la fois des physiologistes et des poètes ». Ils ont déclaré qu'écrire un roman était de peu de difficulté ; que le pénible, c'était « le métier d'agent de police et de mouchard » qu'il faut faire pour « ramasser la vérité vraie, avec laquelle se compose le roman contemporain ». Ils ont affirmé, à maintes reprises, que leur roman était une œuvre d'observation et que « l'idéal du roman, c'est de donner avec l'art la plus vive impression du vrai humain quel qu'il soit » ; et, de fait, ils n'ont pas hésité à évoquer des spectacles répugnants au nom de leur esthétique réaliste. Ils ont cherché le beau dans l'évocation des quartiers populaires, des banlieues sordides, des cruautés de l'hôpital. Ils ont présenté *Germinie Lacerteux* comme un « roman vrai », et c'est dans la préface de *Germinie* qu'ils ont défini le roman comme « la forme sérieuse, passionnée, vivante, de l'étude littéraire et de l'enquête sociale ». Ils ont écrit à Claretie, en 1865, qu'ils croyaient comme lui à « un grand mouvement du roman marchant à l'exactitude des sciences exactes et à la vérité de l'Histoire ».

Mais ils ont dit qu'ils voulaient « exprimer l'âme des choses, leur essence » et que « la science du romancier n'est pas de tout écrire, mais de tout choisir »[3]. Ils n'ont cessé de se réclamer d'un réalisme « cherché en dehors de la bêtise du daguerréotype »[4]. Ils ont même déclaré que « les belles choses, en littérature, sont celles qui font rêver au-delà de ce qu'elles disent »[5]. Edmond

---

1. *Préface de Chérie.*
2. *Journal*, 4 mars 1883, édition R. Ricatte, tome XIII, p. 16.
3. *Journal*, *op. cit.*, VIII, p. 154.
4. Cité par Sabatier, *L'Esthétique des Goncourt*, Hachette, 1920, pp. 216 sq.
5. *Journal*, *op. cit.*, VII, p. 242.

racontait même, à la fin de sa vie, qu'il avait jadis donné sa prédilection à l'imaginé, puis qu'il s'était montré amoureux de la réalité, et il avouait son goût final pour une réalité mise « sous une certaine projection, qui la modifie, la poétise, la teinte de fantastique »[1]. Telle était l'évolution qui l'avait conduit de *Germinie* à *La Faustin*, celle-ci, œuvre de poésie et de fantastique, celle-là, première peinture naturaliste de la misère et de la déchéance. En face de Zola qui, avec *L'Assommoir*, donnait une vaste fresque des mœurs populaires, Edmond conseillait aux jeunes écrivains de s'orienter vers la peinture des « milieux d'éducation et de distinction ». Il suggérait que *La Faustin* pourrait susciter une école de la « réalité élégante », de même que le naturalisme s'était constitué à partir de *Germinie*.

L'impressionnisme fantastique n'était pas seulement le terme d'une évolution, il figurait déjà dans leurs premières œuvres. Pour eux, la description a toujours eu pour fonction de transporter le lecteur dans un milieu « favorable à l'émotion morale » qui devait jaillir des choses et des lieux. Ils se proposaient moins de renseigner le lecteur que d'agir sur sa sensibilité. Ils affichaient même une désinvolture qui les conduisait à ne décrire le logis de Charles Demailly, par exemple, qu'au moment où il devait le quitter. Leurs descriptions adoptaient volontiers une sorte de *parti pris* pictural. Ils s'appliquaient à produire des effets de *clair-obscur* dans ce théâtre où l'on répétait une pièce de Demailly, ou dans l'hôpital où vivait Sœur Philomène[2]. Un rai de lumière qui, sur un fond d'ombre, fait ressortir des objets ou des visages, leur permettait parfois de donner à leur description un aspect irréel et surprenant. La synagogue vue par Coriolis, dans *Manette Salomon*, évoquait pour lui un tableau de Rembrandt, avec cette « obscurité crépusculaire venant d'en haut », avec ces « lueurs de la mourante polychromie effacée des murs assombris et noyés », avec ces « reflets roses de feu des bobèches de bougies scintillant çà et là dans le roux des ténèbres. »

Ils parvenaient, dans certaines pages de *Germinie Lacerteux*, à d'étranges effets par la seule énumération des détails perçus par leur héroïne, dans ses promenades à travers Paris ou la banlieue. Ils cherchaient à restituer la suite désordonnée de ses impressions visuelles. Combien de notations impressionnistes, dans l'évocation de cette campagne « perdue dans le poudroiement d'or de sept heures », dans cette « poussière de jour que le jour laisse derrière lui sur la verdure qu'il efface et les maisons qu'il fait roses », dans ces « bouquets de feuilles transpercés du soleil couchant qui mettait des raies de feu sur les barreaux des grilles de fer ». Ils atteignaient, par le procédé de la *description ambulatoire* que Robert Ricatte a analysé, des effets de fantastique dans la soirée où Germinie, attendant Gautruche, erre sur les boulevards. L'épuisement la plongeait bientôt dans une sorte d'hébétude qui rendait surprenant chaque détail aperçu. Son regard qui, devant le « flamboiement des devantures », happait au hasard tel ou tel objet, devenait une étrange machine à transformer le réel, à lui conférer une allure fantastique. Le réalisme le plus minutieux conduit au fantastique, quand il s'applique à faire jaillir de l'ombre une série capricieuse d'objets hétéroclites.

1. *Ibid.*, XIV, p. 23.
2. Sur tous ces points, voir R. RICATTE, *op. cit.*

Les Goncourt ont consacré, dans *Manette Salomon*, des morceaux de bravoure à décrire l'atelier et le bal de Coriolis. « Dans le bal comme dans l'atelier, écrit Robert Ricatte, la même méthode de mosaïque sert à composer un ensemble chatoyant et sensuel dont le luxe déborde le cadre d'une simple reconstitution documentaire ». Dans ce roman de la peinture, ils ont employé toutes les ressources de leur prose à « rendre » des œuvres picturales, comme ce *Bain turc*, sur lequel ils voient « cette bande de ciel ouaté de blanc, martelé d'azur, sur lequel semblait trembler un tulle rose ». Réalisme esthétique et impressionniste que celui qui s'attache à *faire voir* une œuvre d'art et à suggérer les impressions qu'elle suscite. Ils ont été sensibles, avant Proust, aux étonnants et cocasses rapprochements que l'artiste opère sur sa toile, quand il entend être fidèle à la réalité première de sa perception, et non à la construction intellectuelle qui la prive de son étrangeté. Il leur est arrivé, dans *Manette Salomon*, de peindre des paysages réels en recourant aux termes de la technique picturale. C'était là une sorte de transposition esthétique au deuxième degré, puisqu'ils rendaient par des mots le *tableau* qu'un peintre eût pu faire du paysage. La *réalité* du Paris automnal vu du Jardin des Plantes s'évanouissait au profit d'un « grand plan d'ombre ressemblant à un lavis d'encre de Chine sur un dessous de sanguine » ou d'une « zone de tons ardents et bitumeux ».

Les Goncourt ont renouvelé leurs procédés descriptifs dans *Madame Gervaisais*. Il leur est arrivé de procéder encore à l'inventaire d'un mobilier ou d'une architecture. Ils ont parfois donné à cet inventaire quelque chose de désordonné et de foisonnant. Le panorama de Rome offrait aux regards de Mme Gervaisais une « forêt d'architecture ». Ils ont mis quelque coquetterie à ne nommer le Transtévère qu'après avoir accumulé les indications hétéroclites qui en évoquaient le fouillis. Ce procédé des « ensembles tumultueux » était la forme la plus scolaire de leur impressionnisme. Ils ont su, de façon plus subtile, conférer un aspect étrange à tel ou tel lieu, — l'intérieur d'une basilique, par exemple, en adoptant un angle de prise de vue inhabituel. Surtout, ils ont cherché à *rendre* les nuances de l'atmosphère. *Madame Gervaisais* constituait un des aboutissements de leur art : ce n'était plus qu'une suite de tableaux de Rome mêlés aux impressions qu'ils causaient dans l'âme de leur héroïne. L'histoire contée était tout entière située à mi-chemin de la description et de l'analyse. Leur réalisme était impressionniste, parce que, comme le disait Robert Ricatte, la « vie intérieure du personnage se pulvérise en de menues sensations qui forment une nuée flottante entre l'univers extérieur et le *moi* profond ». Le roman tendait à devenir une *mosaïque*; il était fait de morceaux dont chacun cherchait à rendre la qualité d'un spectacle et la spécificité d'une impression. De ce fait, ils étaient peintres et poètes plutôt que romanciers réalistes, et l'on comprend qu'Alain-Fournier ait rendu hommage à cet aspect de leur talent. C'est en ce sens, aussi, qu'on a pu dire qu'ils avaient substitué la *particularité* à la *généralité* ou qu'ils avaient poursuivi une vérité instantanée. Les subtilités du *style artiste* devaient se déployer pour saisir au vol des *instantanés*. Ils aimaient l'accent fiévreux de la vie « sans le refroidissement de l'écriture ». « L'art, peut-on lire dans leur *Journal*, c'est l'éternisation, dans une forme suprême, absolue, définitive, de la *fugitivité* d'une créature ou d'une chose humaine ».

4. Le réalisme épique d'Emile Zola

Les premiers principes   Vers 1865, Émile Zola exposait ses premiers principes littéraires. L'œuvre d'art, c'était, selon lui, la réalité transposée par une vision d'artiste. Cette transposition devait être fondée sur la raison et la vérité ; elle devait surtout procéder d'un puissant tempérament de créateur. Zola admirait, dans *Germinie Lacerteux*, « la manifestation d'une forte personnalité ». Il avouait même se soucier de la « personnalité et de la vie » plus que de la vérité. Il professait qu'une œuvre n'est que le produit d'une individualité. Il a soutenu Manet parce qu'il voyait dans son art l'apport d'un tempérament original qui bousculait les règles de l'école. L'esthétique de Zola, dès ses premiers balbutiements, faisait la part belle à ce qu'il devait appeler plus tard l'*impression personnelle* dans le roman. On la défigurait, quand on prétendait n'y voir que le seul scrupule de copier la réalité.

Zola avait réservé à Musset les plus ferventes admirations de sa jeunesse. Mais dès 1861, il avait compris la nécessité de dépasser le romantisme. Il avait exprimé son goût d'une littérature fondée sur la science. Il eut très tôt le sentiment que l'originalité de l'artiste ne pouvait donner sa pleine mesure que si elle rencontrait les grandes orientations de son temps. Il avait trouvé chez Taine l'idée que l'art est l'expression d'un état de la civilisation. La maladresse de ses premiers essais littéraires, les *Contes à Ninon* (1864) et *La Confession de Claude* (1865) laissait voir plus d'invraisemblance que de vérité. Mais il était significatif qu'il prît parti, en 1865, pour *Germinie Lacerteux*. L'année suivante, dans les *Deux Définitions du roman* qu'il envoyait au Congrès d'Aix, il opérait un rapprochement entre la méthode du romancier et celle du savant. Le rôle du romancier était de chercher la vérité, de découvrir le jeu des passions, de conter des événements vraisemblables, non des histoires compliquées. L'orientation de Zola se dessinait. Il avait admiré, dans *Les Misérables*, la griffe du lion, mais il déplorait que l'auteur eût laissé échapper « les faits réels, les hommes réels, la réalité de tout ce qui l'entoure ». Comment eût-il pu aimer *Les Travailleurs de la mer* ? « Nous en sommes, disait-il en mars 1866, à l'étude âpre de la réalité, à l'analyse psychologique et physiologique »[1]. De plus en plus, il était tenté d'opposer à Hugo et à tous les rêveurs du romantisme la *modernité* de Balzac qui, dans ses livres, avait présenté « l'image de notre société », qui avait eu pour unique souci, de « tout regarder et de tout dire ».

C'est en 1866 que Zola recommandait « la méthode d'observation basée sur l'expérience même »[2]. Il prêchait bientôt d'exemple avec *Thérèse Raquin*

---

1. Cité par Guy ROBERT, *Émile Zola, principes et caractères généraux de son œuvre*, Les Belles Lettres, 1952, *op. cit.*, p. 18.
2. *Ibid.*

(1867). « J'ai voulu, écrivait-il dans la préface de la seconde édition, étudier des tempéraments et non des caractères ». Et d'expliquer que Thérèse et Laurent étaient des « brutes humaines », que son but avait été « scientifique avant tout » ; que chaque chapitre était « l'étude d'un cas curieux de physiologie » ; qu'il fallait, pour le juger, se placer « sur le terrain de l'observation et de l'analyse scientifique ». Enfin, il prononçait ce mot de *naturaliste*, que Flaubert avait déjà employé en 1848 à propos de Balzac. Le romancier *naturaliste* étudiait les espèces humaines comme on étudie les espèces animales.

Le projet des « Rougon-Macquart »

C'est pendant l'hiver 1868-1869 que Zola a conçu le projet des *Rougon-Macquart*. Il voyait son époque caractérisée par la science. Il voulait, dans ses romans, laisser paraître le nouvel esprit scientifique. Il entendait montrer l'influence du milieu sur ses personnages mieux qu'il ne l'avait fait dans *Thérèse Raquin* où il s'était contenté d'étudier les réactions du tempérament. Il restait d'abord tenté par les récentes acquisitions de la physiologie. Il ne semble pas qu'il ait eu alors connaissance de l'*Introduction à l'étude de la médecine expérimentale* de Claude Bernard. Mais il a lu *La Physiologie des passions* de Letourneau et le *Traité de l'hérédité naturelle* du Docteur Lucas. Dans un texte intitulé *Différences entre Balzac et moi*[1], Zola affirmait, en face de *La Comédie humaine*, l'originalité de son dessein : édifier un cycle romanesque moins *social* que *scientifique*. La physiologie, chez lui, devait jouer un plus grand rôle que l'étude des rouages sociaux. Une seule famille lui suffirait pour montrer « le jeu de la race modifiée par le milieu ». Ce dessein étroitement scientifique était bientôt assorti d'autres ambitions. L'étude de Taine sur Balzac, l'idéal goncourtiste du roman vrai, le développement du positivisme orientaient Zola vers une conception plus large du roman : une vaste enquête sur la nature et sur l'homme. Avant 1870, dans le plan remis à l'éditeur Lacroix, Zola fondait son entreprise sur deux exigences : il voulait « étudier, dans une seule famille, les questions de sang et de milieu » ; il entendait, d'autre part, « étudier tout le Second Empire (...), peindre ainsi tout un âge social ». Il montrerait, lui aussi, « l'assaut des hauteurs de la société par ceux qu'on appelait, au siècle dernier, des gens de rien ». Il ferait, « d'un point de vue plus méthodique, ce que Balzac avait fait pour le règne de Louis-Philippe ». Dans ses *Notes sur la marche de l'œuvre*, il refusait d'être philosophe à la manière de Balzac. Il voulait « être seulement romancier », « étudier les hommes comme de simples puissances et constater les heurts ». Il s'opposait à Balzac par cette objectivité scientifique et cette impassibilité artistique héritée de Flaubert et des Goncourt. La préface du 1er juillet 1871 à *La Fortune des Rougon* réaffirmait ses intentions. La volonté de résoudre « la double question des tempéraments et des milieux » le conduisait à donner pour titre à l'ensemble de son œuvre : *Histoire naturelle et sociale d'une famille sous le Second Empire*.

---

1. Ce texte a été publié au tome VIII de l'édition Bernouard, pp. 343 sq., ainsi que les *Notes sur la marche de l'œuvre* et le plan remis à l'éditeur Lacroix.

La construction des « Rougon-Macquart »

La Fortune des Rougon (1871) était le premier tome d'une œuvre qui ne devait s'achever qu'en 1893 avec *Le Docteur Pascal*. Zola a édifié avec une remarquable obstination le monument de sa vie. Il est resté fidèle aux principes sur lesquels il avait fondé son entreprise. Il n'a guère modifié sa méthode. On lui a reproché d'avoir procédé de façon trop systématique. On lui a opposé la spontanéité créatrice de Balzac, qui n'avait pas réalisé un plan établi à l'avance. La richesse foisonnante de Balzac relevait, il est vrai, d'une inspiration déchaînée plutôt que d'une construction patiente. Mais il faut se défier des déclarations d'un Zola prompt à souligner, ne fût-ce que dans un but publicitaire, la rigueur de son plan. Il publiait en 1878 l'arbre généalogique des *Rougon-Macquart* et soutenait avec un bel aplomb que ce tableau avait été dressé dès 1868, et que, depuis ce temps, il n'avait fait que s'y conformer strictement. Or, dans le plan remis à l'éditeur Lacroix en 1869, une dizaine de volumes seulement avait été prévue. Une *liste des romans*, un peu postérieure à 1871, prévoyait une vingtaine de volumes : un roman sur les chemins de fer, un autre sur le « haut commerce », un autre sur la débâcle de l'empire, etc. Un ouvrage devait être consacré à la rente viagère ; il ne fut jamais réalisé. En revanche, rien n'annonçait *Le Rêve*, ni *La Terre*, ni *L'Argent*, qui ont été conçus en cours de route. Zola a pris plus de liberté avec ses projets initiaux qu'il ne l'a parfois laissé entendre. Il a été soucieux de varier la tonalité de ses livres, de faire alterner les romans sombres et des œuvres plus riantes. Il avouait un jour qu'il aimait dérouter le public. Il intercalait *Une Page d'amour* entre *L'Assommoir* et *Nana*. Il faisait suivre *Pot-Bouille* par *Au Bonheur des Dames*, et, dès l'ébauche de ce roman sur le « haut commerce », il se promettait un « changement complet de philosophie : plus de pessimisme, ne pas conclure à la bêtise et à la mélancolie de la vie ». *Le Rêve* faisait suite à *La Terre*. L'idée de *Germinal* ne lui est venue que tardivement. Il reste que son arbre généalogique lui a fourni une idée directrice et que chacune des réalisations venait s'inscrire à l'intérieur du dessein initial.

L' « Histoire naturelle d'une famille »

Zola n'a jamais renoncé, en principe, à étudier « les questions de sang et de milieux ». « L'hérédité a ses lois, comme la pesanteur », observait-il dans la préface à *La Fortune des Rougon*. Il voulait montrer, dans ses personnages, « la lente succession des accidents nerveux et sanguins qui se déclarent dans une race à la suite d'une première lésion organique ». La publication, en 1878, de la généalogie des Rougon-Macquart précisait pour chacun des membres de la famille le jeu des lois de l'hérédité. Dans *Le Docteur Pascal*, en 1893, Zola, par l'intermédiaire de son héros, revenait une fois de plus sur cette question. Il reconnaissait que la réalité vivante se chargeait souvent de démentir toutes les théories. Il reste qu'elles se dressent, du début à la fin des *Rougon-Macquart*, comme l'appareil scientifique de l'œuvre. Zola les prenait-il au sérieux ? N'y voyait-il qu'un moyen d'attirer l'attention sur son entreprise ? Il y trouvait sans doute une utile hypothèse de travail.

La peinture d'un âge social   Comme Flaubert, comme les Goncourt, comme Balzac surtout, Zola a proposé, dans ses romans, une image des mœurs de son siècle. Le Second Empire en a fourni le cadre. Des événements historiques sont évoqués, depuis ceux qui ont ensanglanté certains départements du Midi au moment du coup d'État jusqu'à l'effondrement du régime en 1870. Zola a organisé l'intrigue de *Son Excellence Eugène Rougon* autour de l'attentat d'Orsini ; il a suggéré l'atmosphère de l'Exposition de 1867 dans *L'Argent* ; il a exprimé, dans plusieurs de ses romans, ce sentiment d'une catastrophe imminente qu'il avait lui-même éprouvé dans les années qui précédaient 1870. Il a mis en scène l'empereur, qu'on aperçoit dans *Son Excellence Eugène Rougon* et dans *La Débâcle*. Il ne proposait pas une *histoire* du Second Empire ; mais les allusions fragmentaires qu'il faisait aux événements comme aux personnages réels de cette époque ont contribué à donner à ses romans leur solidité et leur épaisseur en situant la peinture des mœurs dans un cadre historique.

Zola a montré la bourgeoisie française sous des aspects variés : les Grégoire, dans *Germinal*, ou les Chanteau, dans *La Joie de vivre*, incarnent une classe qui vit égoïstement de ses rentes. Il a proposé, dans *Pot-Bouille*, un portrait peu flatteur des mœurs de la bourgeoisie parisienne ; il a montré la vie secrète d'un immeuble cossu. Il a évoqué, dans *La Curée*, les spéculations liées aux grands travaux d'urbanisme entrepris par Haussmann. Il a repris, dans *L'Argent*, cette peinture du monde des affaires ; la spéculation boursière y remplace la spéculation foncière ; Saccard incarne l'élan d'un capitalisme qui ne craint pas de s'exposer à des risques pour mieux faire fructifier ses richesses. Zola a saisi, dans *Au Bonheur des Dames*, un développement de l'économie moderne auquel Balzac n'avait pu assister : l'élimination du petit commerce par les grands magasins. Il n'a pas condamné ce triomphe d'un capitalisme entreprenant qui abaisse les prix de revient et qui, par la publicité, suscite de nouveaux besoins dans la clientèle ; il y a vu, plutôt, un élan de vie qui bousculait des structures anciennes. La bourgeoisie des *Rougon-Macquart*, qu'elle jouisse paisiblement de ses revenus, qu'elle se risque dans des spéculations aventureuses ou qu'elle trouve des occasions de réussite dans de nouvelles formes de distribution, participe à cet élan que Balzac avait déjà rendu sensible et qui la porte au pouvoir, aux richesses et aux jouissances. Elle manifeste, chez Zola, plus d'âpreté et de frénésie qu'elle n'en montrait chez Balzac. Elle y est aussi beaucoup plus exposée qu'elle ne l'était dans *La Comédie humaine*, aux menaces qui pèsent sur elle, et qui tiennent à la corruption des mœurs, aux crises économiques, à la montée d'une force neuve, celle du peuple.

Zola a proposé, dans *La Terre*, une image du paysan français. Il a montré ses mœurs. Il a groupé ses traits caractéristiques dans quelques personnages au puissant relief. Il a dit l'âpre convoitise du sol, d'où peuvent naître la haine et le crime. Balzac avait envisagé la lutte de la petite propriété rurale contre la grande ; dans ce domaine, il s'était intéressé aux problèmes plutôt qu'aux hommes. George Sand, dans ses idylles rustiques, avait présenté des paysans presque embourgeoisés. Zola a donné plus de vérité et plus de force à sa peinture.

C'est avec Zola que le monde ouvrier a fait son entrée dans la littérature romanesque. On avait vu paraître quelques silhouettes populaires dans *Germinie Lacerteux* ou dans *Les Misérables*. Chez Zola, les ouvriers apparaissent pour la première fois comme une *classe sociale*. Une classe condamnée, victime de la *condition* qui lui est faite. Zola a montré, dans *L'Assommoir*, comment le *milieu* pouvait être responsable d'une déchéance ; il a montré dans *Germinal* comment les structures de la société capitaliste conduisaient les prolétaires à une révolte sanglante, qui annonçait le grand effondrement de la société bourgeoise.

On trouve, dans *Les Rougon-Macquart*, des renseignements généralement exacts sur la vie quotidienne de ces différentes classes : salaires, prix des articles de consommation, montant des loyers, mécanisme du crédit. Tout en faisant vivre une époque avec sa couleur et son pittoresque, Zola proposait un diagnostic sociologique ; il analysait, au moins sommairement, les conflits qui opposaient le capital au travail, les boutiquiers au grand commerce. En aucun cas, il ne cessait de montrer l'influence du milieu sur les individus. L'individu n'était pour lui que le jouet des grandes forces qui mènent la société.

Le succès de « L'Assommoir »   *L'Assommoir* a rencontré, en 1877, un immense succès. Un succès de scandale, d'abord ; ce n'était pas fait pour effrayer Zola. A 36 ans, il obtenait enfin ce qu'il avait espéré si longtemps. Il avait traversé des moments de découragement quand il avait mesuré, vers 1874, le peu de succès qu'il rencontrait depuis des années qu'il s'échinait à noircir du papier devant sa table de travail. Il n'avait pas ménagé sa peine. Il s'était fait connaître par les chroniques et les comptes rendus que, depuis 1865, il donnait au *Salut Public* de Lyon, puis à *La Tribune*, à *La Cloche*, à *L'Événement*, au *Figaro*. Il avait réussi à faire quelque bruit avec *Thérèse Raquin*. C'est avec *L'Assommoir* qu'il obtenait la gloire et l'argent.

Les chiffres, pour l'époque, sont impressionnants. Charpentier vendit, dans l'année, 35 000 exemplaires de *L'Assommoir*. Il fit tirer 50 000 exemplaires pour le lancement de *Nana*, orchestré par une véritable campagne publicitaire. A partir de là, les succès de librairie de Zola ont été considérables. En 1891, 50 000 exemplaires de *L'Argent* furent vendus en quelques jours : c'était le moment où, dans la presse et dans les revues, il n'était question que de la mort du roman naturaliste. En 1902, *Nana* avait été tirée à 193 000 exemplaires, *La Débâcle*, à 200 000, *L'Assommoir*, à 142 000, *Germinal* et *Le Rêve* à 110 000. Si l'on écrivait un jour une sociologie du roman, il faudrait méditer ces chiffres[1].

Les ennemis de Zola ne se sont pas fait faute de l'accuser de mercantilisme. Barrès lui faisait grief de se vendre au public le moins enviable. Il est vrai que les procédés de Zola, son art solide et robuste, son habileté à tenir le lecteur en haleine le servaient auprès d'un vaste public, qui était aguiché,

---

1. Ils sont fournis par Henri GUILLEMIN, dans ses préfaces aux volumes des *Rougon-Macquart*, aux éditions Rencontre.

au demeurant, par la crudité de certaines scènes. Il y avait autre chose dans son succès. Il parlait à beaucoup d'hommes de son temps un langage qui les concernait. Cet homme habile était aussi un noble cœur. De façon massive, appuyée, il abordait de front certains des problèmes essentiels de son temps. Ses défauts mêmes l'ont servi. Il a moins cherché à approfondir les problèmes qu'il n'a entrepris de les faire vivre. Il y avait dans *L'Assommoir* un certain accent de vérité. Le public ne s'y est pas trompé.

Un immense public. Ce seul fait mériterait considération, car il éclaire à la fois l'histoire de la société française et celle de la littérature. Zola a conquis au naturalisme une foule qui, grâce à lui, voyait dans le roman à la fois une œuvre d'art et une leçon de choses. Il y avait eu, avant lui, d'immenses succès de librairie pour les romans d'Eugène Sue ou d'Alexandre Dumas. Sous le Second Empire, un public s'était constitué pour ce roman romanesque et mondain qui présentait une peinture édulcorée de la vie et qui était un honnête divertissement bourgeois. Au moment où paraissait *L'Assommoir*, la première édition de *Madame Bovary* se trouvait encore sur les quais, faute d'acheteurs. *L'Éducation sentimentale* et *Germinie Lacerteux* n'avaient qu'un nombre restreint de lecteurs. L'écrivain à la mode était Octave Feuillet. Dans les cabinets de lecture, on demandait les romans d'Edmond About, de Jules Sandeau et de Victor Cherbuliez. *L'Assommoir* était une heureuse réaction contre cette « littérature à talons coquets » que fustigeait Guy de Maupassant. Dans *Germinie Lacerteux*, les Goncourt avaient peint les faubourgs ; mais les faubourgs n'avaient point lu *Germinie*.

La doctrine naturaliste   C'est autour des querelles suscitées par *L'Assommoir* qu'a commencé à se développer une campagne en faveur du naturalisme. De 1876 à 1881, Zola a multiplié les articles et les proclamations pour imposer sa doctrine et faire brèche dans l'opinion. Autour de lui se groupèrent de jeunes écrivains, Huysmans, Céard, Hennique, Alexis, Mirbeau, Maupassant, qui voyaient en lui le continuateur de Flaubert et des Goncourt. En 1880, paraissait l'ouvrage collectif des *Soirées de Médan*, qui était une manifestation éclatante de l'école groupée autour de Zola. Celui-ci publiait, coup sur coup, *Le Roman expérimental*, *Les Romanciers naturalistes*, *Une Campagne* etc., ouvrages théoriques dans lesquels il recueillait l'essentiel de sa production critique. Il reprenait, avec quelque insistance, les idées qui avaient constitué ses premiers principes. Les nécessités de la polémique et le désir de toucher un vaste public l'amenaient à raidir ses positions. On s'en aperçoit en lisant ce texte du *Roman expérimental* qu'il a publié dans *Le Voltaire* de mai 1879 et qu'il devait reprendre dans l'ouvrage auquel il donnait ce titre. Henry Céard lui avait, semble-t-il, prêté l'*Introduction à l'étude de la médecine expérimentale* de Claude Bernard. Malgré les mises en garde de son ami, Zola appliquait inconsidérément à la création romanesque les principes scientifiques que Claude Bernard avait exposés en 1865. En particulier, il lui empruntait une théorie de l'expérimentation qui a sa pleine valeur, pour un savant attentif à faire varier les conditions d'une expérience, et qui est une absurdité, quand il s'agit d'un romancier qui travaille dans l'imaginaire. Zola n'accordait-il à ce texte théorique aucune importance ? N'y voyait-il que l'occasion d'imposer son nom et de faire du bruit autour de ses œuvres ? Il est un des écrivains, en tout cas, pour lesquels l'écart entre les théories et les œuvres est des plus considérables. Il prétendait dresser, dans ses romans, des procès-verbaux, et il construisait des œuvres fortement charpentées. Il prétendait à l'impassibilité du savant, et il versait dans ses livres ses facultés de lyrique et de visionnaire. Les théories scientifiques dont il n'a cessé de se réclamer n'ont été, en tout état de cause, qu'une sorte de stimulant de son génie. Comme l'écrit Guy Robert, « le naturalisme de Zola est beaucoup moins sorti de Claude Bernard, du docteur Lucas et de l'hérédité que de Balzac, de Taine, de l'influence des milieux »[1]. Balzac, en effet, était l'écrivain qui, à ses yeux, avait apporté l'idée du siècle, l'observation et l'analyse. Zola empruntait à Taine et au positivisme le « sol philosophique » sur lequel il fondait sa notion du roman. La littérature d'imagination était devenue pour lui un instrument d'enquête et de vérité. Zola se défendait d'avoir inventé le naturalisme ; il se prétendait seulement l'humble historien d'un vaste mouvement qui allait de Furetière à Diderot et de Restif de La Bretonne à Balzac. Il voyait dans cet héritage la littérature de l'âge moderne, qui cherchait le *vrai* dans le *réel*. Il continuait à accorder à la personnalité créatrice la meilleure part. « Peu m'importe, écrivait-il, que l'écrivain déforme la réalité, la marque de son empreinte, s'il doit nous la rendre curieusement travaillée, et toute chaude de sa personnalité »[2]. On connaît sa célèbre formule : « Une œuvre d'art est un coin de la nature vu à travers un tempérament ».

« L'Assommoir »,
œuvre de vérité

Dans la préface de *L'Assommoir*, Zola déclarait qu'il avait voulu « peindre la déchéance fatale d'une famille ouvrière dans le milieu empesté de nos faubourgs », et il ajoutait : « C'est une œuvre de vérité, le premier roman sur le peuple qui ne mente pas et qui ait l'odeur du peuple (...) ». Ses notes de travail, pour *L'Assommoir*, reprenaient avec insistance les mêmes thèmes : « Ne pas flatter l'ouvrier et ne pas le noircir : une réalité absolument exacte ». « Montrer le milieu peuple et expliquer par ce milieu les mœurs du peuple, comme quoi, à Paris, la soûlerie, la débandade de la famille, les coups, l'acceptation de toutes les hontes et de toutes les misères viennent des conditions mêmes de l'existence ouvrière (...). En un mot, un tableau exact de la vie du peuple ». Zola s'interdisait de conclure, de condamner, de *prêcher* : « Mes personnages ne sont pas mauvais, disait-il dans la préface, ils ne sont qu'ignorants et gâtés par le milieu de rude besogne et de misère où ils vivent ».

Pour peindre le peuple, Zola s'était, comme d'habitude, solidement documenté. Il bénéficiait surtout de l'expérience qu'il avait eue des milieux pauvres pendant ses années de jeunesse, quand il habitait des mansardes de la rue Saint-Jacques ou de la rue Saint-Victor. Les détails qu'il donnait prenaient, de ce fait, un accent de vérité.

---

1. *Op. cit.*, p. 41.
2. *Ibid.*, p. 45.

« Ma Gervaise Macquart, lit-on dans ses notes, doit être l'héroïne. Je fais donc la femme du peuple, la femme de l'ouvrier. C'est son histoire que je conte ». Il avait d'abord pensé, effectivement, à une œuvre qui aurait eu pour titre : *La Simple Vie de Gervaise Macquart*. La simple vie d'une femme, ç'avait été déjà le dessein de Flaubert dans *Madame Bovary*, celui des Goncourt dans *Germinie Lacerteux*, ce devait être, après *L'Assommoir*, celui d'*Une Vie* de Maupassant. C'est peut-être là que les romanciers de cette époque ont trouvé la substance de leurs récits les plus émouvants. Une substance qui, dans *L'Assommoir*, était d'une « nudité magistrale » : de la réalité au jour le jour, rien de romanesque ni d'apprêté. Zola avait écrit à Alexis, le 17 septembre 1875 : « Je suis décidé pour un tableau très large et très simple, je veux une banalité de faits extraordinaires ». Il a su marquer cette lente déchéance de Gervaise au fil des jours : Gervaise était abandonnée par son amant avec ses deux enfants ; un ouvrier zingueur, Coupeau, l'épousait, la rendait heureuse. Un accident survenait : c'était pour Coupeau une longue convalescence, les tentations de la paresse et de l'alcool. Peu à peu, Gervaise renonçait à ses efforts pour construire son bonheur, elle se laissait aller à tous les abandons. Sa vie se défaisait sous la pression des circonstances. Des circonstances un peu arrangées. Zola avait été soucieux d'éviter le romanesque et la dramatisation. Il n'empêche qu'il n'a considéré que son roman « était fait » que du jour où il eut l'idée de faire revenir l'ancien amant de Gervaise et de peindre le ménage à trois.

Ce n'était pas seulement le dépouillement de l'intrigue qui conférait à *L'Assommoir* son accent de vérité ; c'était la création d'un style. Zola avait compris, avant de rédiger son roman, qu'il y avait là une rude partie à jouer. Il a su parler une langue drue, savoureuse, pétrie d'argot. Son coup de génie, comme l'a bien vu Henri Guillemin, a été l'usage très heureux de ce style indirect libre que Flaubert avait fait entrer dans le roman. Par ce procédé, Zola restituait par bribes la pensée de ses personnages, de Gervaise surtout : sa déchéance, sa secrète complaisance à s'en accommoder, seule cette sorte de monologue intérieur pouvait les faire sentir[1]. L'habileté de Zola a consisté à fondre dans la trame du récit ces morceaux de monologue. Il a su relayer ses personnages avec une étonnante justesse de ton, et il arrive qu'on ne sache plus si c'est lui qui raconte avec l'accent de ses héros ou si c'est leur pensée qui se profère. « Les prestiges du littérateur », disait Guillemin, s'unissaient à « la magie de l'argot ».

La genèse de « Germinal » et la méthode du romancier

Au début de 1884, Zola, qui venait de publier *La Joie de vivre*, songeait à faire « quelque chose se rapportant à une grève dans un pays de mine ». Hector Malot, dans *Sans Famille*, avait déjà fait descendre au fond de la mine son jeune héros, Rémi, qui avait été victime

---

1. Par exemple, à la p. 328 des éditions Rencontre : « Elle était complaisante pour elle et pour les autres, tâchait uniquement d'arranger les choses (...).N'est-ce pas, pourvu que son mari et son amant fussent contents, que la maison marchât son petit train-train régulier, qu'on rigolât du matin au soir (...), il n'y avait vraiment pas de quoi se plaindre », etc.

d'un coup de grisou et d'une inondation. Maurice Talmeyr avec *Le Grisou* (1880), Yves Guyot, avec *L'Enfer social* (1882) avaient écrit des romans de la mine. Dès qu'il eût arrêté son projet, Zola amassa une importante documentation sur l'exploitation des mines, les grèves minières et la question sociale. Il lut un ouvrage technique de Laurent Simonin, il prit connaissance de *La Gazette des tribunaux* de 1869-1870 sur les procès consécutifs aux tragédies d'Aubin et de La Ricamarie. On sait qu'il se rendit à Anzin en février 1884 : une grève venait d'éclater. Zola descendit au fond, interrogea des mineurs, visita le coron. La première ligne de *Germinal* était écrite en avril 1884, le livre était achevé en janvier 1885.

Sur la foi de déclarations de Zola, on a longtemps pensé que son travail s'accomplissait par étapes successives : documentation, rédaction de l'ébauche, mise au point des données de l'intrigue et du caractère des personnages, rédaction définitive, qui faisait vivre cette construction de l'esprit. Or, l'étude des manuscrits de *Germinal*, mais aussi de *La Terre* et de beaucoup d'autres romans, a révélé l'inexactitude d'un tel schéma. Un roman n'est pas l'aboutissement d'une longue, objective et minutieuse enquête, c'est le fruit d'un acte créateur. Qu'on se rappelle la cellule initiale d'où était sorti *Le Père Goriot* : « Un brave homme — pension bourgeoise — 600 francs de rente — s'étant dépouillé pour ses filles qui, toutes deux, ont 50 000 francs de rente — mourant comme un chien ». Balzac était parti de la *vision* d'une situation susceptible de produire un grand effet. Zola, pour *Germinal* comme pour la plupart de ses romans, partait d'une *idée*. Rien n'éclaire sa méthode aussi bien que la lecture de l'*ébauche* de *Germinal*. Les lignes suivantes formulent l'idée fondamentale du roman. « Le roman est le soulèvement des salariés, le coup d'épaule donné à la société qui craque un instant, en un mot, la lutte du capital contre le travail. C'est là qu'est l'importance du livre. Je le veux prédisant l'avenir, posant la question qui sera la question la plus importante du XXᵉ siècle ». « Je le veux », dit Zola. On est frappé par le caractère volontaire et logique de sa démarche créatrice. L'idée dominante reste constamment présente à son esprit. Il *veut* montrer « une force inconnue et terrible » qui écrase toute une population de travailleurs » ; il *veut* montrer « la royauté triomphante de l'argent » ; il *veut* que les oppositions soient « poussées au summum de l'intensité possible ».

Ne voyons pas, dans de telles décisions, l'exercice fantaisiste d'une imagination qui procéderait par arbitraire. D'abord, Zola voit gros mais il voit juste, quand il rencontre une de ces idées dont il fera un roman. Ensuite, il tient compte de ce que propose la réalité. L'acte créateur et l'enquête documentaire étaient chez lui étroitement liées : les deux opérations étaient accomplies en même temps, elles retentissaient continuellement l'une sur l'autre. Par une sorte de phénomène d'*aimantation*, la signification initiale attirait les détails qui lui donnaient vie et consistance. « Zola, écrit Ida-Marie Frandon, filtre, choisit, adapte. L'intérêt humain et la marche de l'intrigue dirigent le choix et l'adaptation des matériaux. Et d'abord, leur acquisition »[1]. Quand l'enquêteur relevait un détail, il savait déjà, la plupart du

---

1. I.-M. FRANDON, *Autour de Germinal*, Droz, Giard, 1955, p. 79.

temps, la *fonction* qu'il allait lui attribuer dans son livre. Inversement, l'enquête pouvait modifier la signification initiale, ou aider à la mieux dégager. *Germinal* avait sans doute été d'abord conçu comme l'évocation d'une menace pesant sur la société bourgeoise. L'œuvre est devenue, *aussi*, une annonciation des temps futurs.

La structure de « Germinal »   A première vue, la structure de *Germinal* est celle de beaucoup de romans de Zola : un personnage, ici Étienne Lantier, nous introduit dans un milieu qu'il ne connaît pas lui-même et que nous découvrons en même temps que lui. L'aspect documentaire du roman, le travail au fond de la mine, les mœurs du coron donnaient lieu à des *tableaux*. Zola les organisait selon un constant principe d'opposition : l'abondance. dont jouissent les Grégoire s'oppose au dénuement dont souffrent les Maheu. Cécile n'en finit plus de dormir, quand Catherine est contrainte de s'arracher de son lit au milieu de la nuit. Les ouvriers et les patrons vivent côte à côte sans se comprendre. Ils s'affrontent peu à peu. La leçon de choses du roman documentaire tournait au conflit de deux forces en présence. *Germinal* était un roman dramatiquement construit.

La grève en constituait l'unité. La présentation de la mine et du coron, la montée de la révolte, la cessation du travail, l'émeute, la fusillade assuraient une progression de l'intérêt. A l'histoire d'une grève venait s'ajouter l'histoire d'un homme et d'une femme, Étienne et Catherine, ainsi que la rivalité de deux hommes, Étienne et Chaval. Ces actions entrecroisées renforçaient l'unité. Les amours de Catherine étaient scandées par la vie de la mine et les progrès de la grève. Il y avait parfois beaucoup de *romanesque* dans le pathétique de *Germinal*. Cette habileté à faire attendre la *suite*, et, comme l'observait Pierre Moreau[1], cette « montée graduelle vers des situations pressenties » ne sont pas sans évoquer les procédés du feuilleton. Mais l'art du romancier n'est-il pas d'abord de tenir son lecteur en haleine ?

A la structure dramatique se superpose une structure *poétique*. Zola réussissait à créer une atmosphère par la reprise d'un certain nombre de thèmes. Le halètement de la machine, le dieu inconnu du Capital dans son tabernacle parisien, les obsessions de la faim et de la sexualité revenaient comme de puissants leitmotive. Zola ne dédaignait pas les procédés élémentaires de l'épopée, les répétitions, les exagérations. Il y avait, dans le style même et le rythme des phrases, une résonance épique. Jules Lemaître ne s'y était pas trompé : il avait perçu, dans « l'allure de *Germinal*, celle des antiques épopées par la lenteur puissante, le large courant, l'accumulation tranquille des détails, la belle franchise des procédés du conteur ». Qu'on était loin du rythme allègre de *La Chartreuse de Parme* ! Par la nature de son sujet, Zola touchait à l'épopée ı il chantait la colère d'un peuple de l'ombre. Il y avait un *merveilleux* moderne dans cette vie menaçante du Voreux. Héritier de Michelet et de Hugo, Zola était le premier grand romancier des foules, il a peint, dans *Germinal*, un peuple en marche. L'échec de

1. *Germinal, épopée et roman*, C. D. U., 1954.

la grève annonçait, dans le printemps renaissant, la germination des lendemains qui chantent. Le mythe de l'Espérance, qui parcourait le livre, conférait à un fait divers un agrandissement épique, il brisait le cercle d'une fatalité tragique. Poète épique, Zola contait des combats singuliers, exposait le heurt de deux troupes ennemies. Tout cela de haut, avec une souveraine impassibilité. Un sens du sacré parfois se manifestait : l'assemblée des mineurs dans la forêt baignait dans la transparence d'une nuit glacée et prenait une sorte de valeur légendaire et religieuse.

L'univers de « Germinal »   *Germinal* est un grand livre parce qu'au-delà de sa valeur documentaire, de son organisation dramatique et de son allure épique, Zola y exprimait une vision du monde[1]. D'un monde clos, sombre et désolé.

L'univers de *Germinal*, c'est d'abord une immensité nue. « Dans la plaine rase, sous la nuit sans étoile », telle est la première phrase du livre, telles en sont les deux notes fondamentales. L'aspect désolé d'une plaine immense symbolise le dénuement et l'ennui, les ténèbres sont comme le visage du malheur. Sur fond de noir, ici ou là, le rouge du sang et de la violence. Ailleurs, toutes les variétés de blanc terne, le pâle, le livide, le hâve, le blafard, depuis la « pâleur anémique des Maheu » jusqu'à cette vision, sous la neige, d'un « village mort drapé dans son linceul ». Cette blancheur-là est celle du dénuement, de l'absence, du vide. Cette plaine blanche et silencieuse, c'est une atmosphère de fin du monde. Si le blanc est le signe du néant, le noir est la couleur de l'angoisse, de la peur et du crime. Sur les quarante chapitres de *Germinal*, dix seulement laissent voir la lumière du jour. Noir de la nuit, noir de la mine et du charbon, qui est comme « une espèce de nuit de la matière ». Il y a une oppression de l'espace sombre. La *pesanteur*, dans *Germinal*, est la forme tangible d'une malédiction. L'étouffement et l'ensevelissement sont les obsessions dominantes. L'eau même est quelque chose qui tombe, qui envahit peu à peu l'espace, qui promet à l'asphyxie. Jetés dans les angoisses de la nuit et le dénuement de la plaine vide, les mineurs sont menacés par le monstre du Voreux, qui est comme un organisme gigantesque, sorte de Minotaure à qui il faut ses rations de chair humaine. Étienne et Catherine, à la fin, ensevelis, opprimés par la nuit, menacés par l'eau qui monte, résument tout l'univers de *Germinal*. Certes, Catherine qui boit l'eau où flotte le cadavre de Chaval, c'est une scène de roman noir. Mais c'est le génie d'un grand romancier que de réussir à faire passer, dans un épisode de feuilleton, une vision de la condition humaine.

Le réel et les mythes   Zola a déployé ses qualités de poète visionnaire, dans la *vie* dont il a animé la Halle du *Ventre de Paris*, l'alambic du père Colombe dans *L'Assommoir*, la locomotive de *La Bête humaine*. Il ne quitte pas, la plupart du temps, ce réel qu'il transfigure. Son génie de romancier tenait à ce don qu'il avait

---

1. Voir Marcel GIRARD, « L'Univers de Germinal », *Revue des Sciences humaines*, janvier-mars 1953.

de se mouvoir à la fois sur les deux plans. Il enracinait ses romans dans le réel et il leur conférait un agrandissement épique. Tout son « génie évocatoire » est là. Nana vit comme une femme ; nous avons tous, comme disait Mallarmé, caressé le grain de sa peau ; mais cette femme était aussi « l'ange noir des pestilences, le ferment des pourritures et l'insatiable catastrophe ». L'art de Zola, dans ses meilleures réussites, tenait à une heureuse conciliation du roman et de l'épopée, de la documentation et de la poésie, du réel et du mythe.

Il lui est arrivé de se détourner de la peinture d'un âge social. Il a écrit, dans *La Faute de l'abbé Mouret*, dans *Une Page d'amour*, dans *La Joie de vivre*, dans *Le Rêve*, des romans lyriques. Si *Le Rêve* était un « conte bleu », si *Une Page d'amour* était un « livre bonhomme », *La Faute de l'abbé Mouret* était un véritable poème en prose. Zola se proposait d'étudier « la grande lutte de la nature et de la religion ». Le Paradou était le cadre luxuriant de la sensualité. Zola a voulu, dans le Paradou, au nom symbolique, évoquer l'aventure d'Adam et Ève. Par la nature de son talent, il était conduit à faire vivre des mythes plutôt qu'à présenter une fidèle image du réel. Il a donné sa pleine mesure quand le souci de l'observation et de la documentation venait conférer une solide assise au mythe que le créateur entreprenait de forger.

La transfiguration du réel, chez Zola, s'accomplit selon les lignes de force d'une mythologie personnelle. L'intuition du romancier, même quand elle s'appuie sur le réel, prolonge vers une signification qui les dépasse les éléments qu'elle met en œuvre. Le mot de *poème* revenait sous sa plume, dans les *ébauches*, dès qu'il cherchait à préciser ses intentions. Il voulait faire dans *Le Ventre de Paris*, « le poème du Ventre » ; dans *Nana*, « le poème des désirs du mâle », dans le *Bonheur des Dames*, « le poème de l'activité moderne », dans *La Terre*, « le poème vivant de la terre ».

Il n'a accordé dans son œuvre, au total, qu'une part assez faible à la conception scientifique de l'hérédité dont il était parti. A moins qu'on ne considère la tare initiale comme une sorte de Destin qui pèse sur la famille. Cette famille qu'il étudie « reflète, dit Guy Robert, le jeu de deux principes hostiles, mais intimement mêlés l'un à l'autre ; l'un d'eux l'anime d'un mouvement ascensionnel, l'autre provoque la chute et les décompositions qui précèdent l'anéantissement »[1]. Dans *La Fortune des Rougon* ou *La Curée*, ce sont les forces ascensionnelles qui l'emportent. *Le Ventre de Paris* marquait le triomphe d'une grasse bourgeoisie de charcutiers. Ici ou là déjà, combien de signes de décomposition morale et sociale, qui préludaient aux déchéances futures ! *La Faute de l'abbé Mouret* exaltait le mythe de la Fécondité, qui était un des pôles majeurs de l'œuvre. En revanche, à partir de *L'Assommoir*, le romancier présentait volontiers des exemples d'une société qui se défait ou d'êtres qui se dégradent. Pourtant, les forces de vie et de conquête réapparaissaient dans *Au Bonheur des Dames* ou *La Joie de vivre*. D'un roman à l'autre, d'un chapitre à l'autre, le mythe de la puissance conquérante s'entrelaçait au mythe de la catastrophe inéluctable. *Germinal*

---

1. Guy ROBERT, *Émile Zola, principes et caractères généraux de son œuvre*, Les « Belles Lettres », 1952.

et *La Terre* exaltaient à la fois le mythe de la Fécondité et de l'Espérance et celui de la Catastrophe. Dans *La Débâcle* même, on pressent, à travers les soubresauts du malheur, la genèse d'un monde meilleur.

Comment Zola eût-il pu, dans ces conditions, se soucier de la *psychologie* de ses personnages ? Il savait, à l'occasion, montrer de la finesse et de la délicatesse dans l'analyse de leurs sentiments. Mais là n'était pas son propos. Il montrait des êtres traversés par les grandes forces qui agissaient en eux et qui les dépassaient. Le paysan Buteau, une de ses plus puissantes figures, incarnait la passion de la terre ; chez lui l'instinct sexuel rejoignait la cupidité du propriétaire, il était lié à ce sol dont il voulait être le maître. Zola ne cherchait pas à faire vivre des individus, mais à incarner des mythes. « Épopée pessimiste de l'animalité humaine » avait dit Jules Lemaître, et Zola avait accepté ce jugement, sauf à émettre, sur le mot *animalité*, quelques réserves. Il a su retrouver dans les réalités de son temps les vieux mythes humains de la Terre Mère, de l'Espérance et de la Catastrophe.

Du naturalisme au messianisme Zola achevait *Les Rougon-Macquart* en 1893. Il était heureux d'être débarrassé de cette œuvre immense. Il entreprenait alors, dans les dernières années de sa vie, le cycle des *Trois Villes* et des *Quatre Évangiles*. Il conservait, au fond, les mêmes procédés. Il partait toujours d'une signification à promouvoir. Elle apparaissait dans les notes suivantes : « Dans *Lourdes*, je pourrai montrer le besoin d'illusions et de croyance qu'a l'humanité. (...) Dans *Rome*, je pourrai montrer l'écroulement du vieux catholicisme, l'essor du néo-catholicisme pour reprendre la direction du monde : bilan du siècle, la science mise en doute et réaction spiritualiste ; mais l'échec, sans doute. Dans *Paris*, enfin, le socialisme triomphant, l'hymne à l'aurore, une religion humaine à trouver, la réalisation du bonheur, et cela dans le cadre du Paris actuel. Mais ne pas trop s'asservir à la réalité. Du rêve. ». « Ce nouveau cycle, écrit Guy Robert[1], est, à bien des égards, comparable aux *Rougon-Macquart* : on y retrouve le même souci de documentation, les mêmes procédés d'exposition et, dans l'ensemble, la même vision de l'univers : par-delà le pauvre effort de l'humanité, se déroule le conflit de forces plus vastes et de principes contraires ». Zola retraçait dans *Lourdes* et dans *Rome* le conflit du catholicisme et de la science, dans *Paris*, la lutte de la raison contre les puissances du passé. Il attribuait encore une part à la réalité. C'est dans *Les Quatre Évangiles* qu'il s'accordait vraiment ce qu'il s'était promis dans ses premières notes sur les trois villes : « Ne pas trop s'asservir à la réalité. Du rêve. » Zola, dans une lettre à Mirbeau, écrivait à propos de *Fécondité* : « Tout cela est bien utopique, mais, que voulez-vous ? Voici quarante ans que je dissèque, il faut bien permettre à mes vieux jours de rêver un peu ».

---

1. *Ibid.*, p. 141.

5. Les romanciers naturalistes

Daudet romancier
Daudet est un contemporain de Zola. Mais il est toujours resté en marge du naturalisme. Il a d'abord connu un vif succès de conteur avec les *Lettres de mon moulin* et les *Contes du lundi*. C'est seulement en 1874 qu'il a abordé le roman de mœurs, car *Le Petit Chose*, en 1868, évoquait de façon à peine romancée ses souvenirs de maître d'étude au collège d'Alès, et *Tartarin de Tarascon*, en 1872, était un roman héroï-comique : la verve du conteur, la bouffonnerie des situations, la création d'un type caricatural contrastaient singulièrement avec l'évolution du roman français vers le souci de l'exactitude réaliste.

Après *Fromont jeune et Risler aîné*, en 1874, d'autres romans de mœurs contemporaines suivirent : *Jack* (1876), *Le Nabab* (1877), *Les Rois en exil* (1879), *Numa Roumestan* (1881), *L'Évangéliste* (1883), *Sapho* (1884), *L'Immortel* (1888). Ils évoquent des milieux variés : milieux du commerce et de l'industrie avec *Fromont jeune* ; milieux ouvriers avec *Jack* ; milieux politiques avec *Numa* ; étudiants, avec *Sapho* ; littéraires, avec *L'Immortel*. Daudet se situait dans la tradition du roman de mœurs. Il était fidèle à une méthode d'observation dont il trouvait le modèle chez Flaubert ou les Goncourt. Il notait lui aussi, sur ses carnets, les détails qui devaient constituer, dès qu'une idée de roman aurait germé, la substance du récit. Mais Daudet se contente de noter des *impressions* ; il ne s'astreint guère à une minutieuse documentation, et son observation n'a jamais la rigueur de celle de Flaubert ou des Goncourt.

Conteur doué d'une verve facile, Daudet est-il un grand romancier ? Il est permis d'en douter. Il a souvent refait des romans qu'on avait déjà écrits. Même quand il lui est arrivé de traiter le premier un sujet qu'un de ses contemporains devait reprendre, la comparaison n'est guère en sa faveur. On éprouve, en lisant Daudet, le sentiment d'un épuisement du genre romanesque. *Sapho*, c'est l'histoire d'un jeune étudiant qui a une liaison avec une femme plus âgée que lui : il souffre de ne pas avoir le courage de rompre ; il remet à plus tard le soin de le faire ; quand un jour il prend une décision, elle n'est guère durable. C'est le thème d'*Adolphe*, mais dilué dans les facilités du roman de mœurs. Et quand Mirbeau, quelques années plus tard, traite à nouveau ce thème dans *Un Calvaire*, il donne à son récit une violence qui permet de mesurer les fadeurs de Daudet et aperçoit, au surplus, les complexités et les souffrances d'un être partagé entre la lucidité du jugement et les entraînements de la passion. On a dit plus d'une fois que Daudet était un Dickens français ; piètre Dickens, chez qui la sensiblerie tiendrait lieu d'humour. La peinture de la misère ouvrière, dans *Jack*, est bien édulcorée, si l'on songe aux *Misérables* et même à *Germinie Lacerteux* ; mais elle prend une fadeur presque scandaleuse si on la compare à celle de *L'Assom-*

moir, publié un an après. Le roman de l'ouvrier, chez Daudet, demeure un roman sentimental. Et s'il est vrai que *Jack* est, aussi, un roman de l'enfance malheureuse, il ne gagne guère à être situé dans la lignée qui va des *Misérables* et des romans de Vallès à *Poil de Carotte*. L'*Évangéliste* traitait un thème voisin de celui de *Madame Gervaisais* : les ravages que peut exercer la religion dans une âme féminine. Mais il y avait dans le roman des Goncourt une étude clinique en même temps qu'une évocation du ravissement mystique de l'héroïne. Chez Daudet, on ne pénètre jamais dans l'intimité d'une conscience qui teinte le réel de couleurs fantastiques. Son roman n'est plus que le récit des manœuvres d'une femme méchante et des souffrances d'une famille cruellement éprouvée. *Fromont jeune et Risler aîné* est un roman qui sent le théâtre. Il y avait des souvenirs balzaciens dans la hantise des échéances, dans la peinture du déclin d'une maison de commerce. Mais *César Birotteau* avait une autre grandeur. La liaison coupable de Sidonie avec Fromont, l'associé de son mari, était une situation de vaude-ville. La psychologie de cette intrigante évoquait des héroïnes de Victor Cherbuliez. En 1879, en écrivant *Les Rois en exil*, Daudet pensait sans doute donner de la dignité à ses personnages. Le malheur voulut qu'Élémir Bourges traitât le même thème, quelques années plus tard, dans un roman au titre wagnérien, *Le Crépuscule des dieux*, avec une ampleur épique et un sens du mystère dont Daudet était dépourvu. Le succès de Daudet s'explique par les facilités auxquelles il sacrifiait. Il mettait en œuvre de bons sentiments ; il faisait appel à la pitié du lecteur, sa verve donnait lieu à de fréquentes interventions d'auteur, qui par leur vivacité n'étaient pas dépourvues de charme. Il reste que les romans de Daudet sont sans subtilité et sans grandeur.

Maupassant. Un héritier[1] La mère de Guy de Maupassant était Laure Le Poittevin, sœur d'Alfred Le Poittevin, qui avait pour parrain le docteur Flaubert, père du romancier. Une vive amitié unit, dès l'enfance, Gustave Flaubert, Alfred Le Poittevin et sa sœur Laure, d'où les bruits qui ont pu courir sur la parenté de Flaubert et de Maupassant. Quand il fut interne au lycée de Rouen, à la rentrée de 1867, celui-ci eut pour correspondant Louis Bouilhet, bibliothécaire de la ville, ami intime de Flaubert : c'est en sa compagnie que le jeune Guy de Maupassant prit parfois le chemin de Croisset. Plus tard, après la guerre, il sollicita un poste dans l'Administration. De 1873 à 1880, sans rien publier, Maupassant, à côté de sa tâche de fonc-tionnaire, noircit beaucoup de papier sous le contrôle impitoyable de Flau-bert qui, de l'aveu même du disciple, lui inculqua des notions littéraires qui lui furent extrêmement précieuses. Flaubert protégea aussi ses débuts : il lui donna accès à des journaux et à des revues où, sous des pseudonymes, Maupassant fit ses premières armes. Il lui fit connaître Tourguéniev, Zola, Daudet, Goncourt ; il l'encouragea dans ses premiers essais dramatiques. Avec Hennique, Céard, Alexis, Mirbeau, Maupassant se rangea, après le dîner chez Trapp, sous la bannière de Zola et participa brillamment aux

1. Sur Maupassant, voir André VIAL, *Maupassant et l'art du roman*, Nizet, 1954.

Soirées de Médan avec *Boule de Suif* que ses amis saluèrent comme un chef-d'œuvre.

Maupassant ne bénéficiait pas seulement des précieux conseils d'un maître qui était en même temps son ami. Il héritait aussi de Balzac, à qui il vouait la plus vive admiration. Il laissait même parfois échapper un soupir d'accablement devant la richesse et la grandeur de l'œuvre balzacienne. « Ce grand visionnaire qu'était Balzac, disait-il un jour, serait plutôt enclin à décourager de leur métier les romanciers qui le lisent ». En 1876, dans un article de *La République des Lettres*, Maupassant, rendant hommage à Flaubert, exposait à grands traits une évolution du roman au XIXᵉ siècle que Zola n'eût pas désavouée. Il n'y avait, avant Balzac, que des « romans idéalistes » qui étaient toujours, disait Maupassant, « à des distances incommensurables des choses possibles, réelles, matérielles ». « Balzac est venu, ajoutait-il, et c'est à peine si l'on y fait attention dans les commencements. C'était pourtant un novateur étrangement puissant et fertile, (...) écrivain imparfait sans doute (...) mais inventeur de personnages immortels, qu'il faisait se mouvoir comme dans un grossissement d'optique ». La parution de *Madame Bovary* était pour Maupassant un événement considérable : formé par Flaubert, lui vouant un culte, Maupassant mettait l'accent sur son impassibilité de grand artiste, qui devinait juste, comme Balzac, mais « rendait » plus juste que lui. L'admiration que Maupassant continua d'avoir pour ces deux maîtres du roman au XIXᵉ siècle le préserva de certains excès de l'école naturaliste. Certes, il fustigeait la « littérature à talons coquets » d'André Theuriet ou d'Octave Feuillet ; dès *Boule de Suif*, il était résolument réaliste, il empruntait ses sujets et les détails de ses récits à une réalité proche et vivante ; il était soucieux d'une observation attentive qui, déjà, l'orientait vers ce culte de « l'humble vérité », qui devait constituer l'essentiel de son esthétique. Mais ce naturaliste n'avait guère de goût pour les théories de l'école, il ne cessait d'affirmer la nécessité du choix, de la composition. Son réalisme était esthétique, il était aussi, assez souvent, mêlé d'ironie et de pitié.

Boule de Suif, dès 1880, offrait un bel exemple de son idéal d'art. Il est significatif que Flaubert, peu favorable aux dogmes naturalistes, ait salué dans cette première nouvelle, un chef-d'œuvre. On en connaît le thème : pendant la guerre de 1870, une diligence part de Rouen occupé pour Dieppe : arrêtée à Tôtes par un officier prussien, elle y séjourne tant que celui-ci n'a pas obtenu de Boule de Suif les faveurs qu'elle prodigue d'habitude bien volontiers, mais que, par une sorte de scrupule patriotique, elle entend ne pas accorder à l'occupant. Ses compagnons de voyage, soucieux de leurs intérêts, la poussent à accepter, et, quand elle a consenti, chacun se détourne d'elle. Le sujet, l'anecdote, les personnages, les décors étaient empruntés à la vie ; mais l'artiste savait choisir les moyens, éliminer l'inutile, grouper les détails, composer un ensemble harmonieux.

Conte et roman

Après le succès de *Boule de suif*, Maupassant écrivit une grande quantité de contes pour le *Gil Blas* et *Le Gaulois*. Son prestige de conteur a souvent éclipsé son talent de romancier. Maupassant a su réussir dans ces deux genres si différents[1]. Alors que le romancier doit s'efforcer de suggérer la durée d'une réalité complexe, le conteur cherche à nous faire éprouver une émotion simple, et, pour cela, il fait converger vers cette émotion unique l'ensemble des indications qu'il rapporte. Il obtient un effet de choc vers lequel tout le récit est tendu. Le second caractère du conte de Maupassant est d'être un *récit* : un narrateur est incité à dire une histoire : la présence de ce narrateur est toujours intense, il démontre, il indique, il juge, il humanise l'événement et en dégage le sens en même temps qu'il suscite l'intérêt, ménage les surprises, tient son auditeur en haleine. C'est le genre même du conte qui orientait Maupassant vers les soucis de la composition. Beaucoup de ses contes, qu'ils appartiennent au cycle normand, au cycle parisien, ou au cycle fantastique, sont d'un métier admirable et d'une grande habileté de présentation. Il y a d'ailleurs eu dans la genèse des œuvres de Maupassant, comme l'a montré André Vial, de fréquents passages du conte au roman et du roman au conte. Certains épisodes d'*Une Vie* ont constitué, une fois remaniés, des sujets de contes ; inversement, le caractère unilinéaire de ce premier roman ressortit à l'esthétique d'un bref récit. Maupassant a pris peu à peu conscience des divergences esthétiques du conte et du roman. De plus en plus, ses romans sont devenus de véritables romans, par la complexité des personnages et des situations, par le caractère organique de la composition. *Pierre et Jean* marquait, à cet égard, le terme de son évolution : la durée y est, en quelque sorte, *continue*, l'œuvre n'est pas le fruit d'une suite de tableaux dont chacun pourrait être traité pour lui-même.

L'art romanesque de Maupassant On peut distinguer, selon André Vial, quatre moments dans l'évolution de l'art romanesque de Maupassant : *Une Vie*, *Bel-Ami* et *Mont-Oriol*, *Pierre et Jean*, *Fort comme la mort* et enfin *Notre Cœur*. Alors qu'*Une Vie* n'étudiait guère qu'un personnage, *Bel-Ami* et *Mont-Oriol* accordent une place à la fresque historique et sociale, procédant à un élargissement de la matière en même temps qu'à un resserrement de la durée de l'action. Le resserrement s'accentue dans *Pierre et Jean*, récit d'une crise brutale et décisive qui fait la part belle à la psychologie. C'est une crise pathétique que peignent encore les deux derniers romans. Cette évolution avait conduit Maupassant de la campagne normande au monde parisien, du roman de mœurs au roman psychologique, du roman d'une vie au roman d'une crise.

Une Vie constitue, avec *Pierre et Jean*, le chef-d'œuvre de Maupassant romancier. La vie apporte à l'auteur ses matériaux, son art consiste à les agencer, à obtenir « ce groupement adroit de petits faits constants d'où se dégagera le sens définitif de l'œuvre ». Pas d'intrigue, pas de rebondissements de l'action, mais des gestes et des faits de tous les jours. Ce roman flaubertien des désillusions de Jeanne, depuis sa sortie du couvent et ses rêveries de jeune fille jusqu'aux déceptions de l'épouse et de la mère, est le roman d'une vie qui se défait au fil des jours. L'œuvre est constituée d'une

---

1. Sur le conte et le roman, voir André VIAL, *op. cit.*, pp. 435 sq.

suite de tableaux qui en évoquent les différents moments. Les épisodes s'éclairent réciproquement, ils se répondent les uns aux autres. Pour faire saisir le glissement de la durée, et mieux marquer l'évolution du personnage, Maupassant avait recours à des procédés qu'il avait trouvés chez ses maîtres, Balzac et Flaubert : il disposait des diptyques qui soulignaient la cohésion de l'ensemble. Il y a deux retours de Jeanne à sa propriété des Peuples, deux voyages identiques en calèche, deux promenades à Yport, deux visites à un petit bois, deux nuits passées derrière une fenêtre face à la mer. Dans chacun des seconds épisodes, l'héroïne évoque le souvenir du premier, le lecteur se remémore, en même temps qu'elle, cet instant du passé. Les descriptions de Maupassant, dans la mesure où elles évoquaient des spectacles semblables, mais situés à des moments différents de la vie de son héroïne, parvenaient à faire sentir l'écoulement d'une durée et la lente défaite d'une vie.

Autant *Une Vie* était un roman plein de résonances flaubertiennes, autant *Bel-Ami,* par son aspect de peinture historique, par le portrait d'un jeune ambitieux, par l'art de « typiser » des individus et d'invidualiser des types, relevait d'une formule balzacienne. Le Duroy de *Bel-Ami,* c'est le Rastignac de la Troisième République, avec moins d'allure et plus de bassesse. Il cherche lui aussi la quadruple réussite : l'or, la puissance, la gloire et l'amour. « J'ai voulu, écrit Maupassant, raconter la vie d'un aventurier pareil à tous ceux que nous côtoyons chaque jour (...) ; voulant analyser une crapule, je l'ai développée dans un milieu digne d'elle ». Et, de fait, il ne s'est pas privé de faire une peinture assez féroce des mœurs journalistiques et politiques. Au-delà du roman de mœurs, Maupassant s'attachait à dévoiler ce que Bourget appelait « les clairs-obscurs de l'action humaine » et les « compromis odieux de la conscience ». Il enregistrait, par le menu, les sophismes par lesquels une conscience peu exigeante fait bon marché de ses scrupules.

Mont-Oriol est à la fois un roman d'amour et un roman de mœurs. L'imbrication de l'épisode individuel et du destin de la ville d'eau est ici très réussie.

Pierre et Jean dont la préface est justement célèbre, est un roman de mœurs, tout en grisaille, consacré à une petite bourgeoisie commerçante. Mais, d'autre part, ce livre est réduit aux personnages essentiels. Il est tout entier pénétré de psychologie : les doutes de Pierre, recherchant si Jean est né d'une union coupable, se transforment peu à peu en certitude. L'*histoire* est tout entière dans la conscience du protagoniste. L'action devient subjective. Jamais Maupassant n'a poussé plus loin la technique du personnage-témoin.

Fort comme la mort, récit des amours d'un peintre célèbre est, selon André Vial, un roman méconnu, plein de mérites singuliers ; on les trouverait dans la délicatesse avec laquelle l'auteur a étudié le progrès de l'amour dans cette zone indécise de la conscience et de la subconscience.

Enfin, *Notre Cœur* était un roman mondain, dans le goût de Bourget, voire d'Octave Feuillet. Avec cette peinture d'une moderne Célimène, Maupassant aboutissait à cette littérature « à talons coquets » qu'il avait jadis fustigée.

Avait-il pris conscience des limites du naturalisme ? Il avait, dès l'abord, marqué son indépendance par rapport aux dogmes de Médan. Il était resté fidèle à ses exigences d'artiste. Il était plus près de Balzac et de Flaubert que de Zola. Mais, héritier comblé, il s'est contenté d'utiliser des cadres tout faits. Son destin a été de disparaître de la scène littéraire au moment même où s'affirmaient des courants d'où devait naître une esthétique nouvelle. « Ce qui nous retient de considérer Maupassant comme un vrai maître, disait Gide en 1938, c'est, je crois, l'inintérêt presque total de sa propre personnalité : n'ayant rien de particulier à dire, ne se sentant chargé d'aucun message, voyant le monde et nous le présentant un peu en noir, mais sans indice de réfraction originale, il reste, pour nous, (ce qu'il prétendait être) un remarquable et un impeccable ouvrier des lettres. Il est à chacun de ses lecteurs la même chose et ne parle à aucun d'eux en secret ».

Les romanciers naturalistes   Mépriser l'imagination, se recommander de la science, remplacer dans une large mesure la psychologie par la physiologie, réduire la part de l'agencement de l'intrigue, tels étaient les principes autour desquels de jeunes écrivains s'étaient réunis sous la bannière de Zola : Maupassant, Huysmans, Mirbeau, Céard, Alexis, Hennique. Mais le naturalisme n'eut qu'une existence éphémère. Il s'affirma de 1877 à 1880, mais au lendemain des *Soirées de Médan* chacun poursuivit sa propre voie. S'il n'y eut guère d'école naturaliste, il y eut des romanciers naturalistes.

Avant de s'écarter des dogmes de Médan dès 1884 avec *A Rebours*, Huysmans était un des meilleurs représentants de la doctrine. C'est chez lui qu'on en trouverait les meilleures illustrations. Il en avait affirmé les principes avec beaucoup de netteté : « (...) Nous sommes, disait-il, des artistes assoiffés de modernité, nous voulons l'enterrement des romans de cape et d'épée, (...) nous allons à la rue, à la rue vivante et grouillante, aux chambres d'hôtels aussi bien qu'aux palais, aux terrains vagues aussi bien qu'aux forêts hantées ; nous voulons essayer de ne pas faire comme les romantiques des fantoches plus beaux que nature (...), brouillés et grandis par une illusion d'optique, nous voulons essayer de camper sur leurs pieds des êtres en chair et en os (...), des êtres (...) qui palpitent et qui vivent. » Huysmans mettait ces théories en application dans *Les Sœurs Vatard*, dans *En Ménage* et *A vau-l'eau*. Il évoquait, avec une précision colorée et des recherches de style, un monde vulgaire, et il donnait déjà, parfois, le sentiment d'en avoir la nausée. Folantin, dans *A vau-l'eau*, errait à la recherche d'un bifteck passable. Très vite, Huysmans eut le sentiment que ce naturalisme strictement entendu conduisait à une impasse.

Henry Céard, cultivé et curieux, avait fait de *L'Éducation sentimentale* son livre de chevet. Il donnait en 1881, avec *Une Belle Journée*, un des meilleurs exemples du roman naturaliste. On ne pouvait aller plus loin dans l'application de la doctrine : point d'intrigue, point d'événement, aucune construction dramatique. Une femme passe un dimanche dans un café, en compagnie d'un homme qui l'attire, mais le mauvais temps les empêche de sortir, elle rentre au logis, rien n'est arrivé. Les 775 pages de *Terrains à vendre au bord de la mer*, publié en 1906, constituent une somme romanesque à laquelle Céard apporta longtemps ses soins. Son esprit lucide l'avait conduit à ce roman sans intrigue, sans ressort dramatique, sans relief, que Zola, pour sa part, quoiqu'il en eût proclamé le principe, ne réalisa jamais.

Sans doute son génie de romancier le lui interdisait-il. A quoi peut aboutir l'entreprise qui consiste à raconter l'histoire de ceux qui n'ont pas d'histoire, à enregistrer de façon maniaque les menues circonstances de leurs journées sans intérêt ? Aussi bien y eut-il, chez certains naturalistes, une complaisance dans l'horreur qui était une façon de renchérir sur les principes et de donner du relief à leurs œuvres en grossissant et en noircissant les personnages et les situations. Léon Hennique fut d'abord un des écrivains les plus audacieux de la nouvelle école : audaces qui, plus tard, lui parurent à lui-même bien timides quand, en 1932, il se déclara choqué par celles de Céline dans le *Voyage au bout de la nuit*. Replaçons les siennes en leur temps. Il y avait des pages macabres dans *La Dévouée* qui étaient pleines d'irrespect, des précisions répugnantes étaient données sur un avortement dans *L'Accident de M. Hébert*, et *Benjamin Rozes* était un court roman qui contait les misères d'un ancien notaire affligé d'un ver solitaire. Hennique renchérissait à sa façon sur les principes. Plus tard, il s'en écartait. En 1889, *Un Caractère*, dédié à Edmond de Goncourt, révélait des qualités d'observation psychologique et de style artiste qui firent parfois ranger Léon Hennique parmi les décadents. *Minnie Brandon* était le roman de l'alcoolisme, mais on était loin de *L'Assommoir*.

Les premiers romans d'Octave Mirbeau laissaient voir un tempérament âpre et truculent plutôt qu'ils n'illustraient la doctrine de Médan. La hargne de Mirbeau, dans *Le Calvaire*, se donnait libre cours contre la guerre et l'armée ; elle se déployait contre l'Église, avec plus de violence encore, dans *L'Abbé Jules*, histoire d'un prêtre, diable d'homme, un réfractaire lui aussi. Mirbeau rejoignait là un filon naturaliste, le roman du prêtre, et du mauvais prêtre, en qui des désirs refoulés causent des désordres de toute sorte. *Sébastien Roch*, en 1890, était construit sur le moule naturaliste : c'était une suite d'épisodes qui contaient l'histoire d'un enfant perverti par un prêtre. Ainsi s'achevait ce cycle de romans à la première personne. Jamais plus Mirbeau ne devait retrouver, dans le roman, la fermeté et parfois la beauté de ces œuvres de début. Dans les romans qu'il écrivit par la suite, comme *Les Vingt et Un Jours d'un neurasthénique* ou *La 628 E 8*, le personnage principal n'était plus que le porte-parole d'un chroniqueur déchaîné. Le roman réaliste était abandonné ici au profit du pamphlet. Il faut mettre à part ce trop célèbre *Jardin des supplices* qui n'a guère de prix que parce qu'il illustre un des aboutissements de l'esprit fin de siècle. Le goût de l'érotisme et des scènes sanguinaires, dans la tradition de Barbey d'Aurevilly, apparaissait déjà dans *Le Calvaire*, où le meurtre de l'éclaireur prussien était une scène bien inquiétante. *Le Jardin des supplices* suggérait, dans le décor d'une nature luxuriante, les plus raffinés supplices du génie oriental et les joies infernales que peuvent procurer les spectacles de la douleur et de la mort. On était bien loin, avec cet exotisme et cet érotisme de pacotille, du culte de la vérité humaine.

Jules Vallès

Les documents humains peuvent être le résultat d'une minutieuse observation. Mais ils prennent toute leur valeur s'ils sont le témoignage d'une nature passionnée. Il n'y a pas d'écrivain plus personnel que Vallès ; il n'y a pas de littérature plus subjective que la sienne mais elle a un accent incomparable. Il avait publié, en 1865, *Les Réfractaires* ; il avait, dans la presse, révélé son génie d'âpre polémiste. Il hésitait vers 1873, sur la forme qu'il donnerait aux livres qu'il méditait. Seraient-ce des mémoires, un roman, un témoignage historique ? Il voulait dire ses colères et ses rancunes. En 1876, il précisait ses intentions à Hector Malot : « Ce que je veux faire, c'est un bouquin intime, d'émotion naïve, de passion jeune, que tout le monde pourra lire, même dans le monde de mes ennemis, et qui aura cependant sa portée sociale. J'appellerai cela d'un nom d'homme, *Jacques Vingtras* (..). Ce sera l'histoire d'un enfant. Daudet a essayé cette note dans son *Jack* que je viens de lire. Je resterai plus près de l'école et du collège ; je m'en tiendrai aux souffrances d'un fils brutalisé par son père et blessé, tout petit, dans le fond de son cœur. Mon histoire, mon Dieu, ou presque mon histoire (...) ». Ce devait être le premier tome de la trilogie de *Jacques Vingtras : L'Enfant* (1879), auquel devaient succéder *Le Bachelier* (1881) et *L'Insurgé* (1886).

L'*Enfant*, à l'origine, ne devait être qu'une introduction très personnelle à une vaste fresque sociale dans laquelle Vallès voulait faire l'histoire des héros d'une génération sacrifiée, vaincue en 1848, écrasée en 1871. Il songeait à une œuvre en six volumes dont il disait que « ce serait (sa) *Comédie humaine* ». A d'autres moments, il rêvait « d'écrire impersonnellement un livre comme *Les Misérables* ». Il a renoncé à ces projets en faveur d'une simple autobiographie à peine transposée. Une fois achevée, (et *L'Insurgé* ne parut qu'après la mort de l'auteur) la trilogie de *Jacques Vingtras* est « la douloureuse épopée d'une nature hypersensible (...) en perpétuelle révolte contre la tyrannie de la vie». Vallès a été longtemps victime de ses audaces. Le public fut choqué d'une révolte qui n'épargnait ni sa mère, ni sa famille. Mais c'est la révolte qui donne à ses livres leur prodigieux dynamisme. Il y avait quelque chose d'emporté et de brûlant dans sa sympathie pour les humbles. Vallès a fait entendre en littérature un accent vraiment nouveau. Il est le premier d'une lignée de grands écrivains de l'enfance malheureuse : de *L'Enfant* à *Poil de Carotte*, et de *Poil de Carotte* à *Vipère au poing*, il y a un accent qui ne trompe pas. Zola disait de la trilogie de Vallès : « Pour moi, c'est surtout un livre vrai, un livre fait de documents humains les plus exacts et les plus poignants ».

CHAPITRE IV

L'ÈRE DES MÉTAMORPHOSES

1. Évolution générale du genre

LA CRISE DU ROMAN NATURALISTE

Le manifeste des Cinq　　　　Le 18 août 1887, cinq écrivains, qui étaient jusqu'alors considérés comme les disciples de Zola, firent savoir, par une lettre ouverte publiée dans *Le Figaro*, qu'ils condamnaient les excès par lesquels l'auteur de *La Terre* leur paraissait compromettre le mouvement naturaliste. Était-ce une manœuvre dirigée contre Zola ? Les cinq signataires du manifeste, Paul Bonnetain, Rosny aîné, Lucien Descaves, Paul Margueritte et Gustave Guiches devaient, par la suite, se repentir de leur geste. Ce geste, à vrai dire, n'était qu'un des premiers symptômes de la crise du roman naturaliste. L'éreintement de Zola par Anatole France, l'article de Brunetière sur *La Banqueroute du naturalisme*, l'*Enquête* de Jules Huret sur l'évolution littéraire, la conférence de Léon Bloy sur « Les Funérailles du naturalisme » sont, parmi beaucoup d'autres, les signes d'un affaiblissement des positions intellectuelles et esthétiques de l'école que Zola avait groupée autour de lui une dizaine d'années auparavant. Cette école n'avait jamais été très unie. Edmond de Goncourt avait voulu l'orienter vers la peinture « des milieux d'éducation et de distinction ». Maupassant avait toujours marqué son indépendance. Avec A Rebours (1884), Huysmans avait eu le sentiment que l'esthétique de Médan conduisait à une impasse : les premières pages de Là-bas, en 1891, fustigeaient un art dont il cherchait à s'échapper. Il n'était pas le seul à dénoncer les insuffisances esthétiques, spirituelles et morales du naturalisme. Brunetière s'y employait, depuis 1875, au nom des valeurs classiques. De Vogüé, dans la préface du Roman russe, en 1886, discréditait le réalisme français en le comparant à celui de romanciers comme Dostoïevsky ou Tolstoï qui, selon lui, avaient su ajouter à leur observation de la vie les leçons d'une pitié évangélique ou, en tout cas, d'une large sympathie humaine. Au moralisme d'Eugène Melchior de Vogüé venaient bientôt se joindre toutes les valeurs nouvelles du symbolisme et de l'idéalisme. La description des objets ou la peinture des mœurs paraissaient dérisoires à des esprits persuadés que le rôle de l'écrivain était de déchiffrer le sens caché des apparences. On remettait en question une conception du roman qui avait prévalu en France de Balzac à Zola : une vaste enquête sur la nature et sur l'homme. Barrès, en 1888, tournait en dérision une entreprise comme celle des Goncourt, qui cherchaient à amasser le plus de renseignements possibles sur la vie commune. On reprochait au roman réaliste de se confiner dans le « particulier étroit », de s'en tenir à des « dehors accidentels ». Quand on faisait grief aux romanciers réalistes ou psychologues de se perdre dans le détail des minuscules contingences d'une anecdote vulgaire, on était bien près de condamner le genre même du roman. Il paraissait vain de faire concurrence à l'état civil.

L'évolution du réalisme

Bien des romanciers ont joué leur rôle entre 1887 et 1914 dans le dépassement des dogmes de Médan, à commencer par les naturalistes eux-mêmes ou leurs héritiers. Il y avait, déjà, un écart entre leurs théories et leurs œuvres. Zola avait prétendu dresser des procès-verbaux ; ses romans révélaient un puissant architecte et un grand poète. Maupassant, dès ses débuts, faisait sa part à l'émotion qui naissait de l'agencement même des événements. Les auteurs des Soirées de Médan s'orientaient vers l'étude psychologique, vers un réalisme spiritualiste, poétique ou fantastique. Zola, avec Lourdes et Rome, abordait à sa manière le surnaturel. Maupassant passait du roman de mœurs au roman psychologique. Huysmans proposait, dans les premières pages de Là-bas, un « naturalisme spiritualiste ». Il y avait chez Mirbeau, dans Le Calvaire, Sébastien Roch, L'Abbé Jules, « du cauchemar à la Goya et de la verve cruelle à la Swift ». Léon Hennique, dans Un Caractère, faisait intervenir des phénomènes de télépathie. En 1890, dans la préface de Trois Cœurs, Édouard Rod exposait les raisons pour lesquelles il s'était, comme beaucoup d'esprits de sa génération, détourné du naturalisme. Rosny aîné, lassé de l'esthétique de Médan, ressentait le besoin « d'autre chose », d'une « littérature plus vaste et plus haute ». Rosny aîné est un exemple significatif.

En bon élève de l'esthétique naturaliste, il a d'abord peint des milieux, observé la réalité, dans *Nell Horn*, par exemple, ou dans *Le Bilatéral* ; et il ne devait pas se priver par la suite de revenir, à l'occasion, au roman social, par exemple avec *La Vague rouge*. Mais cet « autre chose » dont il parlait, il l'a cherché d'abord dans le roman d'hypothèse scientifique qu'il aborda avant Wells. Il se proposait de trouver « dans les acquêts de la science et de la philosophie des éléments de beauté plus complexes, plus en rapport avec le développement d'une haute civilisation ». *La Force mystérieuse*, *Les Xipéhuz*, *La Mort de la terre*, constituaient autant d'illustrations saisissantes d'un univers pluralistique. Par ailleurs, Rosny aîné mettait en œuvre, dans ses romans préhistoriques, les connaissances de paléontologie qu'il avait acquises. *Vamireh*, *Eyrimah*, *Les Origines*, *La Guerre du feu*, *Le Félin géant*, appuyés sur une érudition souvent solide, développaient des intrigues faciles rehaussées par la puissance d'une imagination capable de ressusciter les temps disparus, et, dans les meilleurs endroits, de communiquer au lecteur une sorte d'effroi.

Les romanciers de la réaction idéaliste

Tout un courant de littérature romanesque *idéaliste* traversait les décennies pendant lesquelles s'affirmait le triomphe du réalisme. Au temps du romantisme, George Sand s'était opposée à Balzac et à Eugène Sue. Plus tard, Octave Feuillet, Georges Ohnet, Victor Cherbuliez proposaient un univers édulcoré qui flattait les rêveries complaisantes d'un public petit bourgeois. Les auteurs de *romans romanesques* ont été, sous le Second Empire, les représentants dérisoires de l'idéalisme. Bien au-dessus de ces auteurs de troisième ordre, mais qui ont connu de gros succès de librairie, les œuvres de Gobineau, de Barbey d'Aurevilly, et surtout de Villiers de l'Isle-Adam manifestaient un beau mépris pour le monde moderne. D'ailleurs, ils écrivaient plutôt des contes, ils n'avaient guère d'estime pour un genre qui s'adressait à un vaste public et qui s'attachait généralement à peindre les mœurs contemporaines. A côté des *Nouvelles asiatiques*, Gobineau a laissé un grand roman, *Les Pléiades*, où des héros exceptionnels, et se tenant pour tels, poursuivaient à travers leurs aventures un certain idéal de vie qui les confirmait dans leur singularité et qui les détournait des mœurs du plus grand nombre. Dans les années mêmes où Zola et Goncourt s'appliquaient à peindre les mœurs de leur temps, Gobineau s'abandonnait à un rêve aristocratique et sentimental. Villiers de l'Isle-Adam connut de grands succès avec ses *Contes cruels*. Mais il fut aussi le romancier de *L'Ève future*. Il devançait Wells dans l'utilisation logique d'une donnée savante. C'était un étrange roman que celui-ci. Villiers prêtait à Edison de curieuses inventions. Le livre cinquième exposait avec un grand luxe de détails le « système vivant », le « médiateur plastique », la « carnation », bref, tous ces disques, cylindres, moteurs électromagnétiques, fluides, à l'aide desquels le savant construisait une femme idéale. Le bricolage génial au service de l'éternel féminin ! Mais Hadaly n'était pas seulement une poupée articulée. Elle surprenait parfois son constructeur, nouvel apprenti sorcier, car l'occultisme venait relayer le scientisme positiviste : une âme venait habiter cette machine corporelle. L'union d'un principe immatériel et d'un organisme pouvait, seule, faire naître une personne. Villiers de l'Isle-Adam affirmait dans cette fable bizarre ses positions spiritualistes. Il se livrait aussi à des méditations sur le mystère de la personnalité, à des railleries pleines d'une verve glacée sur l'automatisme de la plupart des conduites humaines.

L'année même où paraissait *L'Ève future*, en 1886, Léon Bloy publiait son chef-d'œuvre, *Le Désespéré*. C'était le témoignage pathétique d'une vie illuminée par la grâce. Marchenoir, le héros, qui ressemblait beaucoup à Léon Bloy, finissait par crier aux hommes le mépris qu'ils lui inspiraient. Léon Bloy s'emportait dans ses romans, en de violentes invectives contre le monde moderne. Loin de consentir à peindre les mœurs, il les dénonçait. Il y a dans ses livres les accents d'une spiritualité exigeante qui, par-delà le catholicisme social et raisonnable de Paul Bourget, et mieux que le christianisme esthétique de Huysmans, annonçait les chefs-d'œuvre de Bernanos. On n'en finirait pas de citer des exemples de romanciers de la réaction idéaliste. L'évolution de certains esprits, qui avaient commencé par subir l'influence du naturalisme, est très significative : Paul Adam a débuté par un roman naturaliste, *Chair molle*, dont les audaces lui valurent un procès. Mais il passa aussitôt au roman psychologique, voire symboliste. Il y a beaucoup de déchet dans son immense production. Mais *Le Mystère des foules*, en 1895, chronique d'une campagne électorale sous l'action boulangiste, cherchait à susciter chez le lecteur « l'émotion de pensée » qui devait, selon Paul Adam remplacer « l'émotion de fait ». *Le Mystère des foules* a été, six ans après *Le Disciple* de Bourget, une date dans la réaction contre le scientisme et le naturalisme. Édouard Rod, lui aussi, a débuté en 1881 par un roman naturaliste dédié à Émile Zola, *Palmyre Veulard*, l'histoire d'une fille. Son évolution vers l'idéalisme passa par un certain nombre d'étapes : *La Course à la mort*, en 1885, *Le Sens de la vie*, en 1889, *Les Trois Cœurs* en 1890. Après 1890, Rod abandonnait le roman de la quête philosophique pour se livrer à des études psychologiques et il était attiré, comme tant d'autres, par un moralisme édifiant. De Vogüé avait, on le sait, porté de rudes coups au naturalisme avec la publication du *Roman russe*. Quand il aborda lui-même le roman, il y chercha d'abord l'occasion de s'abandonner à un lyrisme passionnel avec *Jean d'Agrève*. Puis il tenta ensuite d'incarner dans les personnages d'une fable romanesque les idées qui lui tenaient à cœur. Il a contribué, lui aussi, au confluent de deux siècles, à faire du roman un instrument d'étude psychologique, morale, sociale, philosophique.

Le roman exotique et poétique   D'autres romanciers apportaient à leurs lecteurs une part de rêve et d'émotion que les œuvres naturalistes étaient incapables de leur procurer. Pierre Loti a été un de ceux-là. Son goût de l'exotisme l'écartait de la peinture des mœurs du temps. Un immense public de gens simples a cherché des émotions dans sa prose. Ce qu'il y avait en lui d'esprit fin de siècle pouvait aussi séduire les raffinés. On lui a reproché son manque d'imagination. Ses livres, tirés du journal, transposent ses aventures personnelles quand ils ne se contentent pas d'évoquer directement ses souvenirs ou de recueillir ses notes de voyage. Beaucoup de ses romans, quel que soit leur degré de transposition, présentent le même schéma, même si les décors varient : un officier de marine, débarqué dans un port lointain, séduit une jeune indigène qu'il est obligé de quitter. Loti ne se faisait pas faute, à propos d'*Aziyadé*, de déclarer que ce n'était pas un roman, et il attachait peu d'importance à cette étiquette, ne demandant à un ouvrage qu'une seule chose : « d'avoir la vie et d'avoir le charme ». Il s'est efforcé parfois, dans *Le Roman d'un spahi*, *Pêcheurs d'Islande*, *Ramuntcho*, ses seuls romans organiques, d'atteindre à l'objectivité du romancier-né. Mais la pente de son tempérament l'a conduit à renoncer presque définitivement à l'affabulation, et il est significatif que la confession de *Fantôme d'Orient* vienne constituer la suite du roman vécu d'*Aziyadé*.

Mon Frère Yves, qui forme avec *Pêcheurs d'Islande* un cycle breton, est le premier grand succès de Loti. Il y campait un type de matelot, cœur généreux et marin scrupuleux, mais dont les mauvais instincts se déchaînent dès qu'il est sous l'empire de la boisson. Le mariage, une heureuse paternité, une amitié diligente finissent par le guérir. Que l'on compare à *L'Assommoir*, qui était antérieur de quelques années. Loti s'affranchissait des « vulgarités naturalistes » qu'il devait si véhémentement stigmatiser dans son discours de réception à l'Académie française. En même temps il s'attachait (et mieux encore dans *Pêcheurs d'Islande*, son chef-d'œuvre, que dans *Mon Frère Yves*) à dépasser l'anecdote pour en faire un symbole de la condition humaine. On pouvait voir dans *Pêcheurs d'Islande* le drame de l'existence humaine saisie dans ce qu'elle comporte de fragilité menacée.

Un réalisme symboliste, Jules Renard

Le premier roman de Jules Renard, *Les Cloportes*, était achevé en 1889, mais il ne devait être publié chez Crès qu'en 1919. Fidèle à l'esthétique naturaliste, il présentait un milieu et racontait les aventures d'une jeune servante séduite. C'est seulement à partir de 1890 que Renard prenait conscience de son originalité. Au nom de la vérité, il refusait les formes conventionnelles. Après *Les Cloportes*, il devait s'ingénier à éviter toute dramatisation. *L'Écornifleur* était à mi-chemin entre le roman et l'absence totale d'affabulation. *L'Écornifleur* a été jugé, en 1952, l'un des douze meilleurs romans français du XIXe siècle. Tout y est montré sur le fait, en scènes vives et directes où l'auteur, qui s'interdit les dissertations morales, les analyses ou les tirades, note à la fois silhouettes, gestes, propos des personnages. Tout était vu à travers la conscience de cet Henri qui n'était pas sans rapports avec Jules Renard. La principale originalité du roman était l'ironie d'un héros qui déclarait : « Je n'aime pas qu'on m'en fasse accroire ». Léon Guichard a montré, chez Renard, un constant refus de l'inexactitude, de l'exagération, de l'embellissement. Renard excelle à présenter une attitude conventionnelle de façon assez appuyée pour en marquer la dérision. Il se plaît à opposer aux idées en l'air le démenti de la réalité. Ni le poète, ni la jeune fille, ni la femme, ni l'amour, ni la mer ne sont, dans la réalité des choses, au niveau que leur assignent les préjugés du langage. C'est l'enfant qu'il a été qu'il se proposait de peindre dans *Poil de Carotte* pour mieux peindre l'enfant tel qu'il est, et non l'enfant parfois conventionnel de Hugo, de Sand ou de Daudet. Jamais il n'a été mieux inspiré que par l'univers de son enfance : la famille, la servante, les voisins, l'école, la nature, les bêtes. C'est le livre d'un enfant privé d'affection, vite habitué à se recroqueviller sur lui-même ; c'est le livre des petites misères d'une enfance qui frôle souvent une grande détresse. Mais ce qu'il y a chez Poil de Carotte de tendresse inassouvie ne doit pas faire oublier une sensualité précoce, bien peu angélique, et avec les bêtes, parfois, une cruauté inquiétante. Déjà dans *Poil de Carotte*, mais mieux encore dans les *Histoires naturelles*, Renard a été, au sortir du naturalisme, sur la voie d'une esthétique nouvelle : mélange du réel et de l'idéal, du sérieux et de l'ironie, du réel et du rêve, qui devait s'épanouir, avant 1914, chez Francis de Miomandre, Giraudoux et Colette. Écrivain noué par son enfance ? Rendu stérile par une observation desséchante ? Incapable de s'affranchir des cadres de la pensée tainienne et contraint de se contenter de ce qui pouvait rester à décrire, après Balzac et Zola, Maupassant ou Daudet ? « Nous continuerons à écrire, disait Renard en 1896, mais notre plume se promène sur les fleurs comme l'abeille écœurée ». Plus il allait, plus ce « réaliste du silence » était conduit à se taire, convaincu que « le meilleur reste incommunicable », et aboutissant à la sécheresse idéale, puisqu'il avouait : « Je n'ai plus besoin de décrire un arbre, il me suffit d'écrire son nom ».

Le roman psychologique

On accordait volontiers à Zola l'art de donner vie à des réalités matérielles, mais on lui reprochait de se contenter d'une psychologie sommaire : ses personnages paraissaient mûs seulement par leurs instincts, à moins qu'ils ne fussent grossièrement représentatifs du groupe social auquel ils appartenaient. Dès 1883, dans une chronique du *Parlement* : « Vers l'idéal », Paul Bourget exprimait une condamnation du naturalisme. Dans ses premiers romans, *L'Irréparable, Cruelle Enigme, André Cornélis, Mensonges*, il se faisait une spécialité de l'étude psychologique et morale. En 1889, *Le Disciple* rencontrait un grand succès. Paul Bourget se tenait au courant des acquisitions de la psychologie moderne ; il avait lu Taine et Ribot, et il faisait effort, dans ses romans, pour éclairer les complexités de la conscience. Mais il abusait de l'analyse ; il ne réussissait pas à faire vivre ses personnages. D'ailleurs, au lieu de manifester les fondamentales ambivalences de la conscience, il raffinait sur les états d'âme. Enfin, il héritait, malgré qu'il en eût, de certaines traditions du roman idéaliste : ses intrigues romanesques, les milieux conventionnels qu'il présentait faisaient penser à Cherbuliez ou à Octave Feuillet en plus d'un endroit. Il reste qu'il a obtenu un grand succès et qu'il a joué un rôle important dans l'évolution du roman français : il a retrouvé la lignée du roman d'analyse par-delà les succès du roman de mœurs, et il a beaucoup contribué, avec *Le Disciple*, en posant un grand problème moral, à faire entrer les idées dans le roman.

Les avatars du roman

La remise en question des dogmes de Médan aboutissait à une crise du roman. Le naturalisme avait constitué la dernière école du roman. Il n'y avait, après lui, que des efforts dispersés. La multiplicité des avatars du genre devient considérable. Quel rapport y a-t-il entre *La Femme pauvre* de Léon Bloy et le roman wagnérien d'Elémir Bourges, *Les oiseaux s'envolent et les fleurs tombent* ? Entre les « livrets métaphysiques » que Barrès proposait dans son *Culte du Moi* et les complaisances fin de siècle de Jean Lorrain dans *Monsieur de Phocas* ? Chaque année de nouvelles tentatives, à moins que ce ne fussent de nouveaux slogans, proposaient un renouvellement du genre. Aux *études* psychologiques ou sociales de Zola et de Bourget, Marcel Prévost, en 1888, entendait substituer le roman romanesque. Beaucoup d'esprits estimaient que le roman futur chercherait à peindre à la fois les individus et les masses, le *moi* et le *monde*. Il réconcilierait ainsi naturalisme et psychologisme, la peinture des mœurs et l'analyse des sentiments.

LE RÈGNE DES MAITRES OFFICIELS

Le roman de consommation

Dans les premières années du XXᵉ siècle, le roman commence à envahir les étalages des librairies et à régner en maître dans les cabinets de lecture. Le genre submerge tout. Le nombre des auteurs s'accroît. Tout se passe comme si beaucoup d'esprits avaient fait un sort à ce mot de Taine : « Je pense que tout homme cultivé et intelligent, en ramassant son expérience, peut faire un ou deux romans, parce qu'en somme un roman n'est qu'un amas d'expériences ». A côté des amateurs, les professionnels compromettent souvent leur talent dans de véritables travaux forcés littéraires. Remy de Gourmont protestait un jour contre cette hérésie qui poussait tant d'auteurs à écrire deux ou trois romans par an. Les Margueritte, Rosny aîné ou Paul Adam étaient d'une redoutable fécondité. Le roman devenait une industrie et un commerce. L'apparition de prix littéraires particulièrement destinés aux romanciers, le Goncourt en 1903, le Fémina quelques années plus tard, favorisait cette tendance. Cette production intensive s'accompagnait d'un immense déchet. Pourtant les œuvres de qualité ne manquaient pas. Ce qui est grave, c'est que beaucoup de romans semblaient coulés dans le même moule. On voit triompher, à l'heure où les maîtres officiels, France, Barrès, Loti, Bourget, exercent une sorte de pontificat, une littérature romanesque qui est de plain-pied avec le public petit bourgeois auquel elle s'adresse. Il y a dans le domaine du roman, entre 1895 et 1914, une sorte d'affaissement de la littérature d'invention. De jeunes maîtres qui ont fait d'éclatants débuts vers 1890, Valéry, Gide, Proust, demeurent inconnus. La fondation de la *Nouvelle Revue Française*, en 1909, représentait un mouvement de protestation contre les compromissions dans lesquelles se dégradait une littérature sottement descriptive ou bassement édifiante.

La variété des étiquettes

On entre dans un temps où il devient de plus en plus difficile de classer la production. Les critiques s'y essayaient parfois pour tenter de trouver quelques points de repère. Mais leurs classements étaient, en général, aussi arbitraires que superficiels. Est-on beaucoup plus avancé quand on a discerné une survivance de l'esthétique réaliste ? Quand on a distingué le roman psychologique du roman de mœurs, les romans d'idéologie progressiste (Rosny aîné) ou de pitié humaine (Ch.L. Philippe) des romans réactionnaires de René Bazin ou d'Henry Bordeaux ? Quand on a opposé le roman personnel ou autobiographique au roman objectif ? L'analyse des sentiments et l'étude des mœurs restent les deux sillons essentiels. Il faut pourtant inventer de nouvelles catégories pour y ranger des œuvres qui ressortissent à de nouveaux desseins : le roman *social*, le roman collectif se proposent de peindre les foules, en un temps où l'on s'avise de l'existence d'une psychologie des foules. Il faut bien ajouter à la catégorie du roman historique celle du roman préhistorique, pour y ranger ceux de Rosny aîné. On continue à désigner, par l'expression de « romans romanesques », des œuvres qui se proposent de divertir par des péripéties plutôt que d'instruire par des analyses. On doit recourir à l'expression de *roman artiste* pour évoquer des livres comme ceux de Pierre Louÿs ou d'Henri de Régnier. Dans quelle catégorie ranger les romans de Louis Bertrand ou de Jérôme et Jean Tharaud, qui suivent des itinéraires d'évasion ? Sous quelle rubrique placer les œuvres de Marcel Prévost, d'Abel Hermant, d'Édouard Estaunié, de René Boylesve, qui sont moralistes et psychologues autant que peintres des mœurs ? C'était une solution de facilité caractéristique du désarroi des esprits que de baptiser « féminins » les romans dont des femmes étaient les auteurs.

Permanence des structures   En 1905, dans l'enquête de Le Cardonnel et Vellay, Edmond Jaloux déclarait que les romanciers français devaient renouveler leurs procédés techniques ; Gide, de son côté, estimait que l'on entrait dans une époque où l'apparition de nouveaux caractères pouvait transformer le roman. Pourtant, on ne voit se dessiner, avant 1914, aucun renouvellement des caractères et des techniques. Le roman est toujours constitué d'une alternance de descriptions, d'analyses, de récits et de dialogues. Seul le dosage de ces divers éléments variait d'un auteur à l'autre. Il y eut, pendant quelques années, un engouement en faveur d'un roman tout entier constitué de dialogues : les succès que rencontra le genre dialogué, avec Gyp ou Abel Hermant, furent de courte durée ; pourtant Roger Martin du Gard utilisait à nouveau le procédé en 1913 dans *Jean Barois*. Quant à la composition, elle était en général fondée sur les structures qui avaient eu cours pendant le XIXe siècle. On peignait une crise et son dénouement après avoir mis en place une lente préparation ; on retraçait une vie par une lente succession d'épisodes ; ou l'on présentait un milieu en explorant, de chapitre en chapitre, des secteurs différents. Les romanciers gardaient les deux ambitions qui avaient animé la plupart de leurs devanciers du siècle précédent : présenter un tableau des mœurs de leur temps et raconter une histoire. Cette double exigence d'une affabulation romanesque et d'une observation sociale constituait le caractère essentiel de la création romanesque. On était seulement tenté de mettre l'accent sur l'un ou l'autre aspect. Les Margueritte, dans les quatre volumes du *Désastre*, voulaient se faire les historiens de la guerre de 1870 plutôt que de raconter une histoire fictive. Inversement, il y avait, dans certaines intrigues d'Henry Bordeaux, une affabulation qui rappelait André Theuriet ou Victor Cherbuliez, et, dans ce cas, les données d'une intrigue conventionnelle supplantaient la peinture des mœurs.

Il faudrait faire leur place aux quelques rares tentatives qui entreprenaient de bouleverser la facture traditionnelle du roman. C'étaient celles de Jules Romains qui, dans *Le Bourg régénéré* (1906) et *Mort de quelqu'un* (1911)[1], renonçait aux conventions de l'intrigue et du personnage : une nouvelle structure romanesque était adoptée, la narration était tissée d'une succession de scènes simultanées. En 1911, *Le Trust* de Paul Adam représentait un effort pour éliminer l'action unique et pour suggérer le foisonnement et la complexité du réel.

L'envahissement de l'idéologie

Sous la variété des étiquettes et la permanence des structures, apparaissait un phénomène nouveau : l'envahissement des fictions par l'idéologie. Le roman faisait la part belle à l'exposé de thèses, conservatrices ou progressistes. L'expression des idées se superposait ou, par moments, se substituait à l'histoire contée. L'auteur assumait la responsabilité de certains développements ; il en confiait d'autres à ses personnages. Les dialogues devenaient des débats où s'affrontaient des opinions opposées. Dans ce qu'on a appelé le roman à thèse, c'était l'agencement de l'histoire qui prétendait démontrer, sur le vif, le bien fondé de tel ou tel point de vue.

Les romans devenaient de lourdes machines ; ils étaient défigurés par des développements parasites. Le genre devenait un genre « dépotoir » et « fourre-tout ». Il n'y entrait, bien souvent, qu'un ramassis d'opinions.

C'est vers 1900 que Paul Bourget était passé du roman psychologique au roman à thèse et qu'il avait fait succéder à la *clinique* la *thérapeutique*. Dans *L'Étape, Un Divorce, L'Émigré, Le Démon de midi*, il voulait proposer des illustrations d'un corps de doctrine politique et sociale qu'il avait trouvé chez Balzac, Taine et Le Play. Pourtant, Bourget se défendait d'écrire des *romans à thèse* ; il prétendait écrire des *romans à idées*. Il soutenait que sa *thèse* n'était qu'un point de vue sur le spectacle humain et que ce point de vue se dégageait des événements rapportés. Il était facile de rétorquer que les événements étaient choisis en fonction du point de vue que l'auteur entendait imposer, et qu'un agencement de circonstances imaginaires ne saurait prouver quoi que ce soit. Il est inutile de revenir sur les nombreuses condamnations qu'on a portées contre le roman à thèse. On a tout dit, quand on a dit que c'étaient de mauvais romans et de mauvaises thèses. Il était louable de faire entrer des idées dans le roman, il était regrettable d'agencer une histoire pour imposer une solution. Un bon roman porte en lui un monde d'idées ; il ne gagne jamais à être la démonstration d'une idée préconçue.

La dissolution des catégories esthétiques

L'intervention des idées dans le roman rompait avec les habitudes du récit. Il était bon que les romanciers eussent l'ambition de faire réfléchir le lecteur. Mais ils couraient ainsi le risque de se fourvoyer, car, au lieu de raconter une histoire, ils exposaient un problème. Un critique se plaignait un jour que les romanciers eussent perdu le goût de conter et l'art d'intéresser le lecteur. Balzac ne s'était guère privé de

---

1. Le héros mourait au début. Le roman était fait de toutes les pensées, de tous les gestes que le mort suscitait chez ceux qui l'avaient connu.

prodiguer les commentaires en marge de l'action ; mais la structure de beaucoup de ses romans restait fortement dramatique ; c'était un des paradoxes de l'art balzacien que les exposés de l'auteur en vinssent à servir la crédibilité et à renforcer l'intérêt. Paul Bourget, sur ce point, était proche de son maître : nul plus que lui ne se défiait des récits inorganiques : l'agencement des événements, dans ses romans à thèse, se référait à la fois aux nécessités de l'intrigue et à des ambitions idéologiques. Il est vrai qu'il était l'héritier des maîtres du XIXe siècle, dont il ne cessait de méditer les leçons. Mais, après lui, les romanciers ont péché par méconnaissance de leur art. Maurice Barrès l'observait, en 1907 : « Quand je suis arrivé à Paris, l'art du roman était connu et pratiqué excellemment par les Zola, les Daudet, les Goncourt, les Cherbuliez, les Ferdinand Fabre, derrière lesquels se formaient à la maîtrise les Loti, les Maupassant, les Bourget. Mais, aujourd'hui, comptez ! Combien d'écrivains voyez-vous qui sachent créer cet univers que doit être un roman, qui puissent construire un plan, camper leurs personnages et les mouvoir ? ». Il est vrai que les auteurs de romans en étaient souvent venus, selon le mot d'un critique, à « mettre dans le roman autre chose que le roman lui-même ». Anatole France était-il romancier ? et de quel mot désigner, par exemple, son *Histoire contemporaine* ? était-ce un récit ? un essai ? un pamphlet ? France était un essayiste fourvoyé dans le roman plutôt qu'un romancier véritable. *Les Déracinés* de Maurice Barrès se présentaient bien comme un roman. Mais le second tome de la trilogie, *Leurs Figures*, n'offrait plus qu'une suite de croquis ; on n'y trouvait qu'une chronique parlementaire. Le mot de *chronique* désignait des œuvres qui n'offraient guère le genre de plaisir qu'on demande habituellement au roman. On comprend dès lors la portée des remarques de Jacques Rivière, en 1913, dans ses articles sur « le roman d'aventure » : il insistait sur la nécessité d'une *mise en acte* constante ; le romancier ne devait pas confier directement ses impressions, mais les transmuer en événements.

LA FLAMBÉE DE L'APRÈS-GUERRE

Une littérature industrielle   C'est là une expression ancienne qu'on trouvait sous la plume de Sainte-Beuve, en 1839 : elle désignait, depuis lors, les travaux forcés littéraires que s'imposaient parfois des producteurs de romans qui entendaient édifier de véritables cycles et rivaliser ainsi avec l'auteur de *La Comédie humaine*. Au lendemain de la grande guerre, cette expression revêtait des acceptions un peu différentes ; elle évoquait le développement des prix littéraires et de la publicité, l'organisation de plus en plus commerciale des maisons d'édition, l'apparition et le succès de la presse littéraire, toutes choses qui contribuaient à susciter un climat nouveau. Le succès des *Nouvelles littéraires*, au lendemain de la guerre, est un phénomène considérable. Les interviews de Frédéric Lefèvre, *Une heure avec...*, invitaient les auteurs à s'expliquer sur la genèse de leurs romans ; elles familiarisaient le public avec les problèmes du métier, faisaient connaître de nouveaux auteurs. Cette débauche d'opinions *imprimées* aboutissait à une véritable inflation littéraire, parfois à une regrettable confusion des valeurs. Elle favorisait une effervescence de débats et de polémiques qui confère à cette période son caractère un peu survolté. Les prix, la publicité, la presse contribuent à tirer de l'ombre, en un seul jour, tel ou tel romancier. La mode change d'une saison à l'autre. Chaque éditeur tente sa chance avec des formules variées. On essaie de faire du bruit avec les romans qu'on écrit, ou, à défaut, avec ce qu'on écrit sur le roman. On n'a jamais tant parlé d'une crise du genre que dans ces années où il devenait envahissant.

Les générations littéraires   Au lendemain de l'armistice, les maîtres officiels de l'avant-guerre disparaissent les uns après les autres : Barrès, France, Loti, et plus tard, Bourget, qui se survit à lui-même et jouit, pendant de longues années, d'un paisible honorariat. Le contrecoup des hécatombes de la guerre se fait sentir : une génération d'écrivains a été fauchée et, avec Péguy, avec Émile Clermont, avec Alain-Fournier, le visage de l'après-guerre eût été assurément différent. La relève des maîtres a lieu dans des conditions particulières : Claudel, Proust, Gide, Valéry, qui ont fait leurs débuts vers 1890, ont attendu ces années d'après-guerre pour connaître la notoriété et la gloire. Ils sont les nouveaux chefs de file de cette période. Pour les jeunes, ils sont des complices plutôt que des pontifes. Breton et Valéry se rejoignent, malgré toutes les différences qui les séparent, dans leur commune suspicion à l'égard de la littérature, et en particulier de la littérature romanesque. Lafcadio, le héros des *Caves du Vatican*, est le grand cousin de bien des héros de l'acte gratuit et de la désinvolture cynique : les surréalistes ne l'ont pas désavoué. Jacques Rivière a reconnu l'auteur du *Temps perdu* comme son dernier maître ; il rendait hommage à Marcel Proust tout en disant *Merci à Dada*. A côté des hommes qui avaient eu vingt ans vers 1890, Gide, Proust, Estaunié, Boylesve, s'imposent les survivants de la génération suivante : ceux qui ont fait leurs débuts avant la guerre et qui sont les vedettes plutôt que les maîtres de l'après-guerre : Giraudoux et Colette, par exemple. Enfin, la décennie de l'après-guerre voit naître de nombreux talents nouveaux : Marcel Arland, Drieu la Rochelle, Henry de Montherlant, Julien Green, Georges Bernanos, et combien d'autres ! C'est une assez étonnante rencontre des générations que ces années où paraissent *La Relève du matin*, *La Bonifas*, *Les Faux-Monnayeurs*, *Sous le soleil de Satan*, *Le Paysan de Paris*, *Thérèse Desqueyroux*, *Nadja*, *L'Ordre*, *L'Ame obscure*, *Les Conquérants*.

Le cosmopolitisme littéraire   Le mouvement avait commencé, en 1886, avec l'apparition du *Roman russe*. Mais, après 1918, on entrait dans l'ère du cosmopolitisme. Le roman en était le premier bénéficiaire : c'est le genre qui, par nature, perd le moins à la traduction. L'afflux en France d'œuvres étrangères, suscitait de nouveaux pôles d'attraction et orientait le roman français vers de nouvelles destinées. On lisait Dostoïevsky, Meredith, George Eliot, Thomas Hardy, Conrad. Valery Larbaud attirait l'attention sur *Ulysse* de James Joyce. Les romans de Virginia Woolf, de Maurice Baring, de Forster étaient, presque dès leur parution, traduits et commentés en France. Pirandello et Rilke avaient une audience considérable. La richesse d'invention du roman anglo-saxon faisait germer en France beaucoup de tentatives nouvelles. Les techniques du « monologue intérieur » et du « point de vue » procédaient de Joyce, de Conrad, d'Henry James ; l'évocation des abîmes de l'inconscient venait, en droite ligne, des romans de Dostoïevsky.

Les nouveaux pôles d'attraction   On remettait en question les structures intellectuelles sur lesquelles on avait vécu jusqu'alors. Le bergsonisme, qui avait longtemps cheminé de façon souterraine, exerçait une influence, vers 1925, sur beaucoup de jeunes romanciers. C'est sans doute d'un bergsonisme très largement compris que procédait cette abondante moisson de romans de l'adolescence. Le freudisme, à partir de 1922, venait ajouter son influence à celle de Bergson. Il a donné aux romanciers le goût de présenter des personnages complexes, saisis dans la multiplicité de leurs élans contradictoires et dans l'ambivalence de leurs sentiments. Les théories de la relativité, que beaucoup d'esprits interprétaient hâtivement et grossièrement, ont agi comme un excitant intellectuel : les techniques romanesques du point de vue ont trouvé dans de telles idées leur horizon intellectuel : il n'y avait nulle part de point de vue privilégié, chaque observateur avait une optique particulière et limitée, l'omniscience du romancier paraissait trahir la partialité de chaque point de vue. Enfin, depuis la guerre, on savait que les civilisations étaient mortelles : beaucoup de jeunes esprits tournaient en dérision les valeurs d'une société qui avait abouti à cette dérision de la culture. Tous ces éléments de remise en question suscitaient une inquiétude. Un nouveau mal du siècle naissait de ce désarroi. L'art romanesque de l'après-guerre était un effort pour échapper à l'inquiétude ou pour en rendre compte. On comprend qu'il fût marqué d'un double signe : un désir d'évasion et l'expression d'un tourment.

Les romans de l'évasion   Il y eut, dès le lendemain de l'armistice, un immense besoin de distraction. Sans doute les romans de guerre que l'on vit paraître contribuaient-ils à rappeler le souvenir des années terribles. Mais on demeure frappé par le prodigieux succès que rencontraient, dans le même temps, les romans de Pierre Benoit, *Koenigsmark* ou *L'Atlantide* : ils offraient une intrigue savamment agencée, des aventures, du mystère, du romanesque. Ils n'avaient aucun rapport avec le roman d'aventure qu'avait annoncé Jacques Rivière en 1913. Louis Chadourne, avec *Le Maître du navire* (1919), Marc Chadourne avec *Vasco* (1927), écrivaient, eux aussi, des romans d'aventure qui tournaient parfois à la dérision de l'aventure. Avant de trouver l'étrangeté dans l'atmosphère de *Quai des Brumes* (1927), Pierre Mac-Orlan écrivait *Le Chant de l'équipage* (1918) et substituait l'imaginaire au réel avec les allégories de *La Cavalière Elsa* ou de *La Vénus internationale*. Les Tharaud évoquaient des paysages exotiques, révélaient des mœurs différentes des nôtres. Un titre de Dorgelès cristallisait toutes ces velléités d'évasion : *Partir*. Le cosmopolitisme de Paul Morand, dans les nouvelles d'*Ouvert la nuit* (1922) ou de *Fermé la nuit* (1923) héritait de celui de Valery Larbaud : ses héros étaient les derniers avatars de Barnabooth. A ce cosmopolitisme des bars à la mode, des trains de nuit et des enseignes lumineuses s'opposait l'exotisme des quartiers réservés, dont Francis Carco s'était fait, dès *Jésus la Caille*, une spécialité. Déjà, des Esseintes, le héros d'*A Rebours*, avait compris que l'on pouvait s'évader tout en demeurant parisien.

A côté de ces formes géographiques de l'évasion, il y avait les modalités plus subtiles de l'évasion poétique. Cet après-guerre est l'âge du roman poétique. Le « domaine merveilleux » qu'avait évoqué Alain-Fournier dans *Le Grand Meaulnes*, à la veille de la guerre, était devenu une patrie chère à beaucoup d'âmes. Ce n'était pas un lointain Eldorado, mais l'intrusion de la féerie au sein de la réalité la plus familière. Beaucoup d'auteurs voulaient, comme Alain-Fournier, insérer dans le réel ce « merveilleux » dont Breton disait qu'il était le seul élément susceptible de féconder encore les œuvres d'imagination. Le « domaine merveilleux », ce pouvait être une chambre, comme celle des *Enfants terribles* de Jean Cocteau ; le passage de l'Opéra ou les Buttes-Chaumont, comme dans *Le Paysan de Paris* d'Aragon ; mais, aussi bien, la campagne, qui, avec Giono, Pourrat, et surtout Ramuz, devenait le lieu privilégié d'une transfiguration poétique de l'univers.

Les feux d'artifice du langage, chez Jean Giraudoux, ouvraient la porte d'or d'un Éden retrouvé. Ils tissaient, entre divers ordres de réalité, des rapports nouveaux, surprenants, volontiers cocasses. A vrai dire, les caprices du style n'étaient que le reflet d'une volonté de se débarrasser des chaînes de la logique. Jean Giraudoux inscrivait lui-même son effort dans une vaste réaction contre le réalisme et tout ce qu'il suppose de lourdeur, d'attention au banal, de restitution des conditions matérielles de la vie. Son art du discontinu, de la surprise, de la fantaisie était, avec la psychologie romanesque de Raymond Radiguet, une forme subtile de l'évasion. Ce n'était plus d'un chapitre à l'autre, dans le jeu des péripéties, que se déployait le romanesque, mais d'une phrase à l'autre, d'un mot à l'autre ; il était devenu le goût de l'inattendu, aussi bien dans les réactions du personnage que dans les comparaisons du romancier.

L'irréalisme était le trait essentiel de la littérature romanesque de l'après-guerre : les aventures contées par les romanciers n'étaient guère situées dans une époque et dans un milieu. Il faut attendre *L'Été 14*, en 1936, pour que *Les Thibault* de Roger Martin du Gard apparaissent comme une fresque politique et sociale digne des romanciers du XIXᵉ siècle. Les romans de Mauriac évoquaient un climat plus qu'un milieu ; seule était suggérée la vie des âmes, et le monde extérieur n'était là que pour offrir la correspondance symbolique des brûlures de la passion et des tourments de la vie intérieure. Les questions d'argent qui avaient joué dans *La Comédie humaine* un si grand rôle étaient, la plupart du temps, absentes des romans de l'après-guerre. « Un siècle après Balzac, écrivait André Thérive, quarante ans après le naturalisme, comptez un peu combien de livres paraissent où les personnages soient menés, comme dans la vie, par le souci de travailler ». La littérature romanesque n'était plus l'entreprise sérieuse, presque scientifique, qu'elle avait été au temps du réalisme et du naturalisme. Elle était devenue un exercice de virtuosité. Le héros de roman était, comme ce personnage de Larbaud, « plein d'un rêve intérieur qui transformait pour lui toute chose ». Il ne figurait jamais, dans ce monde, qu'en spectateur amusé, déçu ou émerveillé. Il était significatif que le roman de Giraudoux, *Juliette au pays des hommes*, s'achevât au moment où l'héroïne, après avoir exploré le champ des possibles, rentrait dans la vie pour épouser Gérard. Les romanciers de l'après-guerre ont trouvé un refuge dans la peinture de l'intériorité, dans une contemplation émerveillée du monde, dans les fantaisies de leurs rêves. Ce n'étaient que des façons de s'enfuir qui reflétaient, peut-être, un refus d'assumer le réel. Ils ont été incapables de saisir les mouvements profonds de la société de leur temps ou les problèmes qu'elle avait à résoudre. Les Balzac et les Zola avaient réussi à embrasser la réalité complexe d'un monde qui débordait toute vie individuelle. Ils avaient donné à la réalité une allure fantastique ou épique ; mais ils avaient réussi à évoquer le monde, non comme un décor, mais comme une force de résistance aux volontés indivi-duelles. Beaucoup de rêves, dans leurs œuvres, avortaient devant les rigueurs du monde véritable. On était loin, en 1925, de ces réalités économiques et sociales qui avaient été constamment présentes dans *La Comédie humaine*. On y avait substitué, pour le meilleur et pour le pire, des prestiges, des féeries, des sortilèges. André Salmon intitulait un de ses livres : *L'Entrepreneur d'illuminations*. Beaucoup de romanciers de son temps, de Francis de Miomandre à Gilbert de Voisins, d'André Beucler à Jean Giraudoux, de Jean Cocteau à Alexandre Arnoux, ont tenté d'être, au lendemain d'un drame de la vie nationale, des « entrepreneurs d'illuminations ». L'apparition du populisme, en 1929, a été le premier signe d'une réaction contre une littérature romanesque de l'évasion.

Les romans de l'inquiétude Il était naturel que, dans un monde secoué par la guerre et ébranlé par bon nombre de remises en question, on vît figurer, à côté des romans de l'évasion, les romans de l'inquiétude. A vrai dire, ce type de livre pouvait connaître des formes nombreuses et diverses. L'inquiétude apparaissait dans des œuvres aussi différentes que *Le Cahier gris*, *La Sorellina*, *Les Faux-Monnayeurs*, *Aimée*, *L'Ame obscure*, *Thérèse Desqueyroux*, *L'Imposture*. Au fur et à mesure qu'on approchait des années trente, elle changeait de nature, ou elle tendait à se dissiper devant des tentatives de reconstruction. On la voyait s'épanouir dans les romans de type autobiographique, mais il était naturel qu'elle fût conduite à s'effacer, dans les romans de mœurs, devant l'objectivité de la peinture. Dans le cas du roman d'analyse, le commentaire de l'auteur tendait à donner plus d'importance à la généralité des observations morales qu'à la singularité des tourments exposés. La sobriété de l'expression, la clair-voyance de l'analyse rangeaient *L'Épithalame* de Jacques Chardonne ou *La Bonifas* de Lacretelle dans la grande lignée française du roman psycho-logique. Il arrivait pourtant que les scrupules mêmes de la lucidité fissent sentir, comme dans *Aimée* de Jacques Rivière, le frémissement d'une in-quiétude. *L'Ordre* de Marcel Arland ou *L'Ame obscure* de Daniel-Rops peignaient les tourments de la jeunesse dans des romans qui étaient aussi des tableaux de mœurs. Il reste que ce mot même d'*inquiétude* a connu alors un assez prodigieux succès. Après les complaisances d'un pessimisme fin de siècle, et avant les désespoirs ou les dérisions de l'absurdisme, il y a eu, dans les années vingt, cette génération de l'inquiétude : elle souffrait d'un élan qui n'avait pas trouvé de quoi se satisfaire ; elle laissait voir une recherche impatiente des valeurs, mais aussi une suspicion déclarée à l'endroit de toutes celles dont elle n'avait pas encore pris la mesure.

Les romans de l'inquiétude furent d'abord les romans de l'adolescence : c'est l'âge de toutes les inquiétudes. Un des maîtres de la jeunesse, André Gide, n'avait cessé d'affirmer, de *Paludes* aux *Faux-Monnayeurs*, que son rôle était d'inquiéter plutôt que de rassurer, de poser des questions plutôt que d'apporter des réponses. Il avait toute sa vie cultivé l'inquiétude : elle fleurissait à l'envi dans un temps de désarroi. Elle figurait dans *Le Diable au corps, La Vie inquiète de Jean Hermelin, Silbermann, Étienne, Jean Darien, L'Incertain.* L'après-guerre trouvait son héros de prédilection dans cet adolescent prolongé qu'était Salavin : il avait gardé, dans l'âge mûr, les miasmes et les phantasmes de la puberté. Il découvrait parfois en lui d'assez inquiétantes lubies, et, toujours acharné à épier ses propres sentiments, il continuait de s'adorer tout en étant déçu de lui-même. On le voyait souvent prêt à se dissiper en niaiseries, il était agaçant à force de médiocrité, mais il était sauvé par une bonne volonté désarmante. Huysmans avait évoqué un Folantin écœuré par les banalités de l'existence ; Sartre devait montrer Roquentin en proie à la nausée ; Duhamel, au début de l'entre-deux-guerres, proposait la falote image de Salavin et de ses tourments.

Quelle différence entre l'univers d'un Bourget et celui d'un François Mauriac ! Une certaine vibration de la prose, dans les premiers romans de Mauriac, était l'expression d'une fièvre : le tourment de la chair faisait obstacle aux élans de la charité, à moins qu'il ne soulignât la dérision d'une pureté perdue. Thérèse Desqueyroux, vivante image de l'inquiétude, en venait à confier à Bernard que son geste était peut-être issu du désir de voir naître enfin, dans son regard, une lueur inquiète. Il y avait bien des sentiments troubles chez les héroïnes de Mauriac. Ce qui était frappant, c'est qu'on voyait souvent poindre l'aurore d'une rédemption au creux même du péché. On était loin de Paul Bourget, pour qui le salut était la récompense d'une vie droite ; en somme, un prix de vertu.

Qu'on songe aussi à ce qu'était devenu le prêtre, ce héros de roman ! Sans doute Bernanos s'attachait-il parfois à présenter de bons et solides curés, à l'aise dans le temporel, et réussissant à gérer efficacement les affaires de leur paroisse. Mais Donissan ! Quelle tourmente, en lui-même ! Il y avait quelque chose de dostoïevskien dans ses brusques emportements, dans ses vertiges, qui n'étaient que le reflet « d'un orage inaccessible ».

Beaucoup de romans présentaient le bilan des inquiétudes d'une génération. Ceux de Maurice Betz, ceux de Drieu La Rochelle : *L'Homme couvert de femmes, La Valise vide.* Il y avait, parfois, dans le culte de l'énergie, une discipline de vie qui n'était que l'aveu d'une inquiétude dominée. D'ailleurs, depuis *Le Songe* jusqu'aux *Olympiques*, la guerre et le sport n'empêchaient pas Henry de Montherlant de connaître la crise des *Voyageurs traqués* : c'était pour lui la crise de la trentième année, plus profonde que celle de l'adolescence.

On comprend que les premiers révolutionnaires qu'on devait voir paraître vers les années trente ne fussent encore que des révoltés. Avec ce nouveau romantisme de l'action, les aventuriers étaient les moteurs de l'histoire. André Gide, dans *Les Faux-Monnayeurs*, brossait une fresque inquiétante de dévoyés, de désaxés, de désespérés. *Les Thibault* qui, d'emblée, se proposaient d'être une vaste peinture de la société française, commençaient, avec *Le Cahier gris*, par la fugue de deux adolescents tourmentés par le besoin de l'aventure. Jacques Thibault était bien le représentant de sa génération : il avait lu, avec ferveur, *Les Nourritures terrestres* ; il avait d'abord voulu échapper à tous les carcans. Le monde lui apparaissait bientôt comme une réalité à transformer plutôt que comme un bien à conquérir. Il y avait en lui, pourtant, une rage de destruction dans laquelle il espérait trouver, à tout le moins, l'occasion de son salut.

2. Romain Rolland et le roman-fleuve

Disparition de l'agencement dramatique   L'évolution du genre, depuis Balzac, avait détourné les romanciers, de plus en plus nettement, d'une présentation dramatique et romanesque de la vie. Les réalistes, puis les naturalistes, avaient contribué à réduire, dans le roman, la part faite à l'affabulation. *L'Éducation sentimentale* de Flaubert était demeurée, pour beaucoup d'esprits, le type de ces livres dans lesquels il ne se passe rien : c'était *l'envers* d'un roman d'aventures. Les Goncourt avaient joué, à cet égard, un rôle capital. Ils avaient hérité de la technique flaubertienne : une suite d'épisodes. Chez eux, les épisodes étaient devenus des morceaux d'auteur. Ils restaient liés par le fil de l'intrigue, mais on pouvait les concevoir isolés. C'étaient des descriptions, des évocations, les *impressions* que causaient, en une sensibilité exaspérée, les spectacles qu'offrait la réalité. Huysmans, dans *A Rebours* comme dans le cycle de Durtal, versait tous les développements que sa curiosité intellectuelle lui dictait. Ces développements n'avaient guère de rapport avec l'histoire contée. Du moins, ils la faisaient basculer dans l'idéologie. *A Rebours* contenait des chapitres qui étaient consacrés à la critique littéraire. Dans *Là-Bas*, dans *En Route*, les développements portaient sur le satanisme, sur Gilles de Rais, sur l'art gothique, sur la religion. Huysmans ne se proposait même pas d'écrire la biographie de son héros ; il ne le peignait guère dans ses rapports avec ses semblables. Il ne s'attardait pas à ses agissements. Il faisait l'histoire de son esprit ; il brossait un portrait moral et dressait l'inventaire d'une sensibilité. Il confiait au lecteur, par le truchement d'une vague fiction, ce qui lui tenait le plus à cœur.

Ce n'était pas la première fois, dans l'histoire du roman, que des œuvres faisaient la part belle à des analyses ou à des commentaires philosophiques ou littéraires. Rousseau, dans *La Nouvelle Héloïse*, avait saisi toutes les occasions d'exprimer ses idées, par personnages interposés. Au temps du romantisme, le romancier cherchait à s'exprimer autant qu'à raconter une histoire. L'idéal du roman bien fait, construit, objectif, évitant les intrusions de l'auteur, avait été le fruit de la doctrine réaliste, de Flaubert à

Maupassant. C'est quand cet idéal fut battu en brèche, vers 1890, qu'on vit les romanciers prendre à nouveau leurs aises, dans le cadre de la fiction. Pierre Loti se livrait à des variations sur des thèmes donnés, Anatole France retrouvait le goût du conte idéologique, Barrès entourait son récit d'un abondant commentaire d'auteur. Après avoir été un magasin de documents sur la nature humaine, le roman devenait un recueil de réflexions. Il connaissait deux tentations : la poésie et l'essai. Les développements poétiques ou philosophiques supplantaient parfois le déroulement de l'action et l'évolution des personnages. *Jean-Christophe* offre un bon exemple de cette double métamorphose.

« Jean-Christophe »,
le roman d'une vie

Romain Rolland songea à ce roman dès 1888, et il devait l'achever en 1912. « La pensée de *Jean-Christophe*, disait-il, couvre plus de vingt années de ma vie. La première idée date du printemps 1890 à Rome. Les derniers mots écrits sont de juin 1912. L'œuvre déborde au-delà de ces limites. J'ai retrouvé des ébauches de 1888, alors que j'étais encore élève à l'École Normale Supérieure à Paris ». Il n'y eut guère de jour, pendant ces vingt ans, où Romain Rolland ne fût préoccupé par son héros. Et il n'est guère de page de *Jean-Christophe* où n'intervienne un élément autobiographique. L'auteur a versé beaucoup de lui-même dans son livre, de ses idées, de ses souvenirs, et même des drames de sa vie sentimentale. La correspondance et le *Journal* ont permis d'établir maints rapprochements entre la vie et l'œuvre, qui pourront, à coup sûr, être multipliés et précisés grâce à la publication des notes inédites. Le romancier puisait, dans son expérience, de quoi nourrir son livre. Il s'attachait aussi à brouiller les pistes. Il incarnait, sous les traits de Christophe et d'Olivier, des aspects différents de sa personnalité. « Le tempérament de mon héros, disait-il, n'est pas le mien ; je ne lui prête que mon intelligence, mon individualité propre se retrouvera disséminée dans d'autres personnages secondaires ». Jean-Christophe tenait beaucoup de Beethoven. Dans une préface de 1931, Romain Rolland précisait que ce « héros de type beethovenien » était « de toutes pièces, un de nous, le représentant héroïque de cette génération qui va d'une guerre à l'autre (...), de 1870 à 1914 ».

On lit, dans une lettre de Romain Rolland à Malwida, qui est datée du 13 septembre 1902 : « Mon roman est l'histoire d'une vie, de la naissance à la mort. Mon héros est un grand musicien allemand que les circonstances forcent à partir de seize à dix huit ans, à vivre en dehors de l'Allemagne, à Paris, en Suisse, etc. Le milieu est l'Europe d'aujourd'hui (...). Pour tout dire, le héros est Beethoven dans le monde d'aujourd'hui ». En situant ainsi, au centre de son livre, une figure héroïque et géniale, le romancier entendait montrer l'image qu'elle retenait de l'Europe de ce début du xxᵉ siècle. Il se proposait moins de faire concurrence à l'état civil que de porter un jugement sur le monde contemporain. Dans une époque de « décomposition morale et sociale », Romain Rolland voulait « réveiller le feu de l'âme qui dormait sous la cendre ».

Il relevait par là les ambitions traditionnelles du romancier. Il donnait au roman une perspective et une allure nouvelles. Il en faisait l'histoire d'une vie : les dix volumes de l'œuvre venaient, les uns après les autres, en peindre les étapes successives : l'enfance et la jeunesse, les luttes de l'âge mûr, le triomphe et la sérénité. Le romancier associait à cette durée d'une vie qui s'écoule le thème du fleuve. Il retrouvait, par cette longue patience dans la chronique d'une vie, un type de roman qui ne s'était guère répandu en France, mais qui, chez les Anglais ou chez les Allemands, constituait presque un genre : le *life novel* et le *Bildungsroman*. Le romancier français, ordinairement, s'attachait plutôt aux moments critiques d'une vie ; il aimait présenter les épisodes d'un conflit ou conter l'histoire d'une passion. Il usait d'une composition assez rigoureuse, aux enchaînements logiques et fortement marqués. Maupassant avait bien conté l'histoire d'*Une vie* ; mais d'une vie qui n'était pas saisie dans son élan, dans ses entraînements, dans sa progression, qui, plutôt, représentait une courbe exemplaire de la désillusion. *Jean-Christophe* rompait avec les habitudes du récit à la française. Il échappait aux cadres traditionnels du genre. Il y avait quelque chose d'épique dans cet écoulement d'une vie : les révoltes, les enthousiasmes, les colères, les désespoirs, tout cela était toujours dépassé, ce n'était qu'un peu d'écume à la surface des flots. Aussitôt paraissaient de nouveaux visages, de nouvelles épreuves.

Dans la préface de *Dans la maison*, en 1909, Romain Rolland écrivait : « Il est clair que je n'ai jamais prétendu écrire un roman, dans ces derniers volumes, pas plus que dans le reste de l'ouvrage. Qu'est-ce donc que cette œuvre ? Qu'avez-vous besoin d'un nom ? Quand vous voyez un homme, lui demandez-vous s'il est un roman ou un poème ? C'est un homme que j'ai créé. La vie d'un homme ne s'enferme point dans le cadre d'une forme littéraire (...). *Jean-Christophe* m'est apparu comme un fleuve, je l'ai dit dès les premières pages ». Un autre texte, une lettre à Malwida du 10 août 1890, nous précise sa notion du roman. Elle était révolutionnaire en son temps. Il n'est pas sûr que Romain Rolland ait réussi à la mettre en œuvre. Mais l'ambition était singulièrement élevée et originale.

« Vous ai-je déjà parlé de la forme artistique que je conçois, du roman ou poème musical ? La matière du roman ordinaire (...), c'est essentiellement les faits, c'est-à-dire, soit une « action » (comme dans l'art français, de la tragédie classique au roman contemporain), soit une suite logique d'actions, qui font une vie, ou le jeu de plusieurs vies en relation les unes avec les autres (...). La matière du roman musical doit être le sentiment, et, de préférence, le sentiment dans ses formes les plus générales, les plus humaines, avec toute l'intensité dont il est capable (...). Toutes les parties du roman musical doivent être issues d'un même sentiment général et puissant ».

Cet idéal d'une composition musicale du roman n'appartient pas en propre à Romain Rolland. Le wagnérisme avait exercé sur toute sa génération une influence considérable. Marcel Proust a su, mieux que Romain Rolland, réaliser dans son œuvre cette composition de type musical. Car, si on relit *Jean-Christophe*, on est frappé par l'allure hasardeuse et dispersée de l'ensemble. Jacques Robichez l'a noté[1] : « L'impression qui domine n'est

---

1. *Romain Rolland*, Hatier, p. 149.

pas celle d'une symphonie, mais, tout au contraire, celle d'une composition fragmentaire ». Peut-être est-ce la *méthode* de l'auteur qui est en cause : pendant des années, il a accumulé des notes de toute sorte et il les a versées dans son roman au moment de la rédaction. Certes beaucoup de ses observations étaient attribuées à Jean-Christophe. Mais elles demeuraient des observations générales, elles étaient exprimées abstraitement ; elles n'étaient pas *mises en acte* ; elles étaient directement confiées au lecteur ; elles ne naissaient jamais de ses propres réflexions devant les événements fictifs qu'on lui rapportait.

Une somme   *Jean-Christophe* tranchait sur ce qu'on avait accoutumé de lire dans les premières années de ce siècle. C'était, disait Romain Rolland lui-même dans sa préface de 1931, « un vaste poème en prose qui (...) brisait délibérément avec toutes les conventions admises dans le monde littéraire français ». Le roman n'était plus seulement un *récit* ; il y avait place pour des envolées lyriques, pour des commentaires de toute sorte. Le romancier ne procédait pas seulement à l'inventaire de tel ou tel secteur de la société ; il ne se proposait pas d'apporter des documents, comme l'avaient voulu les écrivains naturalistes. Son œuvre était une *somme*, la somme des observations, des réflexions, des jugements qu'un grand esprit pouvait porter sur la civilisation de son temps. En adoptant comme héros un homme de génie, il se donnait le loisir de juger de haut le spectacle qu'offrait, par exemple, la société parisienne du début du siècle. Il ne prétendait pas faire concurrence à l'état civil ni porter une société entière dans sa tête. Il la jugeait, elle n'était jamais saisie que par la répulsion qu'elle causait au héros ou les enthousiasmes qu'elle pouvait, plus rarement, susciter en lui. Romain Rolland cherchait moins à assurer la crédibilité de sa fiction qu'à gagner la confiance et l'adhésion de ses lecteurs. Adhésion non pas à l'histoire contée, mais à l'idéal proposé. Il écrivait dans le *Dialogue de l'auteur avec son ombre* : « Il faut pourtant lui (à la France) dire sa vérité, et d'autant plus qu'on l'aime. Qui la dira, si ce n'est moi, et ce fou de Péguy ? » Mais les *Cahiers de la Quinzaine* étaient-ils un roman ? Et avant de proclamer la vérité, le romancier ne doit-il pas commencer par se faire croire ? Romain Rolland songeait surtout à rendre compte d'une crise de la civilisation occidentale. Il proposait un idéal largement humain qui transcendait les valeurs nationales. Il magnifiait les spectacles touchants de l'amitié et du dévouement. Il prônait un idéal d'humanisme généreux. Il *prêchait*. Et l'histoire contée servait de support à des envolées lyriques ou à des développements généraux.

La tentation de la poésie   On rencontre fréquemment, sous la plume de Romain Rolland, les mots de *poème*, *poème en prose*, quand il parle de son roman. C'était certes une façon de parler, et qui n'était pas nouvelle. D'autre part, l'expression de *poème en prose*, depuis Baudelaire, désignait des textes courts qui avaient subi une élaboration très poussée. Ce n'était pas le cas de la prose de *Jean-Christophe* : on a assez souligné des négligences inadmissibles. On sait que Romain Rolland voulait « parler droit », « parler sans fard et sans apprêt » pour être compris, non d'un groupe de délicats, mais par des milliers de gens simples. Toutefois la *simplicité* ne devrait pas autoriser le *négligé*.

On peut être sensible, pourtant, à une poésie diffuse qui baigne l'œuvre. Elle est déjà due à l'absence de ces minuscules détails par lesquels les romanciers réalistes s'attachaient à situer leurs personnages dans un univers quotidien. Il y a moins de *faits* que de *sentiments* dans *Jean-Christophe*, moins de *détails* que d'*émotions*. Les personnages paraissent n'être là que pour éprouver les émotions que l'auteur leur prête. La narration ne s'enracine guère dans l'épaisseur du réel. Cet univers fictif n'a guère de consistance. En revanche un charme naît de cet écoulement facile du langage. Les mots recouvrent, à chaque instant, tout ce qu'on vient de dire, de même que le temps rejette, à chaque moment, dans le passé, tout ce qui vient d'arriver. « Tout le livre est musique, disait Alain, par un mouvement épique qui va selon le cours du temps, et par un genre de souvenir, en avant de soi, et aussitôt passé, aussitôt recouvert (...) ».

Toutes les pages de *Jean-Christophe* ne sont pas également poétiques. La présentation de divers milieux parisiens, dans *La Foire sur la place*, ne permet guère de parler de poésie. En revanche, et surtout dans les premiers tomes du cycle, le lecteur rencontre parfois des « morceaux poétiques ». Alain appelait ces morceaux des « cristallisations merveilleuses ». Il évoquait la visite de Jean-Christophe au vieux Schulz (« Il était comme un vieux bois, vibrant de chants d'oiseaux »), les pages de *L'Aube* où le petit Christophe « était toujours penché au bord du soupirail, avec sa figure pâle, barbouillée, rayonnante de bonheur », la promenade du soir pendant laquelle chante l'oncle Gottfried : « Une brume d'argent flottait au ras de terre, et sur les eaux miroitantes. Les grenouilles causaient, et l'on entendait dans les prés la flûte mélodieuse des crapauds... ». On évoquerait aussi le chant des cloches dans *L'Aube*, le ravissement que cause la musique de l'orgue, une rêverie devant le grondement du fleuve, ou tel morceau, dans *Les Amies*, sur l'ivresse des premiers temps d'un amour. Dans les passages de cette nature, les personnages s'éclipsent presque ; le récit est suspendu ; c'est l'auteur qui prend la parole : « Ivresse des premiers temps où les êtres mêlés ne songent, uniquement, qu'à s'absorber l'un dans l'autre... ». Dans l'enthousiasme de son envolée, il n'a guère d'attention pour les pléonasmes que sa plume a semés. Il relaye, si l'on peut dire, par la sienne propre, l'émotion de ses personnages, et il prétend ainsi la faire éprouver directement à son lecteur. Il oublie alors d'être romancier. Il s'accorde le loisir d'être poète. Un poète chez qui la poésie coule de source, comme on dit, avec ce que cela comporte de fraîcheur dans la simplicité et d'irritant dans la facilité.

La tentation de l'essai

Dans *Jean-Christophe*, l'essayiste prend souvent la place du romancier. « Combien de pages, écrit Jacques Robichez[1], tournent à la pure analyse littéraire, esthétique, politique ! Elles s'intituleraient très légitimement *Essais, Nouveaux Essais, Derniers Essais de Morale et de Critique*, avec des sous-titres

---

1. *Op. cit.*, p. 151.

qui seraient « la musique allemande en 1900 », « l'art en France sous la Troisième République », « la femme moderne », « la question sociale en France au début du xxᵉ siècle », « l'Europe en 1912 ». C'est surtout dans *La Révolte, La Foire sur la place, Dans la maison*, qu'on trouve en abondance ces développements qui viennent supplanter le récit et assurent la métamorphose du romancier en critique. Il lui arrive de parler en son nom, mais il prête à son héros beaucoup de ses observations ; il le promène, à travers le monde, comme une « utilité ».

Lyrisme et analyse En bien des cas, l'auteur est à la frontière de l'analyse et du lyrisme. Quand il écrit : « Joie, fureur de joie, soleil qui illumine tout ce qui est et sera, joie divine de créer ! Il n'y a de joie que de créer ! Il n'y a d'êtres que ceux qui créent (...) » etc., il assume l'enthousiasme de son héros, il énonce en même temps des vérités générales dont il est d'ailleurs permis de déplorer la banalité. Le récit, dans *Jean-Christophe*, est souvent tissé de phrases de commentaire où le lyrisme de l'expression rejoint la généralité de l'analyse.

Le didactisme de l'exposé Romain Rolland se sert volontiers du procédé des romanciers naturalistes : ceux-ci, de Zola aux Margueritte, de Huysmans à Mirbeau, utilisaient leur héros comme une sorte de compère de revue qui leur permettait à bon compte de présenter une suite de tableaux variés. Dans *La Foire sur la place* ou *Dans la maison*, l'auteur promène Jean-Christophe de milieu en milieu pour nous montrer la réalité française au début du xxᵉ siècle. Le procédé est lourdement didactique : les exposés se succèdent ; chacun se subdivise en plusieurs points. Il arrive même à l'auteur de glisser des notes dont il devait se servir quand il était professeur : c'est ainsi qu'on le voit disserter sur le point de savoir « si ce n'est pas un non-sens de ligoter ensemble, dans le récitatif, la parole et le chant ». Quand il reprend le fil de son récit, ce n'est, alors, que pour illustrer d'un exemple le bien-fondé de l'analyse qui précède. Passe encore que, dans *La Foire sur la place*, il envisage successivement la critique, le roman, le théâtre, la politique, les journaux ; mais le lecteur soupire quand, voulant donner une idée de la France honnête et laborieuse, il explore un immeuble (celui où habite Jean-Christophe), étage par étage, appartement par appartement.

L'intrusion du polémiste Ce qui est le plus consternant, c'est la faiblesse de certaines des observations qu'il prend la peine de noter. « Il est bien imprudent, dit-il, de critiquer les autres, quand on est sur le point de s'exposer à la critique ». Il se tue parfois à expliquer longuement ce que le lecteur avait compris depuis longtemps. Mais il arrive que la verve du polémiste vienne heureusement redonner quelque vigueur à la formulation de sa pensée. Il raille ces hommes politiques de la IIIᵉᵐᵉ République, sceptiques dans la vie privée, fanatiques dans l'action, et dont « les plus dilettantes, à peine arrivés au pouvoir, se muaient en petits despotes orientaux ». Ou bien il fustige l'hypocrisie de certains doctrinaires allemands : « Quand on était battu, on disait que l'Allemagne avait l'humanité pour idéal. Maintenant qu'on battait les autres, on disait que l'Allemagne était l'idéal de l'humanité ».

3. Marcel Proust et les métamorphoses du roman

« Une espèce de roman »   Dans une de ses lettres, Marcel Proust déclarait rechercher un éditeur susceptible de « faire accepter des lecteurs un livre qui, à vrai dire, ne ressemble pas du tout au classique roman ». Ailleurs, il parlait d'un « long ouvrage », qu'il appelait *roman* parce qu'il n'avait pas la « contingence des mémoires » et qu'il était d'une « composition très sévère », mais dont il se disait incapable de dire le genre[1]. En 1913, il annonçait son livre en parlant d'un « important ouvrage, disons un roman, car c'est une espèce de roman »[2]. Proust avait pleine conscience de la singularité de son entreprise : il ne se proposait pas de raconter une histoire ou de traiter un sujet. Il voulait dire tout ce qui lui tenait à cœur. Son livre était la somme d'une vie, il rendait compte de la totalité d'une expérience. Cela ne pouvait en aucune façon s'inscrire dans le cadre d'un roman traditionnel. La nouveauté de Proust ne résidait pas dans l'usage de la première personne, mais dans l'emploi qu'il en faisait. Le *je* du roman personnel, de Benjamin Constant à Fromentin, donnait à l'œuvre l'accent d'un témoignage, mais ne renonçait pas à la narration d'une histoire. Sous le couvert d'une première personne, l'auteur présentait une succession d'événements ou de sentiments dramatiquement organisée ; il dessinait la courbe d'une destinée, il mettait en relief une vérité intellectuelle ou morale. D'ailleurs, qu'il écrivît à la première ou à la troisième personne, le romancier traditionnel s'attachait à enchaîner les faits pour leur donner du relief, et à isoler une passion dominante pour en retracer l'évolution. Il faisait la part belle à l'organisation dramatique, en tout cas, au caractère progressif de son récit. Or Proust écrivait un roman sans intrigue, il ignorait, comme le disait Boylesve, « la fameuse situation dramatique », avec son « exposition », son « nœud » et son « dénouement »[3]. Il ne donnait pas à ses lecteurs l'occasion de suivre le fil des péripéties. Les personnages du roman traditionnel demeuraient subordonnés à l'histoire; ils contribuaient à la faire progresser. Dans le *Temps perdu*, ils n'ont d'autre fonction que d'être présents. Aucune nécessité d'action ne les amène. L'esthétique des *Mémoires* conduisait le narrateur à peindre ce qu'il voyait, à portraiturer

---

1. Voir L. DE ROBERT, *Comment débuta M. Proust*, pp. 23-24.
2. *Lettres à R. Blum*, p. 29.
3. *Hommage à M. Proust*, Cahiers Marcel Proust, I, pp. 99-100.

les êtres qu'il rencontrait au lieu de s'employer à agencer une suite d'événements imaginaires. Les personnages proustiens, selon l'excellente formule de Jean-François Revel, « sont importants parce qu'on les voit souvent au lieu d'apparaître souvent parce qu'ils sont importants »[1]. Loin d'être aux prises les uns avec les autres, ils entrent successivement dans le champ de vision du narrateur. Ce n'est pas une histoire qui les rassemble, c'est comme dans la vie, on les aperçoit, on les rencontre, on entend parler d'eux, on les revoit. Les *rencontres* perdent leur valeur dramatique : Swann est un voisin de Combray ; le narrateur aperçoit pour la première fois Gilberte et Charlus au cours d'une promenade à la campagne ; il fait la connaissance de Saint-Loup, d'Albertine et de Charlus pendant ses vacances au bord de la mer. A Combray, il aperçoit Mme de Guermantes à la messe du dimanche ; et à Paris, il habite dans une aile de son hôtel particulier. Aux rapports d'action, Marcel Proust a substitué des rapports de voisinage[2].

Les deux côtés de l'œuvre proustienne

« *A la recherche du temps perdu*, écrit Ramon Fernandez, est à la fois l'histoire d'une époque et l'histoire d'une conscience ; ce dédoublement et cette conjonction en font la profonde, la surprenante originalité ». Il y a, d'un côté, l'observation ironique et satirique des travers d'une société ; de l'autre, une analyse prodigieusement déliée des impressions les plus ténues de la conscience et des nuances les plus subtiles de la pensée. Toute une part de la *Recherche* procède de l'orchestration littéraire des miracles de la mémoire affective, dont l'auteur avait trouvé les premières et fugitives expressions chez Chateaubriand, Baudelaire ou Nerval. Une autre partie de l'œuvre accordait la part belle à la peinture d'une société. Le romancier du temps devenait le chroniqueur d'un temps. On a pu soutenir que le dessein initial de Proust était purement poétique, que c'est au cours de la genèse qu'il avait donné plus de place à la peinture des milieux et des personnages ; qu'il avait été conduit à se placer sous le signe de Balzac et de Saint-Simon au fur et à mesure qu'il s'employait à brosser une vaste fresque historique et sociale. Certes, les passages les plus poétiques figurent surtout dans les premiers tomes, consacrés aux souvenirs d'enfance et de jeunesse ; et il y a, dans la *Recherche*, une rupture de ton entre les grâces poétiques d'une phrase très élaborée et le dépouillement d'une analyse abstraite qui envahit la plus grande partie de l'œuvre à partir du *Côté de Guermantes*. Nul doute que Proust ait été animé par l'ambition d'être le Balzac ou le Saint-Simon de son temps. Mais peut-on soutenir que la lecture de *La Comédie humaine* ou des *Mémoires* est venue faire dévier les intentions premières ? L'écart entre les nuances d'une sensibilité et l'exposé des lois du cœur humain a sans doute grandi à mesure que l'auteur ajoutait au dessein initial. Mais n'avait-il pas été envisagé dès sa conception ? Proust n'entendait-il pas commencer par évoquer l'exaltation poétique de l'enfance et les illusions de l'adolescence pour mieux montrer ensuite les progrès de la maturité qui

---

1. « Un roman sans romanesque », in *Proust*, Hachette, Génies et Réalités, p. 80.
2. *Ibid.*, p. 82.

s'accompagnent de lucidité et de désenchantement ? La connaissance du *Contre Sainte-Beuve* et la lecture des carnets inédits montrent que, très tôt, bien avant la publication du premier volume de *Swann*, Proust avait senti germer en même temps dans son esprit les deux directions de son œuvre : les impressions d'une conscience et la chronique d'une société, voire les nuances d'un état d'âme et les lois générales des passions humaines. On lit, dans un carnet inédit de 1908, cette phrase capitale : « Arbres, vous n'avez plus rien à me dire, mon cœur refroidi ne vous entend plus, mon œil constate froidement la ligne qui vous divise en partie d'ombre et de lumière, ce sont les hommes qui m'inspirent maintenant, l'autre partie de ma vie, où je vous avais chanté, ne reviendra jamais ». Les cahiers à partir desquels Bernard de Fallois a opéré le « montage » du *Contre Sainte-Beuve* laissent voir des essais divers, des tâtonnements à travers lesquels apparaissent déjà ce qu'on pourrait appeler les deux côtés de l'œuvre proustienne, le côté de Gérard de Nerval et le côté de Balzac.

L'aventure de la mémoire   Beaucoup de thèmes et de personnages proustiens étaient déjà esquissés dans *Jean Santeuil*. Mais il n'y avait pas encore ce ton du discours intérieur qui fait le charme de la *Recherche*. Le passage du *il* au *je* coïncidait avec le désir de fonder le roman sur une expérience intime. *Jean Santeuil* est tourné vers l'avenir ; le narrateur du *Temps perdu* entreprend de reconstituer le passé ; le présent indéterminé où il est situé est comme le terme absolu de son existence. Il n'y a pas de futur pour lui. Son ambition est de récupérer la totalité de son expérience vécue. La *Recherche du temps perdu* se termine quand le narrateur a fini de rendre compte de tout son passé. L'auteur achève son livre au moment où le narrateur commence le sien. L'un et l'autre se sont rejoints sur ce sommet d'où les seules perspectives plongent sur les jours révolus. Ils ne voient, dans la littérature, que l'occasion de leur salut. Il faut passer du plan de la vie au plan de l'art, car « le réel, selon le mot de Gaëtan Picon, existe sur un mode qui ne peut satisfaire l'esprit »[1]. Entre l'inconsistance d'un présent qui glisse à la surface des choses et le charme d'un passé dont on est tragiquement séparé, le souvenir et, en particulier, les expériences privilégiées de la mémoire affective fournissent la matière d'une vraie vie, libérée des contingences et saisie dans la pureté de son essence. L'art n'est point divertissement, mais retour à soi. Il rejoint l'essentiel par-delà la poussière des jours. La réalité ne prend sa figure véritable que dans la mémoire. Le romancier ne prétend plus décrire des lieux, donner vie à des personnages, inventer un monde fictif. Il trouve la nouvelle matière de son œuvre dans les profondeurs de son passé. Il explore un espace intérieur dans lequel on voit surgir des visages, des fragments de paysages, un bruit de pas ou le parfum des aubépines. Proust réalise, dès *Combray*, un vieux rêve qui avait effleuré Sainte-Beuve, les Goncourt et Barrès, celui d'un roman qui s'emploierait à dire ce qui se passe dans un esprit plutôt qu'à raconter les agissements des hommes. Jusqu'à Proust, on voit les héros

---

1. Encyclopédie de la Pléiade, *Histoire des littératures*, III, p. 1269.

de roman se démener, affronter des périls, engager leur avenir. Ceux mêmes à qui il n'arrive pas grand'chose, comme le Frédéric Moreau de *L'Éducation sentimentale*, n'en finissent pas de marcher, de rendre des visites, de tourner en rond. Mais voici, dans *Combray*, le roman d'un homme couché : tout tourne « autour de lui, dans l'obscurité, les choses, les pays, les années ». Au-delà du présent de l'homme qui écrit, il y a le passé de ses réveils nocturnes ; et le passé des réveils nocturnes donne accès à des souvenirs encore plus lointains, ceux de l'enfance. On a même le sentiment, à lire *Combray*, que Proust était sur la voie d'un roman qui aurait fait état des souvenirs saisis dans leur désordre et dans leur entremêlement, au lieu de présenter, comme c'est le cas, un récit qui suit, *grosso modo*, l'ordre chronologique. Mais la tradition des mémoires, le goût des portraits et des analyses, le dessein d'écrire l'histoire d'une vocation, tout cela l'a emporté. Et la structure même de *Combray* se réfère plus à une composition architectonique qu'à un jaillissement spontané des souvenirs.

Le contenu de la conscience

Ce romancier appliqué à ressusciter son passé avait l'art de suggérer la vie profonde dans son foisonnement et sa pénombre. La souplesse de sa phrase était merveilleusement apte à saisir la pensée intime, à noter de menues impressions, de fugitifs états d'âme aux confins de la conscience claire : devant les clochers de Martinville, on suit de près la pensée de Marcel : le bonheur dont l'emplit la vision, son apparence pittoresque, le sentiment qu'elle montre et dérobe en même temps son secret, le désir d'aller à la recherche de ce secret, les démarches de l'esprit, ses détours et ses bonds. Proust aboutissait à une sorte de monologue intérieur. Pourtant, il s'en fallait de beaucoup qu'il utilisât dans toute sa rigueur le procédé de James Joyce. Alors que l'auteur d'*Ulysse* se proposait d'enregistrer instantanément, si l'on peut dire, les mouvements présents de l'esprit dans tout leur désordre et toute leur confusion, Proust s'attachait à mettre de l'ordre dans ses pensées. En ressuscitant son passé, le narrateur du *Temps perdu* ne s'applique guère à suivre la durée concrète de sa conscience. Etiemble, avec juste raison, a souligné la fréquence des anticipations et des retours en arrière qui transgressent la durée[1]. Quand le narrateur, dans les premières pages de *La Prisonnière*, évoque, par exemple, ses réveils matinaux à une certaine époque de sa vie, il ne suit pas l'enchaînement des pensées de Marcel. Ce ne sont pas les impressions qu'il eut tel ou tel matin qu'il saisit sur le vif ; ce sont les impressions qu'il a maintenant de ces matins de jadis. Il en distingue plusieurs sortes, dont chacune a ses caractéristiques. Qu'on relise les pages célèbres sur le sommeil d'Albertine : on verra qu'il s'agit plutôt des sommeils d'Albertine, chacun d'eux entre dans une catégorie dont l'auteur nous indique les nuances particulières. Dans ce texte comme dans beaucoup d'autres, et, par exemple, dans celui qui évoque les promenades du côté de Méséglise et du côté de Guermantes, le développement est bâti autour de mots comme *quelquefois, parfois, souvent*, qui suffisent à révéler

---

1. Cf. R. ETIEMBLE, *Proust et la crise de l'intelligence*, Ed. du Scarabée, 1945.

la nature de l'entreprise proustienne. Proust ne s'attache pas à suivre scrupuleusement une durée passée, il est beaucoup moins bergsonien qu'on l'a prétendu, il ne retient, au terme de son expérience, que ce qui lui paraît valoir la peine d'être noté. Au surplus, s'il lui arrive de rendre le chatoiement de la vie intérieure, il ne renonce pas à conduire des analyses et à dégager des lois. Les *impressions* les plus belles de son enfance, qu'elles concernent la chambre de tante Léonie, la lecture de *François le Champi* ou l'église de Saint-André-des-Champs, donnent lieu à des développements littéraires éblouissants. Il y a chez Proust une élaboration esthétique des données immédiates de la conscience. Sa phrase même, fortement structurée, reflète l'ordre que l'écrivain met dans ses souvenirs. Elle est propre à épouser les circonvolutions de l'acte créateur plutôt qu'une durée intérieure charriant pêle-mêle des éléments hétéroclites.

« Le lyrisme de l'analyse »

Déchiffrer la signification des apparences, telle était, aux yeux de Proust, la plus haute mission de l'art. « Déjà à Combray, écrit-il, je fixais avec attention, devant mon esprit, quelque image qui m'avait forcé à la regarder, un nuage, un triangle, un clocher, une fleur, un caillou, en sentant qu'il y avait peut-être, sous ces *signes*, quelque chose de tout autre que je vais tâcher de découvrir, une pensée qu'ils traduisaient à la façon de ces caractères hiéroglyphes qu'on croirait représenter seulement des objets matériels ». Dans certaines expériences privilégiées, comme celle des arbres d'Hudimesnil, un fragment de paysage, brusquement illuminé d'un éclat singulier, provoque dans l'âme du narrateur un plaisir intense et mystérieux, il l'incite à tenter d'élucider, malgré la peine que cela suppose, la nature de l'*impression* qu'il éprouve. Le phénomène de la mémoire affective déclenche un processus semblable. La saveur d'une madeleine trempée dans une infusion, le bruit d'une cuiller contre une assiette, le contact d'une serviette empesée, le déséquilibre d'un instant sur des pavés inégaux, autant de sensations qui portent « sans fléchir l'édifice immense du souvenir ». Elles s'accompagnent, d'emblée, d'une bouffée de bonheur, elles proposent à l'esprit des impressions d'abord confuses, d'éblouissante lumière dans un cas, d'un azur pur et salin dans un autre, puis elles l'incitent à descendre en lui-même pour percer le secret de cet éblouissement, retrouver, dans les profondeurs du passé, les souvenirs qui viennent d'être tout d'un coup désancrés et qui vont remonter à la surface de la conscience. La réapparition du souvenir provoque un télescopage des images du présent et du passé. Elle cause au narrateur une vive jouissance, car l'instant de sa vie passée qu'il vient de se rappeler est maintenant débarrassé de ce qu'il y a d'imparfait dans la perception extérieure, il est « pur et désincarné », il est un « fragment d'existence soustrait au temps », il est une brillante image arrachée au monde de la contingence.

Le romancier, dans les développements qu'il consacrait à des expériences de cette sorte, cherchait à rendre les mille nuances de ses impressions, tout en s'attachant à les « rendre claires jusque dans leurs profondeurs ». Le narrateur était un jour ému devant un « toit de tuile (faisant) dans la mare, que le soleil rendait de nouveau réfléchissante, une marbrure rose » ;

il pensait déjà que son devoir eût été de « tâcher de voir plus clair dans (son) ravissement ». L'intime fusion d'une introspection lucide et d'un élan poétique trouvait de quoi s'exercer dans un domaine qui se situait aux confins de la conscience. Proust faisait subir au roman une déviation capitale : il ne s'agissait plus de raconter une histoire, mais d'élucider le contenu d'une conscience. L'enchaînement des événements le cédait à la survie des états d'âme. La perception de l'univers sensible de l'espace et du temps devenait le sujet même de l'œuvre. Le monde extérieur, — et cette expression justement perdait sa signification, n'était plus le décor d'une action quelconque ; il était perçu par une conscience. Proust tenait registre des sensations d'une vie. Il n'y avait plus les choses d'un côté, les hommes de l'autre ; on assistait à une communion de l'âme et du monde. Proust opérait une révolution romanesque parce que la matière même de son œuvre était faite des complexes résonances, en une âme ultra-sensible, des apparitions du monde extérieur. Le romancier prétendait moins imposer au lecteur un univers fictif qu'il ne s'attachait à interpréter les signes qu'il percevait. L'aventure de la mémoire débouchait sur la passion de la vérité. Au mouvement régressif d'une conscience soucieuse de récupérer la totalité de son contenu, se superposait un double progrès : celui d'un être qui, au fil des jours, cheminait lentement vers la vérité, et celui d'un esprit qui cherchait à percer le secret des apparences, à déchiffrer les signes de la mémoire, de l'amour et du monde. Ce faisant, il retrouvait les ambitions qui avaient été celles du poète symboliste, — déchiffreur des « confuses paroles » que le monde profère. C'est dire que son entreprise romanesque rejoignait celle du poète, du philosophe ou du mystique.

L'élément poétique d' « A la recherche du temps perdu »

Edmond Jaloux écrivait, en 1932 : « (...) Celui de tous les Proust que je préfère maintenant est le poète, le transfigurateur lyrique qui a créé un monde spirituel absolument total et y a mêlé autant de poésie qu'il y en a dans l'œuvre de Shakespeare et de Goethe ». Proust réussit souvent à assurer un éclat poétique à la trame du récit ou de l'analyse par l'abondance et l'originalité des métaphores enchaînées dans « les anneaux nécessaires d'un beau style ». Pourtant la poésie se déploie surtout dans des morceaux privilégiés. Toutes les ressources du prosateur contribuent à rendre contagieuse l'exaltation du héros devant une haie d'aubépine, un tableau d'Elstir ou le septuor de Vinteuil. Proust est poète aussi dans la mesure où il propose une vision métaphorique de l'univers. Robert Brasillach trouvait le secret de son art poétique dans la fréquence exceptionnelle des comparaisons. L'imagination, mieux encore que la mémoire ou la sensibilité, fait ruisseler de poésie bien des pages du *Temps perdu*. « L'existence, écrivait Proust, n'a guère d'intérêt que dans les journées où la poussière des réalités est mêlée de sable magique ». Proust a saupoudré nombre de pages de ce sable magique. C'était le rôle des métaphores que de transfigurer en un univers merveilleux une réalité banale. L'esprit analogique du poète rapproche à chaque instant deux ordres de réalité. Il réussit, aux confins du symbolisme et de l'impressionnisme, à saisir ses « impressions véritables », c'est à dire à rendre au monde une fraîcheur de féerie. « Il semble, écrit Madeleine Remacle[1], que le don d'imaginer multiplie les créations d'un univers étrange, dans une atmosphère de rêve éveillé (...). Une salle de théâtre devient un lumineux aquarium, la mer déploie les collines et les vallées de ses vagues montueuses, les fleurs de girofflée ouvrent leur pousse fraîche de rose odorant et passé d'un cuir ancien de Cordoue, le tuyau d'arrosage dresse l'éventail vertical et prismatique de ses gouttelettes multicolores, les billes d'agathe brillent, souriantes et blondes comme des jeunes filles ».

Dans ses meilleurs moments, Proust nous séduit par un charme prenant. La qualité des développements sur la magie des noms propres, — ce mot de *Guermantes*, par exemple, « nom amarante et légendaire », « d'un mauve si doux », — tient au fait que la poésie procède alors d'une sorte de description phénoménologique de certains effets du langage. Et Proust, quand il évoque les paysages de Méséglise ou de Tansonville, a des accents poétiques incomparables, car il rencontre alors ce qu'il appelle lui-même les « gisements profonds de (son) sol mental ». Mais, l'avouerons-nous ? il y a parfois quelque chose d'un peu contourné, une grâce un peu apprêtée dans certains de ses développements poétiques. On cite souvent ce morceau de bravoure où la salle de l'opéra prend la liquidité transparente et ombreuse d'un fond marin. Mais ces « grottes marines », ce « royaume mythologique des nymphes des eaux », ces « blanches déités », ces « radieuses filles de la mer », ces « filles fabuleuses de la pénombre » révèlent la virtuosité et l'humour d'un auteur qui s'amuse ; réussissent-elles à nous faire voir le monde avec un regard neuf ?

La chronique sociale   On a pu écrire un répertoire des personnages de la *Recherche du temps perdu* comme on en avait consacré un à ceux de *La Comédie humaine*. Parce qu'il réussissait, dans son roman, à faire vivre toute une société, Proust a souvent été comparé à Balzac. Dans la mesure où il se désintéressait de l'*action dramatique*, on le rapprochait plutôt de Saint-Simon. Son roman était une *chronique*, l'auteur usait de sa verve pour portraiturer des figures inoubliables. Elles étaient, certes, moins nombreuses que celles de Balzac, et les milieux évoqués étaient plus restreints. De la société de son temps, Proust peignait une mince frange de bourgeoisie et de noblesse. Ce poète révélait des dons d'observation. Le réalisme de la notation rejoignait la verve bouffonne de l'humoriste. L'auteur faisait parler ses personnages avec une étonnante justesse de ton. Les réserves nuancées de Norpois, les délicatesses d'expression de Swann, les vibrantes tirades de Charlus ne se rattachent plus au dessein poétique ou philosophique de l'œuvre. L'auteur, entraîné par sa verve, devient un grand romancier, si l'on veut bien admettre que l'art du romancier consiste à faire vivre des personnages plutôt qu'à nous raconter des histoires.

Proust ne se prive pas de les réduire souvent à des aspects caricaturaux. Il sait entrer dans leur façon de parler ; il y avait chez lui une verve qui était liée à un don de mimétisme. La satire, l'ironie, l'humour, le comique

---

1. *L'élément poétique dans « A la recherche du temps perdu »*, Bruxelles, 1954.

se déploient, dans la *Recherche*, avec profusion. Le *Temps perdu* est bien, selon le mot de Matthieu Galey, « une véritable comédie humaine »[1]. Le moraliste procède à une satire de la société. L'observation des hommes, de leurs tics, de leurs manies, est devenue pour lui une passion. Il est plein d'un humour féroce devant le spectacle de la vanité et du snobisme. Il atteint parfois à la qualité de la grande comédie : devant Swann, qui vient lui annoncer qu'il est atteint d'un mal incurable, la duchesse de Guermantes, qui s'apprête à aller dîner, est prise entre un devoir mondain et un devoir humain ; elle quitte Swann, qui va mourir, pour aller à son dîner. La satire de la haute société atteint parfois une veine burlesque : ainsi, à Balbec, la princesse de Luxembourg s'est fait présenter Marcel et sa grand-mère ; dans son désir d'être aimable avec ces gens qu'elle estime au-dessous d'elle, « elle imprègne son regard d'une telle bonté qu'ils voient approcher le moment où elle les flatterait de la main, comme deux bêtes sympathiques qui eussent passé la tête vers elle, à travers la grille, au jardin d'Acclimatation ». Proust n'hésite pas à recourir à des comparaisons cocasses. La vieille marquise de Cambremer, évoque, sous l'entassement de ses parures et de ses bijoux, un évêque en tournée épiscopale. M. de Palancy ressemble à un poisson, « avec sa grosse tête de carpe aux yeux ronds » ; il « se déplaçait lentement au milieu des fêtes en desserrant d'instant en instant ses mandibules ». On le voit, à un autre moment, « le cou tendu, la figure oblique, son gros œil rond collé contre le verre de son monocle, se déplaçant lentement dans l'ombre transparente (...). Par moments, il s'arrêtait, vénérable, soufflant et moussu, et les spectateurs n'auraient pu dire s'il souffrait, dormait, nageait, était en train de pondre ou respirait seulement ».

« Le génie comique de Proust, dit Matthieu Galey[2], tient précisément à ce qu'il réussit à fixer, sans commentaires, par le seul moyen d'une analyse au microscope, les mimiques, les jeux de scène, les dialogues de cette gigantesque farce ». Mme Verdurin, au moindre mot d'un de ses habitués, fait signe qu'elle rit plutôt qu'elle ne rit : « Elle poussait un petit cri, fermant entièrement ses yeux d'oiseau qu'une taie commençait à voiler, et, brusquement, comme si elle n'eût que le temps de cacher un spectacle indécent ou de parer à un excès mortel, plongeant sa figure dans ses mains qui la recouvraient (...), elle avait l'air de s'efforcer de réprimer, d'anéantir un rire qui, si elle s'y fût abandonnée, l'eût conduite à l'évanouissement. » Proust explique, avec une verve joyeuse, sa sottise et son snobisme. Elle refuse d'entendre un morceau de musique qui l'émeut, parce que, prétend-elle, elle n'y résisterait pas. Proust n'épargne pas de ses moqueries l'énorme duchesse de la Rochefoucauld. Il excelle surtout à peindre les imbéciles. Peut-être est-ce le signe distinctif du grand romancier que d'être capable de faire vivre, entre les lignes, un imbécile monumental. Quelle verve, dans la peinture de Cottard ! Il ne sait jamais si son interlocuteur est sérieux ou non, il fige à tout hasard sur sa physionomie, « un sourire conditionnel et provisoire dont la finesse expectante le disculperait du reproche de naïveté » ;

---

1. *Proust*, Hachette, Génies et Réalités, chapitre v.
2. *Op. cit.*

il place des jeux de mots qu'il a appris, il prend tout au pied de la lettre ; il attend, pour donner son avis, qu'on le renseigne sur la valeur du spectacle. Chez Proust, c'est l'exactitude de l'observation qui permet de radiographier, en quelque sorte, les personnages. Legrandin est aimable, fleuri et courtois ; mais, en observant avec acuité son comportement, le narrateur perçoit en lui les ravages du snobisme. Il y a, dans la chronique sociale de Proust, des scènes de comédie. Il sait passer de la verve bouffonne, parfois même un peu outrée, à l'ironie mordante ou au fin sourire de la haute comédie.

Il y a, dans la *Recherche*, une galerie de personnages qui sont, comme ceux de Balzac, des types humains dotés d'un puissant relief individuel. On y trouve aussi une peinture des mœurs de la bourgeoisie et de la noblesse. Le clan des Verdurin s'oppose au milieu des Guermantes. Cette confrontation de la bourgeoisie à prétention intellectuelle et de l'aristocratie du faubourg Saint-Germain, où le pédantisme est une faute de goût, constituait une des perspectives essentielles du *Temps perdu*. Le bourgeois ne craint rien autant qu'une humiliation ; le noble est assez sûr de ses titres et de sa supériorité pour pouvoir être familier. Proust allait assez loin dans l'analyse de l'esprit de clan : chaque milieu se définit par la reconnaissance implicite de valeurs communes. La *Recherche* prenait une portée sociologique dans la mesure où, sous l'action du temps, les « situations » mondaines évoluent, tout comme les hommes se transforment. Charlus en venait à saluer avec empressement Mme de Saint-Euverte qu'il foudroyait jadis de son mépris. La « mère Verdurin », qui n'avait jamais eu accès aux salons du faubourg Saint-Germain, devenait Princesse de Guermantes. Gilberte Swann, que l'aristocratie n'avait jamais voulu reconnaître, devenait l'épouse de Robert de Saint-Loup et la nièce de la duchesse de Guermantes. La déchéance de Charlus, l'ascension de Rachel ou des Verdurin soulignait la fusion de deux milieux qui s'étaient jadis ignorés et méprisés. L'œuvre de Proust avait-elle la profonde portée sociologique de celle de Balzac ? Il serait difficile de le soutenir. On a le sentiment que Proust trouvait, dans cette évolution des valeurs sociales, une occasion supplémentaire de donner une leçon de relativisme. Il était le chroniqueur désabusé d'une société en déclin, plutôt que l'historien d'une mutation profonde.

La structure d' « A la recherche du temps perdu »   Jacques Boulenger avait écrit, en 1919 : « L'œuvre de Proust n'est pas composée si peu que ce soit ». Comment Proust, selon le critique, eût-il pu composer, puisqu'il n'avait pas de *sujet*, et qu'il ne pouvait, dans ces conditions, « ranger les faits et leurs commentaires selon leur importance par rapport à un dessein » ? Devant des objections aussi hâtives, Proust n'a cessé de demander qu'on attende que toute son œuvre ait paru pour juger de l'ensemble. Il a, à plusieurs reprises, affirmé que son grand souci avait été celui de la composition. Quand il évoquait cette composition, « se développant sur une large échelle », « complexe », « d'une rigueur inflexible bien que voilée », il laissait suffisamment entendre que sa construction se référait à autre chose qu'au déroulement d'une aventure ou à l'affirmation d'un caractère. Avec la *Recherche du temps perdu*, la conception de la composition romanesque subit un changement radical.

Disons qu'elle est moins fondée, dès lors, sur la progression du récit que sur la reprise et l'orchestration des thèmes. Pour faire comprendre ses intentions, Proust empruntait des analogies à l'art musical ; ou bien il comparait son œuvre à une cathédrale. A sa suite, les commentateurs ont parlé de composition « en rosace », orchestrale, symphonique, wagnérienne, dynamique, architecturale.

Certes en ce qui concerne le caractère strict et rigoureux de la composition, il faut accueillir les propos de Proust avec quelque prudence : ils se référaient parfois à des intentions initiales que le prodigieux accroissement de l'œuvre a pu, ici ou là, déborder. Au demeurant, cette structure, parfois masquée par les excroissances de la genèse, procédait d'une sorte de composition organique plutôt qu'elle n'était l'aboutissement d'un plan adopté d'abord et systématiquement suivi.

Combray est comme une ouverture musicale : tous les thèmes principaux, tous les personnages essentiels sont esquissés. Le thème de la mémoire, le thème de l'art, le thème de l'amour, le thème du snobisme, tout y est. Il faut rapprocher *Combray* de la fin du *Temps retrouvé*, ces deux morceaux ont été écrits en même temps, avant tout le reste de l'œuvre. Proust disait un jour qu'on ne pourrait plus nier la construction de son livre « quand la dernière page du *Temps retrouvé* (écrite avant le reste du livre) se refermera exactement sur la première de *Swann* ». De fait, les dernières pages du *Temps retrouvé* évoquent *François le Champi* et, surtout, le tintement de la sonnette que Swann agitait dans le jardin de Combray. Au-delà de ces motifs qui se répondent, la structure de *Combray* et celle de la matinée chez la princesse de Guermantes offrent des analogies frappantes, que Jean Rousset a mises en lumière[1]. Il y a, dans *Combray*, deux phénomènes de mémoire qui sont « les pivots » sur lesquels s'articule la construction du chapitre : la première expérience, celle du demi-réveil, avec ses images tournoyantes, est celle de la discontinuité et de l'intermittence ; la seconde, celle de la madeleine trempée dans une infusion, conduit le narrateur, dans le courant d'une journée vide et ennuyeuse, à une extase pendant laquelle il cesse de se sentir « médiocre, contingent et mortel ». Cette expérience est celle de l'intemporel. Or, dans le *Temps retrouvé*, les mêmes expériences figurent dans l'ordre inverse : il y a l'instant éblouissant auquel fait accéder le déséquilibre sur les pavés inégaux, et il y a la fête masquée qui montre les ravages du temps. Dès lors, comme l'a fortement montré Jean Rousset, la forme même est porteuse de signification. Toute l'œuvre de Proust manifeste « une dialectique du temps et de l'intemporel ». C'est le roman d'un être qui, dans le temps, est en quête de ce qui échappe au temps. C'est, disait Georges Poulet, « le roman d'une existence à la recherche de son essence ».

Il y a, à travers toute l'œuvre, des correspondances constantes. Les expériences de Swann annoncent celles du narrateur. Son amour pour Odette préfigure l'amour de Marcel pour Gilberte, pour la duchesse de Guermantes, pour Albertine. Son culte de l'art et de la beauté lui donne un rôle d'initiateur.

---

1. Voir *Forme et signification*, José Corti, 1964, pp. 135 sq.

« Swann le baptiste », disait Claude-Edmonde Magny. Mais il est resté un amateur, il disparaît sans avoir laissé une œuvre. Comme lui, Charlus a choisi la vie, l'amour, le monde. Seuls, les trois grands artistes du *Temps perdu*, Bergotte, Vinteuil, Elstir, ont eu accès à la vie véritable. De façon curieuse, Proust a constamment associé une femme aimée et un artiste admiré : Jean Levaillant en a fait la remarque pénétrante : « Par une correspondance probablement délibérée, écrit-il[1], un contrepoint esthétique accompagne chacune des principales aventures amoureuses : Vinteuil-Odette, Bergotte-Gilberte, Elstir-Albertine ». L'amour est soumis au temps, l'art se soumet le temps. On n'en finirait pas de déceler les subtilités de l'orchestration : la sonate de Vinteuil est pour Swann, qui a préféré la vie, « l'air national » de son amour ; le septuor de Vinteuil est pour le narrateur un chant d'espérance, « l'appel vers une joie supra-terrestre », « la promesse qu'il existait autre chose (...) que le néant des plaisirs et de l'amour même ». Cet appel, il ne devait jamais l'oublier. Il sera, lui aussi, au terme de son expérience, un véritable artiste. Il faut passer du dilettantisme à la création. Il faut savoir choisir entre la poussière inconsistante des jours et les joies de la beauté, seules capables de vaincre le temps. Le narrateur a cheminé longtemps à travers les déceptions du monde et les angoisses de l'amour avant de se résoudre à écrire son livre. De la vocation pressentie devant les clochers de Martinville à la vocation révélée dans l'hôtel du prince de Guermantes, le héros a connu les tentations du monde et de l'amour. Puis, il a compris que « tous les matériaux de l'œuvre littéraire, c'était (sa) vie passée ». Il a franchi les étapes d'un itinéraire spirituel. Il y a, chez Proust, une vie souffrante, — dans le temps — et une vie triomphante dans les tableaux d'Elstir, les phrases de Bergotte et la musique de Vinteuil.

L'optique du narrateur

Qu'il s'agisse d'un paysage, d'un personnage ou d'un milieu, tout s'ordonne, dans la *Recherche*, par rapport au narrateur. Tout gravite autour de lui, c'est avec lui que le lecteur découvre le monde. Le tableau, chez Proust, est toujours éclairé à partir d'une conscience centrale qui, selon l'expression de Ramon Fernandez, « recule le foyer romanesque en deçà du point normal ». De Balzac à Proust, l'accent s'est déplacé de la conscience sociale à la perception psychologique. Proust ne déroule pas des vies continues, il en présente les bribes dont le narrateur a pu avoir connaissance. La plupart des personnages sont *perçus* avant d'être *connus*. Marcel a, de chacun d'eux, une expérience limitée et mise en perspective. Saint-Loup a d'abord été pour lui une pure et brillante apparition : celle d'un jeune homme désinvolte et raffiné, traversant, avec beaucoup d'allure, la salle à manger de l'hôtel de Balbec. La duchesse de Guermantes a longtemps été, pour le narrateur, une sorte de divinité lointaine, avant de lui révéler les traits de son esprit et la sécheresse de son cœur. Charlus lui est à plusieurs reprises apparu, avec son regard implacable et les étrangetés de sa conduite, comme un personnage mystérieux et inquiétant ; et quand, au lieu d'être regardé par

---

1. Cité par J. Rousset, *op. cit.*, p. 164.

Charlus, Marcel l'a surpris dans ses relations avec Jupien, la lumière s'est faite en lui, il a compris la raison de tout ce qui lui avait paru jusqu'alors si surprenant. De la même façon, l'attitude de Legrandin, si pleine de contradictions à l'égard du narrateur, s'explique dès qu'on a découvert qu'il est victime de son snobisme. L'idée qu'on se fait des êtres se rapproche de la vérité au fur et à mesure de ce qu'on voit d'eux et de ce qu'on apprend sur eux. La vérité n'est jamais, chez Proust, donnée au début par le romancier, elle est acquise peu à peu par le narrateur.

Il est vrai qu'en vieillissant les personnages se transforment. Proust déclarait qu'il renonçait à la « psychologie plane » et qu'il voulait atteindre à une « psychologie dans le temps ». Un commentateur note, avec juste raison, que Proust fait ressortir, dans l'œuvre du temps, « la richesse des métamorphoses qu'il opère ». Il serait facile d'évoquer les changements d'Albertine, de Charlus et de Saint-Loup. La matinée du prince de Guermantes à la fin du *Temps retrouvé* constitue le festival de ces métamorphoses. Proust montre que le temps use les êtres. Mais il insiste surtout sur les possibilités qu'il offre de les voir autrement. Certains personnages nous donnent l'impression qu'ils ont évolué parce que le narrateur a appris sur eux du nouveau. Proust savait bien que « les caractères continuent ». Charlus a-t-il changé ? Ses cheveux ont blanchi, son vice n'a fait que s'aggraver. Ce qui a vraiment changé, ce sont les positions qu'a occupées Marcel par rapport à lui : il subissait d'abord, sans en comprendre la signification, les regards du baron, puis, par un renversement total, il est devenu le voyeur de ses débauches. Le narrateur est parfois sensible aux transformations du caractère d'Albertine, mais il constate aussi que l'image d'Albertine se diversifie selon la façon dont il la voit. Il y a autant d'Albertines qu'il y a d'images d'Albertine. La personnalité d'Albertine se situe, dans le temps, sur des plans différents par rapport à Marcel. Quand elle lui rend visite dans sa chambre à Paris, il écrit : « Je me rappelais Albertine d'abord devant la plage. Puis, elle était venue à moi, mais j'avais appris qu'il n'était pas possible de la toucher, de l'embrasser. Et voici que, dans un troisième plan, elle m'apparaissait réelle comme dans la seconde connaissance, mais facile comme dans la première ». Le relativisme d'un observateur limité devient positif dès qu'on multiplie les points de vue sur un objet, un être ou un paysage. La multiplication des points de vue procède de la volonté de dépasser la limitation d'un seul point de vue. L'espace et le temps empêchent de connaître l'essence des choses, mais ils permettent d'en faire le tour. Les personnages étaient comme ces paysages proustiens qui prennent une physionomie nouvelle au fur et à mesure que l'observateur se déplace et qu'il découvre le même lieu sous plusieurs angles. Proust réussit à nous imposer un monde fictif, mais cette grâce lui est, en quelque sorte, donnée par surcroît, car il s'attache surtout, en nous rapportant les expériences du narrateur, à nous donner le sentiment d'une *découverte* du monde véritable. La métamorphose qu'il faisait subir au roman tenait sans doute au fait qu'il le rapprochait des mémoires.

La quête de la vérité   Il en faisait aussi une quête de la vérité. Au début, le solipsisme était radical. Il y a d'abord, chez Proust, une déréliction dans le sensible. Proust parle de « partir des illusions, des croyances qu'on rectifie peu à peu comme Dostoïevsky raconterait une vie »[1]. « J'ai trouvé plus probe, disait Proust, de ne pas annoncer que c'était à la recherche de la vérité que je partais. Si je n'avais pas de croyances intellectuelles, si je cherchais simplement à me souvenir et à faire double emploi par ces souvenirs avec les jours vécus, je ne prendrais pas la peine d'écrire »[2]. Les mémoires étaient un ouvrage de pensée, *A la recherche du temps perdu*, une recherche de la vérité. L'évolution de sa pensée, Proust précisait qu'il n'avait pas voulu « l'analyser abstraitement », « mais la recréer, la faire vivre ». Son œuvre contait l'odyssée d'un esprit qui passe des impressions poétiques à la connaissance discursive, du sensible à l'intelligible, des illusions à la vérité. Il écrivait, à sa façon, les *Illusions perdues* de la génération symboliste. La perte des illusions chez Balzac était le fruit d'expériences décevantes ; chez Proust, elle était liée aux progrès de la connaissance. L'aventure était devenue intellectuelle. Le héros de Balzac était jeté dans la mêlée de la vie, et il en revenait meurtri. Le héros de Proust accédait à une nouvelle manière de voir : le monde n'était plus pour lui un bien à conquérir, mais une apparence à élucider. Il fallait interpréter les signes, et non plus exprimer des vérités acquises. Il n'y avait plus d'instance omnisciente capable de les proférer.

Un Montaigne de nos jours   Le narrateur de la *Recherche* exposait le point de vue qui, à travers les années, avait été le sien. Mais les souvenirs de l'enfance, c'est l'homme mûr qui les racontait, et à la lumière de tout ce qu'il avait appris depuis. Si bien que Proust en venait de plus en plus à mêler les commentaires de l'auteur aux impressions de Marcel. Le lecteur entrait dans un monde de pensées autant que dans un univers fictif. L'importance des développements généraux insérés au moment des « ajoutages » faisait subir au roman une importante métamorphose. L'essayiste prenait le relais du romancier. On peut constituer un recueil des *thèmes* de la *Recherche* autant qu'un répertoire des personnages. Marcel Proust était, selon le mot de Charles Du Bos, « comme un Montaigne de nos jours ». Il proposait à son lecteur des réflexions sur le sommeil, le rêve, la mémoire, l'oubli, la jalousie, l'amour, le désir, la douleur. Il n'était guère romancier, si l'on désigne par ce mot un écrivain soucieux, avant tout, de raconter une histoire. Balzac avait prodigué les commentaires en marge du récit. Mais il n'avait pas renoncé à assurer à son livre une forte structure dramatique. Il excellait à nouer l'intrigue. Ses commentaires jouaient leur rôle dans la progression de l'action. Ils en donnaient les tenants et les aboutissants. Ils faisaient sentir le poids des choses et contribuaient ainsi à la tension dramatique. Le commentaire proustien n'était pas subordonné à une action. Il ne visait pas à donner consistance à un univers fictif. Il

---

1. Pléiade, III, 983.
2. *Lettres à Jacques Rivière*, pp. 1-3.

naissait d'une réflexion qui s'exerçait sur le tissu quotidien de la vie : perceptions, souvenirs et rêves.

Le personnage proustien

Proust n'était pas seulement un moraliste. Il a été un romancier capable de créer des personnages qui vivent avec intensité. On l'a, à ce titre, comparé à Balzac. Charlus est une des plus puissantes figures du roman français. Il a la stature de Vautrin. Mais il porte en lui, comme beaucoup d'autres personnages proustiens, plus de contradictions qu'on n'en trouvait chez les héros de Balzac, fortement typisés, et réduits, la plupart du temps, à une passion maîtresse. Il y a un mystère du personnage proustien qui tient aux modalités par lesquelles nous l'appréhendons. Nous ne sommes jamais placés en son centre, nous n'avons sur lui que des renseignements limités, le narrateur ne nous rapporte que ce qu'il sait. La dissociation du personnage tient d'abord au caractère subjectif et partiel du témoignage. Elle procède aussi d'un sens très moderne des complexités de la conscience. Proust disait que des personnages illogiques ont l'air plus vrai. Faire vivre des personnages, c'est le but avoué de la plupart des romanciers. Comment y parvenir mieux qu'en suggérant leur complexité et leur incohérence, car seuls vivent en nous les êtres sur lesquels nous ne cessons de nous interroger, qui ont toujours de quoi nous surprendre. C'est un des courants primordiaux du début du XXᵉ siècle que la critique de la cohérence des personnages et d'une certaine psychologie rudimentaire, soucieuse de réduire les mouvements de la conscience à une sorte de dénominateur commun. On peut observer, chez Swann, pendant qu'il écoute la sonate de Vinteuil, la complexité et l'enchevêtrement d'une conscience à plusieurs étages. D'autant que la multiplicité des états de conscience est souvent interprétée par Proust comme une succession de personnalités différentes. Marcel observe, en lui-même, la mobilité de son caractère, et il remarque qu'il n'est pas « un seul homme », mais « le défilé d'une armée composite où il y avait des passionnés, des indifférents, des jaloux »[1]. Il n'est guère de personnage important qui, dans le *Temps perdu*, ne laisse voir les contradictions de sa conscience. Proust évoquait lui-même Dostoïevsky quand il s'appliquait ainsi à montrer que l'amour et la haine, la bonté et la traîtrise, la timidité et l'insolence n'étaient que les *formes* opposées d'une même pulsion. Charlus passe, d'un jour à l'autre, d'un instant à l'autre, de la colère à la douceur. Marcel est pétri de contradictions. Chez Andrée, le narrateur aperçoit trois personnes différentes. Robert de Saint-Loup, généralement ouvert et bon, est subitement capable d'une méchanceté sournoise et cynique : le narrateur parle, dans ce cas, d'une « éclipse partielle de son moi ». Les métamorphoses du personnage dans le temps, viennent accroître encore sa complexité, car les années accusent certains traits, mais en font apparaître d'autres jusque-là cachés. Les êtres ne se réalisent que successivement. A un moment, le narrateur aperçoit en Albertine des signes qui « tendraient à indiquer que des choses nouvelles avaient dû se passer dans cette vie ». Saint-Loup

---

1. Pléiade, III, 489.

lui aussi, avec les années, a bien changé. Il est revenu de beaucoup de choses : il n'est plus dreyfusard ; il a perdu sa passion pour la littérature et les arts.

Les personnages de Marcel Proust sont des figures puissantes, proches de la vie par leur complexité, mais fortement caractérisées. En tant que personnages de roman, ils ne sont pas victimes de leur complexité. Ils se situent au-delà de la raideur et en deçà de l'incohérence.

Un roman
de la génération symboliste

LA CONDAMNATION DU RÉALISME. — *A la recherche du temps perdu* constitue une somme romanesque qui, par son importance, équivaut à ce qu'étaient au siècle précédent *La Comédie humaine*, et, à plus forte raison, *Les Rougon-Macquart*. Mais cette œuvre répond à des ambitions très différentes de celles que s'étaient proposées Balzac et Zola. Elle est pénétrée d'un autre esprit. Elle s'inscrit dans un vaste mouvement de réaction contre la littérature réaliste. *Le Temps retrouvé* contient une sévère condamnation du roman à prétention documentaire : « (...) La littérature qui se contente de décrire les choses, d'en donner seulement un misérable relevé de lignes et de surfaces, est celle qui, tout en s'appelant réaliste, est la plus éloignée de la réalité »[1]. De Balzac à Zola, le roman avait été un « magasin de documents sur la nature humaine ». L'ambition de faire concurrence à l'état civil paraissait vaine à un homme qui était marqué par l'esprit du symbolisme. Ses premières « proses », réunies dans *Les Plaisirs et les Jours* (1896), étaient aux antipodes du roman réaliste. L'auteur cherchait à saisir la qualité d'une impression un peu rare, non à proposer des renseignements sur la vie commune. Il voulait écrire de belles pages plutôt qu'apporter des documents. Il accordait au *milieu*, au train du monde comme il va, à l'argent, aux conditions matérielles et communes de l'existence, bien peu d'importance. On est loin, dans le *Temps perdu*, des soucis d'argent de *La Comédie humaine* ou des luttes sociales qui sont dépeintes dans *Germinal*.

LA CONDAMNATION DE L'IDÉOLOGIE. — « Je sentais, dit le narrateur, que je n'aurais pas à m'embarrasser des diverses théories littéraires qui m'avaient un moment troublé (...) et qui tendaient à « faire sortir l'artiste de sa tour d'ivoire » et à traiter des sujets non frivoles ni sentimentaux, mais peignant de grands mouvements ouvriers, et, à défaut de foules, à tout le moins non plus d'insignifiants oisifs (...), mais de nobles intellectuels, ou des héros »[2]. Ce n'était pas seulement la condamnation d'un art engagé, mais celle de l'idéologie au sein de l'œuvre romanesque. Écrire des œuvres *intellectuelles* constituait, pour Proust, une « grossière tentation » et une « grande indélicatesse », car « une œuvre d'art où il y a des théories est comme un objet sur lequel on laisse la marque du prix ». Le roman ne devait être ni une photographie de la réalité ni l'exposé d'un idéal. L'originalité et la grandeur de Proust consistait à vouloir unir le particulier et le général, le réel et la pensée. L'œuvre ne devait pas naître d'une idée préconçue, elle devait être le produit, comme disait Gide, « d'une fécondation du fait par

---

1. Pléiade, III, p. 885.
2. *Ibid.*, p. 881.

l'idée ». Proust rejetait à la fois le réalisme et le symbolisme. Dans un article de 1896, « Contre l'obscurité », il fustigeait les abstractions symbolistes comme il devait, plus tard, condamner l'expression des idées. Il s'orientait vers un art d'autant plus profond qu'il serait plus pénétré de vie. « Qu'il me soit permis, écrivait-il[1], de dire encore du symbolisme (...) qu'en prétendant négliger les « accidents de temps et d'espace », pour ne nous montrer que des vérités éternelles, il méconnaît une autre loi de la vie, qui est de réaliser l'universel ou l'éternel, mais seulement dans des individus. Les œuvres purement symboliques risquent donc de manquer de vie et, par là, de profondeur ». Il entendait déjà partir du concret et, par un patient et pénible travail d'approfondissement, parvenir à la vérité, faire jaillir la lumière intellectuelle de l'opacité même de la sensation.

4. Les nouvelles techniques romanesques

L'apparition du monologue intérieur
C'est d'Angleterre, ou plutôt d'Irlande, qu'est venu le monologue intérieur : James Joyce l'avait utilisé dans son roman *Ulysse*, dont il avait publié des extraits en 1918, à New-York, dans une revue d'avant-garde. Mais c'est à Paris, en 1922, que fut réalisée l'édition anglaise d'*Ulysse*. Valery Larbaud, dans une conférence donnée aux Amis du Livre en décembre 1921, attira sur le chef-d'œuvre de Joyce l'attention du public lettré. La traduction française d'*Ulysse*, par Auguste Morel, parut en 1929.

Joyce lui-même fit état d'un roman français paru en 1887, *Les Lauriers sont coupés*, et qui n'avait rencontré à l'époque aucun succès. L'auteur, Édouard Dujardin, avait eu recours, le premier, à la forme du monologue intérieur. Le procédé consistait à communiquer au lecteur, comme disait Pierre Lièvre, « une pensée au moment qu'elle se forme dans le cerveau de celui qui nous en fait part ». Le lecteur était, si l'on peut dire, installé à l'intérieur même du personnage qui soliloque. Il ne comprenait ce que faisait le personnage et ce qui lui arrivait qu'en assistant au déroulement de ses états de conscience. L'immédiateté d'un courant de conscience remplaçait la forme habituelle du récit. C'est peu de dire que le lecteur *lit dans la pensée* du personnage ; il *lit sa pensée*, et celle-ci en train de se chercher, encore confuse, proche de la rêverie, charriant pêle-mêle des images empruntées à différents moments de sa durée. La phrase perdait sa structure logique. On saisissait le jaillissement spontané de la pensée dans un esprit. Dans un temps où la psychanalyse fondait sa méthode sur la libre association

---

1. « Contre l'obscurité », *Revue Blanche*, 15 juillet 1896, repris dans *Chroniques*.

des idées et où le surréalisme se proposait d'étudier le fonctionnement même de la pensée, on attribuait parfois au monologue intérieur une fonction d'investigation scientifique. Mais il va de soi que c'est une duperie, ou un abus de langage, que de prétendre explorer l'inconscient d'un personnage imaginaire en enregistrant sa « pensée parlée ».

Les monologues intérieurs de Valery Larbaud

Valery Larbaud était trop amateur de nouveauté pour ne pas adopter lui-même une technique dont il avait vanté les mérites. Il s'inspirait du procédé joycien dans deux œuvres, *Amants, heureux amants* et *Mon plus secret conseil*. C'étaient, en face du gros roman de Joyce, des œuvres brèves : elles avaient la dimension d'une nouvelle. Dans chacune d'elles, la pensée du héros se déroule, de phrase en phrase, selon les méandres de la rêverie et le caprice des associations d'idées. Elle mêle à l'occasion le réel et l'imaginaire. Il n'y avait plus de récit. Personne n'était là pour raconter, pour décrire, pour résumer, en formules cavalières, une situation, une évolution, une psychologie. Généralement l'auteur d'un monologue intérieur laisse beaucoup à deviner. Mais, chez Larbaud, la nouvelle technique était employée avec beaucoup de mesure et de discrétion. Larbaud ne proposait guère d'énigmes à ses lecteurs : la simplicité de la situation qui était en cause, la structure syntaxique de la phrase, les indices explicatifs glissés par l'auteur, les réflexions générales qu'égrenait le moraliste contribuaient à assurer la parfaite transparence du monologue. Larbaud était presque un écrivain classique : le soliloque de Felice Francia, dans *Amants*, dessinait, de façon capricieuse et libre, des portraits de femmes d'un art achevé. Lucas Letheil dans *Mon plus secret conseil* portait sur Isabelle un diagnostic fort lucide. La pensée était souvent allusive, elle n'était jamais confuse. On peut même se demander si le monologue intérieur n'était pas, dans ce cas, un simple artifice de présentation. En fait, il permettait à l'auteur, selon l'expression de Benjamin Crémieux, de « montrer l'écheveau extraordinairement embrouillé qu'est l'âme d'un jeune homme de vingt ans ». Il était un excellent moyen de révéler les complexités de la conscience, de saisir, dans toutes leurs nuances fugitives, les allées et venues de l'esprit, quand il s'abandonne à la rêverie. En mêlant des thèmes qui s'entrecroisaient, il aboutissait à une composition de type musical. Le flot des images, la libre allure de leur déroulement, la fusion du souvenir et de la sensation présente étaient apparentés à la création poétique autant qu'au récit romanesque.

Les emplois du monologue intérieur dans le roman

On a beaucoup parlé du monologue intérieur, en France, pendant la décennie de l'après-guerre. Un vaste débat théorique était ouvert sur l'origine, la valeur et la définition du procédé. Jean Giraudoux s'est moqué, dans *Juliette au pays des hommes*, de l'engouement que suscitait cette technique nouvelle. A vrai dire, le monologue intérieur tenait plus de place dans les articles des critiques que dans les œuvres des romanciers. Ceux-ci, jusqu'aux années trente, montrèrent beaucoup de réserve dans l'emploi qu'ils en firent. Jean Schlumberger rédigea quelques brefs monologues comme la nouvelle *Les Yeux de dix-huit ans* ou les *Dialogues avec le corps endormi*. Le monologue intérieur de *Saturne*, qu'Emmanuel Berl faisait paraître en 1927, dans la *Revue de Paris*, était limité à une trentaine de pages. Ce n'étaient là que brefs exercices d'écrivains qui tâtaient timidement d'un nouvel instrument. Les romanciers glissaient aussi parfois, épisodiquement, dans le cours de leurs romans, des morceaux de monologue intérieur. C'était le cas d'Albert Cohen dans *Solal*, de Léon Bopp dans *Jean Darien*, de Jean Schlumberger dans *Saint-Saturnin*. Pierre-Jean Jouve, dans *Le Monde désert* ou dans *Paulina 1880*, faisait un usage beaucoup plus audacieux du procédé.

En insérant dans la trame du récit des morceaux de monologue, les romanciers obéissaient à des ambitions diverses. La liberté même de la forme, qui n'avait pas la lourdeur d'un exposé circonstancié, permettait parfois d'espérer obtenir l'éclat du poème en prose. C'était le cas de certains monologues de Pierre-Jean Jouve : le rêve que fait Jacques de Todi agité par la fièvre, dans *Le Monde désert*, était un monologue intérieur qui par l'abondance de ses images étranges, ressemblait beaucoup à certains textes surréalistes. Dans *Paulina 1880*, le monologue intérieur revêtait une grande variété d'emploi : il permettait, selon les cas, d'entrer dans l'intimité d'une rêverie, d'une prière, d'une méditation, ou encore d'une délibération intérieure à un moment décisif. Généralement, il donnait accès à des recoins de l'âme dans lesquels l'analyse classique pouvait difficilement faire pénétrer la lumière. Il saisissait directement la vie, au lieu de ne l'atteindre que de manière discursive. Il présentait des données immédiates de la conscience.

Il avait une autre vertu. Il supprimait l'intervention d'une instance omnisciente. Il mettait la réalité en perspective à partir d'une conscience centrale. Il suffisait de juxtaposer les monologues intérieurs de divers personnages pour montrer combien chacun se faisait, de la réalité, une image différente. Samuel Butler, dans un chapitre d'*Ainsi va toute chair*, avait eu recours à cette technique, et, bien avant lui, Flaubert qui, en présentant parallèlement les deux rêves d'Emma et de Charles, avait infligé quelque raideur au procédé. Pierre Jean Jouve sautait habituellement d'une optique à l'autre, en présentant les monologues de Paulina et ceux du comte Michele. Jean Schlumberger, dans *Saint-Saturnin*, proposait, au début et à la fin de son livre, quatre soliloques qui révélaient l'incompatibilité des points de vue. Là où l'on avait vu d'abord un procédé d'exploration de la pensée intime en formation, on découvrait bien vite un excellent moyen de manifester la divergence des optiques. Le monologue intérieur permettait toujours d'avoir accès à l'intimité d'une conscience. Mais au lieu d'insister sur la révélation de ses profondeurs opaques, on tentait de déterminer son indice de réfraction.

Les modalités du « point de vue » Les romanciers du XIXe siècle s'étaient parfois astreints à ne révéler, de la réalité fictive, que ce qu'en percevait tel ou tel de leurs personnages. Si Balzac est généralement considéré comme le romancier omniscient par excellence, Stendhal était, par son fréquent scrupule de s'en tenir à l'optique du héros, d'une singulière modernité. Flaubert et Maupassant avaient pressenti l'intérêt de certaines nouveautés dans les modalités du point de vue. Mais c'est au lendemain du naturalisme que ces nouvelles techniques de présentation furent l'objet de débats théoriques avant d'être d'un usage plus fréquent. Zola, dans une page célèbre, avait commenté l'épisode du *Rouge et Noir* où Julien se fait un devoir de prendre la main de Mme de Rênal ; s'il admettait que Julien, dans la tension de sa volonté, ne fît point attention au monde extérieur, il regrettait que, quand il s'agissait de Mme de Rênal, l'auteur n'eût jamais songé à faire apparaître le milieu. Notre propos n'est pas de relever ce que l'analyse de Zola avait de contestable. Retenons que, dès ce moment, le débat était ouvert ; il y avait deux techniques romanesques fondamentalement opposées : l'une ne retenait de la réalité que ce qu'en perçoit le héros, l'autre, objectivement, commençait par décrire le milieu qui doit influencer le personnage. Celle-ci donnait l'occasion de saisir les interactions du héros et du milieu ; celle-là permettait au lecteur d'*éprouver* le contenu d'une conscience en situation. Le réalisme objectif avait été généralement adopté par les romanciers naturalistes : leur dessein était de peindre le monde, non l'image qu'en retenait un personnage. Mais, de 1890 à 1914, le roman français offrait quelques rares et timides exemples de réalisme subjectif : on en trouverait dans la *Bonne-Dame* d'Estaunié, *Pauline* de Louis Dumur, les romans d'Octave Mirbeau ou de Paul Adam, *Aline* et *La Vie de Samuel Belet* de C.F. Ramuz, *Le Reste est silence* d'Edmond Jaloux. Dans *Isabelle*, en 1911, Gide montrait que la stricte soumission au point de vue du narrateur donnait un singulier relief à une histoire tristement banale. Le domaine merveilleux du *Grand Meaulnes*, à la veille de la guerre, était une réalité familière, transfigurée dans la mesure où elle était le fruit d'une optique enfantine.

Les débats sur le point de vue prirent une ampleur nouvelle au lendemain de la guerre. Beaucoup d'éléments leur étaient extrêmement favorables : les théories scientifiques en vogue, les conquêtes techniques du cinéma, la connaissance de romanciers anglo-saxons comme James, Galsworthy, Conrad, Virginia Woolf. Les romanciers français adoptaient timidement de nouvelles modalités de présentation romanesque ; l'une d'elles consistait à « réaliser le point de vue », c'est-à-dire à ne nous découvrir l'histoire qu'à partir d'une conscience centrale ; dans *Thérèse Desqueyroux*, par exemple, François Mauriac s'en tenait, la plupart du temps, à l'optique de Thérèse : elle revivait tout son passé, pendant le voyage du retour. Elle caressait des projets, elle cherchait à évoquer le visage de l'avenir. Souvenirs et projets, tout émanait de la situation dans laquelle elle se trouvait. Une autre technique cherchait à présenter un même personnage et à éclairer un même événement à partir de consciences différentes. Elle était mise en œuvre dans *L'Appel de la route* d'Édouard Estaunié, dans *L'Honorable Partie de campagne* de Thomas Raucat, dans *L'Impudente* d'Henry Deberly, dans *Le Miroir à deux faces* de Jacques Boulenger, dans *L'Homme vierge* de Marcel Prévost. Tous ces romanciers, à vrai dire, faisaient un usage fort timide des techniques du point de vue ; ils s'attachaient, certes, à montrer sur le vif l'incommunicabilité des consciences, et Benjamin Crémieux voyait dans toutes leurs entreprises un nouveau *romantisme de l'isolement*. Mais ils demeuraient, la plupart du temps, des moralistes, et ils ne se privaient point d'énoncer des maximes générales qui arrachaient fréquemment le lecteur à la partialité de chacun des points de vue envisagés. *Le Miroir à deux faces* de Jacques Boulenger présentait les optiques d'une femme et de son mari et prétendait éclairer « d'une double lumière le malentendu nommé amour ». De fait, Boulenger s'en tenait à une opposition de la psychologie masculine et de la psychologie féminine, il procédait à des analyses psychologiques plutôt qu'il ne cherchait à restituer la singularité d'une expérience limitée.

Omniscience et humilité du romancier

Il fallait attendre, cependant, le lendemain de la deuxième guerre mondiale pour voir ces scrupules du point de vue s'organiser en un système, et conférer à un grand nombre de romans une facture nouvelle. Car François Mauriac, Julien Green, Georges Bernanos restaient à mi-chemin du récit objectif et du réalisme subjectif. Bernanos dévoilait, avec une lucidité omnisciente, les secrets de ses personnages, mais il lui arrivait de nous placer dans leur optique : la célèbre rencontre avec le maquignon — incarnation du Diable — dans le *Soleil de Satan* était tout entière vue et vécue du point de vue de Donissan. Mais, dans *L'Imposture*, c'est le romancier qui nous donnait la clef du caractère de Cénabre : une hypocrisie presque absolue. François Mauriac savait parfois se soumettre à l'optique de son personnage ; mais quand il résumait en quelques formules heureuses toute une psychologie, voire tout un destin, il contrevenait formellement au principe du point de vue. Était-ce vraiment une faute contre les lois de l'art romanesque, comme Sartre le lui reprochait en 1939 ? Sartre devait reconnaître, une vingtaine d'années après, qu'il était devenu lui-même moins vétilleux sur les méthodes, que toutes les techniques étaient des truquages et que la première mission du romancier était de faire vivre des personnages et d'intéresser le lecteur. Or, le romancier qui s'astreint à une stricte technique du point de vue se prive de beaucoup des ressources de son art. « Il faut que le romancier soit Dieu le père pour ses personnages », notait Julien Green en 1930. En effet, il peut alors se donner le loisir de saisir leurs mobiles, voire de procéder à leur psychanalyse. Le plaisir de lire des romans (comme celui de les écrire) repose sur un double mouvement intérieur : une sympathie qui est heureuse de pouvoir coïncider avec l'optique d'un personnage, et une lucidité qui le tient à distance pour le mieux comprendre et le mieux juger.

La composition musicale

Les romanciers français se faisaient parfois une idée un peu simple de la composition : le récit circonstancié d'une aventure passionnelle constituait le cadre d'un bon nombre de romans. Mais on découvrait peu à peu, chez Tolstoï ou Dostoïevsky, Meredith ou George Eliot, les exemples d'une organisation plus souple qui permettait d'embrasser un vaste ensemble de faits et de sentiments. Romain Rolland, pour *Jean-Christophe*, avait eu, très tôt, l'intention de substituer à l'exposé d'un conflit une vaste suite d'épisodes qui faisaient la chronique d'une vie. Son « roman musical » devait être fondé sur l'orchestration des thèmes plutôt que sur les lois du seul récit. En fait, on sait que Romain Rolland n'a guère réussi à mettre en œuvre une composition si nouvelle. Proust, mieux que lui, y est parvenu. Malgré les excroissances de la genèse qui ont détruit les proportions initialement prévues, la structure est fondée sur l'apparition et le développement des thèmes. Les souffrances sentimentales de Swann préfigurent celles du narrateur ; l'amour pour Gilberte présente une esquisse de ce que sera l'amour pour Albertine, tout comme la sonate de Vinteuil est la préfiguration du septuor. Les trois expériences de mémoire affective qui, à la fin du *Temps retrouvé*, décidaient de la vocation du narrateur constituent le couronnement d'un thème qui était apparu avec le miracle qu'opérait la saveur d'une madeleine trempée dans une tasse de thé.

Dès lors que les romanciers, en dehors de la production courante, procédaient à des développements lyriques, philosophiques ou esthétiques, il était naturel qu'ils fussent conduits à adopter une composition qui n'obéissait plus aux lois du seul récit. C'était l'époque où, dans *Contrepoint*, Huxley parlait de la « musicalisation » du roman. Édouard, le romancier des *Faux-Monnayeurs*, voulait s'inspirer des lois de *L'Art de la fugue*. Gide confiait, dans son *Journal des Faux-Monnayeurs*, qu'il cherchait à imbriquer l'un dans l'autre un motif d'*andante* et un motif d'*allegro*. Jean Giraudoux comparait l'art du romancier à celui du musicien.

La nouvelle psychologie romanesque

Les romanciers français ont été marqués par les conquêtes de la psychologie moderne. Ils ont commencé par demander à la psychologie pathologique de Ribot des leçons que, quarante ans après, ils devaient demander au freudisme. Ils pouvaient se faire de ces doctrines une image sommaire ; telle quelle, elle les incitait à suggérer les complexités de la conscience et l'ambivalence des sentiments. De Bourget à Proust, de Boylesve à Mauriac, d'Estaunié à Duhamel, on s'en prenait volontiers à la raideur excessive du personnage balzacien. A la psychologie des types succédait la volonté de ne pas « débrouiller cet écheveau qu'est une créature humaine ». Jacques Rivière opposait à Dostoïevsky, qui ménage des ombres dans la psychologie de ses héros, les romanciers français qui, jusque-là, cherchaient à assurer la parfaite cohérence du personnage en procédant à une analyse claire et logique de ses conduites et de ses mobiles. Duhamel et Boylesve estimaient que rendre un personnage cohérent, c'était intervenir en lui de façon abusive, et qu'il était préférable de respecter ses zones d'ombre. Dans *Souvenirs d'un jardin détruit*, Boylesve présentait des personnages qui ne relevaient guère d'une interprétation claire et logique. Duhamel enregistait, dans leur variété et leur complexité, les mouvements d'âme de Salavin. Dans ces cas-là, l'art du romancier consistait à renoncer à l'analyse, car elle a généralement pour effet de relier les actions aux mobiles qui les ont causées ou de montrer les intermédiaires qu'il y a entre des sentiments différents. Pour montrer sur le vif l'illogisme des conduites ou des sentiments, on pouvait se contenter de noter leur apparition en laissant au lecteur le soin de se livrer à leur interprétation. Pour explorer les motivations profondes de la personnalité, le romancier pouvait procéder à une psychanalyse du héros ; il risquait dans ce cas de s'en tenir à des explications sommaires ;

et, de toute façon, il dissipait ces zones d'ombre qu'il s'était précisément attaché à suggérer. Quand Julien cède à un mouvement impulsif qui le conduit à tirer sur Mme de Rênal, Stendhal se contente de nous montrer son comportement. De la même façon, les romanciers modernes avaient recours à des procédés elliptiques pour donner au lecteur le sentiment des forces obscures qui mènent un personnage. Tout l'art d'un Boylesve, d'un Mauriac, d'un Gide, d'un Proust consistait à présenter des faits, à rapporter des propos, à indiquer un comportement ; c'était au lecteur d'interpréter les conduites. L'absence d'explication pouvait seule donner le sentiment des abîmes de l'âme humaine. Dans *Les Faux-Monnayeurs*, Gide rapportait, par exemple, le suicide d'Olivier ; mais il se gardait bien d'en indiquer les tenants et les aboutissants ; il ne confiait au lecteur que quelques indices, et toute interprétation demeurait toujours sujette à caution. La tentative de suicide de Maria Cross, dans *Le Désert de l'Amour*, restait tout aussi mystérieuse : les phrases incohérentes que murmurait l'héroïne pendant son délire apportaient bien peu de lumière. Il était piquant que Thérèse Desqueyroux, intelligente et lucide, au dire du romancier, fût incapable de comprendre, après coup, comment elle avait été amenée au crime.

Un bilan En 1905, dans sa réponse à l'enquête de Le Cardonnel et Vellay, Gide avait souhaité que l'on vît, dans le roman français, paraître de nouveaux personnages : la chose se faisait peu à peu, comme on vient de le voir. Edmond Jaloux, lors de la même enquête, avait espéré, de son côté, que les romanciers français en viendraient à améliorer, voire à renouveler leurs procédés techniques. Peut-on dire que, au terme de la période que nous envisageons actuellement, le roman français présentait une facture entièrement nouvelle ? On peut répondre que les innovations techniques y demeuraient rares et timides, si on les compare à celles qui, dans le même temps, de Conrad à Joyce, bouleversaient le roman anglais. C'est seulement après 1930, et surtout après 1945, que s'ouvre ce qu'on a appelé l'âge du roman américain. Des lendemains du naturalisme à 1930, on assiste en France à une période de crise pendant laquelle se sont multipliés les débats, les remises en question théoriques des structures existantes. Mais il y a souvent loin des principes aux œuvres. Certes, des ambitions nouvelles, avec *Jean-Christophe* et surtout avec *A la recherche du temps perdu*, étaient venues transformer le roman : il avait cessé d'être une description encyclopédique du réel pour devenir le patient compte rendu d'une expérience spirituelle. Mais c'étaient là deux œuvres exceptionnelles. Et d'ailleurs les transformations qu'elles faisaient subir au roman ne constituaient point une révolution formelle ; elles concernaient la *nature* du genre plutôt que le métier de romancier. Ainsi, vers 1930, le gros de la production française présentait toujours, comme le disait Julien Green, « un récit en prose entrecoupé de dialogues ». L'usage des techniques nouvelles du monologue intérieur et du point de vue demeurait exceptionnel. Crémieux et Vogt, en 1930, lors d'un débat, estimaient que les formes romanesques n'avaient guère évolué. Pourtant, ils accordaient une place toute particulière aux *Faux-Monnayeurs* d'André Gide, car ce roman, disaient-ils, était la synthèse harmonieuse de toutes les formes alors connues. Ce livre n'était-il qu'un aboutissement ? N'était-il pas chargé d'intentions nouvelles qui préfiguraient beaucoup de recherches ultérieures ? C'était peut-être un grand livre manqué. Mais c'était une œuvre singulièrement riche à beaucoup d'égards et elle était caractéristique d'un temps de contestations et de recherches.

Le roman d'un roman — L'originalité des *Faux-Monnayeurs* était de présenter un personnage, romancier de son état, qui était précisément en train d'écrire *Les Faux-Monnayeurs*. Il est vrai qu'on ne lisait jamais, à l'exception de deux ou trois pages de circonstance, le roman qu'il tirait de ses expériences. A défaut d'écrire, Édouard parlait beaucoup, de son roman, bien sûr ; mais, mieux encore, du roman en général. *Les Faux-Monnayeurs* étaient un roman, et le roman d'un roman en train de se faire, ou plutôt de ne pas se faire, car Édouard s'intéressait tant à la genèse de son livre qu'il était fort improbable qu'il parvînt à l'écrire. André Gide flanquait ses *Faux-Monnayeurs* d'un *Journal des Faux-Monnayeurs* ; lui aussi, il tenait registre des progrès de son livre, il se consacrait à la « critique continue de (son) roman, ou, mieux, du roman en général ». Quelle était la signification et la portée de ces jeux byzantins ? En débattant du roman au sein même du roman, Gide assurait à son œuvre, en quelque sorte, un fondement esthétique. Déjà, dans *Les Caves du Vatican*, il avait présenté un romancier qui exposait ses intentions singulières. En 1895, il avait dit, à propos de *Paludes* : « J'aime aussi que chaque livre porte en lui, mais cachée, sa propre réfutation (...). J'aime qu'il porte en lui de quoi se nier, se supprimer lui-même »[1]. La présence de l'esprit critique, dans l'élaboration de l'œuvre, était l'aboutissement d'un courant qui, de Poe à Mallarmé, n'avait cessé de se développer. Chez Proust aussi, on trouvait, au sein même de l'œuvre, l'esthétique de cette œuvre. Le *Journal des Faux-Monnayeurs* était un document intéressant sur la façon dont un artiste aussi conscient et aussi lucide qu'André Gide abordait les problèmes de son art. Il s'interrogeait, par exemple, sur l'angle sous lequel il devait présenter la réalité fictive. Le *Journal* était dédié « à ceux que les questions de métier intéressent ». Ceux-là, et en partie à cause de Gide, ont été, en France, de plus en plus nombreux.

Dans les années mêmes où se déroulait la querelle de la poésie pure, Gide lançait l'idée d' « un roman pur ». « Purger le roman, écrivait-il[2], de tous les éléments qui n'appartiennent pas spécifiquement au roman. On n'obtient rien de bon par le mélange. (...). Et ce pur roman, nul ne l'a non plus donné plus tard ; non, pas même l'admirable Stendhal qui, de tous les romanciers, est peut-être celui qui en approche le plus. Mais n'est-il pas remarquable que Balzac, s'il est peut-être le plus grand de nos romanciers, est sûrement celui qui mêla au roman, et y annexa, et y amalgama, le plus d'éléments hétérogènes et proprement inassimilables par le roman (...) ». Mais Gide se proposait de « mettre tout cela dans la bouche d'Édouard » ce qui lui permettrait d'ajouter qu'il ne lui accordait pas tous ces points.

---

1. Voir GIDE, *Romans*, Pléiade, p. 1479.
2. *Journal des Faux-Monnayeurs*, Gallimard, 1927, pp. 62-64.

Au sein même des *Faux-Monnayeurs*, l'idéal du roman pur était comme une chimère dont on savait bien qu'on ne pourrait jamais l'atteindre. Gide glissait, dans son œuvre, l'image virtuelle de ce qu'elle aurait dû être, de ce qu'elle ne pouvait être. Il est plus facile de préciser ce que n'est pas le roman pur que de dire ce qu'il est. Il doit être un « roman de l'essence de l'être », il doit être débarrassé des descriptions, des dialogues rapportés, des événements, des aventures, toutes choses qui peuvent trouver leur place, par exemple, au cinéma[1]. Mais, réduit à l'essentiel, évoluant sur un plan presque purement mental, ne risquera-t-il pas de verser dans l'abstrait et d'ennuyer mortellement ses lecteurs ? Même si l'idéal du roman pur est celui d'Édouard plutôt que celui de Gide, on a pu soutenir que *Les Faux-Monnayeurs* étaient un grand roman manqué. Il est vrai, comme le dit Gide, que l'œuvre de Balzac est chargée d'« éléments hétérogènes », de « scories », que les descriptions et les détails gratuits y abondent. Mais, à la lecture de Balzac, grâce à tous ces détails, un monde se lève. Le roman pur était une chimère, et, à la poursuivre, l'auteur risquait de manquer le roman. Ce n'est pas avec des idées qu'on écrit un roman, mais avec des faits ; et la lucidité n'est peut-être pas la meilleure arme du romancier. *Les Faux-Monnayeurs*, au fond, plus qu'un roman véritable, étaient le canevas de bien des romans possibles ; non seulement celui d'Édouard, mais par exemple, dès le début, celui de Lucien, qui se proposait de « raconter l'histoire, non point d'un personnage, mais d'un endroit », en l'occurrence une allée du jardin du Luxembourg. Si bien que ce jardin n'était pas seulement le décor actuel d'une scène, mais le lieu idéal et mythique d'un roman virtuel.

Au-delà du récit

Gide dédiait à Roger Martin du Gard ses *Faux-Monnayeurs* comme son « premier roman ». Il voulait marquer par là qu'il n'avait encore jamais écrit de roman véritable ; qu'il n'avait produit, jusque-là, que des *récits* ou des *soties*. C'est en 1911 dans un projet de préface pour *Isabelle* que Gide avait précisé sa notion du roman et qu'il avait opposé le *roman* au *récit*. Le *récit* était une œuvre relativement brève, qui présentait une situation simple, un ou deux personnages essentiels ; il retraçait une aventure sentimentale ou passionnelle, une crise de la vie intérieure ; s'il entreprenait de retracer la courbe d'un destin, c'était de façon rapide et sobre. *L'Immoraliste, La Porte étroite, Isabelle, La Symphonie pastorale*, avaient été, de 1905 à 1918, des récits apparentés à cette lignée si française du roman d'analyse. Mais Gide, dans le même temps, s'était forgé à la lecture des grands romanciers anglais et russes, l'idéal d'un roman d'aventure caractérisé par la multiplicité des personnages mis en scène autant que par la complexité des situations. Le *roman* s'opposait au *récit* comme le *complexe* s'opposait au *simple*, comme *Guerre et Paix* s'opposait à *Adolphe*. *Les Caves du Vatican* étaient, sur le mode parodique, la première incarnation de ce grand roman qui devait se proposer de suggérer le foisonnement et la complexité du réel. En 1920, Gide notait sur le carnet d'où il devait tirer le *Journal des Faux-Monnayeurs* :

---

1. *Romans*, Pléiade, p. 990.

« Tout ce que je vois, tout ce que j'apprends, tout ce qui m'advient depuis quelques mois, je voudrais le faire entrer dans ce roman, et m'en servir pour l'enrichissement de sa touffe ». De fait, *Les Faux-Monnayeurs* contenaient la matière de cinq ou six récits : il y avait l'histoire de Laura, celle de Bernard, celle d'Armand, celle de Vincent, celle du vieux Lapérouse, etc. Les premiers chapitres avaient de quoi dérouter un lecteur non prévenu : l'auteur nous présente Bernard, puis Olivier, puis le frère de celui-ci, Vincent, puis Passavent, l'ami de Vincent, puis Lilian, la maîtresse de Passavent. On explorait la complexité du réel en glissant de proche en proche. L'auteur ne « profitait » jamais des personnages et des situations qu'il avait forgés ; dès qu'il les avait esquissés, il les abandonnait pour passer à d'autres. Son roman prenait, de ce fait, l'aspect d'une suite de débuts de roman ; il contenait bon nombre d'*amorces* d'histoires qui n'étaient pas racontées, mais que le lecteur, dont on sollicitait la collaboration, pouvait imaginer. Édouard raillait l'esthétique naturaliste de la tranche de vie ; « le grand défaut de cette école, disait-il[1], c'est de couper sa tranche toujours dans le même sens, dans le sens du temps, en longueur. Pourquoi pas en largeur ? ou en profondeur ? » A vrai dire, son idéal eût consisté à ne pas couper du tout, à tout accueillir de ce que la vie lui proposait ; de sorte que le roman qu'il projetait ne devait admettre ni plan ni conclusion ; il pourrait seulement s'éparpiller, se défaire. Si André Gide a, au moins en partie, réussi à donner au lecteur le sentiment de la complexité des choses, c'est parce qu'il abordait beaucoup de personnages et de situations ; mais aussi parce qu'il les liait tous par quelque côté, de même que, dans la vie, tout se tient. Bernard soulevait un jour le marbre d'une commode : c'était ensuite toute une cascade d'événements dont le dernier rapporté était le suicide du petit Boris. Chaque geste suppose, comme l'observait Gide, une motivation infinie, et il provoque, si l'on peut dire, une réaction en chaîne. *Les Faux-Monnayeurs* étaient le roman des romans, le « feu d'artifice du romanesque », selon le mot de Claude-Edmonde Magny, si tant est que le romanesque soit la poésie de la causalité ; d'une causalité non point linéaire, mais chargée d'interférences, n'agissant point seulement verticalement, à l'intérieur d'une seule histoire, mais latéralement, d'une histoire à l'autre. Tout se tient, par quelque côté. Le romancier qui a écrit la première phrase de son livre est pris dans un engrenage. Alors que le récit stylise les événements passés, se propose de retracer la courbe d'une évolution, Gide proposait, dans son roman, le foisonnement d'une réalité en train de se faire.

« Le roman tel que je le reconnais ou l'imagine, avait écrit André Gide à la veille de la guerre, comporte une diversité de points de vue soumise à la diversité des personnages qu'il met en scène ; c'est, par essence, une œuvre déconcentrée ». Au lieu de présenter, dans *Les Faux-Monnayeurs*, la multiplicité des épisodes dans l'éclairage unique d'un récit impersonnel, (ce que faisait Roger Martin du Gard dans *Les Thibault*, ce qu'avait fait Romain Rolland dans la *Maison* ou les Margueritte dans *Les Fabrecé*, ainsi que tous les romanciers naturalistes qui avaient voulu évoquer une réalité

---

1. *Ibid.*, p. 1081.

complexe) il organisait son histoire autour de plusieurs foyers : à la multiplicité des objets considérés s'ajoutait la multiplicité des points de vue. Gide avait confié, en 1917, à Charles Du Bos, son désir d'écrire un livre qui, comme *L'Anneau et le Livre* de Robert Browning, révélerait la divergence des optiques. Effectivement, dans *Les Faux-Monnayeurs*, on ne contemplait pas une réalité complexe d'un point·de vue unique, on découvrait un même événement sous des optiques différentes. « Je voudrais, avait écrit Gide dans le *Journal des Faux-Monnayeurs*, que les événements ne fussent jamais racontés directement par l'auteur, mais plutôt exposés en plusieurs fois, sous des angles divers, par ceux des acteurs sur qui les événements auront eu quelque influence ». Il disait aussi sa volonté de « ne jamais exposer d'idées qu'en fonction des tempéraments et des caractères ». Si le romancier se réservait pourtant d'intervenir et d'exposer son point de vue, il insistait complaisamment sur ses ignorances ; le point de vue de l'auteur était aussi limité que celui des personnages.

Le roman de soi-même   Ce qui rend intéressante et significative l'expérience littéraire des *Faux-Monnayeurs*, c'est que, comme Édouard, Gide « abrite sous son crâne deux exigences inconciliables ». Il veut, en un seul roman, embrasser la complexité du réel et soumettre un tel ensemble, *a priori* luxuriant et diffus, à une ordonnance toute classique. Il a la passion du fait divers, mais il veut écrire un roman à idées. Il veut partir à la fois du monde et de soi-même, de la coupure de journal et de vieilles hantises à purger. Il écrit pour peindre la vie, noter ce que le réel lui enseigne, mais il écrit surtout pour donner de lui, sur les registres les plus divers, l'image la plus complète. Car la concurrence à l'état civil n'est point son idéal : « Concurrence à l'état civil ! Comme s'il n'y avait pas déjà suffisamment de magots et de paltoquets sur la terre ! Qu'ai-je affaire à l'état civil ! L'état c'est moi, l'artiste ; civile ou pas, mon œuvre prétend ne concurrencer rien »[1]. Présenter un tableau de la société française à un moment de son histoire ne l'attire pas davantage : « Une peinture exacte de l'état des esprits avant la guerre, — non ; quand bien même je la pourrais réussir, ce n'est point là ma tâche ; l'avenir m'intéresse plus que le passé, et plus encore ce qui n'est non plus de demain que d'hier, mais qu'en tout temps l'on puisse dire : d'aujourd'hui »[2]. Il faut admettre la singularité de ce dessein romanesque : beaucoup des critiques qu'on a adressées aux *Faux-Monnayeurs* consistent en effet à reprocher à Gide de ne pas être Balzac ou Tolstoï.

Si Balzac et Tolstoï sont, selon la distinction de Jean Delay, des romanciers tournés vers le dehors, Gide est tourné vers lui-même. Certes, il s'est dégagé peu à peu des abstractions symbolistes ; il a voulu retrouver le poids du réel, la gratuité et la contingence des faits divers ; il était curieux de procès d'assises ; il collectionnait des coupures de journaux ; il entendait « sortir de soi ». « Autrui, importance de sa vie », pouvait-on lire déjà dans

---

1. *Ibid.*, p. 1080.
2. *Journal des Faux-Monnayeurs*, p. 16.

Les Nourritures terrestres. Et dans *Les Cahiers d'André Walter* : « Multiplier les émotions. Ne pas s'enfermer en sa seule vie ; en son seul corps ; faire son âme hôtesse de plusieurs ; (...) ». Gide demandait aux situations ou aux personnages qu'il évoquait l'occasion de vivre par procuration. Une formule de Thibaudet a été pour lui, pendant la genèse des *Faux-Monnayeurs*, une véritable illumination : « Le romancier authentique crée ses personnages avec les directions infinies de sa vie possible. Le romancier factice les crée avec la ligne unique de sa vie réelle ». *Les Faux-Monnayeurs* étaient, plus que tout autre roman, une « autobiographie du possible » ; mieux encore, la projection, dans des situations et des personnages détachés de l'auteur, de ses obsessions les plus profondes. Les aspects contraires de lui-même qu'il avait pu, jusqu'alors, dans le cadre des *récits*, incarner successivement, voilà que son grand roman allait lui donner l'occasion de les exprimer en même temps. Au lieu d'un *solo*, c'était une *symphonie*. La composition n'était plus fondée sur un agencement dramatique ; elle était faite de l'équilibre harmonieux de valeurs contrastées. Les situations et les personnages incarnaient des *valeurs*. Jacques Lévy pouvait dès lors tenter d'esquisser une interprétation symbolique du livre. *Les Faux-Monnayeurs* étaient « le produit d'une sorte de mythologie spirituelle ».

CHAPITRE V

L'ÉPOQUE DES CONTESTATIONS

I. Le roman français au milieu de l'entre-deux-guerres

La surabondance   Si on jette un coup d'œil sur la production romanesque en France, vers le milieu de l'entre-deux-guerres, on est d'abord frappé par son abondance et par sa diversité. Il y a, vers 1930, beaucoup de romans, et des romans de toute sorte. Il y a le roman genre N.R.F. avec quelque chose d'appliqué, de subtil et d'un peu gourmé ; il y a le roman type Albin Michel, qui vise à la grande diffusion ; il y a le récit bref et élégant de la maison Grasset, le roman sérieux et grave de Plon-Nourrit. Tous les automnes, la distribution des prix relance la vie littéraire. Beaucoup de ces romans qui paraissent sont destinés à l'oubli ; pourtant, ils ont été conçus et écrits avec soin la plupart du temps ; s'ils lassent les critiques ou le public, c'est moins par une faiblesse scandaleuse que par le caractère de *déjà lu* qu'on leur trouve en général. Et comment, à vrai dire, renouveler un genre qui s'est déjà renouvelé si souvent ? A côté de ce roman littéraire qui, bon an, mal an, produit un ou deux beaux livres, il y a une vaste industrie du roman. Jamais l'expression ancienne de *littérature industrielle* ne fut plus appropriée. Toute une littérature de consommation s'étale dans les kiosques des gares : à côté des romans destinés à la jeunesse, il y a le roman-feuilleton, le roman policier, le roman d'amour. Les collections distribuent tant bien que mal cette immense production en série. Il va de soi que la plus grande partie de cette littérature commerciale ne relève guère du jugement critique, et concerne encore moins l'historien des lettres. On aurait tort, pourtant, de la traiter à la légère. Des travaux collectifs pourraient, avec profit, s'attacher à répertorier ses thèmes et ses procédés, à déterminer ses implications sociologiques, à analyser son contenu intellectuel et le rôle qu'il joue dans l'évolution des mentalités. D'autre part, la démarcation entre le *roman littéraire* et le *roman de consommation* est parfois difficile à tracer. Pourquoi les œuvres les plus belles seraient-elles obligatoirement les moins lues ? Pourquoi le grand succès devrait-il, *a priori*, susciter la méfiance ? Il n'y a, en ce domaine, que des cas d'espèce. Où classer Simenon, par exemple ? Dès ses débuts, il apparut comme le plus prodigieusement doué des romanciers. Ses innombrables succès, avec des œuvres de confection, sont-ils l'envers séduisant et facile de ce qui aurait pu être le sommet romanesque de ce temps ? Telles qu'elles sont, ses meilleures œuvres se situent déjà au niveau de la réussite littéraire. Elles offrent une gamme de procédés techniques qu'il vaudrait la peine de recenser et d'étudier.

Comme le suggérait Maurice Nadeau, il faut renoncer à la « facile tentation du tableau d'Histoire-panorama, dans les cases duquel viennent se loger, en bon ordre, tendances, mouvements, genres, générations, tempéraments (...) »[1]. On a tout dit sur le roman quand on a parlé de sa prolifération insensée ; quand on a dénoncé son caractère impérialiste, annexionniste, puisqu'il a absorbé la poésie et l'essai, et qu'il ne se refuse ni au reportage direct, ni à la monographie d'une passion, ni à la peinture des mœurs, ni à l'évocation de caractères singuliers, ni aux réflexions du moraliste et du philosophe, ni aux caprices des broderies poétiques. On voit tel ou tel roman se situer au point de rencontre de perspectives si diverses. Comment, dès lors, pourrait-on prétendre, sans arbitraire, opérer des classements ? Tant s'en faut qu'on puisse encore utiliser de façon satisfaisante, pour classer la production, les distinctions qu'opérait Paul Bourget entre roman d'analyse, roman de caractère et roman de mœurs. Au surplus, depuis la fin du naturalisme, il n'y a plus de mouvement qui entreprenne d'imposer un moule commun du roman. Le populisme, vers 1930, n'a pas réussi à regrouper une génération. Le culte de l'originalité à tout prix, la multiplicité des tendances, la complexité des influences et des sollicitations, tout cela conduit à reconnaître que la surabondance de la production n'a d'égale que sa diversité. « Roman psychologique, écrivait Desnos[2], roman d'introspection, réaliste, naturaliste, de mœurs, à thèse, régionaliste, allégorique, fantastique,

---

1. *Le Roman français depuis la guerre*, Idées, N. R. F., p. 12.
2. « Notes sur le roman », in *Les Problèmes du roman*, sous la direction de Jean Prévost.

noir, romantique, populaire, feuilleton, humoristique, d'atmosphère, poétique, d'anticipation, maritime, d'aventure, policier, scientifique, historique, ouf ! et j'en oublie ! Quel fatras ! Quelle confusion ! »

La permanence des formules   Il peut sembler paradoxal, à première
et la continuité des carrières   vue, d'opérer une coupure au beau milieu
                                     de l'entre-deux-guerres. Les romanciers
qui ont connu leurs premiers succès au lendemain de l'armistice continuent, pour la plupart, à traiter selon leur manière les thèmes qui leur sont chers. Et il arrive fréquemment que les débutants ne répugnent guère à écrire selon d'anciennes formules. On voyait, dans les années trente, Jean Blanzat, Charles Mauban, et beaucoup d'autres, écrire de subtils romans d'analyse sentimentale. Robert Francis, qui donnait à plusieurs romans le titre trompeur d'*Histoire d'une famille sous la Troisième République*, ne proposait guère des études de mœurs ; il était moins l'héritier de Zola que celui d'Alain-Fournier : dans *La Grange aux trois belles*, il atteignait un charme poétique qui n'était pas sans évoquer *Le Grand Meaulnes*. Guy de Pourtalès donnait, en 1937, avec *La Pêche miraculeuse*, une étude de mœurs conçue selon les formules anciennes. Le roman de l'enfance poursuivait sa carrière : de *L'Enfant inquiet* d'André Obey, en 1919, à *La Maison des Bories* de Simone Ratel, en 1932, la lignée était singulièrement riche. Le roman fantastique connaissait encore de beaux succès. A la suite de Rosny aîné, qui avait jadis écrit *La Mort de la terre*, Jacques Spitz publiait en 1935 *L'Agonie du globe*. André Maurois reprenait, dans les années trente, avec *Le Peseur d'âmes* (1931), *La Machine à lire les pensées* (1936), les thèmes et les procédés d'un fantastique terrifiant auquel Rosny et Wells avaient donné ses lettres de noblesse. Le roman historique, toujours en procès, retrouvait sans cesse des succès : tel le *Nez-de-cuir* de Jean de la Varende, en 1937. Toute une lignée du roman d'aventure subsiste après 1930 : par-delà Cendrars, Mac Orlan ou Gilbert de Voisins, elle remonte aux romans anglo-saxons de Kipling, de Stevenson, de Jack London, de Conrad ; Fauconnier obtint, en 1931, un beau succès avec *Malaisie*. Il y avait des reportages un peu didactiques dans les romans que Luc Durtain consacrait à l'étude de la civilisation américaine : *Quarantième Étage* (1927), *Hollywood dépassé* (1928), *France et Marjorie* (1934). L'Espagne offrait à Joseph Peyré, en 1935, le cadre de *Sang et Lumière*. Il avait, en 1931, évoqué l'Afrique avec *L'Escadron blanc*, qui était peut-être son meilleur livre. On continue, dans les années trente, à conter les inquiétudes de l'adolescence, les troubles de la conscience religieuse, les conflits entre l'individu et la famille. Certes, le roman populiste, vers 1930, constituait une saine réaction contre une littérature de l'intériorité et de l'inquiétude qui avait marqué la première décennie de l'après-guerre. Mais Léon Lemonnier, avec *La Femme sans péché*, André Thérive avec *Sans Ame* ou *Anna*, loin d'être des précurseurs, retrouvaient la tradition estimable d'un naturalisme élargi et assagi qui, de Zola à Eugène Dabit ou à Maxence Van der Meersch, passait par Gustave Geffroy qui avait écrit, avec *L'Apprentie* en 1905, et *Cécile Pommier* en 1923, le simple et beau roman d'une petite ouvrière.

Des années vingt aux années trente, ce ne sont pas seulement les anciennes formules qui subsistent, ce sont bien souvent les mêmes carrières qui continuent. Gide et Valéry sont devenus des pontifes : l'un distille, dans ses *Nou-velles Nourritures*, une sagesse d'un autre âge, l'autre dispense ses leçons d'esthétique selon les hasards d'une carrière d'homme de lettres à succès. Colette et Giraudoux continuent à moduler les mêmes thèmes. Certes Girau-doux, vers 1930, passe au théâtre après le succès que Jouvet a obtenu avec *Siegfried*. Mais il sait encore être le romancier de *Combat avec l'ange*, en 1934, et de *Choix des élues*, en 1939. Colette a-t-elle changé entre *La Fin de Chéri* (1926) qui est sans doute son roman le plus poignant, et les succès qu'elle obtient avec *La Chatte*, en 1933, puis avec *Julie de Carneilhan* et *Gigi* ? Elle sait toujours insérer, au sein de chapitres un peu faibles, de belles pages d'anthologie. François Mauriac donnait avec *La Fin de la nuit*, en 1935, une suite à son beau roman, *Thérèse Desqueyroux* (1927). S'il suivait la mode du temps en élargissant un peu le cadre de son récit avec *Le Mystère Frontenac*, il donnait, en 1932, avec *Le Nœud de vipères*, une de ses plus hautes réussites. Il y trouvait un incomparable accent pour saisir, enfouies dans la pleine touffe de la haine, les racines vivaces de la charité et de l'amour. Mauriac, depuis ses débuts, n'avait cessé de progresser dans la conquête de son accent propre : accent déjà discernable dans *Génitrix*, dans *Le Baiser au lépreux*, dans *Le Désert de l'amour* ; mais il ne prenait sa pureté frémissante qu'avec *Thérèse Desqueyroux* et *Le Nœud de vipères*. André Maurois, après la réussite de *Climats* en 1928, écrivait *Le Cercle de famille*, en 1932, et *L'Ins-tinct du bonheur* en 1934. Et chez Ramuz, quelle différence essentielle pour-rait-on trouver entre *La Grande Peur dans la montagne* (1925) ou *La Beauté sur la terre* (1927) et *Derborence*, par exemple, en 1934 ? C'était la même inquiétude panique ; c'était la même technique romanesque, une des plus remarquables et des plus originales de son temps.

Carco continuait à peindre la pègre, Lacretelle, la bourgeoisie. Char-donne, qui avait écrit avec *L'Epithalame*, en 1921, le roman du mariage, restait fidèle, dans les années trente, avec *Claire* (1931), *Les Varais* (1932), *Eva* (1935), à ses subtiles monographies du couple. Après *Sous le soleil de Satan* (1926), *L'Imposture* (1927), *La Joie* (1929), Bernanos contait une fois de plus, en 1936, dans *Le Journal d'un curé de campagne*, la même aventure religieuse : l'appel de la sainteté dans l'âme d'un pauvre prêtre, l'envahis-sement soudain de la grâce divine au sein même d'une tragique déréliction. Jouhandeau, qui avait fait ses débuts, lui aussi, dans les années vingt, trou-vait son accent propre avec *Chaminadour*, en 1934. Giono, qui avait donné *Colline* en 1929, publiait *Regain* en 1930, *Le Grand Troupeau* en 1931, *Le Chant du monde* en 1934, *Que ma joie demeure* en 1935 : c'est seulement vers 1950 qu'il devait renouveler sa manière en faisant succéder au thème de la joie panique un romanesque stendhalien. Point de cassure dans le développement du génie de Julien Green : n'y a-t-il pas dans *Minuit*, en 1936, la même imagination délirante liée à la même puissance de crédibilité qu'il y avait dans *Mont-Cinère*, en 1926, ou dans *Adrienne Mesurat* en 1927 ?

Le roman bourgeois   La plupart des romanciers demeurent fidèles à leur univers, à leur public. Com-ment eussent-ils pu changer ? Des années vingt aux années trente, les conditions de la vie littéraire demeurent les mêmes. La presse littéraire, qui veut attirer l'attention sur des inconnus, sait aussi monter en épingle les valeurs acquises. Le public qu'elle façonne reste le même : public bourgeois de culture moyenne, qui est un peu désarçonné, par exemple, par la souplesse intellectuelle de Jean Giraudoux, mais qui applaudit de confiance à ses prouesses, et même, en s'appliquant un peu, y prend du plaisir. Il y a, chez Colette, un curieux accord entre son *univers*, comme on dit, et les goûts du public de 1930 : il a de la sympathie pour ses mauvais garçons, pour l'amour maternel qu'on leur porte, pour la tristesse des passions comblées, pour la fraîcheur des sensations et l'amour des bêtes. Le public chrétien considère avec respect les drames religieux de Bernanos, mais il fait surtout ses délices des conflits mauriaciens, davantage à sa portée, entre la haine et la charité, entre les tourments de la chair et la nostalgie de la pureté. Ce public bourgeois de l'entre-deux-guerres, un peu las de l'inquiétude, toujours friand d'évasion, curieux de connaître un monde qu'il n'a pas encore le loisir d'explorer en touriste, dévore les romans qui le transportent en Amérique, en Afrique, en Asie. Il n'y cherche point, en général, la peinture des tensions qui portent en germe les révolutions de demain ou les guerres d'indépendance d'après-demain ; il veut du *pittoresque*. Dans ce monde que les romanciers, en voyageurs pressés, parcourent en tout sens, il y a des plaies qu'ils ne débrident jamais. Au demeurant, le goût de l'aventure géographique, comme de l'évasion poétique ou fantastique, est en rapport avec une sorte d'impuissance à assumer le réel. Ce qui fut le sujet de prédilection du public des années trente, c'est le conflit entre l'individu et la famille, entre le goût de la vie libre et le poids des traditions. Combien de romans, depuis le *Saint-Saturnin* de Schlumberger jusqu'aux *Hauts-Ponts* de Lacretelle, sont l'histoire d'un domaine familial ! Combien de romans sont l'histoire d'une famille bourgeoise, victime de ses divisions, de ses jalousies, en proie à des disputes d'héritage, inquiète de son avenir, et de l'avenir de ses biens ! Le génie de Mauriac, dans *Le Nœud de vipères*, a été d'évoquer un tel conflit à travers la conscience de celui qui doit mourir — et dans une lumière d'outre-tombe. *Les Loups* de Guy Mazeline, en 1932, c'était aussi l'histoire d'une famille qui se disloque. Maurois a su opposer aux valeurs traditionnelles, dans *Le Cercle de famille*, la libre vie d'une héroïne des temps nouveaux, qui s'accommode fort bien de ce qui n'est même plus, à ses propres yeux, une déchéance. Ce thème de l'individu et de la famille, apparaît encore dans *Les Enfants gâtés* de Philippe Hériat. Il y avait dans tout cela l'écho lointain du *Familles, je vous hais* d'André Gide, et, plus profondément, le reflet d'une transformation des mœurs, dont on peut regretter qu'elle ait été évoquée, souvent, dans un cadre trop étroit. Il est vrai que beaucoup de romanciers, dans la production courante, ont continué à peindre, comme l'observait Pierre Jourda dans le sévère bilan qu'il dressait il y a une vingtaine d'années[1], les filateurs d'Elbeuf, les vignerons bordelais, les financiers parisiens. Qui plus est, ils se contentaient de les peindre dans ce que leur vie quotidienne avait d'étroit, non dans les forces profondes qui les menaient.

---

1. « Les Tendances du roman français, 1919-1939 », in *Annales de l'Université de Montpellier*, 1944, tome 2.

A la place des amples visions sociologiques de Balzac ou de Zola, ils portaient leur attention sur des conflits superficiels. « Adultères, écrivait Pierre Jourda, querelles de famille, avarice, train-train de la vie provinciale, analyse d'états d'âmes sombres ou compliqués, voilà ce qu'on nous a offert ».

Sévérité peut-être excessive, qui était, au lendemain de la guerre, le reflet d'une exigence inquiète. Au demeurant, le roman doit-il être, en tous temps, l'équivalent de ce qu'il fut pour Balzac ou pour Zola au XIXᵉ siècle ? Comment reprocher aux romanciers de ne pas rendre compte des mouvements profonds de la société, quand leur seule ambition était de forger un univers qui eût la couleur de leurs pensées ? Enfin, il y eut précisément, à partir de 1930, les efforts de ceux qui, comme Roger Martin du Gard ou Jules Romains, comme Georges Bernanos ou André Malraux, ont eu assez de courage et d'envergure pour tenter d'embrasser les problèmes de leur temps. Il reste vrai qu'il y a un roman bourgeois des années trente, mais il est vrai aussi qu'il contient de virulentes critiques de la bourgeoisie, et qu'il a bien été, dans les meilleurs cas, « la confidence et l'aspiration d'une société douloureuse ».

Les forces de renouvellement — Dans l'été de 1931, Brasillach menait une enquête qu'il intitulait « La Fin de l'après-guerre »[1]. C'était un des symptômes qui révélaient le changement de climat qui intervenait dans les années trente. « Après 1930, écrit René Pomeau[2], la littérature française change de ton. Évolution qu'on devine en rapport avec une évolution sociologique, sans qu'il soit aisé de préciser. A la faveur d'une crise qui ne fut pas seulement économique, les sarcasmes surréalistes commencent à porter ». Vers 1930, apparaît une génération dont l'orientation spirituelle est bien différente de celle qui précédait. Elle a été marquée par le *pourquoi écrivez-vous ?* des surréalistes. Elle a été frappée par le mot de Valéry : « Nous autres civilisations, nous savons maintenant que nous sommes mortelles ». Déjà, on sent que des événements se préparent, qui vont mobiliser la plupart des esprits. C'en est fini, pour les meilleurs, d'une littérature gratuite d'évasion ou de description. Les philosophes et les essayistes prennent le relais des poètes et des romanciers. On voit Bernanos hésiter entre l'action et la fiction : le pamphlétaire, chez lui, succède au romancier, avec *La Grande Peur des bien-pensants* ou *Les Grands Cimetières sous la lune*. Céline fustige la médiocrité de l'époque, dit l'absurdité de la vie, se complaît dans la dénonciation des hypocrisies. Du populisme de Lemonnier au personnalisme de Mounier, on est à la recherche de valeurs nouvelles. On redécouvre Péguy ; on comprend mieux son apport : une intuition profonde de l'incarnation du spirituel dans le temporel. Dans ses pamphlets, Emmanuel Berl a contribué à faire s'écrouler de fausses valeurs. Caliban parle, par la voix de Jean Guéhenno. Schlumberger demande à Corneille des leçons d'énergie. On découvre un nouveau romantisme de l'action. On s'attache à promouvoir le culte du héros. On demande à la

---

1. *Candide*, septembre 1931.
2. « Guerre et roman dans l'entre-deux-guerres », *Revue des Sciences humaine* janvier-mars 1963, pp. 83-84.

littérature romanesque de refléter les drames d'un monde qui commence à naître. Il lui faut s'appliquer à peindre le tragique de la condition humaine, qu'elle le trouve dans l'héroïsme des révolutions prolétariennes, ou dans les angoisses religieuses de la déréliction. Les premiers romans de Céline et de Malraux paraissent dans ce climat nouveau. D'autres influences se font sentir. Joyce et Virginia Woolf, connus en France depuis une dizaine d'années, invitent les romanciers, de plus en plus, à saisir les données immédiates de la conscience. Le réalisme brut, qui s'instaure dans le roman, procède à la fois du monologue intérieur et du behaviorisme naissant. On entre dans ce qu'on a appelé l'âge du roman américain. La notation sèche et brutale des conduites procède des romanciers américains de la « génération perdue » ; elle vient aussi du cinéma. Malraux révèle Faulkner au milieu de l'entre-deux-guerres, et Sartre, quelques années plus tard, déclare qu'il tient Dos Passos pour un des plus grands romanciers de son temps.

Dans ce nouveau climat intellectuel, deux générations contribuent à renouveler le roman : la génération de 1885, celle de Lacretelle, de Duhamel, de Martin du Gard, de Jules Romains, entreprend de vastes cycles romanesques qui prétendent embrasser la complexité de la vie sociale, et qui évoquent les entreprises de Balzac et de Zola au siècle précédent. Les romanciers qui appartiennent à la génération suivante, Céline, Montherlant, Aragon, Saint-Exupéry, André Malraux, s'attachent plutôt à faire le procès des valeurs, ou à en promouvoir de nouvelles. Selon toute apparence, il n'y a guère de point commun entre ces deux générations : peut-on songer à comparer Céline à Lacretelle, Malraux à Duhamel, Saint-Exupéry à Martin du Gard ? Tous, pourtant, appartiennent à un temps qui vient de redécouvrir l'historicité. Il a fallu plus d'une dizaine d'années pour comprendre la portée de la première guerre mondiale. Pour la génération de Gide et de Proust, elle n'avait été qu'une épreuve : elle n'avait pas remis en question leur univers intellectuel. Mais il y a chez Martin du Gard, comme chez Duhamel ou Jules Romains, le sentiment d'une menace qui pèse sur la civilisation occidentale. Jules Romains racontant Verdun ou Malraux participant aux révolutions qui secouent le monde, présentent dans leurs fictions un type d'homme requis par l'Histoire. On sort, vers 1930, d'un temps qui a été dominé par les maîtres de la génération de 1890 : Proust, Gide, Valéry, Claudel, et dont, sur le plan romanesque, la plus haute réussite a été celle de Marcel Proust. S'il n'est pas trop présomptueux ou trop aventureux de proposer des vues cavalières, disons qu'ils appartenaient à un temps où le roman était conçu comme une odyssée spirituelle ou une mythologie intellectuelle. Il était l'expression d'une âme privilégiée à la recherche de son secret. Il était le fruit d'une lente appropriation du réel par l'esprit : invention d'une patrie de l'âme, évocation d'un itinéraire spirituel, figuration symbolique des possibles intérieurs. A la sécurité bourgeoise et à la disponibilité morale répondait une sorte de sérénité intellectuelle. Avec la découverte de la durée intime et des profondeurs de l'âme, le roman était orienté vers l'expression totale du moi. Aux romanciers tournés vers eux-mêmes succèdent, en 1930, les romanciers tournés vers le monde, à moins qu'ils ne soient déjà requis par l'Histoire. A travers les individus, c'est la société tout entière qu'ils veulent étreindre. Ni Martin du Gard, ni Jules Romains, ni même Duhamel, ne se contentent pourtant de la décrire, de montrer ses rouages, d'analyser les forces qui la mènent. On perçoit déjà, chez eux, une interrogation qui sera plus angoissée à la génération suivante, sur la solidité des valeurs du monde occidental. Romains ou Duhamel proposent de sauvegarder des valeurs que leurs cadets mettent en question. L'inquiétude est du même ordre, elle concerne un monde à sauvegarder ou à transformer. Avec les angoisses d'un univers menacé apparaissent les tourments d'un humanisme remis en cause. Dans l'œuvre de Proust, on voyait une âme privilégiée s'interroger sur la signification des apparences; ce qui est en question, maintenant, c'est la vie de toute une société, la survie d'une civilisation. Le XIXe siècle ne s'achève qu'en 1930. On sort du *moi* pour entrer dans le courant de l'Histoire, dans le courant d'une vie innombrable ballottée par de grandes forces qui passent de beaucoup les limites de l'individu. Voilà sans doute le dénominateur commun de tant d'entreprises divergentes par ailleurs. Il y a plus de rapports qu'il n'y paraît d'abord entre les prêtres de Bernanos et les aventuriers de Malraux : ils sont jetés, les uns et les autres, dans le chaos et la nuit : la tempête de l'événement tout d'un coup les emporte, à moins que ce ne soit la tourmente de la grâce. On n'est pas seulement passé de l'intériorité à l'extériorité ; mais de l'expression des richesses du moi à la saisie d'une angoisse devant un monde de ténèbres. La vie n'est plus accomplissement, mais déchirement. Elle n'est plus conquête de la vérité, mais risque tragique. Ce nouveau tragique de la condition humaine est lié à une déréliction dans le temps de l'Histoire. La fragilité des civilisations évoque curieusement les caprices de la grâce. A la patiente approche d'un secret s'est substituée l'incertitude devant l'opacité de l'avenir. La durée n'est plus maturation, mais choix incertain vécu à l'indice de courte vue du présent. L'instant, chez Proust, arraché au monde de la contingence, est un mirage qui brille plutôt qu'une temporalité assumée. Chez Romains, c'est l'instant fatidique où le monde bascule vers la ruine, l'instant de grâce où l'on peut goûter encore la douceur de la vie. Chez Bernanos, c'est l'urgence d'un choix entre le salut et la damnation. Chez Malraux, c'est l'exaltation du meurtre ou du sacrifice. A une lente appropriation du réel par l'esprit s'est substituée la brutalité d'une mise en demeure. Les accusateurs ont remplacé les héritiers, les aventuriers ont remplacé les poètes.

2. Les fresques d'histoire sociale

« L'année 1930, écrivait Claude-Edmonde Magny[1], est une année tournante pour les destinées du roman : c'est vers ce moment que surgit et prolifère cette variété géante de l'espèce roman, à laquelle on a donné le nom de roman-fleuve. » Jacques de Lacretelle publiait *Les Hauts-Ponts* (1932-1936), qui racontent l'histoire d'une famille pendant plusieurs généra-

---

1. *Histoire du roman français depuis 1918*, Seuil, 1950, p. 305.

tions. René Béhaine, qui poursuivait un effort entrepris dès sa jeunesse, en était, en 1939, au douzième volume de son *Histoire d'une société*. Robert Francis, qui ne tenait guère les promesses de son titre, donnait l'*Histoire d'une famille sous la Troisième République*. Roger Martin du Gard couronnait *Les Thibault* par la fresque de *L'Été 14*. Georges Duhamel entreprenait la longue chronique des *Pasquier*. Jules Romains donnait naissance entre 1932 et 1947 aux vingt-sept volumes des *Hommes de bonne volonté*. Il y a là, des *Pasquier* aux *Thibault* et des *Thibault* aux *Hommes de bonne volonté*, un des massifs du roman contemporain. On trouverait certes beaucoup de différences d'intention, de qualité et de facture entre ces œuvres. Lacretelle rattachait à l'histoire d'un domaine sa chronique familiale. Les *Pasquier* racontent successivement, de façon linéaire, l'histoire des divers membres d'une famille. En revanche, Martin du Gard réussissait, dans *L'Été 14*, comme il y était déjà parvenu dans *La Belle Saison*, à suggérer le foisonnement d'une durée collective qui débordait toute destinée individuelle. C'était l'ambition de Jules Romains que de mener de front des intrigues simultanées, qui pouvaient suggérer la complexité de la vie sociale. Élargir le roman, multiplier les personnages et les événements, chercher à peindre, à travers un foisonnement de destinées individuelles, la vie de toute une société, telle était l'ambition qui venait, vers 1930, relancer les romanciers de la génération de 1885. Ils retrouvaient ainsi, avec des modalités nouvelles, le grand dessein de Balzac et de Zola : faire vivre un monde à travers les pages d'une longue suite de romans. Ils héritaient aussi de Romain Rolland : *Jean-Christophe* avait été, avant la guerre, une sorte de roman-fleuve, et dans les années vingt, l'auteur de *L'Âme enchantée* avait continué à mêler les destinées individuelles aux événements de l'Histoire et aux problèmes d'une époque. Le *Temps perdu* de Proust, contenait, à travers l'histoire d'une conscience, une chronique sociale. D'ailleurs, il suffisait aux romanciers de jeter un coup d'œil sur un siècle de romans : *La Comédie humaine*, *Les Misérables*, *L'Éducation sentimentale*, *Les Rougon-Macquart*, *La Guerre et la Paix*, *Les Possédés*, *Les Buddenbrooks*, la *Forsyte Saga* constituaient autant de fresques sociales, et l'on sentait bien que le roman avait trouvé là l'occasion de ses chefs-d'œuvre. D'ailleurs, Albert Thibaudet, sur le plan critique, avait beaucoup fait, depuis 1910, pour élargir l'idéal que les Français se faisaient traditionnellement du roman. En face des récits purs et parfaits qui retraçaient à grands traits une aventure psychologique et morale (*La Princesse de Clèves*, *Adolphe*, *La Porte étroite*), il prônait l'esthétique des vastes sommes romanesques des auteurs russes et anglo-saxons. C'est après la lecture des *Possédés* et des *Karamazov* que Gide, vers 1910, opposait aux *récits*, qu'il avait écrits jusque-là, l'idéal d'un roman qui serait fait d'une multiplicité touffue d'événements et de personnages. Il tentait de réaliser cet idéal dans *Les Faux-Monnayeurs* qui contenaient, non la peinture de toute une société, mais la présentation parallèle de plusieurs destinées individuelles, de plusieurs histoires non reliées par le fil d'une intrigue. C'était l'équivalent, en France, du *Contrepoint* de Huxley.

« Les Thibault »   Martin du Gard a commencé le cycle des
Thibault en 1920. Du *Cahier gris* (1922)
à *La Mort du père* (1929), il contait l'histoire de deux familles, les Thibault
et les Fontanin. Il dessinait des figures d'un puissant relief, il donnait vie
à des personnages représentatifs : un grand bourgeois autoritaire, un
adolescent révolté, un médecin énergique et ambitieux. Il héritait de
Tolstoï dans l'art du portrait en épaisseur, dans la suggestion de cette
troisième dimension du personnage imaginaire. Aucun effet de style gratuit,
chez lui, aucune provocation esthétique. Il confiait un jour : « Nous lisons
Tolstoï dans une traduction ; cela n'enlève rien à sa grandeur. Voilà une
leçon. Prenons soin de nos personnages et la forme prendra soin d'elle-
même »[1]. Il a été de bon ton, à la suite de quelques remarques d'André
Gide, de regretter le manque d'éclat de cet art solide et probe, ou de
déplorer, par comparaison avec Dostoïevsky, l'absence d'ombre et de relief
dans ce panorama « à la Tolstoï ». Albert Camus a fait justice de ces
critiques. « Il y a de grandes chances, écrivait-il[2], pour que l'ambition
réelle de nos écrivains soit, après avoir assimilé *Les Possédés*, d'écrire un
jour *La Guerre et la Paix*. Au bout d'une longue course à travers les
guerres et les négations, ils gardent l'espoir, même s'ils ne l'avouent pas,
de retrouver les secrets d'un art universel qui, à force d'humilité et de
maîtrise, ressusciterait enfin les personnages dans leur chair et leur durée ».

Ce ne sont pas seulement les personnages qui, dans les premiers tomes
des *Thibault*, bénéficiaient de cette troisième dimension. Le récit lui-même,
par la solidité de sa trame, imposait à l'esprit du lecteur un univers « crédible ».
Martin du Gard, en face de toute une littérature romanesque fondée sur
l'expérience intime d'une subjectivité, retrouvait, avec le goût de la documentation objective et de la narration impassible, les soucis des maîtres
du XIXe siècle. Le roman redevenait pour lui ce qu'il était avant Proust,
la représentation des êtres humains aux prises avec un monde hérissé de
difficultés concrètes. Martin du Gard s'appliquait à montrer l'interaction
vivante de l'homme et des choses. Héritier de Tolstoï, il ne dramatisait pas
la vie. Il en reproduisait le cours avec une souveraine impassibilité. Il traçait,
avec Jacques Thibault, un beau portrait d'adolescent. Il entrait dans sa
révolte avec sympathie ; mais aussi, il en indiquait les raisons. Il était assez
près de son personnage pour lui donner l'animation de la vie, assez éloigné
de lui pour apercevoir les obscures motivations de ses attitudes. C'est une
des vertus du réalisme que d'opposer aux emportements de la subjectivité
ou aux délires visionnaires la sereine contemplation du cours des choses.
« C'est très bien, Green, disait Martin du Gard[3], mais il raconte ses rêves,
et moi je parle de la réalité ». Il y a une sorte d'effacement de soi dans l'application et dans la mesure de cet art minutieux. Martin du Gard semble avoir
eu parfois le sentiment d'une sorte d'échec : « Ce que j'appelle objectivité,

---

[1]. Cité par André MAUROIS, « L'Univers de Martin du Gard », dans le numéro d'*Hommage à Roger Martin du Gard*, N.R.F., 1er décembre 1958.
[2]. Dans la remarquable introduction aux *Œuvres complètes*, Pléiade, tome I.
[3]. Cité par Jacques BRENNER, « L'Été 1939 », in *Hommage*, p. 1057.

disait-il[1], fidélité au réel, simplicité de composition et de facture, pourrait bien n'être qu'indigence ». Il se pourrait aussi que ce fussent là des vertus trop souvent oubliées.

« L'Été 14 »   Sept années se sont écoulées entre *La Mort du père*, en 1929, et le premier tome de *L'Été 14*, en 1936. Longue période, pendant laquelle Martin du Gard s'interroge sur l'univers qu'il est en train d'édifier, renonce au plan qu'il avait primitivement prévu, détruit le manuscrit du tome qui devait faire suite à *La Mort du père*, oriente sa création selon d'autres perspectives. Dans les trois gros volumes de *L'Été 14*, comme dans *L'Épilogue*, le romancier modifie son art, il orchestre de nouveaux thèmes, il donne une place prépondérante aux débats idéologiques. On sent une sorte de rupture de ton entre les premiers volumes des *Thibault* et le tableau de *L'Été 14*.

Dans les premiers tomes des *Thibault*, Martin du Gard avait réussi à faire vivre un monde dans une suite d'assez brèves monographies : la fugue de deux adolescents, l'enlisement moral dans un pénitencier, la journée d'un médecin, l'agonie d'un grand bourgeois, tels étaient les épisodes marquants de cette fresque. Seule, *La Belle Saison* rompait avec le caractère linéaire du récit : les événements se nouaient, la fiction prenait son épaisseur. Ces romans étaient découpés en scènes qui n'occupaient qu'un assez petit nombre de jours et d'heures. L'action du *Cahier gris* s'étendait, tout au plus, sur cinq jours ; encore le romancier, usant volontiers de l'ellipse, ne s'arrêtait-il que sur certains moments privilégiés. Le récit du *Pénitencier* portait sur quelques semaines, et telle visite d'Antoine, limitée à quelques heures, en occupait la plus belle part. *La Belle Saison* s'étendait sur cinq mois, et les scènes essentielles étaient situées dans un bref espace de temps, une soirée, une nuit, une journée. *La Consultation* durait 24 heures, *La Sorellina*, deux ou trois jours, *La Mort du père*, une semaine. C'est un des paradoxes de l'art romanesque, chez Martin du Gard, que ce morcellement parvienne à donner le sentiment de la durée. En rendant compte minutieusement de quelques heures, le romancier impose au lecteur la présence d'êtres fictifs, la continuité de leur existence et la vérité de l'univers dans lequel ils se meuvent.

Avec *L'Été 14*, le romancier se proposait de conter en détail les quelques mois qui précèdent la guerre. Il avait été conduit peu à peu à l'évocation des tempêtes de l'Histoire. Les destinées individuelles, dont jusque-là il s'était fait le patient chroniqueur, s'acheminaient ainsi vers une catastrophe qui se situait à l'échelle européenne. Pendant cette crise de la société bourgeoise, on apercevait de biais, par le truchement des milieux internationalistes, les préparatifs d'une révolution planétaire. Jacques Thibault est passé de la révolte anarchiste au service de la révolution. L'échec de sa vie répond à l'échec de la cause à laquelle il s'était voué : le mouvement socialiste international n'a pu empêcher la guerre. Il ne lui restait plus qu'à mourir seul, de façon exemplaire, au-dessus de la mêlée. La mort de Jacques

---

1. Cité par Robert MALLET, « Un Archiviste monumental », *ibid.*, p. 1049.

n'est pas le dernier mot des *Thibault*. Antoine est le héros véritable des temps nouveaux ; on l'a trop souvent considéré comme un positiviste borné, on a déploré qu'il fût trop sûr de soi. Il est vrai que, dans les premiers volumes des *Thibault*, il apparaît comme un héritier comblé, il a tout reçu en partage, l'intelligence, la santé, l'énergie, l'argent. C'est avec Rachel qu'il découvre l'existence d'autrui. Elle est sa première initiatrice. Grâce à elle, il prend la mesure de lui-même. Elle lui apprend la véritable humilité, qui est l'intime sentiment de ses propres limites. Au fur et à mesure que l'orage grossit à l'horizon, Antoine se sent solidaire de tous les hommes de sa génération : il fera, sans enthousiasme, cette guerre qui s'approche. Son destin, qu'il avait construit à force de volonté et de travail, voilà que les événements le remettent en question. Son père, au moment de mourir, avait compris qu'il allait tout perdre. De *La Mort du père* à *L'Été 14*, on est passé du plan métaphysique au plan social. La condition humaine n'est pas seulement l'usure que cause le vieillissement, elle est la soumission aux bouleversements de l'Histoire. Gazé, malade, condamné, Antoine a perdu l'assurance de sa jeunesse. Il sait qu'il va mourir sans avoir compris grand'chose à lui-même. Il sait seulement qu'un monde s'écroule, que l'individualisme n'est plus possible. Ce positiviste meurt en affirmant sa foi dans la continuité de l'aventure humaine. Il n'y a plus aucun espoir pour lui-même, mais un petit garçon né des amours de Jacques et de Jenny, Jean-Paul, représente la chance de l'avenir.

Martin du Gard, en face du révolté, a dressé le nouveau héros des temps troublés : le médecin qui consacre sa vie à apaiser de son mieux les souffrances des hommes. Avant le docteur Rieux, dans *La Peste*, Antoine Thibault incarne un style de vie. Martin du Gard avait commencé par la peinture de la bourgeoisie parisienne ; il finissait en proposant un héros qui, au milieu des temps troublés, gardait le courage d'espérer. Ce romancier qui écrivait en s'appuyant sur une solide tradition du XIXe siècle, et qui usait d'une technique éprouvée, a su prendre, mieux que beaucoup d'autres, la mesure de son temps. Avec *Jean Barois*, son œuvre s'était placée d'emblée sous le signe de la mort de Dieu. Dans *L'Été 14*, elle rendait compte d'une faillite de la civilisation. Il y avait une intensité tragique dans ces semaines pendant lesquelles l'Europe courait à la catastrophe. Les débats idéologiques, dont on a trop souvent regretté l'abondance, venaient rendre à l'événement son coefficient d'incertitude : ils étaient le bégaiement dérisoire d'une génération promise aux malheurs de l'Histoire.

Les « Pasquier »

Georges Duhamel avait entrepris, au lendemain de la guerre, le cycle de Salavin ; il y racontait, en cinq volumes, les déboires de son héros. Avec les dix tomes de la *Chronique des Pasquier* (1932-1945), il abandonnait lui aussi les perspectives d'une vie individuelle pour raconter l'histoire d'une famille. Il se proposait de peindre « un moment de la vie française, moment compris entre l'année 1880 et l'année 1930 ». Sa chronique familiale débouchait sur une chronique sociale. L'élan vital d'une famille coïncidait avec un moment de la durée française. Duhamel résumait un jour[1], en ces termes, l'esprit de son entreprise : « L'histoire des Pasquier a donc pour sujet principal l'ascension d'une famille du peuple à l'élite, entre 1880 et 1930. Raymond Pasquier, fils d'un jardinier de l'Ile-de-France, s'instruit, laborieusement, jusqu'à mériter et obtenir le diplôme de docteur en médecine, avec l'aide obstinée, passionnée, de son épouse Lucie Eléonore. De cette épouse, il a eu sept enfants. Cinq de ces enfants survivent. L'un d'entre eux, Laurent, deviendra, non sans efforts et aventures, un des premiers biologistes de son temps. L'aînée des filles, Cécile, musicienne douée de manière exceptionnelle, sera, de bonne heure, une grande artiste. La plus jeune des filles, Suzanne, remarquable par sa beauté, deviendra comédienne. Le fils aîné, enfiévré par l'appétit des biens temporels, s'illustrera comme homme d'affaires (Joseph)... Enfin, l'un des enfants (Ferdinand) s'enfoncera tout doucement dans une médiocrité sans lueur ». On voit le procédé. En créant une famille nombreuse, le romancier prenait ses aises. En dotant les enfants de qualités diverses, en les destinant à des vocations différentes, il se donnait le loisir de peindre une assez grande variété d'épisodes et de types humains, il s'accordait la possibilité d'explorer divers secteurs de la société française. C'était une vieille habitude du roman naturaliste que cette technique un peu rudimentaire. Paul Margueritte l'avait employée dans *Les Fabrecé* et Zola avait bâti, en principe, ses *Rougon-Macquart* en suivant le schéma d'un arbre généalogique.

Duhamel s'efforçait de varier les procédés du récit : ses trois premiers volumes étaient constitués par les souvenirs de Laurent Pasquier, le tome quatrième, c'était la série des notes prises par Justin Weil pour le livre qu'il se proposait d'écrire ; tel autre volume contenait les lettres de Laurent. Le romancier, en plus d'un endroit, recourait au récit traditionnel à la troisième personne, ou bien il faisait la part belle aux dialogues. La variété des procédés utilisés ne parvient guère à effacer l'impression de monotonie qu'on ressent à la lecture des *Pasquier*. On comprend que l'auteur ait voulu éviter une construction dramatique qui l'eût détourné de son dessein : évoquer les lents progrès d'une vie, peindre la grisaille des jours, saisir la vie dans sa quotidienneté la moins romanesque. Mais il n'y avait jamais le souffle puissant qui seul peut animer un monde fictif. Le roman cyclique, ici, se déroule comme une lente chronique. C'est le rythme même du récit, fût-il affranchi de la traditionnelle intrigue, qui manque d'allégresse. Il traîne nonchalamment, il se perd dans la gratuité des épisodes, il ne donne jamais l'impression d'une unité organique. Duhamel affirmait, à la suite des Goncourt, que le romancier était l'historien du présent. Mais il n'était, quant à lui, que le chroniqueur de quelques destinées individuelles. Il était, au surplus, replié sur les valeurs d'un libéralisme de bon ton. Ce chantre des classes moyennes et des réussites estimables montrait une mesure, une sagesse, un bon sens, qui desservaient le romancier. Ses personnages sont touchants, pétris d'humanité, ils manquent de relief. Ils excellent dans leur partie, ils font de belles carrières, et ils restent moyens.

---

1. Conférence à l'Université des Annales.

« LES HOMMES DE BONNE VOLONTÉ »

Le grand dessein

Les vingt-sept volumes des *Hommes de bonne volonté* ont paru entre 1932 et 1946. Jules Romains avait, dès les années vingt, jeté les bases de cette vaste construction. Toute son œuvre antérieure, du *Bourg régénéré* au *Dieu des corps*, était comme un exercice préparatoire au grand ouvrage de sa vie : « Je sentais, a-t-il confié, qu'il me faudrait tôt ou tard entreprendre une vaste fiction en prose, qui exprimerait dans le mouvement et la multiplicité, dans le détail et le devenir, cette vision du monde moderne dont *La Vie unanime* chantait d'emblée l'émoi initial ».

Dans la préface aux *Hommes de bonne volonté*[1], Jules Romains analyse les deux procédés auxquels ont eu recours les romanciers qui, depuis un siècle, se sont proposé pour but de peindre le monde de leur temps. Le premier est celui de Balzac et de Zola : il consiste à « traiter dans des romans séparés un certain nombre de sujets convenablement choisis, de sorte qu'à la fin, la juxtaposition de ces peintures particulières donne plus ou moins l'équivalent d'une peinture d'ensemble ». Le second a sur le premier l'avantage d'une unité organique. Au lieu d'une collection de romans, on a un seul roman en plusieurs volumes. La peinture de la société est disposée, en perspective, autour d'un individu. C'est le cas de *Jean-Christophe*, du *Temps perdu*, de tous ces « romans de formation » qui, de *Wilhelm Meister* à *La Montagne magique*, montrent les progrès d'une éducation intellectuelle et sentimentale. C'est une des meilleures formules du roman. Mais elle s'attache moins à peindre la société qu'à montrer son reflet dans une conscience. Ou bien elle n'utilise le personnage central que comme une sorte d'*utilité* : il n'est alors qu'un prétexte aux descriptions de l'auteur. L'échec de *Jean-Christophe* tient en partie à cette présentation didactique des différents secteurs de la société française.

Le romancier unanimiste, lui, part du collectif et du social, non de l'individuel. Son véritable sujet est la société. Il se refuse à « juxtaposer un nombre indéfini de romans distincts ». Il entend ne pas « se limiter à la seule histoire d'un personnage central ». Son entreprise exige « un roman unique, mais suffisamment vaste (...), et où des personnages multiples, individus, familles, groupes, paraîtraient et disparaîtraient tour à tour, comme les thèmes d'un drame musical ou d'une immense symphonie ». Dès le premier tome de la série, *Le 6 octobre*, point d'*histoire*, point d'*intrigue*, point de *sujet*, point de *personnage principal* : rien d'un roman traditionnel. On glisse d'une vie à une autre, on explore, de proche en proche, l'espace de la ville. La vie est là, dans la descente des Parisiens au travail, dans le réveil d'une comédienne, dans l'atmosphère d'une classe d'école primaire, dans la course des express qui convergent vers la capitale. Dans chacun des volumes suivants, on abandonne à chaque instant un personnage pour en retrouver un autre. Par la vivacité de cette *suite* de scènes, Romains a voulu

---

1. Qu'on trouvera dans le tome I, *Le 6 octobre*. Voir texte 39.

obtenir « tout un pathétique de la dispersion, de l'évanouissement, dont la vie abonde ». Il l'a souvent obtenu. Mais a-t-il réussi à faire vivre toute une société mieux que Balzac n'y est parvenu ? Il est permis d'en douter. Jules Romains savait ce qu'il voulait faire avant même de commencer à rédiger son premier volume. Balzac a pris conscience en cours de route de l'importance de son dessein. Ici une maturation spontanée, une inspiration déchaînée ; là, la mise au point d'une technique déliée. Le monde de Balzac s'impose à nous, une société entière s'agite à travers *La Comédie humaine*, malgré les défauts d'une méthode que Jules Romains a condamnée.

**Le roman
du monde moderne**

LES MILIEUX. — On demeure étonné par la diversité des milieux que Jules Romains a su présenter. A l'intérieur de chaque catégorie sociale, il s'est appliqué à différencier ses *types*. Les Bastide appartiennent au petit peuple parisien, ils s'appliquent à préserver leur dignité, ils sont soucieux de ne pas déchoir. Miraud et Roquin incarnent le type de l'artisan qualifié : le culte de « l'ouvrage bien fait » rejoint chez eux le goût de l'indépendance. Edmond Maillecotin, tourneur dans une grande usine, appartient au contraire à cette société industrielle qui est en train de devenir une civilisation de masse.

Les intellectuels jouent un grand rôle dans *Les Hommes de bonne volonté*, les normaliens Jallez et Jerphanion, mais aussi Sampeyre, ancien professeur d'Histoire à l'École normale d'Auteuil, qui groupe autour de lui des anciens élèves, des amis, Mathilde Cazalis, Laulerque, Clanricard. A côté de ces universitaires, une comédienne, Germaine Baader, le député de gauche Gurau, le critique George Allory, logé dans ses trois pièces de la rue Miromesnil pour faire illusion, pour dissimuler, par cette résidence dans un beau quartier, la pauvreté de ses ressources.

Il y a toute une stratification sociale dans *Les Hommes de bonne volonté*. Au sommet, la richesse des Maïeul, du professeur Ducatelet, ou de Mme Godorp, qui reçoit, dans son luxueux appartement de l'avenue du Bois, des hommes politiques et des artistes d'avant-garde.

On a dit que Jules Romains, comme tout romancier, ne parlait bien que de ce qu'il connaissait par expérience personnelle : les normaliens, les professeurs, les écrivains, les artistes. On lui a reproché la fausseté de ses peintures, quand il s'est agi pour lui de présenter des hommes d'église, des hommes d'affaires, des gens du monde. On peut déjà faire observer que de semblables critiques étaient, en son temps, adressées à Balzac. Le champ d'observation de Jules Romains est, au demeurant, fort étendu. A l'expérience personnelle s'ajoute chez lui l'intuition. Est-elle aussi puissante que celle de Balzac ? On peut en douter. Jules Romains n'est pas dépourvu d'un flair qui le conduit d'emblée à l'essentiel, qui lui fait discerner, dans un amas de documents, le fait révélateur et frappant. Mais il ne connaît pas cette frénésie hallucinatoire avec laquelle Balzac forgeait l'univers de *La Comédie humaine*. Il y a chez lui plus de méthode que d'emportement, plus de sécheresse analytique que d'intuition créatrice.

L'ARGENT. — Comme Balzac, en tout cas, il a été le romancier de l'argent. Il en a suggéré la puissance. Il a vu parfois, dans les hommes d'affaires, les successeurs des conquérants de la Renaissance. Haverkamp est un héros du monde moderne. Le Cartel du pétrole étend partout son emprise. La presse est aux mains des hommes d'argent. Gurau est impuissant devant leurs agissements : tout au plus peut-il sauvegarder, par quelques concessions, l'indépendance de son journal. Zülpicher donne à ses affaires un développement international. Ce personnage inquiétant réussit là où Haverkamp a échoué. En suivant la carrière d'Haverkamp, Jules Romains fait entrer son lecteur dans le développement des affaires immobilières. Il a donné à cet homme, que Jerphanion et Bouitton considèrent volontiers comme une fripouille, une dimension épique. Il y a, chez Haverkamp, l'allégresse de l'action, l'enthousiasme des bâtisseurs, une élégance chevaleresque parfois, qui, dans des milieux où règne la méfiance, « sonne soudain, comme dans une boutique, les éperons d'un prince déguisé en marchand ». Haverkamp a conscience « en sa personne, du pouvoir de l'esprit humain, quand l'esprit humain se donne la peine qu'il faut ».

L'HISTOIRE. — Jusque vers 1830, le roman avait répugné à présenter les événements publics du monde dans lequel il situait les aventures fictives qu'il rapportait. Mais dans *La Comédie humaine*, Balzac faisait la part belle à l'Histoire : la Révolution et l'Empire y étaient constamment évoqués. Les héros étaient fictifs, les événements imaginés, mais les uns comme les autres se situaient dans un monde dont les données historiques rejoignaient celles du monde véritable. *Les Misérables* de Hugo comportaient une célèbre évocation de Waterloo, le romancier se faisait l'historien de journées révolutionnaires. *L'Éducation sentimentale* faisait revivre les journées sanglantes de 1848, et Zola, dans *La Débâcle*, peignait la défaite de 1870. Barrès, dans *Les Déracinés*, faisait la part belle à certains épisodes de la IIIe République : l'affaire Boulanger ou le scandale de Panama.

Jules Romains, dans *Les Hommes de bonne volonté*, a pris pour point de départ l'année 1908 : elle lui a paru significative de l'évolution du monde moderne par ses conflits sociaux et par ses incidents diplomatiques : la guerre et la révolution s'annoncent comme une double menace qui pèse sur le monde. La guerre de 1914, et liée à elle, la révolution de 1917, est située au centre de l'œuvre. On en discerne les causes, les manifestations, les conséquences. Grâce au procédé de présentation adopté par le romancier, l'événement historique, qu'il s'agisse de Verdun, de la guerre ou de la révolution d'Octobre, est découvert sous des optiques différentes, par des hommes différents appartenant à des milieux différents. Le sort de Verdun est longtemps douteux. Les destinées de la révolution d'Octobre restent incertaines. La multiplicité des témoignages contradictoires laisse à l'événement son coefficient d'incertitude. L'aventure humaine est soumise à des périls, elle reste ouverte sur l'avenir.

L'entrée de l'histoire contemporaine dans le roman pose un problème : comment juxtaposer, sans choquer la vraisemblance et sans nuire à la crédibilité, des personnages historiques et des personnages fictifs ? Balzac avait pris le parti d'inventer un premier ministre, de Marsay, un grand écrivain, d'Arthez, un grand financier, Nucingen. Barrès, dans *Les Déracinés*, avait montré la silhouette de Boulanger, il avait croqué sur le vif des parlementaires qu'il avait connus. Jules Romains a pris les risques qui sont liés à cette solution : on voit, dans *Les Hommes de bonne volonté*, Briand, Joffre, Clemenceau, Gallieni, Jaurès. Ils deviennent, peu ou prou, des personnages de roman. L'auteur se donne même parfois le loisir de nous faire pénétrer dans leurs intimes réflexions.

LES PERSONNAGES COLLECTIFS. — C'était l'intention fondamentale de l'unanimisme que de faire vivre des êtres collectifs. Jules Romains a su entrecouper les destinées individuelles par de vastes tableaux d'ensemble. Au tome premier, la « Présentation de Paris à cinq heures du soir » réussit à communiquer la vision d'un être immense. Ici comme en d'autres endroits, le romancier analytique et froid devient un poète inspiré. Il chante la poésie du monde moderne. Il suggère les échanges, les circulations, les brassages qui s'accomplissent. A ce tableau panoramique de Paris font écho, par la suite, les promenades qu'effectuent, à travers la ville, les héros des *Hommes de bonne volonté*. Il y avait, chez Balzac, un mythe de Paris. Il y a, chez Romains, une connaissance de Paris, une poésie de Paris, une intimité avec Paris. Les rues et les places, les quartiers et les monuments ont la douceur d'un chez soi.

Après Paris, la France. Arrivé au point culminant de son œuvre, à la veille de la guerre, Jules Romains propose une « Présentation de la France en juillet 1914 ».

A la fin de la série, la « Présentation de l'Europe en octobre 1933 » est une vision encore plus ample. On sent venir la guerre prochaine.

Le roman des individus

Les personnages de Jules Romains sont souvent, il est vrai, représentatifs d'un secteur de la société française ; ils sont chargés d'incarner, selon des procédés qui remontent à Zola et à Balzac, tous les traits essentiels d'une classe ou d'une profession. On a souvent l'impression que Jules Romains est parti des catégories sociales qu'il voulait étudier, et qu'il a fabriqué des individus qui en fussent l'illustration. L'intelligence analytique est intervenue avant que ne s'exerce la puissance créatrice. Beaucoup d'individus, cependant, réussissent à éveiller l'intérêt du lecteur et à retenir son attention. Ils l'incitent même à tricher avec le plan suivi par l'auteur : il cherche à savoir, en sautant des épisodes, ce que deviennent les personnages qu'il a commencé d'aimer. Leurs pensées intimes, leur vie secrète nous sont généreusement livrées. C'est un des plaisirs de ce roman que d'y trouver accès à tant de consciences étrangères. Le lecteur passe de la conscience maniaque, méthodique et scrupuleuse de Quinette aux emportements visionnaires d'Haverkamp, à la sagesse solide et opiniâtre de Jerphanion. Romains a jeté quelques lumières sur la liaison de la sexualité et du crime chez Quinette. Il a exploré, par ailleurs, les démarches secrètes de l'esprit créateur. Après *Louis Lambert, La Recherche de l'Absolu, Manette Salomon, L'Œuvre, Les Faux-Monnayeurs, Jacques Arnaut et la somme romanesque*, il a montré, avec Strigélius, un écrivain aux prises avec le langage. Il a suivi de même les démarches intellectuelles du docteur Viaur qui, en une nuit d'insomnie, en proie à l'inspiration, édifie après l'observation d'un cas étrange toute une théorie physiologique révolutionnaire.

LE ROMAN DES « HOMMES DE BONNE VOLONTÉ ». — A travers la présentation de toute une société, au milieu des destins individuels, court le thème de la bonne volonté. La lumière de l'esprit, parfois éclipsée, continue de briller dans un monde chaotique. La bonne volonté s'oppose aux forces de la dispersion, du nihilisme, de la destruction. Manichéisme ? Non certes, car il ne s'agit pas de savoir si les forces du bien équilibrent les puissances du mal. Le monde n'est pas un *état*, c'est un *devenir*. *Les Hommes de bonne volonté* ont été, dans l'esprit de Jules Romains, un appel à la bonne volonté. En 1948, la création des *Cahiers des Hommes de bonne volonté* a voulu constituer le germe d'un rassemblement, fût-il à longue échéance. Parti du réel pour le décrire, le romancier y revenait pour le façonner. A-t-il réussi ? Il ne le semble pas. D'abord, les événements qui sont survenus ont constitué une tourmente telle que la bonne volonté pouvait paraître une demi-mesure : il fallait le risque, le combat, l'héroïsme. Ensuite, la faiblesse croissante des derniers volumes a contribué à jeter sur cette œuvre une sorte de discrédit. Enfin, les personnages de Jules Romains n'ont jamais eu le pouvoir de rayonnement qu'ont eu, au XIXe siècle, les héros de Balzac. C'est qu'ils étaient de plus médiocre stature ; c'est aussi que la bonne volonté exerce moins d'attrait que le dandysme, le cynisme, l'ambition ou l'avarice. En ce domaine, la raison le cède aux passions.

3. Les romans de la condition humaine

Les métamorphoses du roman   La génération qui s'impose vers 1930, celle de Céline, de Malraux, de Saint-Exupéry, et aussi de Bernanos, de Montherlant et d'Aragon, assure la relève des maîtres. Ces écrivains ne se préoccupent guère de distraire le public. Ils veulent agir sur les esprits. Ils proposent dans leurs livres un style de vie. Le contenu intellectuel et moral, dans leurs romans, occupe la première place. Leurs personnages incarnent des valeurs plutôt qu'ils ne figurent des types sociaux. Le roman se propose d'être une *action* plutôt qu'une *peinture*. Il s'agit de moins en moins, pour le romancier, de faire concurrence à l'état civil, d'imiter la vie, de donner naissance à des personnages qui vivent indépendamment de leur créateur. Telle note de Malraux est fort significative. Il récuse la notion même de la spécificité du genre ; il ne croit pas que le « romancier (doive) créer des personnages », qui, comme on dit, vivent par eux-mêmes et échappent à leur créateur, mais il estime que son dessein est seulement de « créer un monde cohérent et particulier »[1]. On

1. Gaëtan PICON, *Malraux par lui-même*, Seuil, p. 38.

dirait volontiers du romancier moderne ce que Malraux disait de Dostoïevsky : « il incarne, en des créatures, une méditation interrogative », il s'efforce de « trouver son génie à faire dialoguer les lobes de son cerveau »[1]. En quoi, soit dit en passant, il est l'héritier, dans les meilleurs cas, non seulement de Dostoïevsky, mais aussi d'André Gide ou de Diderot.

Le roman devient un témoignage
Le refus de la gratuité, le mépris d'un dilettantisme individualiste, le goût du risque, le culte de la participation à l'Histoire, le désir de s'affirmer dans un affrontement violent avec le monde, toutes ces valeurs nouvelles conduisent les romanciers à considérer l'œuvre romanesque comme une sorte de *témoignage*. On voit le roman osciller entre deux pôles : l'*autobiographie* à peine transposée et le *reportage* d'une réalité violente et complexe. Autobiographie qui n'est en aucune façon une complaisante analyse de soi-même, qui ne s'attache pas à retracer, en un récit ordonné, la courbe d'une passion ancienne : elle livre les expériences immédiates d'un contact brutal avec le monde. Et le mot de *reportage* est bien mal choisi, quand il désigne des œuvres aussi esthétiquement agencées que celles de Malraux. Dans un cas comme dans l'autre, l'auteur n'est pas l'impassible témoin des événements : il y participe. Loin de décrire avec objectivité le cours des choses, il rend compte d'une expérience qui s'est effectuée dans l'opacité d'une situation concrète et limitée. Le romancier donne à l'événement la couleur tragique de la vie. Au demeurant, autobiographie et reportage sont les deux faces d'une même réalité littéraire : le témoignage d'une expérience immédiate érigée en style de vie. Dans ses *romans*, Saint-Exupéry racontait ses expériences professionnelles. C'est dans son *métier* qu'il trouvait les sujets de ses livres et les thèmes de son art. D'ouvrage en ouvrage, d'ailleurs, on voyait chez lui se réduire la part de la *fiction*. Son premier récit, *Courrier Sud*, comportait encore un certain agencement romanesque. Mais il n'y avait dans *Vol de nuit*, qui obtint le prix Fémina en 1931, que l'attente anxieuse devant l'écouteur : compte rendu d'une disparition à laquelle on n'assistait pas directement. *Terre des hommes* était une simple suite de récits et d'essais ; l'auteur racontait l'héroïsme de ses amis, il disait les joies, les difficultés, les risques de son métier. Dans *Pilote de guerre*, il était le personnage principal : il rendait compte d'une mission désespérée. Il ne s'agissait plus, pour lui, d'inventer un monde fictif, mais de faire participer le lecteur à une expérience vécue et de le faire entrer dans la noblesse d'une vie.

Les torrentueux récits de Céline, *Voyage au bout de la nuit*, en 1931, *Mort à crédit*, en 1936, reflètent les diverses expériences de l'auteur. Il ne se prive certes pas de prendre des libertés avec la réalité qu'il a connue ; il se laisse entraîner par sa verve, il prolonge en esprit l'expérience réelle, il l'accentue, il l'exalte, il lui donne son intensité débridée, burlesque ou tragique, mais au bout du compte, l'expérience l'emporte encore sur l'imagination. Il ne se propose pas de créer, par des mots, un monde imaginaire.

---

1. *Ibid.*, p. 41.

Il a assez à faire avec la vie, avec sa vie. Dans le *Voyage au bout de la nuit*, l'auteur prête à cet inoubliable Ferdinand Bardamu ses propres expériences de la guerre, des hôpitaux, de l'Afrique, des États-Unis, de la médecine en banlieue. Dans *Mort à crédit*, la ligne du récit n'est plus chronologique, elle zigzague davantage parmi divers ordres de souvenirs, elle suit les caprices de la mémoire, le protagoniste est identifié à la personne même de l'auteur. Le lecteur ne découvre plus seulement une expérience passée, il entre dans les allées et venues d'un témoignage improvisé.

Malraux eût-il écrit des romans pour le seul plaisir de raconter des histoires à ses contemporains ? Eût-il consenti à créer un monde fictif qui se fût proposé d'être un trompe-l'œil, — l'équivalent le plus exact possible du monde réel ? La littérature était, pour lui, fondée sur l'expérience de sa vie. S'il a écrit *Les Conquérants* ou *La Condition humaine*, c'est après avoir participé à des mouvements révolutionnaires en Asie. *La Voie royale* retrace l'expérience d'une recherche des temples enfouis à travers la forêt cambodgienne, et *L'Espoir*, le plus inspiré et le plus beau de ses livres, est un reflet direct de sa participation à la guerre d'Espagne. Il a trouvé dans sa vie les sujets de ses romans ; et, avant de les écrire, il a commencé par les vivre. « Quand j'essaie, a-t-il confié, d'exprimer ce que m'a révélé la révolution espagnole, j'écris *L'Espoir* ». La *fiction*, pour lui, n'est pas l'espace imaginaire où se révélerait et s'accomplirait sa propre nature ; elle n'est pas davantage divertissement ou description. « Le roman moderne, observe-t-il, est, à mes yeux, un moyen d'expression privilégié du tragique de l'homme, non une élucidation de l'individu »[1].

La crise des valeurs

Aux dénonciations vengeresses de Céline s'oppose l'humanisme édifiant de Saint-Exupéry. Mais de Céline à Malraux et d'Aragon à Bernanos, on procède à une critique des mœurs de la société bourgeoise et de l'individualisme occidental. Dans les refus tapageurs de Céline, y avait-il le cri d'une âme blessée ? ou l'écho d'une complaisance pour le blasphème ? Tout était en procès chez lui. Il accablait de ses sarcasmes les familles bourgeoises, les colons français, les puritains des États-Unis, les policiers de la société soviétique. Mais aussi, il s'acharnait à profaner les liens familiaux et toutes les valeurs d'habitude les plus respectées.

Bernanos s'en prenait véhémentement, dans ses pamphlets, à la bourgeoisie bien pensante ; Aragon dénonçait, dans le cycle du *Monde réel*, les menées de la classe possédante. Malraux mesurait la crise de la culture occidentale, il pressentait les périls de l'Europe, il dénonçait l'absurdisme auquel aboutissait l'évolution intellectuelle moderne : « Pousser à l'extrême, disait-il, la recherche de soi-même, (...) c'est tendre à l'absurde...». Ni l'ordre chrétien, ni l'ordre de la Cité ne venaient plus fonder une civilisation ni promouvoir une culture.

---

1. *Ibid.*, p. 66.

L'EMPLOI DES TECHNIQUES

Bilan des techniques

Pour la génération de 1930, la métamorphose du genre est, comme nous venons de le voir, celle des *fonctions* que l'on attribue au roman. En même temps qu'il est pénétré d'un climat nouveau, on le voit basculer de la *description* à la *réflexion*. On peut être tenté aussi de saisir cette métamorphose au niveau des techniques romanesques. On entre, vers 1930, dans une époque où les discussions sur le roman porteront sur les *modalités de la narration* plutôt que sur la *valeur du genre romanesque*, sur le *comment* du récit plutôt que sur le *pourquoi* du roman. L'influence du cinéma, celle du roman américain ou du roman policier incitent les auteurs à adopter des procédés de plus en plus elliptiques. Il y a chez Malraux, par exemple, quelque chose de fiévreux et de bousculé dans le rythme même de la narration. Pourtant, la génération de 1930, volontiers moraliste, s'interrogeant sur les valeurs et proposant des héros, reste attachée au *contenu* du roman plus qu'à sa *forme*. Chez Céline, les considérations proprement techniques s'effacent devant le flot déchaîné de l'inspiration. Il n'y a guère de prouesses techniques chez Saint-Exupéry, et si Malraux, mieux qu'eux, sait organiser et orchestrer, par des procédés audacieux, la réalité complexe qu'il évoque, il n'en reste pas moins que, chez lui, l'expérience esthétique tend à s'effacer devant une expérience humaine. Beaucoup de romanciers, après 1930, continuent à raconter leurs histoires de la même manière que leurs devanciers. Plutôt qu'on ne voit *apparaître*, on voit se confirmer et se développer des modalités originales de la narration. Elles sont nées pendant la période précédente ; encore étaient-elles souvent l'aboutissement d'une lente évolution qui avait marqué tout le XIXe siècle. Certains ouvrages d'initiation donnent parfois au public le sentiment d'un commencement absolu. Ce n'est que le fruit d'une erreur d'optique. Tel critique[1], pour faire comprendre la nouveauté du récit de Malraux, oppose, par exemple, le début de *La Condition humaine* au commencement d'un conte de Maupassant. Ce faisant, il réussit, par un montage significatif, à faire sentir la distance entre deux formes d'art, à montrer qu'au lieu de commencer par situer la scène et présenter les personnages, bref par donner les tenants et les aboutissants, le romancier de 1930 jette son lecteur *in medias res*, l'invite à coïncider d'emblée avec une conscience en situation. Ce procédé du contraste saisissant parvient à montrer le point de départ et le point d'arrivée ; il masque la vérité d'une lente évolution. Autre chose est la distance entre deux points, autre chose les chemins et les étapes par lesquels on l'a peu à peu franchie. A ce point de vue, il serait plus intéressant de comparer la technique de Malraux à celle de Dos Passos, qui avait écrit en 1925 *Manhattan Transfer* ; ou, mieux encore, à celle de Conrad, dont les grands romans étaient traduits en France en 1933.

Les structures et les procédés du roman constituent, à une époque donnée, une sorte de matériau commun : un peu comme une *langue*, à un

---

1. R. M. ALBÉRÈS, *Bilan littéraire du XXe siècle*, Aubier, 1956, pp. 12 sq.

certain moment de son évolution. Un grand romancier n'est pas *forcément* celui qui invente des procédés ; il peut se contenter d'utiliser les procédés en cours. De même que le grand écrivain est celui qui, utilisant les mots et les tournures du domaine commun, réussit à parler avec sa propre voix, de même, le grand romancier est celui qui, utilisant les procédés dont il dispose, leur confère une portée singulière. L'évolution des techniques romanesques s'accomplit par brusques à-coups ; mais aussi par longues stagnations. Le monologue intérieur de Joyce était, en 1921, un procédé révolutionnaire, et il n'a pas fini d'exercer son influence ; mais c'était aussi l'aboutissement d'une lente évolution qui avait conduit les romanciers vers l'expression directe et brutale d'un contenu de conscience. Le réalisme subjectif, tel que Malraux le pratiquait volontiers, ou tel que Sartre le définissait à la veille de la seconde guerre mondiale, constituait un effort de plus en plus rigoureux et systématique pour ne présenter au lecteur la réalité fictive qu'à travers l'optique du protagoniste : mais de Stendhal à Flaubert, et de Flaubert à André Gide, il y avait de nombreuses traces de ce procédé. L'habileté à fondre, dans le courant de la narration, des indications de comportement et des bribes de monologue intérieur, à donner à la fois le paysage que le héros a sous les yeux et l'impression qu'il lui cause, est très grande chez Aragon, dans le cycle du *Monde réel*. Mais ce *lié* subtil, qui nous place à la fois *dehors* et *dedans*, qui nous donne accès à des gestes et à des pensées, à des perceptions et à des impressions, caractérisait déjà l'art d'André Gide dans *Les Faux-Monnayeurs* ; Zola, dans *L'Assommoir*, avait utilisé de façon magistrale un discours indirect libre par lequel Flaubert, avant lui, parvenait à rendre le contenu d'une conscience sans se priver de rapporter un comportement. Et que faisait Stendhal, dans le récit de la bataille de Waterloo, sinon de nous *montrer* Fabrice tout en nous livrant ses pensées et ses impressions ? Charles-Ferdinand Ramuz, qui avait publié en 1905 son premier roman, avait peu à peu élaboré sa technique romanesque : dès les années vingt, elle comportait plus d'audaces et de nouveautés qu'on ne devait en trouver chez Céline ou Saint-Exupéry, Bernanos ou Malraux. Ramuz avait déjà renoncé au *récit* circonstancié ; il donnait à voir : la réalité n'était jamais chez lui que le produit d'une optique ou de plusieurs optiques simultanées. Tantôt il s'en tenait à des indications de comportement, tantôt il donnait accès au contenu d'une conscience individuelle ou collective. Sa technique, plus audacieuse encore dans *Derborence*, en 1934, était, dès avant 1930, au carrefour de toutes les avenues qui devaient conduire, beaucoup plus tard, au nouveau roman : réalisme subjectif, divergence des optiques, monologue intérieur, behaviorisme, et, de façon plus subtile, caractère obsessionnel de ces *reprises* qui faisaient ressembler ses beaux romans à des sortes de lentes litanies paysannes. De même qu'on a pu dire qu'il y avait, dans la moindre expérience de physique, à une date donnée, toute l'histoire de la physique, on serait tenté de prétendre, *mutatis mutandis*, qu'il y a, dans tel roman, toute l'histoire du roman. La nouveauté bien comprise n'est pas celle de la table rase ; c'est celle qui consiste à développer des éléments qui dans des œuvres antérieures étaient demeurés implicites ou adventices. Que l'on songe à Marcel Proust méditant les quelques pages que Chateaubriand ou Nerval avaient consacrées aux miracles de la mémoire affective !

C'est dans les œuvres d'hier que se trouvent, parfois, pour les écrivains de génie, les germes de celles de demain.

La variété des procédés

Après un siècle de roman moderne, on entre, vers 1930, dans une époque où l'on a découvert la plupart des modalités du récit. On pourra, certes, s'employer à les perfectionner encore, à les rendre plus subtiles, ou plus déconcertantes, par un usage plus audacieux de l'ellipse et du sous-entendu. Mais *Les Faux-Monnayeurs* étaient déjà une sorte de festival du roman : l'auteur utilisait tour à tour tous les procédés de son art : technique du point de vue et divergence des optiques, composition contrapuntique, bribes de monologue intérieur insérées dans la continuité d'un récit à la troisième personne, récit à la première personne dans les pages du journal d'Édouard, abondance des dialogues, et même retour au procédé du roman par lettres. On voit des romanciers, dans les années trente, se piquer au jeu, et mettre une certaine coquetterie à user de tous ces procédés. *Les Sept Couleurs* de Brasillach étaient, comme *Les Faux-Monnayeurs*, sur le plan technique, des sortes d'exercices de style romanesque. Léon Bopp, dans *Jacques Arnaut et la somme romanesque*, s'appliquait à écrire, selon des *esprits* et des techniques différents, les différents romans de son héros.

Qu'on se souvienne de l'idéal romanesque que Martin du Gard prêtait à son héros de *Devenir !* en 1908 ! « Eh bien, par exemple, je commencerai par une description, le récit d'un fait ; un dialogue ; un fragment de journal ; un monologue ; un bout de lettre ; d'autres faits ; d'autres analyses ; d'autres dialogues ; des documents, enfin, comprends-tu ? Fini le récit délayé d'où émergent les morceaux qui font le livre ! »[1] Il a fallu plus de vingt ans pour qu'on voie de plus en plus les romanciers donner à leur récit l'allègre vivacité de ces brusques ruptures de ton. *La Condition humaine* de Malraux se présentait bien comme une suite vive de moments essentiels, simplement juxtaposés, évitant le « récit délayé ». Et les télégrammes qui arrivent, au début de *L'Espoir*, et qui apportent de tous les secteurs des nouvelles encore incertaines, sont des documents brutalement livrés à l'esprit du lecteur. On trouverait de même dans *Les Jeunes Filles* de Montherlant l'emploi des procédés les plus divers pour éviter l'uniformité du récit traditionnel. Le lecteur du début des *Jeunes Filles* est placé successivement et sans transition devant des lettres, des annonces matrimoniales, une dissertation en trois points, des lettres encore, un extrait d'un article de Costals, d'autres lettres, un récit, un « reportage » sur le centre de Réforme. Montherlant réalisait pour son compte le programme qu'avait exprimé le héros de *Devenir !*. Ce qui domine, dans *Les Jeunes Filles*, ce sont des scènes directes, découpées selon une technique presque cinématographique, un peu comme Malraux découpe ses romans, avec des débuts *ex abrupto* qui situent d'emblée les passages. Ainsi : « Saint-Léonard, 7 degrés au-dessous (...) » ; « Dans la

---

1. *Devenir !*, Pléiade, I, p. 25.

salle d'attente du centre de Réforme (...) » ; « Andrée, à cinq heures vingt-cinq sur le trottoir de la rue Quentin-Bauchard (...) » ; « la scène se passait dans un restaurant du bois ». « Six heures plus tard, place St-Augustin ». L'avantage pour le romancier de ces morceaux juxtaposés, c'est qu'il échappe ainsi au « récit délayé » ; il gagne par là une exceptionnelle liberté d'allure, il s'ouvre un registre d'une amplitude insolite.

**Le métier
et la désinvolture**

Autre trait de cette génération de romanciers. Ils s'appliquent à écrire des romans qui soient fidèles aux lois du récit et de la « crédibilité », qui racontent des aventures et présentent des personnages, mais ils affectent, à l'occasion, de manifester quelque désinvolture à l'égard des règles du métier. Aragon était un romancier-né, s'il faut entendre par là un auteur qui excelle à raconter des histoires avec une verve éblouissante et inépuisable. Il se proposait d'abord, dans *Le Monde réel*, d'intéresser son lecteur, de capter son attention. Mais, ici ou là, le romancier intervient, il s'adresse directement au lecteur, il s'excuse de procéder de telle ou telle manière, bref, il rompt la continuité du récit, rejoignant, par-delà le dogme flaubertien de l'impassibilité, une désinvolture que l'on trouvait chez Stendhal. chez Diderot, chez beaucoup de romanciers du XVIIe et du XVIIIe siècle, « Peut-être, écrit Aragon[2], est-il contraire aux règles du roman, et déloyal par rapport au lecteur, de donner ici sur cette personne austère un détail anticipé de quelques années, mais tant pis ! » On trouverait de telles interventions en grand nombre chez le romancier des *Jeunes Filles*. Montherlant aime à raconter, il sait se faire croire, mais il ne lui déplaît pas de rappeler à son lecteur, de temps à autre, que tout ceci n'est qu'un roman qu'il est en train d'écrire. Il aime dérouter le lecteur tout en assurant la crédibilité de son récit. Peut-être, par cette désinvolture, réussit-il à échapper à la « mauvaise foi » de celui qui feint de croire vraie — en tout cas qui donne pour vraie, — une histoire qu'il sait pertinemment être fausse. Il arrive certes que les interventions de l'auteur aient pour effet de renforcer la crédibilité : l'auteur, qui n'a pas voulu transfigurer Mlle Dandillot, nous la garantit « telle que nature ». Mais, la plupart du temps, le romancier prend un évident plaisir à ses espiègleries. Son refus de décrire, fondé, comme chez Gide ou Stendhal, sur des considérations esthétiques fort pertinentes, ne va pas sans un certain cynisme. « Nous ne décrirons pas le bureau, dit-il, car nous savons que le public, lorsqu'il lit un roman, saute toujours les descriptions »[1]. Ces saillies, qui sont l'indice d'un esprit impatient du joug réaliste et des convenances du roman, contribuent paradoxalement à renforcer la crédibilité.

Celle-ci, il l'obtient aussi par le réalisme aigu des silhouettes, des caricatures qu'il prend plaisir à esquisser. Le réalisme du détail, du petit fait vrai, qu'il admire tant chez Zola ou chez Malraux, procède de cette

---

2. Cité par Pierre DE LESCURE, *op. cit.*, p. 73.
1. Pléiade, p. 1172.

faculté d'attention qui lui paraît, avec le génie de l'image, le « don fondamental de l'art d'écrire ».

Une des habiletés de Montherlant romancier consiste, au moment même où les personnages courent le risque de faire verser le roman dans l'abstrait, à ramener le lecteur au concret par le rappel d'un élément du décor. Habileté bien nécessaire chez un romancier métaphysicien comme Dostoïevsky, ou moraliste comme Montherlant. Dans la chambre de l'hostellerie de Montmorency, quand Costals, prenant de la hauteur et en état d'inspiration, voit l'âme de Thérèse menacée, l'auteur nous restitue, en même temps que les mouvements intérieurs de son héros, la présence du cadre : c'est par la fenêtre entr'ouverte sur la nuit chaude, le feuillage noir qui fait, maintenant que l'orchestre s'est tu, « un bruissement continu semblable à celui de la pluie »[2]. Le romancier désinvolte peut bien s'amuser de temps à autre, il connaît son métier, et il y excelle.

Le comble de l'art, c'est qu'un détail posé d'abord par l'auteur soit ensuite perçu par un des personnages. Qu'on se rappelle la longue scène de Costals auprès de M. Dandillot. Montherlant note : « Les cris des hirondelles venaient des arbres de l'avenue »[3], et un peu plus loin, c'est Dandillot qui perçoit leurs cris avec accablement. La scène ne s'achève pas sans que le romancier, bouclant la boucle, ait évoqué une dernière fois ses hirondelles « qui criaillaient éperdument ». Ce relief stéréoscopique d'une réalité posée par l'auteur et vécue par le personnage, est une des ruses les plus sûres pour atteindre à la crédibilité. On trouverait un exemple du même ordre dans la scène de Costals et de Solange à la cuisine : l'auteur, soucieux de ne pas laisser libre cours aux propos véhéments de son héros, s'arrange pour que Solange prépare le thé (comme Edouard, dans *Les Faux-Monnayeurs*, sert le thé, à Saas-Fee, pendant son exposé sur le roman) et c'est elle plus loin, parce qu'elle possède aussi le don de l'attention, qui va, par jeu, énumérer à son tour les moindres bruits de cette cuisine enchantée, avant que l'auteur, dans un beau poème en prose, n'évoque les génies du lieu.

La souplesse de la narration

Les romanciers de la condition humaine ne remettent guère en question les exigences du récit traditionnel. Ils utilisent sans vergogne tous les perfectionnements techniques des décennies précédentes. Ils parviennent souvent à donner plus de souplesse au tissu narratif. Ils ne se privent pas d'intervenir pour juger leurs personnages, percevoir les motifs cachés de leurs paroles ou de leurs gestes ; mais, tels Julien Green ou Georges Bernanos, ils savent, en même temps, entrer dans l'optique de tel ou tel de leur héros. Ils contribuent à perfectionner encore un art de moduler le récit, faisant alterner, d'une phrase à l'autre, d'un mot à l'autre, l'optique du protagoniste, l'analyse du romancier, l'évocation de décor, l'indication de comportement. Aragon est un maître en ce domaine. Dans *Le Monde réel* par exemple, il joue constamment d'un passage presque insensible de

---

2. *Ibid.*, p. 1067.
3. *Ibid.*, p. 1204.

la vision objective aux lieux communs du langage, ou bien il excelle à nous situer successivement *dehors* et *dedans*. Prenons le texte suivant : « Il ne faisait ni si beau ni si doux que le matin. Le ciel était gris, et il y avait du vent. Le quai Nord de l'Ile était glacé, vide aussi, inhospitalier au possible. Bérénice regarda les arbres nus qui émergeaient des parapets et semblaient de la berge noyée les tragiques témoins d'un désastre. Elle pensa à la ville d'Ys. L'île entière avait l'air d'être le dernier palier du déluge. Elle serra et croisa son manteau de fourrure. Du petit-gris, une folie de Lucien. Il aurait fallu le faire refaire, il était mal coupé »[1]. Il n'y a là aucun procédé neuf, à proprement parler, mais beaucoup de souplesse dans le passage d'un plan à l'autre. La description du décor est assumée par le narrateur, elle peut aussi être le fruit de l'optique du protagoniste. « Il ne faisait ni si beau, ni si doux que le matin. Le ciel était gris, et il y avait du vent. » Mais, dans la suite, les mots « vide » et « inhospitalier » se réfèrent plutôt à des *impressions* éprouvées devant le paysage par un protagoniste. La *perception* par Bérénice des « arbres nus qui émergeaient » est aussitôt approfondie et comme reprise par un écho : « tragiques témoins d'un désastre », tels paraissent ces arbres vus « de la berge noyée ». Un climat moral vient ainsi prolonger une perception. Nous ne sommes ni tout à fait dans l'âme de l'héroïne, ni tout à fait dans la description du décor, — mais sur ce plan où l'univers perçu par une conscience se déforme, se transforme, devient signe et mythe, retentit dans l'âme à la fois comme la cause et l'expression symbolique de sa tristesse. Après une plongée dans la rêverie de Bérénice, l'auteur revient à des indications de comportement : « elle serra et croisa son manteau de fourrure ». Puis, brutalement, c'est la pensée même de Bérénice qui se profère : « Du petit-gris. Une folie de Lucien... Il aurait fallu... ». Bref, la description, le comportement, la perception, l'impression, le déroulement même des pensées, qui nous entraîne tout d'un coup loin de la scène actuelle, tout cela vient à la suite et comme sans heurt. La trame du récit ne procède plus d'un narrateur bavard et omniscient, elle est faite d'une suite modulée de touches diverses.

La part grandissante du réalisme brut

On trouve chez André Malraux, comme chez Green ou Bernanos, une propension à ne présenter les événements qu'à travers une conscience imaginaire. Au lieu de s'attarder à donner, dès l'abord, des renseignements sur le drame, il jette d'emblée le lecteur *in medias res*. Certes Balzac, dans *César Birotteau*, ou Flaubert, dans *L'Éducation sentimentale*, entendaient-ils débuter par une scène concrète ; mais ils s'appliquaient à glisser, dans le tissu du récit ou des dialogues, des indices explicatifs qui exposaient au lecteur les tenants et les aboutissants de la situation qu'on évoquait pour lui. Malraux, au début de *La Condition humaine*, précipite son lecteur dans l'opacité d'une situation singulière : il l'incite à coïncider avec la conscience de Tchen ; mais au degré d'exaltation où elle est tendue,

---

1. Cité par Pierre DE LESCURE, *op. cit.*, p. 17.

elle n'est que sourde angoisse devant le geste à accomplir, suite de sensations visuelles et auditives, limitée en quelque sorte à sa présence immédiate dans ce monde de ténèbres et d'inquiétude. Malraux, sans doute, ménage quelques indications : Tchen se sacrifie, nous dit-il, à la révolution, et on sait que « son geste meurtrier valait un long travail des arsenaux de Chine ». Mais les explications qu'il glisse viennent incidemment, elles demeurent elliptiques, elles ne constituent que des points de repère. Dialogues, sensations visuelles, auditives, gestes, tout cela est brutalement proposé au lecteur : à lui de reconstituer la ligne d'un récit suivi. Qu'il s'agisse de bribes de monologue intérieur ou d'indications de comportement, de la perception du décor ou des sensations cénesthésiques, tous ces éléments sont immédiatement et brutalement livrés au lecteur : ils ne sont pas intégrés dans un tissu narratif qui les subordonne à une compréhension globale de la réalité fictive. Influence du cinéma ? Influence de ces romanciers russes ou anglosaxons qui, de Dostoïevsky à Conrad, s'acharnaient à présenter des êtres engagés dans l'opacité d'une situation vécue ? Influence du roman policier, dont la technique consiste à présenter des séries de conduites, de pensées et de perceptions, en privant le lecteur des données essentielles qui feront l'objet d'une révélation finale ? On est sur la voie, en tout cas, d'un roman énigmatique, constitué d'une suite brutale de lumière et d'ombre. La réalité n'est pas *racontée* : elle est présentée par bribes, discordante, incertaine, en train de s'accomplir. Les romans de Malraux, mais aussi parfois ceux de Green ou de Bernanos, étaient en quelque sorte la figuration symbolique de ce monde dans lequel peu à peu on entrait. C'en était fini, déjà, d'une réalité soumise aux lois de l'esprit, dominée par l'intelligence, présentée à travers la progression d'un discours cohérent. L'homme était jeté au milieu d'une fantasmagorie, entraîné comme dans un rêve. La technique du réalisme brut renvoyait à une philosophie de l'angoisse et du désespoir.

LES ROMANCIERS DE LA CONDITION HUMAINE

André Malraux — Malraux a fait ses débuts de conteur dans les années vingt, avec *Lunes en papier* (1921) et *Royaume farfelu* (1928), — jeux gratuits, amusements et provocations, expériences de laboratoire. Mais c'est de l'expérience indochinoise et de la découverte de la vie qu'il a ramené ses premiers grands livres, *La Tentation de l'Occident* et *Les Conquérants*. Dans *La Tentation de l'Occident*, il montrait que l'Européen est voué à un individualisme exacerbé qui reflète une crise des valeurs. Le jeune Malraux passe ainsi du goût du farfelu aux diagnostics sur le nouveau mal du siècle.

« LA VOIE ROYALE ». — *La Voie Royale* a été rédigée et publiée après *Les Conquérants* mais elle a été ébauchée avant eux. C'est le récit transposé de la première aventure de Malraux en Indochine, à la recherche de statues enfouies dans la forêt. Dans la fiction, Claude Vannec, jeune orientaliste de vingt-six ans, assisté de l'aventurier Perken, veut ramener les statues des temples situés sur l'ancienne voie royale kmère afin de les vendre. Mais la longue marche à travers la forêt tropicale, la lutte avec la tribu des Stiengs, la mort de Perken blessé auprès de son ami sont des situations tendues qui sont nées presque entièrement de l'imagination de Malraux. Perken et Claude enfermés dans une cabane encerclée par les Moïs, c'était une image nouvelle et violente de la condition humaine; et pour rompre cet encerclement, la marche de Perken vers les Moïs affirmait, dans un monde sauvage et absurde, une éthique de la virilité et de l'action sur fond de désespoir.

« Les Conquérants ». — On retrouve les mêmes valeurs chez Garine, le héros des *Conquérants*. Mais ce n'est plus seulement une aventure individuelle qui est contée ici; c'est un épisode historique : à Canton, en 1925, les communistes fournissent au mouvement nationaliste les cadres dont il a besoin : ils organisent la grève et le soulèvement qui, à leurs yeux, peut ruiner le port de Hong-Kong, symbole de l'impérialisme occidental. Certes, ce n'est qu'une «chronique romancée» d'un épisode de la révolution chinoise. Mais Malraux sait, à partir des données de son expérience indochinoise, donner une puissante évocation de la grève de Canton. Surtout, comme il l'a indiqué lui-même vingt ans après, « si ce livre a surnagé, ce n'est pas pour avoir peint tels épisodes de la révolution chinoise, c'est pour avoir montré un type de héros en qui s'unissent l'aptitude à l'action, la culture et la lucidité ». En effet, Garine représente un nouveau type d'homme. Il est hanté par l'idée du néant, de la vanité et de l'absurdité du monde; comme, au surplus, il est gravement malade, son énergie virile, son activité de révolutionnaire engagé à fond dans l'action se déploient sur fond de mort. Cet héroïsme crispé devant l'absurde, cette volonté un peu sauvage de donner un sens à sa vie par une action révolutionnaire conçue selon le modèle bolchevique définissent un nouveau héros. Ce bourgeois occidental, qui a pris en haine la classe dont il est issu, ne peut plus vivre en Europe. Il lui faut se trouver là où se joue le sort du monde. Le drame de Garine, c'est d'être condamné, non seulement parce qu'il est miné par la maladie, mais parce que ce qu'il représente est condamné par l'histoire. « Son temps est fini, dit Nicolaïeff. Ces hommes-là ont été nécessaires, oui, mais maintenant l'armée rouge est prête. » Garine, communiste de type conquérant, demeuré un aventurier de la révolution prolétarienne, doit disparaître au profit de Borodine et de ses semblables, — communistes de type romain qui défendent les acquisitions de la révolution et, fidèles à la ligne imposée par Moscou, refusent les états d'âme et se contentent d'agir avec méthode.

« La Condition humaine ». — *La Condition humaine* en 1933 rapportait un autre épisode de la révolution chinoise : les événements qui ont eu lieu à Shanghaï en 1927 : les communistes, sachant les troupes du Kuomintang très proches, lancent une insurrection le 21 mars; le lendemain l'armée de Chang Kaï-Shek fait son entrée. Le 29 mars, les communistes, malgré les mots d'ordre de l'Internationale, veulent organiser une municipalité provisoire et procéder à une révolution véritable : le 12 avril, Chang Kaï-Shek fait arrêter et massacrer leurs dirigeants. Telles sont les données historiques et il est facile de voir qu'elles constituent la texture même du roman. Malraux souligne le caractère crucial de la situation et met l'accent sur les débats qu'elle suscite : du point de vue communiste, faut-il rompre avec l'allié de droite, nationaliste, qui s'appuie sur les classes moyennes? Ou faut-il pactiser avec lui, lui laisser le pouvoir en attendant de le lui ravir plus tard? Le romancier, avec un sens

aigu des processus historiques en cours, invente une sorte de pathétique historique qui sert l'intérêt romanesque de son livre. C'est le sort du monde qui se
joue lors du coup de main contre le Shan-Tung. Profondément inscrit dans une
conjoncture historique précise, le roman est aussi une vision de la condition
humaine réduite à l'essentiel. Malraux voulait exprimer « le sentiment tragique
de la solitude »; il voulait écrire, à l'instar de Dostoïevski, un roman métaphysique, autant et plus qu'une chronique historique.

Ce qu'il y a de nouveau par rapport aux précédents romans, centrés sur
une ou deux figures centrales, c'est la multiplicité des personnages, chacun
d'eux incarnant une certaine attitude devant la vie, une certaine façon d'affronter
le temps, la souffrance et la mort : le vieux Gisors, père de Kyo, réfugié dans la
paix que lui procure l'opium ; Katow, vieux routier de la révolution, généreux,
courageux, équilibré, qui offre son cyanure, à la fin, à de jeunes camarades,
en s'exposant à leur place à une mort atroce ; Tchen, hanté par le terrorisme
et l'attentat-suicide ; Ferral, ambitieux, calculateur ; Clappique, clown prodigieux,
et, en arrière-fond, le peuple de Chine, « le peuple de l'ulcère, de la scoliose,
de la famine ».

Des *Conquérants* à *La Condition humaine*, Malraux est passé du portrait
d'un type de révolutionnaire à une conception plus cohérente de la révolution.
Il y a là un reflet de son évolution intellectuelle. Dès décembre 1932, son roman
achevé, il adhère à l'Association des écrivains et artistes révolutionnaires ;
pendant l'année 1933, il s'allie de plus en plus à la gauche militante en lutte
contre le fascisme. En 1935, *Le Temps du Mépris*, roman que l'auteur lui-même
considérait comme manqué, est une protestation contre le fascisme hitlérien.
Malraux a compris que l'affrontement armé avec les nazis est devenu inévitable.
En 1936, la guerre civile espagnole était le prélude à la guerre mondiale qui
s'annonçait.

« L'ESPOIR ». — *L'Espoir*, qui est sans doute le chef-d'œuvre de Malraux
romancier, est d'abord le récit romancé de sa participation à la guerre civile
espagnole. En effet, dès le 21 juillet, il sillonne Madrid, Barcelone, il met sur
pied l'escadrille España, car il a compris qu'une aviation, même embryonnaire,
est indispensable à la République dans les premières semaines de la guerre.
A la tête de cette escadrille, il combat d'août 1936 à février 1937. A bien des
égards son livre est un reportage, même s'il transpose la réalité et confère un
souffle épique à ces combats. La part de l'imagination reste grande ; Magnin,
le patron de l'escadrille dans la fiction, n'est pas tout à fait Malraux ; en revanche
on trouverait des aspects de Malraux dans les autres personnages du livre, Garcia,
Scali, Manuel, Hernandez. Hors l'activité de son escadrille, Malraux, dans
L'Espoir, relate les combats qui ont commencé en juillet 1936 jusqu'à la victoire
républicaine de Guadalajara, en mars 1937. Il décrit la résistance populaire de
Madrid, de Barcelone, où les travailleurs sont armés par les syndicats ; il raconte
le siège de l'Alcazar à Tolède et la débandade des troupes républicaines non
organisées ; puis le bombardement de Madrid, à la fin d'octobre, effectué pour
démoraliser la population ; et les combats aériens pour la défense de Madrid.

L'Espoir n'éclaire délibérément les événements que d'un seul côté, celui
des républicains. Le témoignage, pris sur le vif, a été rédigé, si l'on peut dire,
à chaud, et ce roman est un livre de combat. Si l'on a, surtout dans une première

lecture, une impression d'émiettement et de dispersion, c'est que le véritable héros de *L'Espoir*, ce n'est pas tel ou tel individu, c'est la révolution espagnole; c'est l'élan de tout un peuple. L'action est multiple, et on le voit bien dès le début, où l'on passe constamment d'un lieu à un autre, d'un personnage à un autre, d'un point de vue à un autre : l'unité est toujours assurée par les lignes de force du livre, celle-ci en particulier : la nécessité de passer de l'insurrection spontanée à la guerre organisée. L'enthousiasme des républicains, l'héroïsme d'actions isolées, ce n'est qu'une fête de la fraternité qui est, comme dit Maurice Rieuneau, « condamnée à être écrasée ou à se transformer en organisation efficace ». En bref, il s'agit de « transformer la ferveur révolutionnaire en discipline révolutionnaire »; de passer de l'*être* au *faire*. L'affrontement entre Garine et Borodine dans *Les Conquérants* prend ici une nouvelle portée. Le courage, dit Manuel, est un « problème d'organisation », car « aucun courage collectif ne résiste aux avions ni aux mitrailleuses ». On le voit bien à Tolède, où le capitaine Hernandez est le premier navré de la pagaille anarchiste, qui se solde par la débandade des républicains.

A côté de réflexions sur la stratégie de la révolution et sur le sens du combat, Malraux accorde une place privilégiée à un des schémas insistants de son univers romanesque : le moment où le combattant affronte la souffrance et la mort. Il y a d'abord une fascination de la mort qui pousse le héros à l'attentat-suicide : au cours des combats de Barcelone, au début du livre, Puig se lance dans un camion contre une barricade fasciste, et il meurt dans l'exaltation d'une action d'éclat. On trouve aussi l'exemple du héros qui marche en sachant qu'à chaque pas il risque sa vie : à Tolède les dynamiteurs s'avancent ainsi à la rencontre des chars. Enfin Malraux évoque l'attente passive de la mort dans la cellule d'une prison ou en face d'un peloton d'exécution, et Hernandez connaît cet instant qui l'a si souvent obsédé où « un homme sait qu'il va mourir sans pouvoir se défendre ».

De *La Condition humaine* à *L'Espoir*, Malraux est passé, comme l'a montré Maurice Rieuneau, d'une « mythologie de la volonté à une mythologie de la fraternité ». Rieuneau a fait justice des interprétations de Goldmann; il a rappelé à juste titre que c'est le sentiment de la fraternité des combattants qui a nourri *L'Espoir*, beaucoup plus que telle idéologie. Malraux, dans ce livre, atteint à l'épopée parce que son sujet, c'est la relation « non problématique » du peuple espagnol avec le combat qu'il menait, avec les valeurs qu'il défendait, avec l'espoir qui l'animait.

Après *L'Espoir*, c'en est fini de Malraux romancier. Certes *Les Noyers de l'Altenburg* ont été terminés en juin 1942, il y en eut une édition en Suisse en 1943, une autre en France en 1948. Mais Malraux n'a pas retenu ce livre en 1947 pour les œuvres romanesques de la Pléiade. Il a prétendu que ce n'était qu'une ébauche, qu'un fragment. Ce roman était en partie autobiographique, selon la conception que Malraux a de l'autobiographie, une fiction à mi-chemin du réel et du mythe, la légende d'une vie dans la légende du siècle.

L.-F. Céline Céline a prêté à son héros, Ferdinand Bar- damu, beaucoup des expériences qui ont été les siennes, la guerre, l'Afrique, les États-Unis, la médecine en banlieue, la fréquentation de milieux interlopes à Londres. Chacun des romans de Céline évoque une période de sa vie : le premier roman, *Voyage au bout de la nuit*, relate la guerre de 1914, les voyages en Afrique et en Amérique, le retour en France ; le second roman, *Mort à Crédit*, peint les années d'enfance et d'adolescence de Ferdinand et finit par où le *Voyage* a commencé, l'engagement à la veille de la guerre. *Guignol's Band*, puis *Le Pont de Londres* évoquent les mois passés en Angleterre en 1915. Les derniers livres, des chroniques plus que des romans, *Un château l'autre*, *Nord*, relatent le séjour en Allemagne et au Danemark.

Les événements de sa vie, Céline les a transposés et leur a conféré dans la fiction une ampleur et une intensité exceptionnelles. Par exemple, l'auteur a connu les usines Ford à Detroit en tant que médecin et pour y faire une enquête sur les problèmes sanitaires, alors que Ferdinand est contraint de s'y engager comme manœuvre. Courtial des Péreires, le héros de *Mort à Crédit*, a un relief que n'avait pas le modèle dont Céline s'est inspiré. « Il me faut, a écrit Céline, une transposition de tout. » Et c'est souvent dans le sens de la noirceur qu'il a forcé le trait : « Il faut, a-t-il déclaré, *noircir* et *se noircir*. »

« VOYAGE AU BOUT DE LA NUIT ». — Ce roman, que Céline avait commencé à écrire en 1928 a connu en 1932 un immense succès, qui était d'abord un succès de scandale. C'est un roman d'entrée dans la vie : Ferdinand doit avoir dix-huit ans au début du roman et après les expériences de la guerre, de l'Afrique et de l'Amérique, après ses études de médecine qui sont passées sous silence, et son installation en banlieue, il doit avoir, vers la fin du roman, une trentaine d'années. Il y a, dans le *Voyage*, une éducation sentimentale : trois femmes ont été aimées par Ferdinand, mais celui-ci, avec Lola comme avec Musyne, a été déçu. Molly, la prostituée de Detroit, est la seule qui soit liée à lui par une vraie tendresse.

Un des éléments de la cohérence du *Voyage*, c'est le retour constant de Robinson, qui est en quelque sorte le double de Ferdinand : il est son aîné, il est plus audacieux que lui, il est comme son mauvais génie. Leur première rencontre, au front, pendant la guerre, a lieu, au cœur de la nuit, à Noirceur sur la Lys, et ils ne cessent de se rencontrer par la suite : à Paris, en Afrique, à Detroit. Il est frappant que leurs rencontres se produisent souvent dans l'obscurité et dans une sorte de clandestinité. En Afrique, une fois Robinson reconnu, Ferdinand ajoute de façon étonnante : « En tout cas, il pouvait compter sur mon silence et ma complicité. » A Paris, Robinson est tenté par le meurtre, et Ferdinand voudrait se débarrasser de lui, « en [se] faisant une espèce de scène brutale [à lui même] ». C'est dire la profondeur des liens organiques qui les unissent.

A l'instar de Robinson, Ferdinand est un anti-héros : à la guerre, il rêve d'être fait prisonnier ; il ne cesse de s'enfuir, arraché sans cesse à lui même. Sortir dans les rues est comme un « petit suicide », et il déambule ainsi à travers les grandes cités maudites du monde moderne, Paris ou New York. Il s'enfuit de *L'Amiral Bragueton*, le navire qui le conduit en Afrique, parce qu'il est persécuté par les passagers ; arrivé à Fort-Gono, il ne songe qu'à se faire rapatrier. Il s'enfuit, comme Robinson, de l'enfer qu'est, au cœur de l'Afrique, Binkomimbo. A New York, il quitte ses camarades, à Detroit, il quitte Molly. Médecin en banlieue, il part en douce et abandonne sa clientèle. Il semble que pour lui il n'y ait de salut que dans la dispersion; et à ce titre, le lieu central qu'est la place Clichy figure, dans le roman, comme la nostalgie d'un endroit qui serait comme le centre du monde.

Ce personnage qui ne cesse de s'enfuir ne participe jamais qu'à des fêtes ratées, ou qui finissent tragiquement, comme la fête des Batignolles à la fin du roman. La guerre n'est, après tout, qu'une immense fête lugubre, la figure la plus horrible de tous les méfaits de ce monde moderne contre lequel Ferdinand ne cesse de vitupérer. New York et Paris sont d'autres images de l'horreur : dans la grande ville inhumaine, l'individu prend une conscience aiguë du vide qui le constitue. « A présent, dit Ferdinand, j'étais [...] bien assuré de mon néant individuel. » Céline a déclaré : « Le fond de l'histoire? Personne ne l'a compris [...] L'amour, impossible aujourd'hui, Robinson le cherche [...] Il finit enfin par trouver un coin tranquille, des rentes, un petit bonheur sous la main [...] Pourtant il ne peut en rester là! [...] Pas assez égoïste pour être heureux. A la fin dans le taxi, il dit à Madelon que ce n'est pas elle, mais l'univers entier qui le dégoûte [...]. »

« MORT A CRÉDIT ». — Le deuxième roman eut un accueil beaucoup moins favorable que le premier. Le narrateur, ici, — Ferdinand — part du temps présent, et il plonge dans le passé, qui est raconté de façon chronologique. Le temps de l'écriture est séparé plus nettement du temps de l'histoire racontée : le texte ménage un écart entre l'adolescent de jadis et l'auteur vieillissant qui se met en scène dès le début. Le commencement de ce livre dit ainsi la naissance de la vocation, le besoin de trouver dans l'écriture une compensation. Le début du livre contient des morceaux de la légende de Gwendor le Magnifique, — texte littéraire, morceau de beau langage enchâssé dans le texte de *Mort à Crédit*. Krogold symbolise, dans cette légende, ce qui s'oppose à Gwendor : la cruauté, la brutalité victorieuse. Défaite du poétique sous les assauts d'un monde brutal? Il reste dans *Mort à Crédit* bien des traces de merveilleux : Nora par qui Ferdinand est ensorcelé; mais aussi telle représentation théâtrale qui a fasciné l'enfant et tranché sur le train ordinaire des choses; et les magnifiques illustrations d'un livre que l'adolescent ne se lasse pas d'admirer.

Dans *Mort à Crédit*, l'aspect onirique ou fantastique prend une place plus importante que dans le *Voyage* : Céline découvre ici le registre du délire, qui s'affirmera dans *Guignol's Band* et dans *Le Pont de Londres*.

Après l'ouverture de *Mort à Crédit*, tout le récit est un retour en arrière : les années d'enfance et la vie dans le passage des Bérésinas, la pauvreté de la famille, l'épuisement de la mère, les colères du père, les drames du voisinage. Après la trahison d'un ami (c'est l'épisode de Popaul), après la mort de la grand-mère et le succès au certificat — la fin de l'enfance —, vient le temps des apprentissages manqués : la recherche d'une place est de plus en plus difficile; Ferdinand est de plus en plus victime de la malveillance des autres et d'un malencontreux enchaînement de circonstances. Se taire est la seule façon d'échapper à la méchanceté des êtres et à l'atrocité du monde. La période des apprentissages s'achève par le récit d'une journée pendant laquelle le héros agit en mauvais fils, se laisse entraîner, rentre pris de boisson et, ne pouvant supporter les remontrances du père, le frappe et le blesse, et il est même un instant persuadé de l'avoir tué. L'oncle Édouard intervient une fois de plus pour lui sauver la mise, il l'héberge et Ferdinand, dès lors, ne retourne plus chez ses parents. Enfin c'est la dernière étape de l'adolescence, la vie auprès de Courtial des Péreires. Fidèle à cet homme perdu, Ferdinand est entraîné dans la débine. Après le suicide de Courtial, il ne lui reste plus qu'à s'engager. Et c'est ainsi que la fin de *Mort à Crédit* rejoint le début du *Voyage*.

Mort à Crédit est le récit d'une enfance malheureuse; mais on y trouve en même temps une prodigieuse force comique, une puissance de drôlerie et de bouffonnerie, une démesure paranoïaque qui donnaient à ce second roman son originalité.

DU ROMAN AU TÉMOIGNAGE. — Céline revenait au roman en 1944 avec *Guignol's Band* dont la suite est *Le Pont de Londres*. Le début de *Guignol's Band* c'est le bombardement d'Orléans en juin 1940. Puis, selon un procédé de retour en arrière déjà utilisé dans *Mort à Crédit*, Ferdinand évoque des souvenirs de l'autre guerre, ou plutôt d'un séjour londonien qui lui a permis d'échapper à l'autre guerre. Les épisodes de ce roman, puis ceux du *Pont de Londres*, étaient inspirés par les mois qu'avait passés Céline en Angleterre en 1915. Le narrateur demeure Ferdinand Bardamu : dans *Le Pont de Londres*, il se souvient de Courtial des Péreires ou bien du colonel des Entrayes, c'est-à-dire de personnages qui figurent dans le *Voyage* ou dans *Mort à Crédit*. Ici, c'est un nouvel avatar de Bardamu qui fréquente, à Londres, le quartier des souteneurs et des prostituées : il a été blessé à la guerre; il est sujet à des crises d'hallucinations; il ne cesse de se sentir persécuté et de vivre avec un constant sentiment de culpabilité. Il est entraîné malgré lui dans des aventures compromettantes qui portent, beaucoup plus que dans *Mort à Crédit*, la marque du délire célinien.

En même temps, ce Ferdinand de *Guignol's Band* et du *Pont de Londres* a une fringale de vie, de lectures, d'aventures. Il est, comme il le dit lui-même, « trop curieux du monde », « trop avide ». Il aurait voulu « lire tous les livres », « être savant ». Il est même traversé parfois par un rêve de bonheur naïf, par la croyance en des paradis enchantés qui se trouveraient de l'autre côté de la terre. Il y a chez lui l'illusion d'un ailleurs où il ferait bon vivre. Et même l'amour, sous les aspects d'un coup de foudre, est comme un « buisson tout en flammes », — « la fête du feu à Paradis ». Cette verve lyrique est capable aussi d'inventions drolatiques, de pantomimes bouffonnes, de cocasseries abracadabrantes. Le délire, dans cette dernière manière de Céline, s'est mis à devenir cocasse. Sans doute le monde est-il toujours aussi horrible; mais on a le sentiment que l'auteur trouve sa joie dans l'invention. Il se laisse aller à l'évocation de scènes d'orgie, qu'il peint avec truculence. Céline, on le sait, admirait l'énorme fête des fous de Breughel . « Tout mon délire, avouait-il, est dans ce sens. Je ne me réjouis que dans le grotesque triste aux confins de la mort. »

Aragon   DU SURRÉALISME AU MONDE RÉEL. — Aragon a écrit, à partir de 1964, pour la publication des *Œuvres romanesques croisées*, des préfaces qui jettent sur chacun de ses romans une vive lumière. Dans la préface qu'il a écrite pour présenter *Anicet* *ou le Panorama, roman*, il nous rappelle que les surréalistes n'aimaient pas les romans, que la « volonté de roman » était de mauvais goût à leurs yeux. Était-ce par provocation? Aragon avait tenu à inclure dans son titre ce mot de roman. Mais *Anicet* est-il un roman? Commencé en 1918 au Chemin des Dames, le livre ne fait pas allusion à la guerre; il malmène la logique des événements et bafoue volontiers la vraisemblance, — parodie de roman plutôt que roman véritable. De même *Le Paysan de Paris*, en 1925, demeure en marge du roman, puisque la fiction s'efface au profit d'une attention intense à une réalité quotidienne qui, minutieusement décrite, peut soudain verser dans le surréel et faire naître une nouvelle mythologie. Le « feuilleton gigantesque », l'immense roman auquel Aragon travaillait depuis 1923, *La Défense de l'infini*, en s'abandonnant à la plus folle démesure, il le détruisit de ses mains à Madrid en 1927. Autant de façons de jouer avec le roman, de se jouer du roman; voilà bien des signes d'une tentation du roman que les orientations surréalistes viennent d'abord contrarier.

Des années vingt aux années trente, Aragon est passé du *Pourquoi écrivez-vous?* surréaliste au *Pour qui écrivez-vous?* communiste. La rencontre d'Elsa Triolet, en novembre 1928, a été décisive dans cette évolution de l'individualisme idéaliste à l'engagement révolutionnaire. Aussi est-ce à Elsa qu'est dédié, dans la Postface aux *Beaux Quartiers*, le cycle romanesque du *Monde réel*. La découverte du monde véritable a conduit Aragon à la peinture d'une vaste fresque sociale, à l'instar de Balzac, de Hugo ou de Zola. Le roman retrouve ainsi la grande ambition qu'il a eue au XIXe siècle, peindre une époque dans sa diversité, dans sa complexité, tenter d'en saisir les caractères typiques et d'en apercevoir les lignes de forces. Le cycle du *Monde réel* comprend *Les Cloches de Bâle*, *Les Beaux Quartiers*, *Les Voyageurs de l'Impériale*, *Aurélien*. A quoi il faut ajouter *Les Communistes*, aboutissement et dénouement du *Monde réel*, rédigés, dans une première version, entre 1949 et 1951, remaniés et récrits en 1967.

« LE MONDE RÉEL ». — *Les Cloches de Bâle* sont une évocation des années d'avant 1914 et une construction presque dialectiquement conçue autour du thème de la femme : dans la première partie, Diane, fille d'une famille noble mais ruinée, profite des libéralités de ses amants successifs; Catherine, dans la seconde partie, au lieu de tirer ainsi parti de la condition féminine, en vient à une révolte anarchisante qui la conduit en marge du monde bourgeois; ce n'est que dans la troisième partie qu'elle comprend, grâce au militant syndicaliste Victor, que seul le travail peut rendre à la femme sa dignité; et c'est Clara Zetkin — la militante socialiste —, troisième et dernière figure féminine du roman, qui vient incarner « la femme de demain, celle vers qui tend tout ce livre ». En bref, Diane accepte sans broncher les compromissions du monde de l'argent; Catherine se révolte de façon désordonnée et inefficace; Clara est une femme accomplie parce qu'elle participe à la lutte révolutionnaire.

Les Beaux Quartiers, roman achevé en juin 1936, qui obtint quelques mois plus tard le Prix Renaudot, fait la part belle aux réalités françaises telles qu'elles se présentaient à la veille de 1914, et le romancier éclaire l'approche de la première guerre mondiale à la lumière des circonstances qui, de 1934 à 1936, pendant qu'il rédige son roman, annoncent la seconde. Le roman, dont l'action commence en province, conduit à Paris les deux frères Barbentane, Edmond et Armand, que tout oppose. Edmond veut conquérir le monde selon le schéma balzacien;

Armand veut entreprendre de le transformer et, s'il n'est pas un fils du peuple, il finit par rejoindre le monde ouvrier. En s'intégrant à la classe dominante, Edmond cherche un bonheur égoïste; en adhérant au parti de la révolution, Armand est un héros positif du *Monde réel* : on le retrouvera dans *Les Communistes*. Les destins antithétiques des deux frères, qui ont la même origine bourgeoise et provinciale, sont l'axe essentiel du roman. Mais beaucoup d'autres figures, beaucoup d'autres séries d'événements concourent à dresser une chronique de la vie française en province et à Paris au début du XXe siècle. L'action donne même l'impression qu'elle se disperse, et la facilité d'Aragon le conduit assez souvent sur le chemin du roman-feuilleton. D'autant que l'auteur montre beaucoup de goût pour la vie clandestine de la capitale. Tout en dénonçant, à la lumière de l'idéologie communiste, les infamies du monde capitaliste, l'auteur paraît prendre un vif plaisir à entrer dans les secrets de ce monde condamné. « Les ressorts du régime sont mis à nu », écrit Roger Garaudy à propos de ce roman. Mais cette façon d'éclairer la vie française à la lumière du marxisme peut paraître contestable et les diagnostics d'Aragon sont peu sûrs aux yeux de beaucoup de lecteurs de bonne foi. En revanche, toute la théorie des hommes - doubles (le système de la société moderne contraignant les hommes à faire deux parts dans leur vie et rendant le bonheur difficile ou impossible) et tout ce qui annonce, dans ces années d'avant-guerre, la catastrophe à venir et la fin d'un temps, donnent au roman sa force et son intérêt.

Les Voyageurs de l'Impériale racontent une histoire qui s'achève en août 1914, au moment où Pascal, le fils du personnage principal, Pierre Mercadier, part pour le front; et voyant où l'Europe en est venue, il condamne sévèrement son père et la classe bourgeoise à laquelle celui-ci appartenait. Si *Les Beaux Quartiers* sont un roman d'entrée dans la vie, *Les Voyageurs de l'Impériale* racontent toute une vie : celle de Pierre Mercadier depuis 1889, au moment de l'Exposition universelle (il a alors trente-trois ans), jusqu'à sa mort à la veille de la guerre. Et le romancier brosse en même temps le tableau de toute une époque. Il donne ainsi, comme il l'a dit lui-même, un passé au *Monde réel*. La vie de Pierre Mercadier est sous le signe de l'individualisme; elle est celle d'un bourgeois qui se sent *de trop* dans le monde; elle est une constante faillite; elle est le triste reflet d'une époque condamnée. Pierre Mercadier a tout perdu : il a liquidé peu à peu sa fortune; il n'a rien réussi, il n'a été ni un mari heureux, ni un père attentif, ni un amant comblé. Il est voué à la dégradation physique et morale, et il finit paralysé et aphasique entre les mains d'une ancienne prostituée.

Aurélien, roman qui a été écrit de 1940 à 1943, se rattache au cycle du *Monde réel* parce qu'on y retrouve certains personnages des romans précédents. Pour la première fois le romancier évoque les années vingt : son héros, Aurélien Leurtillois, a trente ans en 1920; c'est un ancien combattant de la grande guerre, il vit de ses rentes dans une garçonnière de l'île Saint-Louis, il a ses habitudes dans un bar de Montmartre. La rencontre de Bérénice, une amie des Barbentane, mariée à un pharmacien de province, lui fait mesurer soudain le vide de sa vie. Il est tombé amoureux d'elle, il lui déclare son amour, il la supplie de lui consacrer le peu de temps qu'elle passe à Paris. Elle est sensible à cet amour, mais elle a la passion de l'absolu, elle ne veut pas d'une médiocre aventure. Au bout de quelques semaines, à la fin de l'année 1920, elle lui écrit qu'elle l'aime, mais elle lui dit adieu. Aurélien, désemparé, va passer la nuit du 31 décembre au Lulli's bar et, quand il rentre chez lui au petit jour, Bérénice est là, elle l'a attendu toute la nuit, elle avait tout quitté pour lui, elle sait que cette nuit, il l'a trahie et que tout est fini entre eux. Elle est d'abord prise d'une envie de tout saccager, elle devient un moment la maîtresse d'un jeune peintre et, en avril 1921, elle retourne vivre en province auprès de son mari. Elle revoit Aurélien par hasard, durant la débâcle de l'été 1940, et elle meurt auprès de lui, atteinte par une rafale de mitrailleuse.

Il n'y a pas d'idéologie intempestive dans ce roman ; Aragon suggère seulement, avec discrétion, que dans une vie qui ne s'est pas donné de ligne directrice, l'amour ne peut exister ; il ne saurait être solide dans ce monde du loisir et de la dispersion. Aragon peint la misère de l'homme qui vit à l'abandon dans un monde de facilité et il évoque la facticité d'une vie sociale où l'agitation tient lieu d'action. Pourtant il évoque avec bonheur tout ce qu'il pouvait y avoir de séduction dans ce qu'on appelle les « années folles ». Et il réussit, en maints passages, grâce à la souplesse de sa prose, à atteindre la poésie. Plutôt qu'à l'enchaînement des circonstances, il porte attention à tout ce qui fait, de l'histoire qu'il raconte, une suite d'instants précieux.

Les Communistes sont le dernier roman du *Monde réel*, c'est une fresque historique qui raconte la vie française de février 1939 à juin 1940. Au milieu de la chronique politique nous est contée l'histoire d'amour de Jean de Moncey et de Cécile Wisner : leur couple tient les promesses de la fin des *Cloches de Bâle* et constitue une sorte de contrepoint heureux à l'échec d'Aurélien et de Bérénice. Aragon a réuni une documentation considérable pour éclairer cette période ; et l'on trouve, dans *Les Communistes*, une connaissance précise des événements et des hommes. Aux documents qu'il a utilisés, Aragon ajoute son témoignage personnel, ses souvenirs de militant et de combattant. C'est dire que l'idéologie ici n'apparaît pas en filigrane, mais qu'elle est massivement présente. Les événements sont présentés sous un jour très particulier. Aragon propose une version marxiste de l'histoire contemporaine, qui a tous les caractères d'une démonstration argumentée. En même temps il célèbre un nouveau héros du monde moderne, l'homme communiste, le militant dévoué à son parti.

« LA SEMAINE SAINTE », ROMAN HISTORIQUE. — Au lieu que dans *Les Communistes*, le militant est décidé à communiquer aussitôt sa conviction, le romancier de *La Semaine sainte* s'applique à laisser aux événements et aux êtres leur opacité et leur ambiguïté. *La Semaine sainte* (1958) est un beau et singulier roman historique qui relate un épisode crucial de la vie française : l'auteur raconte, en un gros roman de six cents pages, foisonnant de faits et de personnages, le retour de Napoléon en 1815 et la fuite du roi. Mais au lieu de donner tout de suite le sens de chaque chose, il s'attache à rendre les sentiments d'incertitude et de confusion qu'ont connus ceux qui, devant un tel bouleversement historique, ont vu se succéder, sans y comprendre grand-chose, tant de personnages et d'événements. La période choisie par Aragon est d'une extrême richesse, comme toute période troublée : d'un côté, il faut choisir entre le roi et l'empereur ; de l'autre il est suggéré que ce choix, au fond, est sans grande importance. L'essentiel s'accomplit de façon clandestine : telle réunion secrète des républicains, dans une forêt la nuit, même si elle ne débouche sur rien dans l'immédiat, est un jalon posé : c'est là que se prépare souterrainement l'histoire de demain. Au surplus l'auteur, grâce à la distance historique, surplombe son récit, il ne se prive pas d'intervenir pour mêler aux événements de 1815 ses souvenirs personnels, qui peuvent contribuer à souligner les ambiguïtés de l'histoire et les pièges du destin. Et l'on voit ici Aragon, après la déstalinisation, devenu sensible aux ruses de l'histoire, qui transforment les révolutionnaires d'hier en oppresseurs d'aujourd'hui. Mais ce qui sous-tend *La Semaine sainte*, ce n'est plus comme dans *Les Communistes*, la doctrine du Parti; c'est une sorte de grande espérance diffuse, non encore accomplie, celle même qui traversait certains romans de Hugo ou de Zola.

LES NOUVEAUX ROMANS D'ARAGON. — *La Mise à mort* en 1965, *Blanche ou l'oubli* en 1967, *Henri Matisse, roman*, en 1970, *Théâtre/Roman*, en 1972, constituent, autour de la soixante-dixième année de l'auteur, une prodigieuse éclosion romanesque. A tout prendre, c'est un peu l'équivalent, pour le roman, du renouveau poétique qui s'était fait jour avec *Le Roman inachevé* (1956), *Elsa* (1959), *Le Fou d'Elsa* (1963). Le romancier du *Monde réel*, romancier traditionnel, retrouve une jeunesse avec toutes les remises en question de l'époque, politiques, linguistiques, romanesques. Au confluent de la déstalinisation, des progrès de la linguistique et du nouveau roman, Aragon s'amuse à jouer avec les formes, il prend ses aises, il improvise, il aménage des silences dans son texte, peut-être pour dérouter, peut-être aussi pour se dérober. Ces dernières œuvres, d'accès difficile, sont à la fois des prouesses techniques et des aveux masqués.

Mauriac   François Mauriac a fait ses débuts littéraires avant 1914; son premier recueil de vers, *Les Mains jointes*, est de 1909. C'est après avoir pris connaissance de ce recueil que Barrès lui a prédit une brillante carrière. Brillante en effet : l'Académie française en 1933; le Prix Nobel de Littérature en 1952. En 1936, Mauriac prend le parti des républicains espagnols contre Franco, et se retrouve en cette circonstance aux côtés de Bernanos; ses orientations de catholique de gauche (son premier inspirateur a été Marc Sangnier) le conduisent après 1940 dans les rangs de la Résistance, ainsi qu'en témoigne *Le Cahier Noir* en 1943. Après la guerre il s'engage en faveur de l'indépendance des pays du Maghreb, et d'abord du Maroc. Le *Bloc-Notes* et les *Mémoires Intérieurs* occupent l'essentiel de son activité pendant ses dernières années; après *La Pharisienne* en 1941, très haute réussite romanesque, après *Le Sagouin* en 1951, après *L'Agneau* en 1954, après *Un Adolescent d'autrefois* en 1969, le romancier tend à s'effacer derrière le polémiste et le mémorialiste.

PREMIERS ROMANS. — Les premiers romans de Mauriac ont rencontré dans les années vingt la faveur du public. Mauriac rafraîchissait par un ton et un point de vue nouveau les conventions et les stéréotypes d'une tradition romanesque : la mère possessive, la belle-fille exclue et abandonnée dans *Genitrix;* un père de famille, médecin de son état, qui fait la cour à une femme affranchie, belle et intelligente, un collégien convoité par cette femme dans un tramway et qui rêve de se déniaiser auprès d'elle, dans *Le Désert de l'amour;* un garçon amateur de femmes qui se réfugie dans un hôtel d'une vallée des Pyrénées pour punir l'une d'elles et qui profite de son séjour pour s'attaquer à une jeune personne partagée entre une violente attirance sensuelle et le goût de la pureté, dans *Le Fleuve de Feu ;* l'entraînement sensuel d'une femme mûre, bientôt quinquagénaire, pour un jeune homme appétissant dans *Destins*, tout cela se distinguait par la qualité de la prose, par un climat poétique où l'intensité des passions trouve des correspondances dans le monde extérieur. Parmi ces premiers romans, le meilleur est sans doute *Le Désert de l'amour*, en 1925. Le roman avait quelques aspects freudiens par l'importance accordée à l'humiliation sexuelle du jeune Raymond Courrèges; mais aussi par la singularité du personnage de Maria Cross, amoureuse et maternelle, qui éprouve des sentiments assez proches de ceux que, dans *Destins*, Élisabeth éprouve pour Bob. Un autre intérêt de ce roman tenait à la volonté de montrer comment s'ignorent des êtres qui vivent proches les uns des autres. « Nos proches, dit Maria Cross, sont ceux que nous ignorons le plus. » Benjamin Crémieux voyait dans ce thème un « nouveau romantisme de l'isolement ».

« THÉRÈSE DESQUEYROUX ». — C'était ce même problème de l'incompréhension entre les êtres qui était traité dans *Thérèse Desqueyroux*, première grande réussite de Mauriac. Celui-ci refaisait, cinquante ans après, *Madame Bovary*, mais selon sa technique et son style, et en tenant compte fort habilement de l'évolution des mœurs et des mentalités. Thérèse est une jeune femme mal mariée, et elle souffre, comme Emma, des limites intellectuelles de son mari, grossier, borné, brutal. Mais si Emma est une sensuelle qui rêve d'être enlevée par un gentilhomme, Thérèse est une cérébrale qui, auprès de Jean Azevédo, ne subit pas un charme physique, mais est sensible à sa culture, et son rêve à elle, c'est de vivre une vie indépendante à Paris, où elle serait appréciée pour les traits de son esprit et la liberté de sa vie, où elle pourrait enfin être elle-même et s'accomplir. Au lieu de cela, Thérèse a d'abord un pauvre destin : dans la première partie du livre, elle rentre chez son mari après avoir bénéficié d'un non-lieu (elle avait tenté de l'empoisonner); pendant ce voyage de retour, elle revoit ses années d'enfance et d'adolescence, ses fiançailles, son mariage, les premières déceptions de sa vie conjugale, le sentiment d'étouffer dans la prison qu'est la famille; et elle s'interroge sur les raisons qui ont pu la pousser à cette tentative d'empoisonnement; en même temps, elle espère naïvement une grande explication avec son mari pour tenter de repartir à neuf; dans la seconde partie, elle est séquestrée par Bernard avec la complicité de la famille et, c'est seulement quand celui-ci est effrayé par son délabrement physique, qu'il se décide à lui accorder la vie indépendante à Paris, dont elle avait rêvé et dont, on le voit dans *La Fin de la Nuit*, elle tire un bien piètre parti.

« LES ANGES NOIRS ». — *Les Anges noirs* sont un des romans les plus sombres qu'ait écrits Mauriac. Le Prologue est une confession : une lettre adressée à un prêtre, le curé de Liogeats, village où Gabriel Gradère a passé son enfance. Les chapitres qui suivent sont un récit à la troisième personne; ils exposent les événements qui marquent son séjour à Liogeats, et en particulier le crime qu'il commet. Gabriel Gradère, à cinquante ans, avoue, d'entrée de jeu, une vie de turpitude, et il tue Aline pour faire cesser le chantage qu'elle exerce sur lui; c'est une prostituée dont il a été le protecteur et qui, à cause d'un trafic de drogue auquel il s'est livré pendant la guerre, a barre sur lui. Recueilli par le jeune prêtre pour lequel il a écrit sa confession, il meurt réconcilié avec Dieu. Mauriac ici use des silences du récit, seul moyen de laisser entendre au lecteur les menées obscures de la grâce.

« LE NŒUD DE VIPÈRES ». — *Le Nœud de Vipères* est avec *Thérèse Desqueyroux* et *La Pharisienne*, une des grandes réussites de Mauriac romancier. L'auteur conserve ici la même technique du roman au *Je*, encore qu'il ne s'agisse plus d'un monologue intérieur, mais du Journal que rédige, à l'intention de sa femme, un vieil homme de soixante-huit ans : le narrateur, Louis, a été un brillant avocat au barreau de Bordeaux ; mais l'envers de cette réussite professionnelle a été une vie conjugale manquée : les apparences sont sauves, mais Louis, tout en vivant auprès d'elle, s'est éloigné de sa femme, et s'est voué à une débauche régulière et tarifée. L'événement capital de sa vie, ce fut la déception d'un jeune marié de vingt-trois ans, qui avait cru à l'amour de celle qu'il avait épousée, qui en avait tiré une grande confiance en lui-même, et qui en vint à découvrir qu'il n'a été pour elle et pour sa famille qu'un pis-aller. A partir de là, Louis s'est enfermé en lui-même, la haine pour sa femme et pour ses enfants est née de cette déception. Mais au fur et à mesure que Louis progresse dans cette confession et dans ce retour sur soi, sa méchanceté et le projet qu'il a eu de déposséder les siens prennent à ses yeux un autre visage. Il suffit que sa femme meure subitement, avant lui, pour qu'il découvre en lui une autre vérité, celle de l'amour et de la foi.

« LE MYSTÈRE FRONTENAC ». — *Le Mystère Frontenac* est une chronique familiale où l'auteur, comme il avait déjà fait avec *Destins*, élargit le cadre de l'action et multiplie les personnages. La première partie du roman évoque les années d'enfance et d'adolescence des enfants de Blanche Frontenac, qui a perdu son mari plusieurs années avant que ne débute l'action. C'est l'oncle Xavier, tout dévoué aux intérêts de Blanche et de ses enfants, qui administre les biens. Puis, ralentissant le rythme de son récit, le romancier raconte copieusement une belle saison, — un printemps et un été, celle où l'aîné, Jean-Louis, à dix-sept ans, est élève de philosophie et est amoureux de la jeune fille qu'il épousera ; son frère Yves, quinze ans, tient un cahier de vers, — très beaux et que *Le Mercure* publiera. Jean-Louis devient le chef de la maison familiale, le maître de la fortune, le protecteur de son frère cadet. La seconde partie raconte des événements qui ont lieu six ans après : Jean-Louis a vingt-trois ans, sa mère, Blanche meurt ; l'oncle Xavier disparaît à son tour, dans les premiers mois de 1913 ; Yves est au bord du suicide, et Jean-Louis arrive à temps pour le sauver. Yves est désespéré par la manie de s'observer, par la culture du désespoir, et par ce sentiment qu'il a d'appartenir à un monde qui s'achève ; tout au plus garde-t-il, au fond de lui, la nostalgie des vacances de jadis dans le domaine merveilleux.

MAURIAC ET LE ROMAN. — Tous les romans de Mauriac évoquent le milieu dans lequel il a passé sa jeunesse, la bourgeoisie bordelaise, celle des propriétaires de pins et de vignes. Dans ce milieu étriqué, il a évoqué des passions intenses, le désir, l'avarice, le désespoir, la haine, une haine qui peut conduire au meurtre.

Mais sous ces passions humaines il a su suggérer une autre dimension, religieuse et métaphysique. Ses personnages, emportés par la passion, gardent au cœur, plus ou moins secrètement, la nostalgie d'une autre vie, le besoin d'autre chose. Tout son art est de constituer un réseau thématique qui exprime la violence des sentiments et des émotions; et il opère avec toutes les ressources d'une prose savante une sorte de fusion du monde extérieur et du monde intérieur; il sait aussi, par des silences du récit, par le caractère poignant de certaines nostalgies, par l'expression d'une insatisfaction, laisser pressentir, par-delà les faits et les gestes, au-delà même des sentiments qu'éprouvent les personnages, la présence d'un autre ordre de choses.

Mauriac, accusé par Sartre d'omniscience romanesque, a, en fait, adopté de plus en plus volontiers un discours indirect libre qui représente la pensée du personnage, — quitte à se réserver le privilège d'intervenir par un commentaire d'auteur. Par exemple une défaillance soudaine d'Élisabeth devant le cercueil de Bob laisse voir cet « amour enfoui dans sa chair ». Ainsi le romancier tient-il à préciser la signification de cette défaillance. Mauriac use volontiers de tournures telles que : « il ne se doutait pas que », « il ne comprenait pas que », cherchant par-là à donner des indications qui procèdent de son point de vue et échappent à celui de son personnage. Il y a d'ailleurs chez lui un goût très vif de saisir l'essence de ses personnages. Blanche, dans *Le Mystère Frontenac*, est une « mère tragique ». Un titre à lui seul — *Genitrix* — dit assez le thème du roman, celui de la mère abusive. Thérèse est un avatar de Locuste, elle a une « figure de condamnée », de « condamnée à la solitude éternelle ». Mauriac s'intéresse aux vies qui ont déjà pris la figure d'un destin. Pourtant ce romancier, si vite porté à sceller le destin de ses personnages, sait suivre les méandres de leur discours intérieur. Et de plus en plus il a appris à se taire, à organiser subtilement certains silences du récit, qui alertent le lecteur à toute cette part mystérieuse de la vie qu'on peut pressentir au-delà de l'enchaînement naturel des circonstances et des motivations.

Bernanos   *Sous le Soleil de Satan* est le premier roman que Georges Bernanos ait publié : en 1926, cet auteur de trente-huit ans, gagné depuis longtemps aux idées des écrivains de *L'Action Française*, connaissait un vif succès et, à cause de cela, abandonnait son activité professionnelle (il était inspecteur d'assurances) pour se consacrer à sa vocation. Mais si le succès de *La Joie*, en 1929, le mit quelque temps à l'aise (le roman obtint le Prix Femina), Bernanos fut bientôt en butte à d'éprouvantes difficultés matérielles. En tout cas, l'essentiel de sa production romanesque tient dans les dix ans qui suivent le *Soleil de Satan*. En 1937, c'est la *Nouvelle Histoire de Mouchette*, et si, à cette date, *Monsieur Ouine* n'est pas encore publié, le texte en est en grande partie rédigé. Il ne faut pas perdre de vue que, parallèlement à ces grands romans, *L'Imposture*, *La Joie*, le *Journal d'un Curé de campagne*, *Monsieur Ouine*, Georges Bernanos a écrit plusieurs grands essais politiques, inspirés par la guerre civile espagnole, la guerre mondiale, les plus célèbres étant *La Grande Peur des bien-pensants* en 1931 et *Les Grands Cimetières sous la lune*.

« SOUS LE SOLEIL DE SATAN ». — Deux articles enthousiastes de Léon Daudet ont attiré l'attention du public sur le *Soleil de Satan* en 1926, mais ils ne sauraient à eux seuls expliquer l'étendue du succès de ce roman. Bernanos, devant l'aspect hideux que prenait à ses yeux l'après-guerre, dessinait la figure d'un saint (qui avait pour modèle le curé d'Ars) ; et, en face de ce saint, il dressait le personnage de la pécheresse, la jeune Mouchette, adolescente révoltée, qui, tôt dans sa vie, a su évaluer la pusillanimité des êtres et le néant de la vie, décidée à aller jusqu'au bout de sa révolte. L'abbé Donissan, le saint de Lumbres, est destiné à lui apporter *in extremis* l'espérance du Salut. Il n'y a pas deux histoires dans ce roman, celle de Mouchette et celle de Donissan, il n'y en a qu'une qui naît précisément de leur rencontre. Bernanos lui-même a mis en évidence l'unité organique de son roman : « L'abbé Donissan n'est pas apparu par hasard : le cri du désespoir sauvage de Mouchette l'appelait, le rendait indispensable. » Le roman est né le jour où Bernanos eut l'idée de lier ces deux destins hors série, la pécheresse et le saint, l'agonisante désespérée et le prêtre susceptible de lui apporter le Salut.

Si Mouchette est une figure inoubliable de la révolte intrépide, Donissan présente une singulière image de la sainteté. Il bénéficie d'un don de voyance qui lui permet de lire dans les êtres et de percevoir d'emblée leur secret : ainsi fait-il dans l'âme perdue et désespérée de Mouchette. Bernanos reconnaissait lui-même que « (son) pauvre Donissan avait fait sans le savoir un vœu sacrilège ». Il est de fait qu'il sort de l'orthodoxie quand il accepte d'être consumé par les forces du mal pour racheter les pêcheurs; il paraît oublier que le monde a déjà son Sauveur, et lui-même se prive des fruits du sacrifice de Jésus. Il y a dans sa personnalité quelque chose d'abrupt et de singulier qui était une nouveauté dans le portrait du prêtre, ce héros de roman. C'était un aventurier de la vie spirituelle, et, comme le disait Jacques Vier, « un corsaire du dogme et de la mystique ».

« L'IMPOSTURE » ET « LA JOIE ». — Aussitôt après la publication du *Soleil de Satan*, Bernanos entreprit la composition d'un second roman, dont le héros devait être un prêtre célèbre ayant perdu la foi, et qu'il projettait d'intituler *Les Ténèbres*. C'est de ce projet primitif, d'abord conçu comme un seul livre, que sont nés les deux romans complémentaires que sont *L'Imposture* et *La Joie*. Bernanos fustige, dans *L'Imposture*, les catholiques ralliés à la République et à la démocratie chrétienne; et les portraits cruellement dessinés de Pernichon, de Mgr l'Espelette, de Guérou, de M. de Clergerie procèdent d'une critique acerbe des compromissions de certains catholiques dans le monde moderne. Par-delà le tableau de mœurs, Bernanos donne vie et relief à son monde intérieur; simplement il renverse certaines des situations du *Soleil de Satan* : Cénabre, que ses ouvrages d'histoire religieuse ont rendu célèbre, est le contraire de Donissan, il se perd avec autant d'intrépidité que Donissan en montre pour escalader les escarpements de la vie spirituelle. Dans le *Soleil de Satan*, le prêtre en marche vers la sainteté sauve *in extremis* la jeune fille perdue; dans *L'Imposture* et dans *La Joie*, c'est une sainte jeune fille — Chantal — qui sauve *in extremis* le prêtre qui était la proie de Satan. Dans ces deux romans, Bernanos renonce à la veine fantastique qu'il avait exploitée dans la rencontre de Donissan avec le maquignon, étrange incarnation du Diable. D'autre part, la sainteté de l'abbé

Chevance, comme celle de sa fille spirituelle Chantal de Clergerie a quelque chose de plus évangélique et de moins abrupt : l'esprit d'enfance, de renoncement, d'humilité, la simplicité du cœur et l'indéfectible espérance, telles sont les vertus de Chevance dans *L'Imposture*, de Chantal dans *La Joie*, dont la figure rayonnante de lumière est le centre du roman. Comme dans le *Soleil de Satan*, de grandes scènes copieusement racontées sont comme les piliers d'une voûte invisible, et ce n'est que par les silences de son récit que le romancier suggère au lecteur tout ce qui s'accomplit derrière le monde des apparences. La grâce de Dieu suscite ce que Montherlant, dans *Les Garçons*, appelle des « opérations mystérieuses ». Chevance connaît le drame de Cénabre qui est d'avoir perdu la foi ; il ne peut rien faire de son vivant, mais sa fille spirituelle contribue, à la fin de *La Joie*, à rendre à Cénabre l'espérance et la foi.

Cénabre, Chantal et Chevance sont les trois figures essentielles de la fiction : Chevance est un saint prêtre, modeste confesseur de bonnes, mais il nous est dit que son rayonnement s'élargit d'année en année et que son humilité brille d'une lumière surnaturelle. Chantal est toute simplicité, elle a la miraculeuse insouciance des enfants, elle est vive et enjouée, elle est instruite, elle sait porter élégamment de belles robes. Cénabre, c'est le prêtre qui a perdu la foi, qui joue la comédie devant les autres et devant lui-même ; il est possédé par Satan, il est secoué d'un rire qu'il ne peut réprimer. Sa tragédie, c'est que toutes les subtilités de son intelligence sont incapables de lui donner accès à la compréhension de la sainteté dont il parle dans ses livres. Il est conduit au sacrilège d'une curiosité sans amour. Ici encore, comme dans le *Soleil de Satan*, c'est la haine de soi et le choix du néant qui sont les racines du péché.

« JOURNAL D'UN CURÉ DE CAMPAGNE ». — Bernanos n'a publié aucun roman entre *La Joie* et *Un Crime*. Mais de 1929 à 1935 il n'a pas interrompu son travail. En avril 1931, il a publié *La Grande Peur des bien-pensants ;* en même temps *Monsieur Ouine* est sur le chantier et lui cause des difficultés considérables. Il a en effet entrepris de changer sa manière ; il veut raconter d'autres choses et autrement. Le roman ne sera achevé que pendant la guerre. Après *Un Crime*, qui est le résultat de nécessités alimentaires, Bernanos retrouve la facilité et le bonheur d'écrire avec le *Journal d'un Curé de campagne*, qui est une des grandes réussites de sa production romanesque. Il a une façon plus souple, moins exaltée de prendre la vie et les êtres. Le curé d'Ambricourt, à la différence de Donissan, n'a pas conscience d'être appelé à un destin exceptionnel ; il craindrait plutôt de n'être pas à la hauteur dans l'accomplissement de sa mission. Ce jeune curé rédige son Journal, il tient registre de ses pensées, de ses activités, de ses efforts, de ses échecs, des progrès de sa maladie. Grâce à la simplicité du ton, les choses les plus surprenantes paraissent aller de soi : le curé d'Ambricourt a le pouvoir de lire dans les âmes ; il est doué de prescience quand il voit ou croit voir la comtesse sous la forme d'une morte ; dans le confessionnal, il bénéficie d'une vision surnaturelle du visage de Chantal. L'emploi du Journal permet une présentation oblique des événements et des êtres. Tout est vu, deviné par le jeune prêtre qui ne s'approche que peu à peu de la vérité. Le drame du château n'est révélé que successivement par les aveux de Louise, de Chantal, de la comtesse.

« MONSIEUR OUINE », RÉCIT LACUNAIRE. — Aussitôt après avoir commencé *Un Mauvais Rêve*, Bernanos, en février 1931, s'attaque à un autre sujet, *La*

Paroisse morte, titre initialement prévu pour *Monsieur Ouine*. A ce roman qu'il veut différent des autres, Bernanos travaille lentement mais régulièrement jusqu'en 1935 : à cette date, à peu près tout était rédigé, sauf les dernières scènes. Ce n'est qu'au printemps de 1940 qu'il rédige les derniers chapitres. *Monsieur Ouine* est d'abord publié en 1943 au Brésil, puis à Paris en 1946, mais de façon défectueuse. Il a fallu attendre l'édition d'Albert Béguin au Club des Libraires de France en 1955 pour avoir un texte satisfaisant. L'accueil de la presse et du public fut tout à fait défavorable. Seuls Albert Béguin et Claude-Edmonde Magny surent trouver les mots qu'il fallait pour dire l'importance et la nouveauté de ce dernier roman.

Le public avait de quoi être déconcerté par ce récit lacunaire et elliptique. Il a d'abord paru difficile de rendre compte en toute rigueur de la durée narrative ou plus simplement de la chronologie romanesque. Il n'y a pas non plus de peinture du décor à la Balzac et l'on est privé d'un commentaire d'auteur explicatif. Il est aussi difficile de dessiner le plan du village que d'établir la chronologie de l'action. L'histoire qui est racontée peut paraître fragmentée en intrigues diverses. L'hésitation de Bernanos sur le titre de son livre, — *La Paroisse morte* ou *Monsieur Ouine* — est révélatrice d'une division de la matière romanesque. D'un côté, le jeune héros du roman, l'adolescent Philippe, se laisse séduire par Ouine, puis il assiste à son agonie; de l'autre, les gens de Fenouille et leurs problèmes. Pourtant le meurtre du petit valet est un puissant facteur d'unité : c'est autour de ce meurtre que le roman s'organise et c'est à l'enterrement du jeune garçon que toute la paroisse est rassemblée. D'ailleurs, au fond, les faits sont assez simples : Bernanos écrit le roman d'un adolescent qui pour la première fois s'échappe du nid familial, court l'aventure avec une châtelaine aux mœurs étranges et un professeur, Monsieur Ouine, qui paraît avoir du goût pour les jeunes garçons; l'aventure est brève; la châtelaine est une voisine, et le maître admiré entre en agonie. En même temps un jeune valet de ferme est découvert assassiné. Monsieur Ouine est-il le meurtrier? Est-ce le braconnier, le bel Eugène? En tout cas, le double suicide d'Eugène et de sa femme est la conséquence du premier crime : ils échappent par la mort au soupçon et au déshonneur. Vient le jour des obsèques du valet : la cérémonie est marquée par une série de scandales. L'épilogue, — la folie du maire et la mort de Ouine — est étroitement rattaché à tout ce qui précède. Mais il reste qu'à la première lecture, ce roman garde un caractère énigmatique et déconcertant. La technique allusive du romancier élude la plupart du temps les tenants et les aboutissants. Le récit est lacunaire. Le meurtre du petit valet demeure inexpliqué, ou plutôt il y a une égale improbabilité des deux solutions envisagées. Bernanos déploie ici un grand talent pour éviter l'aplomb du romancier traditionnel. Ce monde qu'il construit, il le sape par ses silences. Le seul nom de Ouine est une trouvaille qui indique l'ambiguïté du *oui* et du *non*. Claude-Edmonde Magny avait bien compris dès la parution du livre que « les ambiguïtés ou les silences, les aspects les plus déconcertants sont partie indispensable du dessein de l'auteur », car « son roman est l'allégorie d'un monde où rien ne saurait être clair, où tout doit nécessairement apparaître comme énigme puisqu'en est absente la clé du mystère, la présence réelle de Dieu qui seule pourrait dissiper les ténèbres et donner un sens à l'ensemble ». Les silences du récit dans les premiers romans de Bernanos servaient à suggérer les intrusions de la transcendance. Dans *Monsieur Ouine*, ils sont chargés d'évoquer l'immanence du mal dans un monde sans Dieu.

Montherlant   APPARITION D'ALBAN DE BRICOULE. — Les
premiers romans de Montherlant, dans les
années vingt, *Le Songe* et *Les Bestiaires*, faisaient vivre un héros d'un nouveau
type, Alban de Bricoule, qui s'affirmait par son courage, par son absence de
conformisme, par son horreur de la médiocrité. Dans *Le Songe*, il montait au
front volontairement, considérait la guerre comme un amusement, prétendait
qu'il lui était égal de mourir, pourvu que ce fût dans une circonstance digne de
lui. Si l'horreur du combat parvenait parfois à le désarçonner, il se vouait opi-
niâtrement à la recherche des valeurs nouvelles de l'énergie et de la virilité.
Même ses relations avec la jeune Dominique étaient empreintes de non-
conformisme, puisqu'Alban se refusait à ternir cette pure amitié par les gestes
habituels de l'amour. Alban de Bricoule reparaissait en 1926 dans *Les Bestiaires*.
Ce roman remontait dans le passé d'Alban et racontait ses premières corridas
en Espagne, avant la guerre, quand il était encore collégien. Pour lui, la tauromachie est, dans *Les Bestiaires*, ce que la guerre est dans *Le Songe* : l'occasion
d'affronter la mort. Elle lui permet de se sentir vivre « une de ces hautes minutes
délivrées où nous apparaît quelque chose d'accompli ». Certes il s'en faut de
beaucoup que tous les combats d'Alban soient d'emblée réussis; il est humain,
au contraire, parce qu'il connaît l'angoisse et la peur; et qu'une fois la course
terminée, il est heureux comme un enfant à l'idée de rentrer à la maison, dans
sa famille, et de retrouver ses chats. Il fait aussi l'expérience dans *Les Bestiaires*
des premiers émois de sa sensibilité; et s'il a assez de jeunesse pour accepter
de relever les défis que lui propose celle qu'il aime, il a assez de clairvoyance
pour apercevoir sa coquetterie et son manque de cœur. Certes, pour mériter
son amour, il accepte d'affronter le plus dangereux des taureaux; mais après son
triomphe, il dédaigne la jeune fille; il sait qu'elle n'est pas à sa mesure. Montherlant dans *Les Bestiaires* montre sa passion pour les choses de l'Espagne, pour
la tauromachie, pour les valeurs du risque, du courage et de la virilité.

« LA ROSE DE SABLE ». — Les romans ne représentent qu'une partie de
sa création littéraire : dans les années vingt, il est aussi l'essayiste de *La Relève
du matin*, où il célèbre *La Gloire du collège*. Il est le poète des *Olympiques*, et il
chante le sport et les jeux du stade. Il rédige de nombreuses notes de voyage,
car il passe l'essentiel de son temps hors de France de 1925 à 1932 : il vit à Tunis,
à Alger, dans la région des Confins. De 1930 à 1932, installé à Alger, il rédige,
au prix d'un rude effort, un gros roman de six cents pages, *La Rose de Sable*,
qu'il termine en 1932, dans lequel il procède à une violente critique de la colonisation française en Afrique du Nord. Soucieux de ne pas nuire aux intérêts
de la France, il en diffère la publication; il en fera paraître, en 1954, une partie,
L'Histoire d'Amour de La Rose de Sable ; il n'en donnera l'édition définitive
qu'en 1968. La première partie du roman raconte en effet l'amour qui naît entre
le lieutenant Auligny et une petite Bédouine qui se vend à lui; la seconde partie
aborde le problème social et moral de la colonisation. Les deux parties sont
étroitement liées dans la mesure où c'est grâce à sa passion que le lieutenant
apprend à penser, et d'abord à respecter la dignité des indigènes. Si elle avait
été publiée en 1932, l'œuvre aurait sans doute obtenu un immense succès de
scandale : Montherlant comparait les dissidents marocains aux patriotes français
qui avaient combattu l'ennemi clandestinement dans les régions occupées en

1870. Pourtant Montherlant adoptait un dénouement pessimiste qui manifestait l'ironie du sort : le lieutenant Auligny est assassiné à Fez par des insurgés, au moment où il quittait l'armée pour n'avoir pas à combattre contre eux.

« LES CÉLIBATAIRES ». — *La Rose de Sable* est le premier vrai roman de Montherlant ; ce n'est plus un essai en partie autobiographique comme *La Relève du matin ;* ce n'est plus un roman centré sur le style de vie d'un seul personnage au demeurant très proche de l'auteur lui-même ; c'est un roman « objectif » dans lequel il expose un grand problème social et moral. De même, dans *Les Célibataires*, en 1934, il évoque des êtres très différents de lui-même, et il tient à distance les deux héros qu'il décrit, M. de Coëtquidan et M. de Coantré. Ces deux personnages, véritables anti-héros, sont à l'opposé d'Alban de Bricoule et des valeurs qui étaient les siennes. Ce sont deux pauvres vieux nobles déchus, deux vieux célibataires, l'oncle et le neveu ; ils ont vécu de leurs rentes, ils sont incapables d'exercer aucun métier ni de tenir aucun emploi et ils sont bientôt réduits à la dernière extrémité. L'un d'eux, l'oncle, sera aidé financièrement par son frère, mais M. de Coantré mourra seul, sans argent et sans soins, abandonné dans une masure. *Les Célibataires*, c'était en somme l'admirable négatif de la morale du *Songe*. M. de Coantré et son oncle sont l'envers pathétique d'une noblesse héroïque ; — paladins dérisoires dans un monde qui est lui-même dépourvu de la seule chose qui leur reste, des sursauts de fierté. Ce n'est pas dans le registre du grotesque triste que Montherlant situe son commentaire d'auteur. On le voit, devant ses bonshommes, animé de sentiments contraires, il les raille, il les aime. Il les accable de son mépris, mais il évoque, avec un accent incomparable, la grandeur de la mort de M. de Coantré. On ne sait trop si ce qui domine en lui, c'est l'impatience de constater leur inaptitude à *voir ce qui est* et à agir en conséquence, ou la tendresse de les trouver stupidement fidèles à des valeurs anciennes. Ils sont, tout ensemble, les héros d'une dérision et la dérision des héros.

« LES JEUNES FILLES ». — En face d'eux s'affirme le Costals des *Jeunes Filles*. Il est d'une impertinence provocante. Mais il est plus complexe qu'on ne l'a dit. Sa générosité, sa pitié, son sérieux, son attention aux êtres, voire sa délicatesse, s'opposent à son égoïsme, à sa dureté, à son insolence, à sa muflerie. Il se définit lui-même comme « celui qui prend toutes les formes ». Des ondes alternées d'honnêteté et de rouerie, de gravité et de rigolade », passent sur son visage. Il est, à la fois, « gentil et méchant », — et c'est égal. La mobilité de sa conscience le fait se repentir d'un bon mouvement qui lui vient. Il est ballotté par des motivations contraires : il rêve, dans le même instant, d'épouser Solange et de la tuer. Cette complexité dostoïevskienne de la conscience donne au personnage sa modernité. Certes, il se flatte de *voir ce qui est*, et, par lui, Montherlant a peut-être voulu promouvoir des valeurs opposées aux valeurs chrétiennes. Mais qui sait si la signification profonde de Costals ne dépasse pas celle que l'auteur a voulu lui donner? Costals apparaît un peu comme un Don Juan qui s'est trompé d'époque. Il y a quelque chose d'un peu *aberrant* en lui. Telle de ses gamineries n'est pas dénuée de sens profond. Lui qui ailleurs est Triplepatte, le voici qui, s'échappant de chez Madame Dandillot, « se radine, le long de l'avenue, les pieds un peu en dehors, par une imitation de Charlot ». Il est aussi Charlot, après s'être cru, au long de sa vie, César, Don Quichotte, Jésus-Christ ou Gilles de Rais. Héros baroque, il trouve des accents bibliques, il figure un Don Juan poursuivi par les femmes; il se résout au mariage devant la première jeune fille venue; il redoute comiquement sa future belle-mère; il fait la cour à sa belle dans une cuisine en se livrant, avec elle, à des exercices de style. Il y a un humour bouffon dans *Le Démon du bien* : c'est là que la part, et la parodie, de l'épopée est la plus abondante. Solange, cette petite bourgeoise, y devient « celle qui fixe le soleil », et Costals « la voyait sculptée dans le granit, assise, les mains sur les genoux! ». Vision grandiose; ses paroles ne le sont pas moins : « Aussi loin, proclame-t-il, que mon regard peut atteindre, et bien au-delà, sur tout le visage de la terre, mon peuple s'étend... Je suis celui dont le nom est vivant de l'autre côté de la terre ». Les exigences de notre héros ne sont pas moins bibliques que ses propos : « Menez-moi, s'écrie-t-il, à cette chambre où dort la chair de votre chair, et laissez-la-moi connaître... Je la couvrirai de mes biens, et elle fleurira sous mes biens, elle fleurira sous les biens de ma pluie et de mon été ». Le ton biblique, les allusions de plus en plus fréquentes à la mythologie, au Père Zeus, au Minotaure, aux Danaïdes, aux mœurs antiques contribuent à désaxer le récit et à le conduire vers ce couronnement d'humour épique (non dépourvu de grandeur) que constituent, après le passage d'*Iblis*, les versets d'une genèse toute littéraire.

MONTHERLANT, UN ROMANCIER MORALISTE. — « Lisez cela, c'est plus qu'un roman », disait Romain Rolland après la lecture des *Jeunes Filles*. C'est une *somme*, en effet; et le moraliste vient souvent relayer le romancier. Montherlant peut bien affirmer que « changer quoi que ce soit dans les âmes par ses écrits lui est indifférent », il n'empêche que son roman (même s'il ne l'a écrit que « pour se délivrer ») ne constitue pas un univers fermé qui se suffit par la qualité de sa reproduction; il ne se réfère pas à la vie comme à un modèle : elle reste chose à modeler. Le moraliste intervient fréquemment dans les interstices du récit, orientant le roman vers l'essai. On trouve beaucoup de ces dissertations dont certains critiques pointilleux ont fait grief au romancier, et que Montherlant appréciait tant dans *L'Espoir* de Malraux (« On lui reproche des dissertations, notait-il. Ils appellent dissertations tout ce qui est intelligent et profond ».) Que ce soit l'auteur ou Costals qui parle, on découvre dans leurs propos quelques-unes des perspectives philosophiques que Jean Wahl discernait dans l'œuvre en 1940 : lutte contre la femme, contre l'amour, contre la charité, « cancer de l'homme », lutte contre le culte de la douleur, et, par là, lutte contre notre civilisation. « Derrière toutes ces luttes, c'est la lutte contre le christianisme que nous découvrons »[1]. Dans ce monde où « souffrir est toujours idiot », où rien n'a d'importance, pas même le fait d'être bon ou méchant, où « toute mort est l'occasion d'un renouveau puisque du cadavre sortent des fleurs violentes », où « c'est folie de se contraindre », où l'on fait moins attention aux êtres que l'on estime qu'à ceux que l'on désire, où il n'est aucune souffrance morale dont on ne soit consolé par un « vraiment bon repas », il n'y a plus, comme valeur à promouvoir, que le culte du bonheur personnel qu'on obtiendra en agissant selon ce qui est, et non selon ce qui se fait.

---

1. *La Nouvelle Revue Française*, avril 1940.

A vrai dire, ces perspectives morales, tout en conduisant le roman vers l'essai, ne le font jamais verser totalement dans l'abstrait. On croirait que Montherlant s'est souvenu du conseil que Gide donnait au romancier : de ne jamais faire tenir à un personnage des propos qui ne soient pas en rapport avec son tempérament. Le romancier vient mettre en acte, à tout instant, les propositions du moraliste. Le problème du mariage, exposé par Montherlant dans le commentaire des annonces matrimoniales, est repris plusieurs fois par des propos de Costals : encore ces propos sont-ils fonction de ce qu'il est. Mais les problèmes qu'il a commencé d'exposer, voici que, le roman s'avançant, Costals les vit, et dans l'hésitation et la confusion, ne sachant plus que penser, les faisant descendre du ciel des idées dans le concret d'une expérience singulière.

Mais si le romancier met en acte, c'est le moraliste qui le guide. Quand le romancier s'efforce de restituer chaque être dans sa vérité, le moraliste traite ses personnages comme des valeurs. C'est au point que, sous leur différence, il discerne les ressemblances qui les unissent. Costals a été Andrée; Costals devant Brunet, c'est Mme Dandillot devant Solange et, comme Costals a jeté son secret à Solange, M. Dandillot jette le sien à Costals : « Soyez égoïste », lui dit-il, reprenant en contrepoint, lui qui a manqué sa vie, les valeurs grâce auxquelles Costals doit réussir la sienne. « Je me demandais pourquoi je vous aimais, lui déclare Costals; c'est parce que vous êtes pareil à moi ». Quant aux trois « jeunes filles », elles incarnent les différents moments d'une sorte de développement cyclique : Andrée devient, quand elle se réfugie dans l'illusion et la rêverie, ce qu'a été avant elle Thérèse, perdue dans le mysticisme; et, à la fin, Solange, mariée, insatisfaite, devient Andrée Hacquebaut, celle-ci perdant la singularité que le romancier lui avait conférée, pour devenir la Femme dont le moraliste s'était proposé l'étude.

On s'est beaucoup demandé si Costals était « vraisemblable ». C'est lui appliquer des critères qui ne lui conviennent guère, car il incarne une attitude. On avait dit aussi que *Les Bestiaires* étaient composés comme un roman naturaliste, avec un personnage et son initiation à un milieu; on s'est plaint que le héros du *Songe* ne ressemblât point au soldat français moyen. N'est-ce point confondre le personnage qui permet de présenter une « tranche de vie » avec celui qui propose un style de vie? Loin du héros naturaliste qui nous introduit dans un milieu, Costals tire l'intensité de sa présence de son *rapport* avec le milieu, il en a une vision tellement synthétique qu'elle associe des éléments dispersés dans le temps, et ce qui provoque alors le souvenir, c'est moins l'identité de deux sensations que la permanence d'une disposition intérieure, qui est en même temps une attitude morale. C'est par là que le moraliste l'emporte peut-être sur le romancier : il fait vivre un héros plus qu'il ne suscite un univers.

« LE CHAOS ET LA NUIT ». — Après le dernier tome de la série des *Jeunes Filles*, paru en 1939, Montherlant ne publie plus de roman pendant de longues années : il faut attendre *Le Chaos et la Nuit*, en 1963, pour le voir renouer avec le genre romanesque. Montherlant dans *Le Chaos et la Nuit* retrouve dans une certaine mesure la veine des *Célibataires :* c'est l'histoire d'un homme voué dans sa vieillesse à la médiocrité. Mais Célestino, à la différence de M. de Coëtquidan et de M. de Coantré, qui n'ont jamais rien fait de leur vie, est un ancien héros de la guerre civile espagnole et de la lutte contre Franco. Il a eu jadis, à maintes reprises, une conduite héroïque. Il est encore capable de sursauts de fierté, puisqu'il se rend en Espagne alors que rien ne l'y oblige, pour régler la succession de sa sœur. Il a vécu pendant une vingtaine d'années à Paris et, malgré les risques que cela présente, il retourne dans son pays à l'âge de soixante-sept ans. Il assiste à une corrida, il y éprouve un grave malaise, et il rentre mourir dans sa chambre d'hôtel, un peu comme M. de Coantré meurt dans sa masure. Dans *Le Chaos et la Nuit*, le sens même de la corrida a changé : dans *Les Bestiaires*, elle était une épreuve dont Alban devait sortir vainqueur; dans *Le Chaos*, elle est un spectacle, et un spectacle dérisoire. Mieux : désormais, c'est l'homme qui est le taureau. Comme le taureau est berné par la *muleta* et promis à une mort inexorable, l'homme est berné par les illusions et promis de toute façon à la mort. Et Célestino ne quitte la corrida que pour venir mourir dans sa chambre, d'une mort symbolique, puisqu'il porte dans son dos les traces des quatre coups d'épée qui ont abattu le taureau. Et la police franquiste qui vient l'arrêter, le trouve mort, baignant dans le sang.

DERNIERS ROMANS. — Le dernier roman de Montherlant, publié en 1971, avec une préface de Jean Delay, *Un Assassin est mon maître*, est aussi l'histoire d'un piètre personnage, un malade mental, un névrosé, incapable de se diriger dans la vie comme il convient, et Montherlant montre à son égard une sympathie et une pitié attentive. Avec *Les Célibataires*, avec *Le Chaos et la Nuit*, avec *Un Assassin est mon maître*, Montherlant créait des êtres qui étaient à l'opposé de ce qu'il était ou du moins de l'idée qu'il avait voulu donner de lui-même sous les traits d'Alban de Bricoule.

Cet Alban de sa jeunesse, il l'a fait revivre sur le tard, en racontant dans *Les Garçons*, — troisième tome de la trilogie consacrée à la jeunesse d'Alban de Bricoule — ses années de collège, et ses amours au collège. *Les Garçons*, publiés de façon incomplète en 1969, donnés intégralement dans une édition à tirage limité en 1973, c'est, pour Montherlant, le livre de sa vie : il y a travaillé toute sa vie, et il y raconte les choses les plus secrètes de sa vie. Ce roman raconte avec plus de détails et plus de profondeur la crise qui était exposée dans la pièce *La Ville dont le prince est un enfant*.

Giono
LE CYCLE DE PAN. — Les premiers romans que Giono a publiés vers 1930, *Colline, Un de Baumugne, Regain*, font partie de ce qu'il appelait le cycle de Pan. Il s'agissait pour lui de montrer que la terre est vivante, « qu'il faut compter avec elle, et que toutes les erreurs de l'homme viennent de ce qu'il s'imagine marcher sur une chose morte, alors que ses pas s'impriment dans de la chair pleine d'une grande volonté ». Dans *Colline*, une menace diffuse pèse sur un hameau de montagne; un vieillard croit apercevoir les signes des malheurs à venir; un chat noir survient, la fontaine s'arrête de couler, la petite Marie tombe gravement malade, un incendie de forêt met le village en péril. On décide de supprimer le vieux Janet, prophète du malheur et, l'alerte passée, la vie reprend son cours. Le deuxième volet du triptyque, *Un de Baumugne*, — histoire d'une fille séquestrée par ses parents — est moins nettement rattaché au thème panique. En revanche,

Regain fait la part belle à la nature, aux saisons, à la plaine, au vent, au désir. Un hameau abandonné, haut perché dans la montagne, reprend vie pour peu qu'un de ses derniers habitants trouve femme, fonde un foyer, et entreprenne de travailler la terre.

« A cette époque, a déclaré Giono, en même temps que j'écrivais *Regain*, je voyais le développement de quantités d'histoires semblables [...] C'est pourquoi je me suis arrêté parce que je ne voulais pas continuer à écrire des histoires semblables et, souvenez-vous, tout de suite après, j'ai écrit *Le Grand Troupeau*, pour changer, précisément, pour barrer la route à ce *Vent de printemps* que j'aurais pu continuer après *Regain*. » Et, en effet, il renonce à l'inspiration panique, il raconte la guerre, telle qu'on la voit sur le front, telle qu'on la ressent dans un village d'où tous les hommes valides sont partis.

UN ROMAN POUR CHANGER LA VIE. — *Que ma joie demeure*, en 1935, relève encore d'une autre ambition. Le personnage de Bobi, dans ce roman, c'est le poète, c'est l'homme venu d'ailleurs, c'est celui qu'on attendait et qui annonce des temps nouveaux, celui qui est venu pour changer la vie. Est-ce la pensée de Giono qui s'exprime ici? C'est, en tout cas, un idéal qui lui paraît difficilement accessible, puisque l'aventure, dans le roman, se termine tragiquement; mais c'est un idéal qui se situe non plus sous le signe de Pan, mais sous le signe de Dionysos. Giono déclarait à Michelfelder : « Ce n'est pas seulement l'homme qu'il faut libérer, c'est toute la terre. Ce n'est pas l'homme qui doit servir la terre, ni la terre l'homme, tout cela n'amène que malheurs. La maîtrise de la terre et des forces de la terre, c'est un reste de rêve bourgeois chez les tenants des sociétés nouvelles. Il faut libérer la terre et l'homme, pour que ce dernier puisse vivre sa vie de liberté sur la terre de liberté. »

POÉSIE ET MYTHE. — *Que ma joie demeure* est un roman à la fois lyrique et pédagogique. *Le Chant du monde* est un beau roman poétique. C'est un roman du fleuve et de la forêt. C'est l'histoire d'une quête. Antonio, l'homme du fleuve, part avec Matelot, l'homme de la forêt, à la recherche du besson aux cheveux rouges, dont on n'a plus de nouvelles. *Le Chant du monde* est en rupture avec la série des livres qui le précèdent. C'est un roman d'aventures : Antonio est l'initiateur et le moteur du récit; il rencontre, en allant à la recherche du besson, Clara l'aveugle, qui sera sa femme, Toussaint le bossu, l'homme bienfaisant, chez qui le besson s'est réfugié, Maudru le boiteux, le veuf, le maître des terres, l'éleveur de taureaux, l'homme dur et terrible qui fait brûler la maison de qui ose lui résister, le dominateur du pays de Rebeillard. Il est finalement surpassé en force et en audace par le besson et par Antonio; et il laisse repartir sa fille avec eux, qui ont osé mettre le feu à son domaine. Avec le rythme des saisons et des jours, dans ce pays d'eaux ruisselantes et de montagnes glacées, il y a l'histoire d'un enlèvement, d'une quête et d'une vengeance, et ces thèmes évoquent beaucoup de mythes connus, — le poétique ici touchant souvent au mythique et au légendaire.

LA TENTATION DE L'ÉPOPÉE. — Giono a-t-il connu cette phrase de Gide qui se trouve dans le *Journal des Faux-Monnayeurs* : « Ce qui me tente, je l'avoue, c'est le genre épique » ? Il a su inventer, avec Ramuz et Pourrat, ce que Thibaudet appelait une « paysannerie épique », et jamais elle ne fut plus proche des caractères traditionnels de l'épopée que dans *Batailles dans la Montagne*. Dans le premier livre qu'il avait rédigé, sinon publié, — *Naissance de l'Odyssée* — Giono, écrivant en marge d'Homère, s'attachait à prendre le contre-pied de la légende, à rabaisser les héros, à ruiner le merveilleux, se situant dans une lignée qui, au XXe siècle, va du *Protée* de Claudel aux pièces de Jean Giraudoux. En revanche, quand il écrit *Batailles dans la Montagne* et qu'il montre la lutte héroïque que mène l'homme contre les puissances déchaînées de la nature, il retrouve spontanément les traits essentiels de l'épopée : élan d'une collectivité qu'incarne un héros un peu surhumain; combats singuliers, exploits hors de l'ordre commun, et même un merveilleux moderne. Dans ce roman, Giono raconte un cataclysme, un glissement de terrain qui provoque une sorte de barrage naturel et empêche l'écoulement des eaux d'un torrent, si bien que plusieurs villages, au pied d'un glacier, sont engloutis. Les survivants se réunissent sur une hauteur, entourés par les eaux, constituant une communauté de rescapés, — accablés par tout ce bouleversement du monde autour d'eux. Ils paraissent condamnés et sans espoir quand survient le héros, Saint Jean, qui sera le sauveur de cette communauté. Saint Jean livre le combat de l'Homme contre le déchaînement des forces naturelles, et seul un héros d'exception peut livrer victorieusement cette bataille dont dépend le sort de la communauté tout entière.

LES CHRONIQUES. — Au lendemain de la guerre, c'est un autre Giono qui apparaît. Aux romans succède ce qu'il appelle ses *chroniques*. Elles se définissent d'abord par un style plus narratif, moins descriptif, moins lyrique. Ensuite elles sont, plus que les romans, historiquement situées, — au XIXe et au XXe siècle, avec de fréquents glissements d'un siècle à l'autre. Toutefois il ne s'agit pas de romans historiques, on n'y trouve pas un tableau d'époque; ce sont plutôt des détails sur les mœurs, des caractéristiques de la vie individuelle dans ce Sud imaginaire où l'écrivain situe ses personnages et ses événements. Ce qui l'intéresse, dans ces chroniques, c'est de peindre la condition humaine, et ses sujets sont souvent des faits divers qui peuvent avoir une portée métaphysique. En même temps, les personnages ont plus de relief que dans les romans précédents, ce sont des êtres singuliers, exceptionnels, des âmes fortes, des amateurs d'âmes, et l'écrivain leur accorde plus d'importance qu'à la nature, beaucoup plus sobrement évoquée que jadis. Enfin et surtout, ce qui distingue les *chroniques* des romans, c'est la présence d'un récitant. Giono prend ses aises; ce conteur-né s'arrange pour mettre, dans ses récits, ses personnages en position de conteurs; et chacun d'eux prend ses auditeurs à témoin, fait appel à ses souvenirs, se permet des digressions; il ménage des surprises; il ne se prive pas d'introduire des réflexions plaisantes ou de glisser des commentaires cocasses; mieux encore, il a appris à se taire, il sait faire silence sur certains points délicats, laisser dans son récit des pans d'ombre et des zones d'ambiguïté, lui conférer, autant qu'il le faut, un caractère lacunaire et énigmatique. A un type de roman explicatif, qui procédait au fond, jusqu'à *Batailles dans la Montagne*, du modèle réaliste et naturaliste, même si la part de la poésie ou de l'épopée, — comme chez Hugo ou Zola — était prédominante, Giono substitue un type de récit plus désinvolte, il démultiplie les instances de la narration, il entre successivement dans des points de vue opposés, il joue avec le temps, il saute allégrement du milieu du siècle dernier aux années où il est en train d'écrire. Sans doute est-ce sous l'influence de Faulkner et d'autres grands romanciers étrangers qu'il a adopté cette nouvelle orientation ; mais c'est surtout parce que cette méthode, qui laisse plus de place à l'improvisation et au libre jeu de l'imagination, l'amuse davantage, lui permet les jeux de l'humour et de la désinvolture. On retrouve un certain ton stendhalien dans *Le Hussard sur le toit, Le Bonheur fou* et tout l'admirable cycle d'Angelo, qui occupe un volume entier de l'édition de la Pléiade. Mais quelle variété de sujets, de techniques, de tons, de personnages, de *Un Roi sans divertissement* au *Moulin de Pologne*, des *Ames fortes* aux *Grands Chemins* ! Tantôt, comme dans *Les Grands Chemins*, on a le point de vue d'un narrateur qui découvre une réalité marginale d'autant plus passionnante qu'elle est éclairée de biais et qu'elle demeure en grande partie mystérieuse ; tantôt, comme dans *Le Moulin de Pologne*, une figure centrale, énigmatique, sur laquelle, réunissant les témoignages les plus divers, toute une ville s'interroge.

Dans *Un Roi sans divertissement* comme dans d'autres chroniques on trouve une grande souplesse dans le maniement des instances de la narration et des jeux de la temporalité. Quand Robert Ricatte interrogeait Giono sur les raisons qui l'avaient incité à manipuler curieusement, dans les chroniques, le cours du temps, il invoquait son bon plaisir : « Je me suis aperçu que c'était une technique amusante et qui m'offrait des facilités. Jusqu'ici j'avais écrit des histoires qui commençaient au début, qui se suivaient. J'en avais assez. Ça m'a séduit de mélanger les moments. J'ai voulu ajouter un piment, m'amuser. » Cet amusement a consisté à « manipuler le cours du temps » et à multiplier du même coup les instances de la narration. Dans *Un Roi sans divertissement* on est déjà frappé par la diversité des témoignages. Mais à cet égard, *Les Ames fortes* sont sans doute le chef-d'œuvre de Giono : deux vieilles femmes, lors d'une veillée funèbre, racontent les jours anciens, et leurs points de vue s'opposent sur ce passé dont elles présentent l'une et l'autre des versions différentes. On a même le sentiment qu'elles inventent au fur et à mesure qu'elles parlent, les mots qu'elles profèrent servant autant à recréer le passé selon la pente du désir ou de la rêverie qu'à en présenter un compte rendu fidèle. Comme elles, Giono s'intéresse moins à ce qui s'est passé qu'aux fictions qu'on peut en tirer.

Et quelles fictions ! Celle de l'hypocrisie la plus parfaite, de la méchanceté la plus diabolique, de la résolution la plus infernale, de l'orgueil le plus absolu. Les *chroniques* de Giono, ce sont d'abord des caractères hors de l'ordre commun, de Saucisse à Ennemonde, de Langlois à M. Joseph. Les prouesses techniques ne sont là que pour leur donner leur relief, respecter leurs zones d'ombre. Giono évoque dans *Un Roi sans divertissement* les *amateurs d'âme*. On dirait de lui qu'il est un amateur d'âmes, et d'âmes singulièrement fortes. Les êtres qui l'intéressent, ce sont ceux qui souvent gardent leur secret et leur mystère, mais qui sont capables d'aller jusqu'au meurtre ; ou de ruiner et de désespérer ceux qui les aiment ; ou de porter des défis au destin. Giono écrivait en 1946 sans doute à propos du *Hussard* : « Je manque totalement d'esprit critique. Mes compositions sont monstrueuses, et c'est le monstrueux qui m'attire. Pourquoi ne pas lâcher la bride et faire de nécessité vertu ? »

Manque-t-il vraiment d'esprit critique, cet auteur qui se laisse aller à raconter avec tant d'humour des choses monstrueuses ? On ne saurait suivre Giono sur ce point. Et *Noë*, entrepris aussitôt après *Un Roi*, suffirait à prouver le contraire. Dans ce roman du romancier, Giono se met en scène lui-même ; il vient de terminer

225

Un Roi, dont il raconte la genèse, qu'il prolonge en imagination sur tel ou tel point et, à la fin, il songe à un roman, *Noces*, qu'il n'écrira jamais. Et entre-temps, il se dépeint lui-même cueillant ses olives, allant rendre visite à ses amis marseillais ; et perché dans ses arbres ou assis dans un tramway, il est en constant travail d'imagination et d'invention. Il ne cesse de se raconter, de nous raconter les histoires que lui inspire le plus mince prétexte. Il les commence, il se prend au jeu, il les abandonne, il se livre à des digressions, il s'amuse à faire naître l'intérêt et à décevoir son lecteur. Il lui laisse même, comme faisait Diderot dans *Jacques le Fataliste*, le soin de conclure l'histoire à sa guise. Il évoque ses souvenirs, il raconte la genèse de certains de ses livres, l'apparition soudaine de certains de ses personnages, il ne cesse d'épier ironiquement ses inventions passées et présentes, écrivant en 1947, en plein règne du roman existentialiste, le plus neuf, le plus riche, le plus savoureux des anti-romans.

4. Le roman existentialiste

Le roman existentialiste fait suite aux romans de la condition humaine ; il domine la production française entre *La Nausée* de Sartre, en 1938, et *Les Mandarins* de Simone de Beauvoir, en 1954. Sartre et Camus ont publié leurs premières œuvres à la veille de la seconde guerre mondiale. Ils se sont éveillés à l'ambition créatrice dans les années trente. Il y avait un préexisten-tialisme chez Céline, dès 1931, et deux ans seulement séparaient *Mort à crédit* de *La Nausée*. L'influence de Joyce, dans les années d'avant-guerre, avait supplanté celle de Conrad, de Meredith ou de Galsworthy. On traduisait et on commentait les premiers romans américains de la «génération perdue». Au lendemain de la guerre, on entrait dans ce que Claude-Edmonde Magny a appelé « l'âge du roman américain » : on lisait, ou on relisait, *Le Bruit et la Fureur* de Faulkner, *L'Adieu aux armes* d'Hemingway, *La Grosse Galette* de Dos Passos, *Des Souris et des hommes* de Steinbeck, beaucoup d'autres œuvres qui venaient d'Amérique. On trouvait certes, dans ces lectures, bien des éléments différents. Il y avait loin, des obsessions de Faulkner, souvent proches des apports du freudisme, à la satire sociale de Dos Passos ; de la technique unanimiste de *Manhattan Transfer* aux monologues inté-rieurs de *Bruit et Fureur*. Chez Dos Passos, on appréciait des techniques du récit qui permettaient de manifester l'entrecroisement des destinées, la soumission des individus aux contraintes d'une civilisation de masse ; chez Faulkner, on prenait plaisir à se heurter à des énigmes, on aimait, en deçà de tout *récit*, cet accès constant à des contenus de conscience, cette saisie d'une temporalité vécue. Hemingway apportait sa phrase sèche et brève, il savait l'art de susciter, avec un ton neutre et dépouillé, une émotion intense. Le premier effet du roman américain fut de déclencher en France un vif intérêt pour les questions de techniques romanesques. Les procédés auxquels il avait recours n'étaient pas entièrement neufs, on les avait vus figurer, avec plus de mesure ou de timidité, chez Dreiser ou Maupassant, chez Joyce ou Conrad, chez Gide ou Huxley. Il reste que c'est à travers le roman américain de la génération perdue que le public français a fait la découverte de ces techniques nouvelles.

L'influence de Kafka s'ajoutait bientôt à celle de Dos Passos ou de Faulkner. La *Nouvelle Revue Française* avait publié, dès 1928, *La Métamorphose*. *Le Procès* avait été traduit en 1933, mais, sur le moment, n'avait guère été remarqué. En 1938, *Le Château* et *La Métamorphose* paraissaient en librairie. La défaite de la France, l'occupation étrangère, les témoignages qu'on eut bientôt sur l'univers concentrationnaire, la bombe d'Hiroshima et les premières manifestations de la guerre froide ont constitué autant d'éléments qui favorisaient le développement d'une philosophie de l'absurde et du désespoir. Voilà que le monde se mettait à ressembler aux romans de Kafka. Dans *Le Procès*, dans *Le Château*, le réalisme le plus minutieux conduisait à une mythologie de l'absurde. C'est de Kafka que procède l'habitude de considérer le récit romanesque comme une sorte d'allégorie métaphysique de la condition humaine. Sur le seul plan esthétique, c'en était fini des accusations qu'on pouvait porter contre un genre qui faisait la part belle aux détails contingents. Avec Kafka, le roman rejoignait la philosophie, il était le lieu privilégié où la métaphysique concrète devenait possible, puisque le sens n'était jamais *dit*, mais était toujours présent comme une lumière incertaine dans laquelle baignaient les détails contingents.

Le temps des héros était passé ; on était entré dans une ère du désarroi. On avait perdu le sentiment qu'on pouvait agir sur les événements, participer activement à l'Histoire. Le docteur Rieux, dans *La Peste* de Camus, montrait certes un courage intrépide, mais il demeurait sans illusion, il savait les limites de son pouvoir devant les ravages causés par le fléau. Le roman existentialiste, de Sartre à Simone de Beauvoir, de Colette Audry à Raymond Guérin, est le roman de l'accablement et de la prostration. En quoi il s'oppose aux romans héroïques d'Aragon ou de Malraux. Au fond, la génération de Montherlant, de Malraux, d'Aragon, de Céline, de Saint-Exupéry, était une génération romantique. Il y avait chez eux une sorte de lyrisme. Que leurs accents fussent ceux de l'enthousiasme ou de la colère, de l'emportement ou de la poésie légère, ils procédaient d'une pression intérieure. A leur style romantique s'oppose la phrase sèche et dépouillée du roman existentialiste. Leurs personnages étaient toujours en proie à l'exaltation, que ce fût celle du meurtre ou du sacrifice, de la sainteté ou du dénigrement. Ils vivaient des minutes rares, ils atteignaient au sommet de leur vie. En face d'eux, le personnage du roman existentialiste connaît un accablement lucide ; on ne saurait parler de son désenchantement, car il n'a jamais eu d'illusion. Il y a, dans les romans de Sartre, de Simone de Beauvoir et de leurs épigones, une sorte de lumière triste. La sexualité elle-même est devenue morose. Qu'on est loin de l'exaltation érotique que Georges Bataille avait peinte dans un livre écrit en 1935, et qui ne fut publié qu'en 1957, *Le Bleu du ciel* !

La Mort dans l'âme, ce titre de Sartre évoque bien le climat spécifique du roman existentialiste. C'est le meilleur tome, sans doute, des *Chemins de la liberté.* Aux prouesses techniques du *Sursis* a succédé cette patiente chronique d'une défaite. On pressent déjà, certes, par le portrait du militant communiste Brunet, cette voie héroïque que Sartre voulait peut-être rejoindre. Il est significatif qu'il n'ait jamais donné de suite à cette entreprise. La liberté de Mathieu n'a pas réussi à trouver sa tonalité virile ; elle est demeurée un vertige assez fade. Il faudrait rapprocher *La Mort dans l'âme* de *La Débâcle* de Zola. Ce sont deux témoignages sur la défaite du pays et l'écroulement d'un régime. De façon curieuse, d'ailleurs, le roman existentialiste a retrouvé beaucoup de thèmes qui avaient été ceux du roman naturaliste : le goût des spectacles sordides, des pauvres tristesses de la vie quotidienne. Le souci d'un avortement occupe presque tout un roman de Sartre, et il y avait beaucoup d'avortements ou d'accouchements prématurés dans les romans naturalistes. Raymond Guérin a écrit le roman des plaisirs solitaires, comme Paul Bonnetain l'avait fait jadis dans *Charlot s'amuse.* Il faudrait ajouter cependant que l'univers évoqué par les romanciers existentialistes se référaient, dans les meilleurs cas, à un statut métaphysique de la condition humaine plutôt qu'à une enquête sociale. On peut songer, devant le Roquentin de *La Nausée,* au Folantin de Huysmans. Mais il y a chez Sartre une dimension philosophique qu'on chercherait vainement dans le roman de Huysmans.

Sartre : « La Nausée », journal métaphysique

La Nausée n'est pas, à proprement parler, un roman ; c'est un récit chargé de préoccupations philosophiques, et qui, en plus d'un endroit, ressemble à un *essai.* Il n'y a point d'aventures ni d'événements. La seule décision que prenne Roquentin, dont nous lisons le *Journal,* c'est de renoncer à écrire le livre qu'il avait entrepris sur M. de Rollebon, et de quitter la ville de province où il s'était installé. Il est un moment effleuré par l'idée de renouer avec une femme qu'il a jadis connue, Anny, mais ce n'est qu'un rêve caressé un instant. Bref, en fait *d'événement,* à la fin du livre, rien ne s'est passé. Mais, sur un autre plan, le héros a fait une découverte capitale : il a pris conscience de *l'existence,* — d'une existence qui déborde tout ce qu'on peut en dire, qui surgit là sans raison, qui pourrait tout d'un coup devenir menaçante puisqu'elle est déjà un *prodige.* Le *récit* devenait le compte rendu d'une expérience philosophique. *La Nausée,* c'est le journal métaphysique de Roquentin. Simplement, le dévoilement de l'existence répugne au maniement des concepts. *René,* c'était une biographie intellectuelle et morale. *La Soirée avec M. Teste,* c'était le mythe d'un héros de la pensée. Les personnages de ces brefs récits incarnaient les rêves et les inquiétudes de leur temps. *La Nausée* était, à son tour, ce roman moderne dont Valéry rêvait en 1894 : « J'ai relu le *Discours de la méthode* tantôt, c'est bien le roman moderne comme il pourrait être fait. A remarquer que la philosophie postérieure a rejeté la part autobiographique. Cependant, c'est le point à reprendre, et il faudra donc écrire la vie d'une théorie, comme on écrit celle d'une passion (...). Mais c'est un peu moins commode »[1]. Il faut seulement préciser que *La Nausée* présentait non pas la vie d'une théorie,

1. VALÉRY, *Œuvres,* Pléiade, II, p. 1381.

mais une révélation de l'existence qui se situe dans un rapport primordial de la conscience et du monde, qui, dès lors, exclut toute *théorie*, et que, même, une théorie viendrait trahir, masquer ou escamoter.

Les expériences privilégiées
de « La Nausée »

Il y a dans *La Nausée*, non point certes un itinéraire spirituel comme dans la *Recherche*, mais, à plusieurs reprises, des expériences privilégiées qui viennent ponctuer le récit : l'expérience du galet, l'observation par le narrateur de sa propre main sur la table, ou de son visage dans la glace, la contemplation de la racine du marronnier dans le jardin public. Ces *expériences* révèlent l'existence comme une *chose présente*, — la seule chose qui envahisse la conscience. Rien d'autre n'existe que ce qui est là sous le regard. « Les choses sont tout entières ce qu'elles paraissent et derrière elles, il n'y a rien ». Cette seule phrase suffirait à montrer l'évolution de la pensée française de Marcel Proust à Jean-Paul Sartre. Les expériences privilégiées, chez Proust, sont celles de la mémoire ; elles tiennent à la coïncidence d'un présent et d'un passé. Chez Sartre, rien de tel : on est enfermé dans le présent de la sensation. Il y a plus. Grâce au télescopage des temps, Proust perçoit un moment du passé dans une lumière qui en fait un instant sacré. Ou bien, dans tel spectacle qui s'offre à lui, tout d'un coup le monde se met à briller, il resplendit d'une lumière insolite ; c'est un de ces « moments parfaits » dont il est question dans *La Nausée*, mais que Roquentin, lui, ne connaîtra jamais. Le réel chez Proust se met parfois à exister selon un mode capable de satisfaire l'esprit. En ce sens d'abord, que l'esprit, loin de rester inactif, explore la qualité subtile de cette illumination soudaine, cherche à pénétrer dans les arcanes de cette magie. Chez Sartre, en revanche, l'expérience privilégiée est douloureuse, même si, pour le lecteur, elle est chargée de poésie par le retour des métaphores obsédantes. L'expérience proustienne est celle du déchiffrement du réel par l'esprit ; la réalité est par instants comme un *signe* resplendissant. L'expérience de *La Nausée* est celle d'une sorte de débordement de l'esprit par l'existence, elle souligne un divorce entre l'existence et la pensée : la pensée ne peut servir qu'à escamoter l'existence. Il y a, chez Proust, un secret à déchiffrer ; il y a, chez Sartre, une absurdité à constater. Ce qui est chez celui-là l'objet d'une *quête* est, chez celui-ci, le fruit d'une évidence aveuglante.

La mort du romanesque

On serait tenté de dire que, dans un certain sens, on assiste, dans *La Nausée*, à la mort du romanesque. Le narrateur, certes, reste un *héros* dans la mesure où il tranche sur ces bourgeois de Bouville, satisfaits d'eux-mêmes, promenant leur ennui, le dimanche, au bord de la mer. Mais l'intuition philosophique de l'existence ressortit à tout autre chose qu'à une entreprise romanesque. Tout grand roman est fondé sur une *attente*, il suppose un mouvement en avant de l'esprit du lecteur. Ici, tout est donné d'emblée. Si Roquentin partait avec Anny, quelque chose pourrait commencer... Encore n'y a-t-il là qu'une illusion. Il n'y a jamais d'*aventure*. C'est seulement dans les livres, sur le mode de l'imaginaire, qu'on peut rencontrer des « aventures » et des « moments parfaits ». « Tout ce qu'on raconte dans les livres, observe Roquentin, peut arriver pour de vrai, mais pas de la même manière ». Il n'y a jamais de vrais commencements dans la vie, comme il y en a dans les romans : « Quand on vit, il n'arrive rien. Les décors changent, les gens entrent et sortent, voilà tout (…). Les jours s'ajoutent aux jours, sans rime ni raison, c'est une addition interminable et monotone ». Le seul fait de raconter produit au contraire une illusion d'optique : dès le début du récit, la fin est là, qui oriente secrètement ce déversement des événements les uns sur les autres. Une des intuitions de *La Nausée*, c'est que notre existence ne peut jamais se dérouler sur le mode de l'existence romanesque. Ce sont les livres, les mythes, les histoires, qui ont mis dans nos esprits l'idée folle que la vie, à certains moments, peut prendre une « qualité rare et précieuse », ou que « la haine, l'amour ou la mort (descendent) sur nous comme les langues de feu du Vendredi Saint ». Les romanciers, qui prétendent imiter la vie, en sont séparés à jamais ; les modalités de la narration et les structures de l'imaginaire arracheront toujours les événements rapportés à leur vraie nature contingente. Si ternes que les désirent les romanciers, ils brillent, ils rayonnent doucement dans cet espace imaginaire auquel nous donne accès une suite de mots et de phrases. Roquentin lit *La Chartreuse de Parme*. Il dit : « J'essayais de m'absorber dans ma lecture, de trouver un refuge dans la claire Italie de Stendhal. J'y parvenais par à-coups, par courtes hallucinations, puis je retombais dans cette journée menaçante ». Que l'on compare avec les lectures du narrateur de la *Recherche* ! Elles ravissent l'esprit, elles sont promesses de révélation, elles annoncent qu'il y a dans la vie des « moments parfaits ». Chez Proust, la vie est oubliée, d'abord, puis retrouvée dans l'imaginaire, aperçue dans un éclairage romanesque qui lui confère son éclat. Pour Roquentin, la lecture n'est pas ravissement mais effort ; elle souligne le contraste entre le *romanesque* et le *vécu*. Il y avait, jusqu'à Sartre, communication entre l'imagination et la vie, illumination réciproque de celle-ci par celle-là. Il y a bien, dans *La Nausée*, une tentation esthétique, mais elle ne saurait constituer un moyen de salut. Loin de pouvoir exhausser la vie jusqu'à l'art, les expériences esthétiques manifestent le déchirement entre la vie et l'art. Elles donnent seulement (qu'il s'agisse de la peinture, de la musique ou de la lecture) l'envie et la nostalgie d'un monde nécessaire et rigoureux. « J'ai du bonheur, note Roquentin, quand une négresse chante : quels sommets n'atteindrais-je point, si ma propre vie faisait la matière de la mélodie ! » Mais cet absolu qu'est l'art est « de l'autre côté de l'existence, dans cet autre monde, qu'on peut voir de loin sans jamais s'approcher ! ».

Dans l'histoire du roman français, *La Nausée* est comme le dernier sommet d'une vaste chaîne : Balzac, Flaubert, Proust, Sartre. Chez Balzac, l'existence est romanesque. L'imaginaire se déploie, dans *La Comédie humaine*, à même la vie. Les héros ont des existences mouvementées, ils connaissent des passions fiévreuses, c'est pourquoi ils exercent tant de séduction sur nos esprits. Jules Vallès, avant Sartre, avait déjà dénoncé, et avec quel accent pathétique, les mensonges du romanesque balzacien, la puissance de la fascination qu'il exerçait. Chez Flaubert, surtout dans *L'Éducation sentimentale*, le romanesque cesse d'être dans les *événements* : il ne se passe plus rien ; mais il affleure constamment comme un *possible*. Frédéric Moreau coule une vie monotone en ne cessant de rêver à une existence romanesque. Il y a en lui un Rastignac qui sommeille, — ou plutôt un Rastignac qui, au lieu d'agir, se contente de rêver. On trouve chez Flaubert un romanesque *rentré* des événements qui pourraient avoir lieu, des exaltations qu'on pourrait connaître, des *moments parfaits* qu'on pourrait atteindre. Chez Proust, le romanesque n'est plus situé dans le rêve d'une vie *autre* que celle-ci : il touche au *poétique*, en plus d'un endroit, quand le réel se pare des prestiges qu'on trouve ordinairement dans l'imaginaire. Il y a des *moments* où l'existence devient romanesque, non dans les événements qu'elle produit, ni dans les rêves qu'elle suscite, mais dans les *émotions* qu'elle procure. La *vraie vie*, chez Proust, serait une vie constituée de ces seuls moments parfaits. Chez Sartre, il y a un absolu de l'art, mais on en est à jamais séparé. L'existence n'est plus ce qui séduit, mais ce qui surgit ; elle n'est pas ce qui émeut, mais ce qui accable. Nous entretenons avec elle une sorte de complicité sournoise. Elle est cette chose fade qui se glisse en nous. Ce sont les romans, — fussent-ils les plus noirs — qui lui donnent de beaux atours. En un certain sens, *La Nausée* marquait peut-être la fin du roman.

Sartre et le roman   La fin du roman, ce n'est pas la fin des romans. Sartre lui-même, au lendemain de la guerre, contribuait beaucoup à faire prévaloir ce qu'on a appelé le réalisme brut de la subjectivité, ou mieux, tout simplement, le réalisme subjectif. La chose n'était certes pas entièrement neuve. Cette technique, grossièrement définie, devait veiller à ne pas rapporter un événement à la lumière de ce qui a suivi ; à laisser le personnage apprendre petit à petit le sens de ce qu'il voit, en excluant, de sa part, une compréhension subite et miraculeusement donnée. La règle essentielle exclut la présence d'une voix autre que celle des personnages, d'une voix surtout qui sonde les cœurs et les juge ; elle exige que le caractère ne se dessine qu'au fur et à mesure que s'accomplissent les gestes ou que sont prononcées les paroles. Sa dernière conséquence est de transformer le lecteur en personnage, de l'inviter, le temps d'une lecture, à une expérience sur le mode de l'imaginaire.

Sartre dégageait surtout les incidences du réalisme subjectif sur la temporalité. La technique romanesque ne devait pas seulement profiler le paysage ou l'événement selon l'optique d'une conscience percevante ; elle devait surtout s'en tenir au présent de cette conscience, ce qui excluait tout *récit*, dans la mesure où le récit relie, par un système d'explication, des instants séparés dans le temps. A vrai dire, après *La Nausée*, tout l'effort de Sartre romancier devait être de définir le *roman* par opposition au *récit*. Il fallait suggérer l'incertitude et la complexité d'un présent dans lequel les choses sont en train d'arriver, de telle sorte qu'on ne peut rien *raconter*, puisque *raconter* supposerait qu'on se hisse jusqu'à un sommet à partir duquel le *temps* n'est plus une réalité vécue au creux de la conscience, mais une sorte de cadre explicatif pour une *histoire* organisée par l'intelligence discursive, et, à ce titre, à jamais séparée du *moi* qui la profère. Sartre développait dans un éclairage nouveau quelques excellentes formules de Ramon

Fernandez[1] sur la différence entre *roman* et *récit*. L'événement du roman *a lieu*, tandis que celui du récit *a eu lieu*. Le récit s'ordonne autour d'un passé ; le roman s'installe dans le présent. Le récit fait *connaître*, le roman fait *naître* les événements. Du roman joycien au roman existentialiste, le genre s'était orienté dans les perspectives dégagées par Fernandez : l'effort consistait à remplacer le temps conceptuel du récit par la suggestion d'une durée vécue. Cette *durée vécue* est tissée de souvenirs et de projets. Sartre constatait que chez Proust, comme chez Faulkner, il n'y avait pas d'avenir ; la temporalité était amputée d'une de ses dimensions. Il voulait, quant à lui, que le héros fût tourné vers un avenir qu'il découvrait peu à peu. « Le roman, disait-il, se déroule au présent, comme la vie (...). Dans le roman, les jeux ne sont pas faits, car l'homme romanesque est libre. Ils se font sous nos yeux ; notre impatience, notre ignorance, notre attente sont les mêmes que celles du héros. »[2]

C'est sur le thème de la liberté que les analyses de Sartre avaient le plus de portée. Après avoir dépassé la conclusion vaguement esthétique qu'il préconisait dans *La Nausée*, Sartre voulait montrer les chemins de la liberté. Il y avait, dès lors, une sorte de connivence presque préétablie entre le *roman* et l'*existentialisme*. Quel genre eût pu mieux manifester une liberté qui trouve à s'exercer dans le champ du quotidien ; qui affronte, instant par instant, tout ce qui, au bout du compte, constituera un destin ? Le romancier selon Sartre devait esquisser « en creux dans son livre, au moyen des signes dont il dispose, un temps semblable au mien, où l'avenir n'est pas fait (...) ». « Voulez-vous, demandait-il, que vos personnages vivent ? Faites qu'ils soient libres. Il ne s'agit pas de définir, encore moins d'expliquer (...), mais seulement de présenter des passions et des actes imprévisibles »[1]. Et certes, au moins théoriquement, comment pourrait-on s'intéresser vraiment à un personnage qui se développerait en quelque sorte mécaniquement, construit trop apparemment par son créateur ? A vrai dire, avant le retentissant article de Sartre sur Mauriac, en 1939, Mauriac, avant de les voir retourner contre lui, avait déjà condamné les interventions arbitraires du romancier et plaidé en faveur de la liberté du personnage. Mais Sartre reprochait à Mauriac[2], de nous faire participer parfois, dans *La Fin de la nuit* — en quittant l'âme de Thérèse, à une *instance* omnisciente qui nous *explique* Thérèse en nous disant, par exemple, qu'elle *est* une « désespérée prudente ». L'auteur ici explicite une *essence a priori*, il trahit, selon Sartre, ce qui devait être le véritable projet du romancier : suivre pas à pas une vie qui se construit, dans l'hésitation et la confusion, sans que jamais rien soit clair et définitif. Le romancier pourrait, à la rigueur, comme tel ou tel personnage de son livre, se livrer à des *conjectures* sur Thérèse ; il n'a pas le droit de lui attribuer une essence qui la *fige* et qui l'écarte de

1. *Messages*, 1re série, pp. 60 sq.
2. *Situations*, I, p. 16.
1. *Situations*, I, p. 37.
2. *Ibid*, pp. 36-57.

la vie véritable. On sait que Marcel Arland jugeait la formule de Sartre ambiguë ; et il est vrai que la liberté reste vaine, si elle est accordée à un personnage que le romancier n'a pas d'abord réussi à *imposer* comme un être de chair et d'os. Arland retournait la formule de Sartre : « Un personnage est vivant parce qu'il est libre, dit M. Sartre. Il nous paraît ici libre parce qu'il est vivant »[3]. Au demeurant, Sartre allait-il réussir à écrire des romans dans lesquels ses personnages seraient *libres* et *vivants ?* Parviendrait-il à ne nous rapporter jamais que leur expérience immédiate ? Saurait-il se garder de toute intervention intempestive ? Jean-Louis Curtis a montré, dans *Haute École,* en commentant de façon serrée, et non sans humour, quelques pages des *Chemins de la liberté,* que Sartre avait trahi parfois ses propres principes[4]. D'ailleurs, en 1960, dans une réponse à une interview accordée à des jeunes à propos de son attitude à l'égard de Mauriac romancier, Sartre disait[5] : « Je crois que je serai plus souple aujourd'hui, en pensant que la qualité essentielle du roman doit être de passionner, d'intéresser, et je serai beaucoup moins vétilleux sur les méthodes. C'est parce que je me suis aperçu que toutes les méthodes sont des truquages, y compris les méthodes américaines ».

« Les Chemins de la liberté » Les trois volumes des *Chemins de la liberté,* publiés au lendemain de la Libération, faisaient revivre les années qui avaient précédé la guerre. *L'Age de raison* évoquait les années trente ; *Le Sursis,* c'était Munich ; *La Mort dans l'âme,* c'était la défaite de l'été 40. *Grosso modo,* Sartre était fidèle aux techniques nouvelles du roman américain. Il excellait à mêler les notations objectives et les indications subjectives. Il donnait accès, continuellement, au contenu d'une conscience en situation. Du seul fait de son propos, il était amené à suivre pas à pas le cours du temps, il était amené à enregistrer, au fur et à mesure qu'elles se présentaient, perceptions, sensations, rêveries... Ce faisant, il courait le risque de lasser les meilleures volontés. Le mauvais sort du roman existentialiste, comme jadis du roman naturaliste, c'est de se dissoudre dans l'insignifiance dérisoire des détails que l'on s'astreint à noter, — bref, dans les longueurs et les facilités du reportage minutieux.

C'est dans *Le Sursis* que les prouesses techniques ont paru le plus révolutionnaires. Il voulait faire revivre l'été 38 et rendre à l'événement — la menace d'une guerre européenne évitée de justesse, et de façon provisoire, — sa dimension véritable, l'émiettement en une poussière de réalités perçues par des consciences multiples. D'où cette technique du *simultanéisme* qui consistait à passer sans transition d'une optique à l'autre. Cette formule d'un récit à plusieurs foyers entendait suggérer le foisonnement d'une réalité en train de se faire. Mais il y a un papillotement fatigant dans ces brusques ruptures qui font passer le lecteur, de Zezette à Milan, de Joseph à Stephen, de Mathieu à Hitler. En toute rigueur, d'ailleurs, une telle technique, qui

3. *Le Promeneur,* 1944, p. 198.
4. *Haute École,* Julliard, 1950, pp. 165 sq.
5. *L'Express,* 3 mars 1960.

se voulait fidèle à la complexité de la vie, la trahissait forcément : dans la réalité, chaque personne a une vision globale, même si elle demeure une conscience marginale, de sa propre situation dans le monde ; au lieu que, dans le roman, le lecteur coïncide avec une conscience *tronquée*, puisqu'elle est limitée au présent de sa perception. Chez Sartre, les personnages ne sont que les supports actuels d'une attente anxieuse de la paix ou de la guerre. Jamais le romancier n'approche de la vérité humaine, de ce point où une inquiétude collective colore toutes les pensées particulières d'un individu, donne à toute sa vie une sorte de saveur nouvelle et amère. Certes, Sartre atteint parfois, aux meilleurs moments, à un certain lyrisme dans cette course folle à travers les subjectivités. Il y a une allure d'épopée dans ce dépassement constant de toute individualité. Au surplus, le réalisme subjectif, dans *Le Sursis*, s'accompagnait d'un relativisme des points de vue. « En renonçant, disait Sartre, à la fiction du narrateur tout connaissant, nous avons assumé l'obligation de supprimer les intermédiaires entre le lecteur et les subjectivités-points de vue de nos personnages : il s'agit de le faire entrer dans les consciences comme dans un moulin, il faut même qu'il coïncide successivement avec chacune d'entre elles. Ainsi avons-nous appris de Joyce à rechercher une deuxième espèce de réalisme : le réalisme brut de la subjectivité sans médiation ni distance. » Sartre parvenait ainsi, selon son intention, à « faire passer la technique romanesque de la mécanique newtonienne à la relativité généralisée »[1].

Réalisme subjectif, relativisme des points de vue, telles étaient, sous l'influence de Joyce et de Dos Passos, les nouveautés techniques des *Chemins de la liberté*. Sartre retrouvait, avec des préoccupations nouvelles, des problèmes esthétiques qu'André Gide avait contribué à poser à l'occasion des *Faux-Monnayeurs*. Au demeurant, si séduisants que paraissent les procédés, ils ne suffisent jamais à faire les grands romanciers. Ce n'est pas par les techniques qu'il adoptait que Sartre obtenait ses meilleurs effets, mais par les obsessions profondes de sa nature telles qu'elles transparaissaient dans son récit. Il y avait même, comme l'a aperçu Gaëtan Picon, une sorte de contradiction secrète, dans *Les Chemins de la liberté*, « entre l'univers romanesque de Sartre, et la signification qui tente de s'y affirmer »[2]. *La Nausée* avait été un grand livre dans la mesure où les obsessions de l'auteur avaient coïncidé avec la vision philosophique qu'il proposait. Sartre était le poète de la conscience engluée ; il sombrait dans l'idéologie quand il se voulait le romancier de la liberté. Brunet, héros des temps modernes, avait un aspect démonstratif, il illustrait une thèse plutôt qu'il n'incarnait un personnage de chair et d'os. Mathieu était, disait l'auteur, « condamné pour toujours à être libre ». Le romancier était à l'aise dans l'évocation de cette condamnation ; mais embarrassé, abstrait, voire édifiant, quand il voulait montrer cette liberté.

---

1. *Situations*, pp. 252-253.
2. *Panorama de la nouvelle littérature française*, N.R.F., p. 109.

ALBERT CAMUS

Le thème de l'absurde Camus a donné, avec *L'Étranger*, une
« expression mythique » de la sensibilité
moderne. Meursault est une incarnation de l'homme absurde, comme le
René de Chateaubriand est une illustration de l'homme romantique. L'homme
absurde était, bien sûr, l'expression d'un temps de désarroi. *L'Étranger* avait
été conçu et écrit à la veille de malheurs collectifs, et il trouvait sous l'occupation, lors de sa publication, des échos particulièrement favorables. Le
héros de Camus n'incarnait pas seulement la sensibilité d'un temps ; il était
un *double* de l'auteur. Beaucoup de notes des *Carnets* sont devenues des
développements de *L'Étranger*. Camus a souligné, à plusieurs reprises, la
conscience qu'il avait de son identité avec Meursault. Il notait, en mars
1940, dans ses *Carnets*, deux mois avant d'achever *L'Étranger* : « Tout m'est
étranger (...). Que fais-je ici, à quoi riment ces gestes, ces sourires ? Je ne
suis pas d'ici, ni d'ailleurs non plus (...) »[3].

Le poème en prose de Baudelaire, dont le titre est *L'Étranger*, n'avait
été pour lui qu'une réminiscence inconsciente. On peut établir des rapprochements entre la fin de *L'Étranger* et les dernières pages du *Rouge et Noir*.
On a songé aussi au prince Muichkine qui, dans *L'Idiot* de Dostoïevsky, vit
dans un perpétuel présent, nuancé, disait Camus, « de sourire et d'indifférence ». L'influence du *Procès* de Kafka, sans être certaine, est possible.
Joseph K. est, lui aussi, étranger à son jugement. Quand Sartre a publié
La Nausée, en 1938, Camus songeait déjà au récit qui devait devenir *L'Étranger*. Certes, rien n'était plus éloigné de l'auteur de *Noces*, qui chantait, en
héritier de Nathanaël, les splendeurs du monde méditerranéen, que l'imagination volontiers scatologique de Jean-Paul Sartre. Mais on trouverait,
malgré toutes leurs différences, beaucoup de points communs entre ces deux
récits. Pourtant, aux expériences douloureuses de Roquentin, s'oppose la
sensualité, la vitalité contenue, mais ardente, de Meursault. Et à la pluie
de Bouville, l'accablant soleil algérien[1].

Le truquage de l'absurde Meursault est un petit employé de bureau
qui accomplit sans enthousiasme le travail
subalterne qui est le sien. Tout lui est indifférent ; il ne cesse de le répéter.
Il assiste, sans paraître ému, aux obsèques de sa mère. Il emmène son amie,
Marie, au cinéma, il se baigne en sa compagnie. Il s'abandonne à l'instant
présent. Un beau jour, par hasard, alors qu'il a tout fait pour éviter le drame,
il tire, pris de vertige sous l'accablement du soleil, sur un Arabe qui le menace.
Crime absurde, que Camus s'est ingénié à amener de façon vraisemblable
par une suite serrée de menues circonstances. La seconde partie du récit
relate le procès : Meursault y assiste en étranger. Il découvre, en prison, un

---

3. Cité par Pierre-Georges Castex, *Albert Camus et « L'Étranger »*, José Corti,
1965, p. 27.

1. Sur tous ces points, voir P.-G. Castex, *op. cit.*, pp. 41-66.

art de vivre qu'auparavant il pratiquait spontanément : être accordé au monde. Quel était le sens de ce récit si simple et si crédible que le lecteur en garde une vive impression de réalité ? En tout cas, il valait par la richesse des suggestions qu'il comportait. « Le héros du livre, disait Camus, est condamné parce qu'il ne joue pas le jeu (...). Il refuse de mentir... Mentir, ce n'est pas seulement dire ce qui n'est pas, c'est aussi, c'est surtout, dire plus que ce qui est, et, en ce qui concerne le cœur humain, dire plus qu'on ne sent (...). On ne se tromperait donc pas beaucoup en lisant dans *L'Étranger* l'histoire d'un homme qui, sans aucune attitude héroïque, accepte de mourir pour la vérité »[2].

L'absurde, c'était en partie l'infidélité aux conventions. Pour incarner cet *absurde* qu'il analysait, en termes abstraits, dans *Le Mythe de Sisyphe*, Camus a eu recours à une technique qui était celle du roman de comportement. « La technique américaine, disait-il au lendemain de la guerre, me paraît aboutir à une impasse. Je l'ai utilisée dans *L'Étranger*, c'est vrai, mais c'est qu'elle convenait à mon propos, qui était de décrire un homme sans conscience apparente »[3]. Sartre a fort bien analysé le truquage de *L'Étranger*[4], qui se situe à deux niveaux : d'une part, dans la présentation de conduites coupées des significations qui les sous-tendent, d'autre part, dans l'architecture de l'ensemble, qui ménage un savant contraste entre la présentation brute de la réalité, dans la première partie, et sa reconstitution rationnelle et fausse, dans la seconde. Rien de ce qu'on dit au cours de l'instruction ou du procès n'est juste, et Marie, à la barre des témoins, éclate en sanglots, car « ce n'était pas cela, il y avait autre chose ». Camus adoptait le style d'Hemingway : ses phrases brèves parvenaient à masquer une sorte de lyrisme qui, ici ou là, transparaissait en de larges mouvements. Chaque phrase était, en quelque sorte, non reliée aux autres, elle scintillait dans un présent aussitôt aboli. « Cet étranger, écrivait Maurice Blanchot, est par rapport à lui-même comme si un autre le voyait et parlait de lui... Il est tout à fait en dehors. Il est d'autant plus soi qu'il semble moins penser, moins sentir, être d'autant moins intime avec soi. »

Au-delà de l'absurde

Au-delà de l'absurde, Camus en venait à l'humanisme édifiant de *La Peste*, qui obtint, en 1947, un foudroyant succès. Camus relatait les épisodes d'une épidémie imaginaire à Oran. Cette *peste*, qui soumettait toute une population à des mesures draconiennes et qui faisait planer sur elle une menace constante, était une évocation de l'occupation allemande. C'était aussi une allégorie de la condition humaine. Les personnages eux-mêmes incarnaient les diverses attitudes qu'on pouvait adopter devant les cruautés du destin. Le docteur Rieux, sans illusion, consacrait ses forces à lutter contre le fléau. Il faut faire ce qu'on peut pour reculer les limites de l'absurdité et de la souffrance. Il y avait, dans *La Peste*, l'évocation de cette solidarité virile qui se forge

---

2. Cité par P.-G. CASTEX, *ibid.*, p. 97.
3. *Ibid.*, p. 100.
4. *Situations*, I, pp. 99 sq., « Explication de *L'Étranger* ».

dans les temps de malheur. Le stoïcisme de Camus n'était pas sans rappeler celui de Vigny, il avait des couleurs aussi sombres, il opposait de la même façon, à la cruauté du sort, la noblesse de l'action humaine.

Si pur que soit le déroulement du récit, si élevées qu'en soient les intentions, *La Peste* n'est pas, selon nous, le meilleur livre de Camus. C'est *La Chute*, publiée en 1956, qui nous paraît constituer sa plus haute réussite. Certes, il ne faut point demander à ce livre une conclusion morale satisfaisante. Mais Camus, avec *La Chute*, est allé plus loin que jamais dans l'expression de l'inquiétude moderne et de son propre tourment. Il a inscrit, dans les confidences de cet ancien avocat parisien qui hante les tripots d'Amsterdam, un mythe de la chute qui se rattache aux données fondamentales de la civilisation occidentale. Alors que dans *La Peste* l'allégorie était trop visible, alors que le truquage technique de *L'Étranger* était trop apparent, il y a, dans *La Chute*, avec un accent incomparable, l'aveu d'une innocence perdue, le témoignage d'un désaccord avec le monde et avec les êtres, — avec soi-même. C'est, tout d'un coup, dans la vie de Jean-Baptiste Clamence, une petite brisure ; — et c'est la fin du Paradis. Peut-être la valeur du livre tient-elle au fait que Camus a touché là à un des secrets de sa vie : celui d'une âme déchirée entre la hauteur de la bonne conscience et les angoisses de la culpabilité. Il y a, chez son personnage, le *ton* d'un comédien décidé à la sincérité, gardant le souci de séduire par ses aveux autant que par son cynisme, cherchant même à retrouver ses aises dans la culpabilité comme il les avait dans l'innocence.

5. Le nouveau roman

Tradition et nouveauté   Il y eut, à partir de 1950, une offensive de jeunes romanciers contre le roman existentialiste. C'étaient, entre autres, Jacques Laurent, Roger Nimier, Antoine Blondin. Ils protestaient contre les excès d'une littérature du désespoir et de l'absurde. Une fois de plus, apparaissaient, au sortir d'une morne période, des champions du roman romanesque. Giono se proposait de retrouver les valeurs de l'aventure mouvementée. La mode était aux hussards. *Le Hussard bleu* de Roger Nimier, en 1950, évoquait la présence en Allemagne d'un régiment français. *Le Hussard sur le toit* de Jean Giono retrouvait la fraîcheur et le charme d'un romanesque à la Stendhal. Mais cette réaction néo-classique a tourné court. Ce ne fut que la brillante flambée d'un instant.

Comment prétendre, en quelques pages, brosser un tableau de la production romanesque de ces quinze dernières années ? On s'en voudrait d'énumérer des noms et des titres. Parviendrait-on, par-delà les frontières de l'ancien et du nouveau roman, à distinguer des courants idéologiques ? Il est vrai qu'il y a, de Jean Cayrol à Paul-André Lesort, des romanciers d'inspiration chrétienne, et plus précisément, *personnaliste* ; et il y a des romanciers communistes, à commencer par Aragon. Mais la loi de l'époque est un individualisme forcené. C'est à peine si l'on consent à se reconnaître des maîtres. On écrit encore des romans psychologiques. On écrit encore des romans d'aventures — fût-ce, comme Michel Mohrt dans *La Prison maritime*, des parodies de roman d'aventures. Beaucoup de romanciers trouvent encore dans la fiction l'occasion de vider leur sac. Mais il y a aussi grande abondance de romans qui, avec des techniques et des styles différents, se proposent de peindre les mœurs de leur temps, d'en dénoncer les travers. A côté des romanciers tournés vers eux-mêmes, et qui, dans des romans qui ne sont que des autobiographies transposées mettent beaucoup de leur propre vie, il y a toujours les romanciers tournés vers le dehors. Mais combien d'œuvres, et souvent les plus belles, ne se rangeraient dans aucun des classements proposés ! *Le Rivage des Syrtes* de Julien Gracq, est un des plus beaux livres qu'on ait écrits depuis la guerre. *La Semaine Sainte* est sans doute le chef-d'œuvre d'Aragon romancier. *L'Histoire d'un bonheur*, de Pierre-Henri Simon, est, dans une tradition moraliste et humaniste, un des beaux livres de notre temps. *Le Chaos et la Nuit* de Montherlant est avec *Les Célibataires* son roman le plus remarquable. Mais à côté de ces réussites, combien d'œuvres, émouvantes et belles, pourraient retenir notre attention !

Depuis l'apparition du nouveau roman, en 1955, le public est souvent conduit, sur la foi de quelques théoriciens, à opérer une distinction entre le roman nouveau et le roman traditionnel. Certes, elle est en partie fondée, puisque le roman nouveau se définit par le refus de ce qui, jusque-là, constituait le roman. Mais, de tous les mythes qu'ont réussi à créer les nouveaux romanciers, celui du roman traditionnel est un des plus plaisants. On range, sous cette enseigne, sans grand souci des nuances, tout ce qui, de Balzac à Henri Troyat, ne constitue pas les prémices ou les accomplissements d'une nouvelle esthétique. On définit volontiers ce roman traditionnel par une technique piteusement retardataire, qui date du Second Empire, et qui reste étrangement imperméable aux transformations de la sensibilité. Et l'on ne se prive pas de prendre en pitié ces romanciers attardés, qui n'ont pas la passion de la *recherche*, et qui se contentent de couler, dans des moules convenus, des histoires éculées. Bonne preuve, s'il en était besoin, que les révolutions esthétiques créent souvent des poncifs. On trouve plus d'esprit critique et de puissance d'invention chez certains romanciers réputés traditionnels que chez les suiveurs du dernier manifeste. Le jaillissement de l'invention n'obéit guère aux exclusives. Un romancier *traditionnel*, comme Jean-Louis Curtis, entend certes faire vivre des personnages et raconter des histoires. Qui pourrait prétendre qu'il le fait selon une esthétique du XIXᵉ siècle ? Il y a, dans *La Semaine Sainte* d'Aragon, une gamme de tous les procédés narratifs. Comment pourrait-on prétendre que *Le Rivage des Syrtes* raconte une histoire commune selon des moules conventionnels ?

Au-delà du roman

On a vu paraître, depuis la Libération, des œuvres qui se situent en marge du genre romanesque. Elles sont le fruit d'une entreprise poétique, philosophique ou autobiographique. Un des plus brillants, parmi les jeunes romanciers des années soixante, répondait à un enquêteur qu'il rêvait « d'écrire un livre, le livre par excellence, inclassable, ne correspondant à aucune forme précise, qui soit à la fois un roman, un poème et une critique »[1]. C'est dire que les tentations de la poésie et de l'essai demeurent vivaces pour le romancier. L'obsession de la vie, qui n'a cessé de grandir dans la littérature du XXᵉ siècle, conduit ainsi des esprits exigeants à situer leur œuvre non dans les domaines de l'imaginaire, mais dans l'espace où la *réflexion* s'exerce sur le *vécu*. L'approfondissement du vécu, c'était, dans une large mesure, la conquête de Marcel Proust. Combien d'œuvres qui, sans être en aucune façon des *imitations* de la *Recherche* (car il ne saurait, dans ce domaine, y avoir d'imitation), procèdent de cette élucidation patiente de la vie ! *La Règle du jeu*, de Michel Leiris, est une ample confession ; l'auteur, avec courage et lucidité, entreprend en quelque sorte sa propre psychanalyse. Ces pages, dit-il[2], « ne sont que les procès-verbaux d'observations ou d'expériences que je confronte ici pour en tirer des lois d'où se dégagera (…) la règle d'or que je devrais (ou aurais dû) choisir pour présider à mon jeu ». L'exploration du passé et des profondeurs opaques de la conscience est ici secrètement orientée vers l'avenir. En tout cas, on est au-delà du roman. Et s'agit-il de *romans* avec les œuvres de Pierre Klossowski ? Il faut être philosophe pour se faire l'exégète de *Roberte ce soir* ou de *La Révocation de l'Édit de Nantes*[1]. Il y a, dans ces récits, des secrets à déchiffrer, de même qu'il faut goûter, dans les romans de Jean Genet, les splendeurs d'une poésie de l'abjection. C'est aux confins de la philosophie, de la mystique et de la vie, que se situent les *essais* de Georges Bataille, depuis *L'Expérience intérieure*, qui est comme le journal d'un mystique sans Dieu, jusqu'au *Bleu du ciel*, qui est de ces récits « lus parfois dans les transes (qui) situent (l'homme) devant le destin ». La littérature n'était, pour Georges Bataille, que le résidu dérisoire d'un *élan*, d'une *rage*, dont aucun mot, à vrai dire, ne pouvait rendre compte. Maurice Blanchot a exprimé dans ses romans, *Thomas l'obscur*, *Aminadab*, *Le Très-Haut*, le fruit de ses réflexions sur le langage. Il cherche, dans l'emploi des mots, l'occasion d'éprouver le *néant* qui se cache au sein même du langage. S'agit-il encore de *romans* avec ces récits qui, par-delà les paysages entr'aperçus et les personnages entrevus, installent secrètement en leur centre le vertige d'une absence ? C'est par cet aspect de réflexion sur le langage que la crise de la narration prend son caractère le plus aigu. Chez Jean Reverzy, dont le *Passage*, en 1954, relatait une agonie, l'écriture renvoyait à une obsession de la mort ; plus tard, elle devait devenir, chez lui, le point de départ d'une démiurgie dérisoire. De même, dans *Malone meurt* de Samuel Beckett, en 1952, un homme à l'agonie, invente des histoires, en attendant la mort, s'embrouille dans les mots qu'il

1. Il s'agit de Philippe Sollers, réponse à l'enquête de Pierre FISSON, « Où va le roman ? » dans *Le Figaro littéraire*, 22 septembre 1962.
2. Cité par Gaëtan PICON, *Panorama de la nouvelle littérature française*, op. cit., p. 152.
1. Le meilleur exégète de Pierre Klossowki est, à ce jour, Gilles DELEUZE, dans un article de *Critique*.

profère. Le langage ici n'est plus qu'un brouillard de signes et de sons qui séparent du néant prochain. Dans *L'Innommable*, il ne reste que l'obscur sentiment qu'on ne peut parvenir à dire la seule chose qui vaudrait d'être dite. Il y a dans *Comment c'est* une dérision du langage. Il n'est plus qu'un bruit ininterrompu qui témoigne d'une impuissance à dire l'essentiel. Le héros se réduit à une conscience bavarde qui n'arrête pas de parler dans la mesure où elle n'a rien à dire. Le procès du langage, chez Beckett, rejoint une crise du concept de littérature. La parole est un bruit pour rien. Le langage de la fiction devient un moyen d'approcher la vérité nue du néant, de la solitude et de la mort.

LE NOUVEAU ROMAN

Les théories et les œuvres　　　L'expression de *nouveau roman* recouvre, à vrai dire, des entreprises fort divergentes. On range souvent, sous cette étiquette, les monologues intérieurs de Samuel Beckett dont nous venons de parler. Mais nous préférons réserver cette appellation à des romanciers qui, plutôt que de conduire à une dérision du langage et de la fiction, entreprennent de renouveler le genre romanesque ; en somme, qui se définissent à la fois par le refus des formes passées et par la volonté systématique d'en trouver de nouvelles. Le nouveau roman constitue un mouvement qui se veut ouvert sur l'avenir. Il est trop tôt pour dire s'il constitue les prodromes d'un véritable renouveau. En tout cas, ses théoriciens paraissent avoir foi dans les destinées du genre.

Le nouveau roman, c'est d'abord, depuis les années cinquante, un certain nombre d'œuvres qui présentent ce caractère commun d'avoir provoqué, dans la presse et dans les revues, un grand nombre de débats théoriques et critiques sur les problèmes du roman. Certes, *Portrait d'un inconnu*, de Nathalie Sarraute, restait, en 1947, une œuvre un peu en marge ; mais la préface où Jean-Paul Sartre lançait, déjà, l'expression d'anti-roman soulignait sa profonde originalité. Les débuts de Michel Butor se situent en 1954, avec *Passage de Milan*. Puis ce fut, en 1956, *L'Emploi du temps* et, en 1957, le succès de *La Modification*, qui obtenait le Prix Renaudot. Alain Robbe-Grillet a publié *Les Gommes* en 1953, *Le Voyeur* en 1955, *La Jalousie* en 1957, *Dans Le Labyrinthe* en 1961. Si l'on veut ranger Jean Cayrol parmi ce groupe de romanciers, rappelons que *L'Espace d'une nuit* est de 1954, *Le Déménagement*, de 1956. Claude Simon a publié *Le Vent* en 1957, *La Route des Flandres* en 1961, *Le Palace* en 1962. Marguerite Duras a donné *Le Square* en 1955 et *Moderato Cantabile* en 1958. Il s'en faut de beaucoup que cette liste soit exhaustive ; nous voulons seulement citer quelques œuvres significatives.

Le nouveau roman, c'est aussi une théorie du roman, ou plutôt un ensemble de théories sur le roman qui se trouvent exprimées à travers des manifestes ou des interviews, des comptes rendus ou des commentaires. A propos des *Gommes* de Robbe-Grillet, Roland Barthes, dans un article[1] impor-

---

1. « Littérature objective, » *Critique*, juillet-août 1954.

tant , parlait un jour « d'espace-temps, de promotion du visuel, d'assassinat de l'objet classique, de qualification spatiale et non analogique » ; il vantait les vertus de ce nouveau réalisme qui réduisait le monde à sa pure apparence, qui débarrassait enfin les choses de leur cœur romantique ! C'en était assez pour provoquer des exégèses et des commentaires à n'en plus finir. Puis la querelle du *Voyeur* porta à son comble toute cette effervescence esthétique. Robbe-Grillet ne fut pas le dernier à entourer ses œuvres de commentaires théoriques. Dès 1953-54, il exprimait ses idées dans des comptes rendus de *Critique* ou de la *N.R.F.* Puis il procéda, en 1955-56, dans les colonnes de *L'Express*, à un certain nombre de mises au point. Il condamnait les « formes anciennes du genre », le « vieux réalisme balzacien ». Son article : « Une Voie pour le roman futur », dans la *Nouvelle Revue Française* de juillet 1956, le consacrait comme le meilleur théoricien du nouveau roman. Il devait, plus tard, réunir l'essentiel de sa production théorique dans *Pour un nouveau roman*[2]. En 1956, un numéro spécial des *Cahiers du Sud, : A la recherche du roman,* proposait un certain nombre d'études, en particulier celle de Michel Butor, intitulée « Le Roman comme recherche ». On voyait, dans le même temps, paraître *L'Ere du soupçon*, un important essai de Nathalie Sarraute. La revue *Esprit* consacrait, en juillet-août 1958, un numéro spécial au nouveau roman. Et depuis, combien d'enquêtes, de controverses, de débats, d'analyses sur ce thème, dans *Le Figaro littéraire*, dans *Les Nouvelles littéraires*, et, de façon plus poussée et plus profonde, dans la revue *Tel Quel !* En même temps, beaucoup d'ouvrages se proposaient d'initier le public à ces débats esthétiques. C'est un des caractères spécifiques du nouveau roman que d'être au confluent des débats et des œuvres. Le nouveau roman, c'est toute une effervescence théorique autour de certains romans, ce sont aussi des romans nés au sein de cette effervescence théorique. Les discussions sur le roman et ses problèmes ne datent certes pas d'hier, il n'empêche qu'elles ont pris depuis une dizaine d'années une intensité qu'elles n'avaient encore jamais connue.

Il est certes abusif de grouper sous une même bannière des romanciers qui sont, au niveau des *théories* comme au niveau des *œuvres*, fort éloignés les uns des autres. Cependant, ils ont en commun les refus qu'ils opposent aux formes traditionnelles du roman. Le nouveau roman, c'est, comme le montrait Bernard Pingaud, « L'Ecole du Refus »[1] : refus du personnage et refus de l'histoire, bref, refus de tout ce qui, jusqu'alors, constituait le roman. C'est aussi la volonté de découvrir des formes neuves mieux adaptées à la sensibilité de notre temps. Il y a, au fond de la plupart des proclamations du nouveau roman, l'idée que la littérature vit de renouvellement, de remise en question, qu'il faut explorer des voies nouvelles, qu'il faut, à tout le moins, aller plus loin dans des voies déjà ouvertes par Joyce, Dostoïevsky ou Kafka. Le nouveau roman apparaît, à ce titre, comme une sorte de laboratoire du roman à venir, une entreprise pour définir le roman comme *refus* et comme *recherche*.

---

2. Gallimard, *Idées*.
1. In *Esprit*, juillet-août 1958. Voir texte 53.

Du réalisme objectif
au réalisme subjectif
Roland Barthes, à propos des *Gommes*, lança dans la circulation les mots clefs du nouveau roman : « L'objet, disait-il, n'est plus, chez Robbe-Grillet, un foyer de correspondances, un foisonnement de sensations et de symboles ; il est seulement une *résistance optique* »[2]. Au lieu d'être l'expérience d'une profondeur, sociale, psychologique ou « mémoriale », le roman de Robbe-Grillet était la description littérale d'un monde réduit à ses seules surfaces. On voyait bientôt Robbe-Grillet lui-même affirmer qu'il entendait procéder à « une destitution des vieux mythes de la profondeur »[3]. Il condamnait l'art romanesque traditionnel, qui, de Madame de La Fayette à Balzac, raconte « un conflit né d'une passion ou d'une absence de passion, dans un milieu donné ». Il insistait, lui aussi, sur l'influence que le cinéma avait pu jouer dans cette nouvelle vision de l'espace. Et il évoquait, dans le sillage du cinéma, cet « univers romanesque futur » dans lequel « les gestes et les objets seront *là*, avant d'être quelque chose »[4]. Cette description phénoménologique de l'objet était la première voie dans laquelle Robbe-Grillet s'était engagé ; c'était aussi la première interprétation qu'on proposait de son œuvre. Toute la critique, ensuite, a emboîté le pas, on a fait de Robbe-Grillet le romancier de l'*objet*, — ce qui paraissait d'autant plus fondé qu'il proclamait vouloir supprimer l'*histoire* et le *personnage*. On a ainsi proposé de son art des vues partielles. Robbe-Grillet a dû s'attacher ensuite à dissiper les malentendus. Il s'expliquait, sur ce point, avec une particulière netteté dans *L'Express* du 8 octobre 1959 : « Même quand il y avait des objets à foison dans certains de mes romans, c'était toujours un homme qui les voyait, et pas un regard neutre, mais un homme terriblement engagé dans les passions humaines. » Et quand son interlocuteur lui demandait : « Alors, qu'est-ce que vous faites de cette objectivité que vous réclamiez pour le roman ? », Robbe-Grillet répondait : « Cette objectivité est une intention que me prête la critique. J'ai moi-même très peu employé ce mot dans mes essais théoriques. S'il m'est arrivé de le faire, c'est toujours en précisant dans quel sens particulier : le sens de « tourné vers l'objet », c'est-à-dire vers le monde matériel extérieur (...). Je crois que tout ce que l'homme ressent est supporté à chaque instant par des formes matérielles de ce monde. Le désir qu'un enfant a d'une bicyclette c'est déjà l'image nickelée des roues et du guidon. La peur qu'un automobiliste a éprouvée à un croisement conservera toujours la forme d'un capot noir surgi tout à coup avec le bruit des freins qui crissent et le paysage qui bascule dans la glace ». En bref, l'objet chez Robbe-Grillet est souvent donné comme l'élément brut d'un contenu mental. Robbe-Grillet, en un certain sens, écrit, lui aussi, à la suite de Proust et de Joyce, le roman de ce qui se passe dans l'esprit. Mais au lieu de se soumettre comme eux à l'écoulement d'une durée, il brise les cadres traditionnels de l'espace et du temps. Des images, sans cesse, reviennent, des images obsédantes, qui reproduisent, avec des

2. *Art. cité.*
3. *Pour un nouveau roman*, p. 26.
4. *Ibid.*, p. 23.

variantes, les déformations qu'elles peuvent subir dans l'espace intérieur où elles se déploient. Dans *La Jalousie*, tout est vu par un homme enfermé dans une passion, et la scène du cloporte écrasé contre le mur revient comme un motif obsédant. Le roman de Robbe-Grillet était objectif dans la mesure où il traitait l'objet comme une « résistance optique » ; il l'était surtout dans la mesure où il se débarrassait de l'analyse abstraite au profit des éléments concrets d'un contenu mental. A ce titre, les intentions de Robbe-Grillet étaient fort complexes, car la présence démultipliée de l'objet renvoie à la subjectivité d'une conscience percevante, fût-elle non située, — ce *je-néant* dont parle Bruce Morrissette[1], mais elle renvoie aussi à un art de la fascination. Le roman ne se situe plus sur le chemin qui va de la réalité à son reflet, mais sur celui qui va d'une *création* à une *lecture*. Il n'y a plus, pour le lecteur, un destin à assumer dans l'imaginaire, mais un envoûtement à subir.

La fascination romanesque, avec le nouveau roman, n'est plus fondée sur la vraisemblance, c'est-à-dire sur la conformité au réel, mais sur la répétition et la suggestion. Les valeurs obsédantes ne se réfèrent pas à une description psychologique, mais à une entreprise d'envoûtement. Le romancier se propose d'imposer au lecteur un contenu mental, et ce n'est même plus, parfois, par personnage interposé.

Michel Butor, dans *La Modification*, respectait les cadres de l'espace et du temps. On assistait à un lent déroulement d'états de conscience. *La Modification*, c'était le soliloque d'un homme qui, durant le trajet Paris-Rome, renonce peu à peu à mettre à exécution le projet qu'il avait formé : abandonner sa femme et ses enfants, vivre à Rome avec sa maîtresse. L'emploi du *vous*, comme le rythme obsédant de ces longues phrases enveloppantes, était un effort pour inviter le lecteur à coïncider, si l'on peut dire, avec le contenu d'une conscience imaginaire, ou plutôt, pour imposer au lecteur, durant le temps de sa lecture, un contenu de conscience provisoire et fictif. Effort révélateur d'une des directions du nouveau roman, mais exprimé ici sous une forme grammaticale assez naïve, car, lorsque nous lisons un roman, si intense que soit notre participation à l'optique du personnage, nous continuons à le voir, sur notre écran intérieur, comme quelqu'un qui se détache de nous, qui nous donne un spectacle. Tout au plus, nous le voyons voir ; de même que, tout *sujets* que nous sommes, nous nous apercevons nous-mêmes, dans le passé ou la rêverie, comme un *il*. L'entreprise romanesque de Butor, comme celle de Robbe-Grillet, tendait à procéder à une sorte d'*incantation*. Des images et des thèmes, qui prennent parfois une valeur mythique, sont ressassés sans trêve par cette *conscience* qu'on nous invite à faire nôtre. La lecture devient délibérément une sorte d'entreprise d'auto-suggestion. Le nouveau roman cherche à obtenir, à l'état pur, ce que le roman a cherché de tout temps : s'emparer de l'esprit du lecteur, l'arracher à lui-même pendant le temps de sa lecture.

---

1. *Les Romans de Robbe-Grillet*, Editions de Minuit, 1963, pp. 111 sq.

Ce qui distinguait l'entreprise de Butor de celle de Robbe-Grillet, ce n'était pas seulement l'opposition du *subjectif* et de l'*objectif* ; car, partant de la conscience, Butor récupérait bien les objets ; il s'appliquait même, de façon presque maniaque, à noter des détails insignifiants qui ont, parfois, lassé les meilleures volontés. Mais, alors que Robbe-Grillet fait ses délices d'une sorte de géométrie mentale, il y a, chez Butor, dans *La Modification*, la fluidité d'une conscience en quête d'elle-même. Le mouvement même du train, franchissant l'espace, figurait symboliquement une quête spirituelle. Butor invitait le lecteur à entrer dans une recherche qui, fût-elle décevante, était d'abord animée par un espoir. Les romans de Robbe-Grillet se présentent d'abord comme de subtils agencements faits pour déconcerter : plutôt que de faire participer à une recherche, ils proposent d'abord des énigmes. Énigmes liées à un truquage de la temporalité : alors que Butor, dans *La Modification*, « suivait » la durée d'une conscience, quitte à mêler les souvenirs aux projets, le réel à l'imaginaire, (ce que fait Claude Simon, qui présente ainsi, dans un agencement subtil, les données immédiates de la conscience), Robbe-Grillet, dans *La Jalousie*, ne se préoccupait pas de situer les éléments du contenu mental à l'intérieur d'une durée suivie.

Du monologue intérieur à la sous-conversation

Le nouveau roman hésite aussi entre les données brutes du film de conscience, (fussent-elles, comme chez Claude Simon, esthétiquement disposées en vue d'un effet de *suggestion*), et l'inauthenticité de la *parlerie*. « Nathalie Sarraute, disait Jean-Paul Sartre[1], ne veut prendre ses personnages ni par le dedans ni par le dehors, parce que nous sommes, pour nous-mêmes et pour les autres, tout entiers dehors et dedans à la fois (...). Le dehors, c'est un terrain neutre, c'est le dedans de nous-mêmes que nous voulons être pour les autres et que les autres nous encouragent à être pour nous-mêmes. C'est le règne du lieu commun ». La parole, ici, dévoile l'*inauthentique*. Nathalie Sarraute nous donne accès à la conscience d'un personnage, — la conscience de cette femme, par exemple, qui, au début du *Planétarium*, pénètre dans son appartement. Elle s'attache à suggérer, sous les propos superficiels, sous les clichés du langage et les phrases de convention, toute une vie grouillante des fonds de la conscience. C'est le domaine de la sous-conversation. Comment pourrait-elle écrire des romans, raconter des histoires ? On ment dès qu'on résume en *un caractère* toute cette vie larvaire où se dessinent des mouvements d'attraction, de répulsion, d'enveloppement, d'absorption. La seule chose qui intéresse l'auteur, c'est la minutieuse observation de ces mouvements imperceptibles, il y a un *infiniment petit* de la vie psychologique qui vaut qu'on lui sacrifie le récit de drames mouvementés. Il ne se passe rien non plus dans les romans de Marguerite Duras. Elle aussi, d'ailleurs, et dans *Moderato Cantabile* surtout, cherche moins à proposer un spectacle ou à raconter une histoire qu'à atteindre, par les voies de la *suggestion*, l'esprit de son lecteur. Dans *Le Square*, un

---

1. *Préface* à *Portrait d'un inconnu*.

homme rencontre une jeune fille ; ils sont là, dans ce lieu *neutre* qu'est un jardin public. Pendant quelques heures, ils parlent, et leurs paroles sont insignifiantes ; elles sont le signe d'une présence au monde et d'une absence à soi-même. Le temps est figé, c'est celui de la rencontre et de l'attente. Si Nathalie Sarraute écrit des *antiromans*, il faudrait dire de Marguerite Duras qu'elle écrit des *préromans* : il ne se passera rien, dans cet espace et dans ce temps dont elle a provoqué l'ouverture. Elle met l'accent sur les conditions de possibilité d'une histoire qui n'aura pas lieu ; qui, même si elle avait lieu, trahirait ce dévoilement d'une présence au monde. En disant le peu qui se passe, en rapportant le peu qui se dit, elle réussit à atteindre un pathétique déchirant : celui qui tient à une proximité de l'*être* et à un éloignement de la joie.

Réalisme et mythologie

Le réalisme de Butor, dans *La Modification*, est un *réalisme mythologique*[1]. La conscience retrouve en elle des *archétypes*. Sur ce point aussi, l'influence de Joyce a été déterminante : il avait inscrit l'*Odyssée* en filigrane dans les aventures de ses piètres héros pendant une journée irlandaise. Il y avait aussi, chez Kafka, une transcendance : tout au plus, les détails contingents étaient-ils significativement non signifiants. Comme Joyce avait transposé l'*Odyssée*, Robbe-Grillet, dans *Les Gommes*, a raconté à sa manière l'histoire d'Oedipe ; du moins a-t-on pu la découvrir, secrètement imbriquée dans la trame policière. Wallas vient enquêter sur un crime dans la ville où, jadis, enfant, sa mère l'avait amené, à la recherche d'un père qui refusait de le reconnaître ; et, finalement, il tue l'homme sur la mort duquel il était venu enquêter. Est-ce son père qu'il tue ? est-ce sa mère que, dans le magasin, il dévisage, à plusieurs reprises, de façon si insistante ? On frôle, en tout cas, l'expression d'un mythe. A vrai dire, — et c'est une des recherches les plus intéressantes du nouveau roman, dans *Les Gommes*, c'est la structure même du roman qui en dit le contenu. Il y a une pensée circulaire dans ces *retours* constants aux mêmes lieux, dans cette marche en rond à travers les rues de la ville, dans cette obsession des mêmes images. Quant au meurtre, il est précisément accompli au lieu même où l'on croyait qu'il avait été commis la veille. On ne cesse de trouver ce schéma mental d'un retour à une situation initiale. Expression nouvelle, sous une *forme romanesque*, du mythe œdipien, qui est, par le meurtre du père, retour au sein maternel ?

En tout cas, on trouverait dans plusieurs œuvres du nouveau roman, la transposition, dans le réalisme le plus minutieux, de structures mythologiques. Le thème du *labyrinthe*, et toutes les valeurs mythiques qui s'y rattachent, est un des plus fréquemment traités. L'*errance* d'un homme à travers les rues de la ville en est l'expression favorite. Wallas erre dans la ville comme Mathias erre dans son île, comme le héros de *L'Emploi du temps* erre à travers les rues de Bleston, tournant en rond à la recherche d'un secret.

---

1. Voir l'article important de Michel Leiris, dans *Critique*, février 1958.

**Difficultés
du nouveau roman**

Les auteurs du nouveau roman inscrivent volontiers un secret au cœur de leur livre : dans *L'Emploi du temps*, il s'agit de déchiffrer un vitrail, de déchiffrer un roman policier, et, par là, d'atteindre le secret d'une ville. Les intrigues policières de Robbe-Grillet proposent leurs énigmes. Michel Butor définissait un jour le roman comme une *fiction rusée*[1] : truquée en vue de déconcerter le lecteur. Il est fréquent que, dans le nouveau roman, les coordonnées spatio-temporelles fassent défaut. Le roman est *énigmatique* par le seul fait qu'il se refuse à donner les tenants et les aboutissants : au lecteur de les reconstituer. Le romancier se contente de lui proposer des gestes, des objets, des paroles, — surtout, même, des contenus mentaux où la *scène* est *réelle*, ou *rêvée*, ou *imaginaire*, ou *déformée* par l'esprit. Mais à quel moment est-on dans le réel, à quel moment dans le souvenir ou la rêverie ? Les contenus mentaux, voire les monologues intérieurs, ne sont même pas toujours rapportés explicitement à un personnage en situation. Quelqu'un parle. Qui parle ? Au moins au début du roman, il est difficile de préciser le support de ce soliloque. On entend une voix, on entend plusieurs voix. Claude Mauriac a écrit un roman d'une belle difficulté avec *Le Dîner en ville* : huit monologues intérieurs se chevauchent, s'entrelacent aux propos qui sont tenus autour de cette table, ils nous font éprouver, par-delà le domaine des amabilités ou des piques, l'incommunicabilité des consciences.

L'impossible roman

Michel Butor, en 1956, a défini le *roman* comme *recherche*. Il voulait dire d'abord que le romancier devait entreprendre de renouveler les formes du récit. Et l'œuvre de Butor, depuis *Passage de Milan* jusqu'à *Degrés*, offre l'exemple d'une recherche qui s'engage successivement dans des directions différentes. On définirait volontiers le nouveau roman en le présentant comme une série d'aventures esthétiques, avec tous les risques que cela suppose, car il arrive que certaines aventures conduisent à des impasses. Mais c'est en un autre sens qu'on peut aussi comprendre la définition de Butor : le roman est à la recherche de lui-même. Il est, à ce titre, l'aboutissement dernier d'une crise ouverte par Gide avec *Paludes* ou *Les Faux-Monnayeurs*. *Ulysse*, d'ailleurs, c'était aussi un roman qui se construisait au fur et à mesure qu'il se cherchait. De même *Absalom ! Absalom !* de Faulkner. Le romancier n'est plus celui qui raconte une histoire, il en présente seulement quelques bribes ; au lecteur de tenter de la reconstituer. Le roman moderne est comme un *puzzle*. Et il arrive souvent qu'on échoue à le remettre en ordre. Le roman est tout entier situé dans l'impossibilité de son accomplissement. Le narrateur, dans *Le Vent*, de Claude Simon, ne saurait raconter une histoire ; il en recherche en lui-même les éléments, on assiste à sa progression vers la reconstitution d'un récit qui ne sera, en

---

1. Dans une intervention au Collège philosophique, devant les Jeunesses littéraires de France : compte rendu dans *Les Nouvelles littéraires*, 24 avril 1958.

fait, jamais *conté*. Le romancier s'attache à révéler à la fois un progrès vers l'histoire, et l'impossibilité de la rejoindre en tant qu'histoire. Il n'est plus le *détenteur* de la vérité, le dépositaire d'un secret. Il déploie ses efforts pour dire ce qu'il sait, mais dans la confusion. Le roman devient le roman d'un roman qui ne sera pas écrit, parce qu'il ne peut l'être. *L'Emploi du temps* de Michel Butor est un roman en train de se faire, mais dont on sent bien, au fur et à mesure qu'il progresse, qu'il manquera toujours son objet. La structure de la temporalité est telle que le narrateur ne parviendra jamais à rattraper le passé, — que le présent éclaire continuellement d'une lumière nouvelle — ni à rattraper le présent, qui s'éloigne sans cesse de ce passé dans lequel il essaie de voir clair. Au fond, le sujet de prédilection du nouveau roman, c'est l'impossibilité de raconter une histoire. Tels romans de Pinget ou de Lagrolet sont comme une parodie du roman, la dérision d'un roman qui ne saurait être écrit. Le roman est impossible chez Nathalie Sarraute comme chez Marguerite Duras. C'est à propos de *Portrait d'un inconnu* que Sartre a parlé d'*anti-roman* : « Il s'agit, disait-il, de contester le roman par lui-même, de le détruire sous nos yeux, dans le temps même où on semble l'édifier, d'écrire le roman d'un roman qui ne se fait pas ». Au fond, la saisie de l'existence empêche d'écrire un roman. On ne peut, à la fois, *dire ce qui est* et *raconter une histoire*. Quelles que soient les modalités de la saisie d'un *être-là* : *parlerie* chez Nathalie Sarraute, ouverture d'un espace offert au marcheur chez Jean Cayrol, effort actuel pour dire le passé, plongée dans un monologue intérieur, description phénoménologique de l'objet, — elles conduisent à l'impossibilité du roman. Le nouveau roman ne procède guère d'une crise superficielle concernant la pureté du genre ou sa valeur ; il procède de l'impossibilité où l'on est de raconter une histoire, dès qu'on réfléchit d'un peu près à ce que suppose le seul fait de raconter. De quel droit, et pour dire quoi ? L'existence déborde tout ce qu'on peut en dire. On n'en a jamais fini avec le réel : et d'abord, par où commencer, si l'on voulait raconter ?

Sociologie du nouveau roman

Le public a-t-il suivi ces efforts ? Le nouveau roman bénéficie d'une audience internationale. En France même, il ne s'adresse, semble-t-il, qu'à un public restreint. Il est, ou plutôt il a été, un sujet de conversation. Comme le disait André Brincourt, il y a, d'un côté, les livres qu'on lit, de l'autre, ceux dont on parle[1] ; et dont on parle parfois sans les avoir lus, en redisant ce qu'on a lu sur eux ! « S'il est vrai, écrivait Julien Gracq[2], que le public littéraire réagit de deux manières, soit par goût, soit par opinion, on peut dire que jamais le public n'a eu moins de goût et plus d'opinion ! » et il reprenait le mot de Nicole Védrès : le public se contente d'*alire l'alittérature*, « une des façons les plus simples d'*alire* consistant à se

---

1. Voir *Le Figaro littéraire*, 1ᵉʳ septembre 1962, « Esquisse pour un tableau (abstrait) de la littérature d'aujourd'hui ».
2. *Ibid.*

dispenser d'aller aux œuvres en se contentant de se faire une opinion sur elles à travers les articles, les propos, émissions et bruits divers ».

Toute explication du nouveau roman par des infrastructures économiques demeure fort sujette à caution. Tout au plus peut-on dire qu'il est le roman d'une époque où il n'y a plus (au moins dans la conscience des écrivains) de tragique de l'histoire. Les contestations, dans les années trente et quarante, ont été philosophiques, morales, politiques ; elles sont devenues, dans les années cinquante, purement esthétiques. L'accent n'est plus mis sur *les contenus*, mais sur *les formes*. Le refus de l'engagement, chez Robbe-Grillet, marque la fin d'un temps, peut-être l'entrée dans une ère nouvelle. Est-ce le reflet d'un monde dans lequel les responsabilités personnelles sont limitées ? Il y a, dans les laboratoires du nouveau roman, l'écho d'un univers de la technocratie. Dans cette civilisation de masse qui est en train de naître, une littérature définie comme *recherche* s'oppose de plus en plus à une littérature de *consommation*. Le nouveau roman est contemporain du livre de poche. On parle de Butor, mais on lit Balzac et Dostoïevsky. En même temps, on a de plus en plus le sentiment que les problèmes du monde moderne sont devenus si complexes que personne ne peut les dominer, que l'engagement personnel, en tout cas, n'aurait plus de prise sur les choses. L'écrivain s'interroge sur les formes, dans la mesure où il n'a plus rien à dire. Comment savoir si ces recherches formelles sombreront dans le byzantinisme ou déboucheront sur une nouvelle culture ? On a parfois le sentiment d'une culture à bout de souffle, quand on assiste à certains rafistolages de vieux mythes. A moins qu'on ne soit parvenu au point extrême où l'on peut parvenir : le degré zéro du récit, n'est-ce pas la seule façon de dire le dernier mot de tout, le dévoilement de cette trouée d'espace où nous sommes conviés à la lumière du monde ouvert ?

Nouveau roman et crise du roman

Le nouveau roman est né d'une contestation des formes traditionnelles du genre, ainsi que des buts qu'il poursuivait et des fonctions qui étaient les siennes depuis le XIXe siècle : être le miroir de la société, distraire le public en l'instruisant sur son temps, lui présenter une vue rationnelle et cohérente du monde social. Le nouveau roman a été, dans les années cinquante et soixante, l'expression la plus consciente d'une crise du genre dont les origines remontent à la fin du siècle dernier. Est-ce le fait que les notions de Bien et de Mal se sont effacées? Et qu'on assiste dès lors à une crise de la notion même de personne? Ou plutôt est-ce dû à une crise de l'individualité bourgeoise, liée, comme le pensait Goldmann, à la transformation de la libre économie de marché en une économie de trusts et de cartels? En tout cas, le nouveau roman, dont les œuvres marquantes apparaissent entre 1953 et 1968, est, en même temps que le formalisme qui prédomine alors, une entreprise qui tend à faire disparaître le personnage; et si le personnage est supprimé, il ne reste que des objets et des sensations qu'il reste à organiser en puzzles. Est-ce le signe que le règne de l'individualité est terminé? Que l'action individuelle n'a plus de prise sur les choses? Que tout se règle désormais au-dessus de nos têtes? En bref, que l'homme a cessé d'être le sujet de l'histoire?

Le nouveau roman n'est pas seulement une contestation des formes et des fonctions du roman traditionnel ; il n'est pas seulement le reflet d'une crise de la personne : de Sollers à Ricardou, il est une interrogation sur les pouvoirs de l'écriture. Dans *Destins du Roman*, en 1965, Moravia déclarait dans un article intitulé *Requiem pour le roman* : « On peut [...] voir la crise du roman dans celle du personnage « problématique », qui serait alors le personnage de la société bourgeoise du XIXe siècle. Mais, à mon avis, aujourd'hui, le problème se déplace du personnage au romancier. C'est-à-dire qu'il n'existe plus de personnage problématique, mais il existe un romancier problématique. C'est lui désormais le protagoniste de son roman [...] Autrement dit, je pense que le roman devient un problème d'ordre esthétique et littéraire ; il n'est plus un problème d'ordre psychologique et social. C'est pourquoi le protagoniste ne peut être que le romancier lui-même [...] Cela pourrait signifier que le roman deviendra un exercice littéraire plutôt qu'un reflet des faits sociaux. Mais le roman devrait être aussi la conscience du romancier, il se déplacera en réalité dans sa conscience [...], ce qui rend finalement possible une vaste récupération de tous les faits sociaux ». La littérature de laboratoire qu'a été le nouveau roman n'est que la forme la plus consciente et la plus avancée d'un malaise du genre qu'on trouverait chez d'autres auteurs, comme par exemple Duras ou Le Clezio, Tournier ou Modiano. Tel thème, fréquent dans le nouveau roman, celui de l'errance d'un être à travers les rues de la ville, on le trouve dans *L'Emploi du temps* de Michel Butor ou dans *Le Labyrinthe* de Robbe-Grillet, mais aussi dans *Le Déluge* de Le Clézio. Et si *Drame* de Philippe Sollers a pour sujet la mise en question de l'écriture, il ne manque pas d'écrivains qui ont traité ce sujet selon leur style et leur préoccupation particulière.

Foisonnement du roman

Le nouveau roman, ce n'était pas, tant s'en faut, la fin du roman. D'abord, de 1953 à 1968, le nouveau roman ne représente qu'une mince partie de la production romanesque. Et d'ailleurs, après 1968, il continue. Robbe-Grillet donne, en 1976, *Topologie d'une cité fantôme* et l'on trouverait, par exemple, dans *Carcassonne* et *Saragosse* de Philippe Comtesse bien des éléments archétypiques du nouveau roman : un homme se souvient de ses divers séjours dans des hôtels de province et ces souvenirs se télescopent dans une mémoire brouillée. Les points de vue sont variés, le narrateur est tantôt le héros, tantôt un autre personnage, le récit devient un commentaire du récit, l'auteur procède à des télescopages temporels et spatiaux, mais il lui faut bien consentir à introduire dans ce puzzle des signes de cohérence, assez nombreux pour rendre le texte intelligible, assez discrets pour le rendre problématique.

Dans les années soixante-dix, disparaissent les derniers maîtres de la génération précédente, Mauriac, Giono, Montherlant, Malraux. Le public continue de les lire, comme il continue de lire Aragon. On l'a bien vu en 1969 : Mauriac publie *Un adolescent d'autrefois*, Montherlant publie *Les Garçons ;* dans un cas comme dans l'autre, c'était l'évocation de jeunes gens d'avant 1914, et selon la technique la plus traditionnelle ; or ni la critique ni le public n'ont boudé ces œuvres, qui paraissaient pourtant appartenir à un monde révolu. D'autre part les collections bon marché — Poche, Folio, etc. — la parution d'œuvres romanesques complètes dans la collection de la Pléiade, (celles de Giono ou de Mauriac par exemple) montrent assez la survivance des grandes œuvres des romanciers des générations précédentes. Encore s'agit-il là de romans littéraires, d'œuvres de grande qualité et minutieusement élaborées. Mais si on écrivait une histoire du roman moderne d'après les succès commerciaux, on aurait un paysage littéraire assez différent de celui que proposent la plupart des critiques. Les romans les plus lus sont encore maintenant : *Le Grand Meaulnes*, d'Alain-Fournier, *Vol de Nuit* et *Terre des hommes* de Saint-Exupéry, *La Peste* de Camus, *Bonjour Tristesse* de Françoise Sagan, *La Condition humaine* de Malraux, *L'Assommoir* et *Germinal* de Zola, *Les Lions* de Kessel, *Les Semailles et les Moissons* de Troyat, *Caroline Chérie* de Cecil Saint-Laurent.

Retour à l'histoire Est-ce la conséquence des événements de 1968? En tout cas, dès la rentrée littéraire de 1971 on voyait, en réaction contre les minces anti-romans des Éditions de Minuit, paraître de bons gros romans qui ne se proposaient rien moins que de raconter l'histoire du monde pendant plusieurs décennies, voire de s'interroger sur le destin de la civilisation occidentale. Le roman conçu comme une vaste synthèse revenait en force : Jean Duvignaud, *L'Empire du Milieu;* Jean d'Ormesson, *La Gloire de l'Empire* (il y eut soudain autant d'empires dans les années soixante-dix qu'il y avait eu de hussards dans les années cinquante), et surtout Pierre-Jean Rémy, *Le Sac du Palais d'été*. Ce dernier roman, qui obtint le prix Renaudot, était une vaste construction polyphonique dont la matière était un siècle de l'histoire du monde : l'auteur nous conduit de la mise à sac du Palais d'été par les troupes franco-anglaises au milieu du XIXe siècle jusqu'à la révolution culturelle de la Chine communiste. Et Pierre-Jean Rémy définissait ainsi sa conception du roman : « Le roman est une narration dont le champ me paraît devoir être le plus large possible, — foisonnement pour embrasser une réalité (réfléchie, manipulée par l'imagination) qui est elle-même par définition diversité, contradiction, incertitude. »

En tout cas, avec une moindre ambition, le roman de chronique sociale, qui n'avait d'ailleurs jamais disparu, reprenait de la vigueur; les événements de 1968 ont donné naissance à plusieurs fictions, *Derrière la vitre* de Robert Merle, *Les Déclassés* de Jean-François Bizot par exemple. Les sommes romanesques en plusieurs volumes ne manquent pas : par exemple *L'Éternité plus un jour*, trilogie de Georges-Emmanuel Clancier et *L'Horizon dérobé* de Jean-Louis Curtis.

Les romans du Je Combien de romans sont aussi, un peu plus, un peu moins l'entreprise d'un auteur qui entend vider son sac, régler des comptes, dire ce qu'il a sur le cœur, apporter son témoignage et faire part de son expérience! Cette contamination du roman par l'autobiographie a ses lettres de noblesse depuis Proust et Céline. Combien de fictions dans les années soixante-dix sont celles d'une parole qui s'installe à mi-chemin de l'imaginaire et du vécu, du souvenir et du fantasme et qui organisent autour d'elle, au fur et à mesure qu'elle se profère, tout un réseau d'images et de mythes. On en citerait maints exemples, ceux d'Hélène Cixous, d'Annie Ernaux ou d'Henri Raczymov.

Les rayons et les ombres Ce qui paraît frappant dans l'évolution du roman, si on prend quelque recul, c'est, au-delà de la diversité des formes, ou des thèmes, une tendance de plus en plus marquée à mêler, dans le récit, les rayons et les ombres. Certes tous les maîtres du passé, de Stendhal à Flaubert, de Balzac à Proust, ont su utiliser les ellipses, les silences, les blancs, pour conférer au roman des zones d'ombre et d'ambiguïté. Mais la tendance à une sorte de récit lacunaire est de plus en plus marquée. L'évolution de Giono et d'Aragon est significative à cet égard. Parmi les talents qui se sont affirmés depuis dix ans, Modiano offrirait de bons exemples de cette tendance dans *La Place de l'Étoile*, dans *La Ronde de nuit*, dans *Boulevard de ceinture*, dans *Villa Triste*, dans *Livret de famille*.

ANNEXES

1. Chronologie

_____

	ROMANS FRANÇAIS	ŒUVRES THÉORIQUES	TRADUCTIONS FRANÇAISES DES ROMANS ÉTRANGERS[1]
1795		Mᵐᵉ de Staël, *L'Essai sur les fictions*	
1797			*Les Mystères d'Udolphe*, d'Ann Radcliffe *Ambrosio ou le moine*, de M. G. Lewis
1798	Ducray-Duminil, *Coelina ou l'enfant du mystère*		
1800	Donatien Sade, *Les Crimes de l'amour*		
1801	F.-R. de Chateaubriand, *Atala*		
1802	F.-R. de Chateaubriand, *René* Mᵐᵉ de Souza, *Charles et Marie* Mᵐᵉ de Staël, *Delphine*		*Wilhelm Meister* (1794-96) de W. von Goethe
1803		A. H. de Dampmartin, *Des Romans*	
1804	E. de Senancour, *Oberman*		
1807	Mᵐᵉ de Staël, *Corinne*		
1809	F.-R. de Chateaubriand, *Les Martyrs*		
1813			*La Dame du lac* (1810) de Walter Scott
1816	Benjamin Constant, *Adolphe*		
1818	Ch. Nodier, *Jean Sbogar*		*Waverley* (1814) de Walter Scott
1820			*Ivanhoe* de Walter Scott
1823	Victor Hugo, *Han d'Islande*		*Quentin Durward* de Walter Scott
1825	V. Hugo, *Bug-Jargal*		

1. Les dates entre parenthèses sont celles de la parution des ouvrages dans leur pays d'origine.

ROMANS FRANÇAIS	ŒUVRES THÉORIQUES	TRADUCTIONS FRANÇAISES DES ROMANS ÉTRANGERS
1826 F.-R. de Chateaubriand, *Les Natchez ; Les Aventures du dernier Abencérage* A. de Vigny, *Cinq-Mars*		*Le Dernier des Mohicans* (1826) de Fenimore Cooper
1827 Stendhal, *Armance*		
1829 P. Mérimée, *Chronique du règne de Charles IX* Balzac, *Les Chouans*		
1830 Stendhal, *Le Rouge et le Noir*		
1831 V. Hugo, *Notre-Dame de Paris* Balzac, *La Peau de chagrin*		
1832 A. de Vigny, *Stello* George Sand, *Indiana*		
1833 Balzac, *Le Médecin de campagne ; Eugénie Grandet* George Sand, *Lélia* P. Mérimée, *La Double Méprise*		
1834 Sainte-Beuve, *Volupté* Balzac, *La Recherche de l'Absolu*		
1835 Balzac, *Le Père Goriot ; Le Lys dans la vallée ; Séraphita* A. de Vigny, *Servitude et grandeur militaires*		
1836 T. Gautier, *Mademoiselle de Maupin* A. de Musset, *La Confession d'un enfant du siècle*		
1837 George Sand, *Mauprat* A. de Vigny, *Daphné* Balzac, *César Birotteau ; Illusions perdues* (1837-1843)		
1838 Eugène Sue, *Arthur*		*The Pickwick Papers* (1836-1837) de Charles Dickens
1839 Stendhal, *La Chartreuse de Parme* Balzac, *Le Curé de village* (1839-1841) ; *Splendeurs et misères des courtisanes* (1839-1847)		

ROMANS FRANÇAIS	ŒUVRES THÉORIQUES	TRADUCTIONS FRANÇAISES DES ROMANS ÉTRANGERS
1840 P. Mérimée, *Colomba* George Sand, *Le Compagnon du tour de France*		
1841 Eugène Sue, *Mathilde ou les mémoires d'une jeune femme* Balzac, *Ursule Mirouët* Frédéric Soulié, *Les Mémoires du diable*		*Oliver Twist* (1837-1838) de Ch. Dickens
1842 Balzac, *La Comédie humaine*	Balzac, *Avant-propos* à *La Comédie humaine* Philarète Chasles, « Du roman et de ses sources dans l'Europe moderne » *(Revue des Deux Mondes)*	
Eugène Sue, *Les Mystères de Paris* George Sand, *Consuelo* (1842-1843)		
1844 Alexandre Dumas, *Les Trois Mousquetaires ; Le Comte de Monte-Cristo* (1844-1845) Chateaubriand, *Vie de Rancé*		
1845 George Sand, *Le Meunier d'Angibault* P. Mérimée, *Carmen*	A. Nettement, *Étude sur le feuilleton-roman*, 2 vol., Perrodel, 1845-1846 A. de Valconseil, *Revue analytique et critique du roman contemporain*	
1846 George Sand, *La Mare au diable* Balzac, *La Cousine Bette*		
1847 Balzac, *Le Cousin Pons* George Sand, *Le Péché de M. Antoine*		
1848		*Contes* (1833) d'Andersen
1849 George Sand, *La Petite Fadette* Lamartine, *Graziella* Eugène Sue, *Les Mystères du peuple* (1849-1856)		

	ROMANS FRANÇAIS	ŒUVRES THÉORIQUES	TRADUCTIONS FRANÇAISES DES ROMANS ÉTRANGERS
1850	George Sand, *François le Champi*		
1851	H. Murger, *Scènes de la vie de bohème* Lamartine, *Geneviève ; Le Tailleur de pierres de Saint-Point*		*David Copperfield* (1849-1850) de Ch. Dickens
1853	George Sand, *Les Maîtres sonneurs* G. de Nerval, *Sylvie*		*Tarass Boulba* (1835) de Nicolas Gogol *La Fille du capitaine* (1836) d'Alexandre Pouchkine
1854	G. de Nerval, *Aurélia* J. Barbey d'Aurevilly, *L'Ensorcelée* Champfleury, *Les Bourgeois de Molinchart*		*Récits d'un chasseur* (1847-1852) d'Ivan Tourguéniev *Jane Eyre* de Charlotte Brontë
1855			*La Foire aux Vanités* (1847-1848) de William Thackeray
1856		L.-E. Duranty, *Le Réalisme* (novembre 1856 à mai 1857)	
1857	G. Flaubert, *Madame Bovary* Ed. About, *Le Roi des montagnes* O. Feuillet, *Le Roman d'un jeune homme pauvre*	Champfleury, *Le Réalisme*	*Dombey et fils ; Les Temps difficiles ; Vie et aventures de Nicolas Nickleby* de Ch. Dickens
1858	Th. Gautier, *Le Roman de la momie*		*Les Âmes mortes* (1842) de N. Gogol
1859			*Agnès Grey* (1847) d'Ann Brontë
1860	George Sand, *Le Marquis de Villemer* L.-E. Duranty, *Le Malheur d'Henriette Gérard* Les Goncourt, *Charles Demailly*		
1861	Les Goncourt, *Sœur Philomène* Th. Gautier, *Le Capitaine Fracasse*		

257

ROMANS FRANÇAIS	ŒUVRES THÉORIQUES	TRADUCTIONS FRANÇAISES DES ROMANS ÉTRANGERS
1862 V. Hugo, *Les Misérables* G. Flaubert, *Salammbô* E. Fromentin, *Dominique* L.-E. Duranty, *La Cause du beau Guillaume*		*Dimitri Roudine* d'I. Tourguéniev *Adam Bede* de George Eliot
1863 V. Cherbuliez, *Le Comte Kostia*		*Le Moulin sur la Floss* (1860) de G. Eliot *Les Grandes Espérances* de Ch. Dickens
1864 Les Goncourt, *Renée Mauperin* J. Barbey d'Aurevilly, *Le Chevalier des Touches* Erckmann-Chatrian, *L'Ami Fritz*	A. Nettement, *Le Roman contemporain, ses vicissitudes, ses divers aspects, son influence*	
1865 Les Goncourt, *Germinie Lacerteux* J. Barbey d'Aurevilly, *Un Prêtre marié*	H. Taine, *Nouveaux Essais de critique et d'histoire*	
1866 Maxime Du Camp, *Les Forces perdues* V. Hugo, *Les Travailleurs de la mer*		
1867 E. Zola, *Thérèse Raquin* Les Goncourt, *Manette Salomon* O. Feuillet, *M. de Camors*	E. Bonnemère, *Le Roman de l'avenir*	*Fumées* d'I. Tourguéniev
1868 A. Daudet, *Le Petit Chose*		
1869 V. Hugo, *L'Homme qui rit* G. Flaubert, *L'Éducation sentimentale* Les Goncourt, *Madame Gervaisais* J. Verne, *Vingt mille lieues sous les mers*		
1871 E. Zola, *La Fortune des Rougon*		
1872 A. Daudet, *Tartarin de Tarascon*		
1873	A.-M. de Pontmartin, *Le Roman contemporain*	

	ROMANS FRANÇAIS	ŒUVRES THÉORIQUES	TRADUCTIONS FRANÇAISES DES ROMANS ÉTRANGERS
1874	Gobineau, *Les Pléiades* A. Daudet, *Fromont jeune et Risler aîné* E. Zola, *Le Ventre de Paris*		
1875	E. Zola, *La Conquête de Plassans ; La Faute de l'abbé Mouret*		
1876	E. Zola, *Son Excellence Eugène Rougon* A. Daudet, *Jack* J.-K. Huysmans, *Marthe*	M. Topin, *Romanciers contemporains*	
1877	E. Zola, *L'Assommoir* Ed. de Goncourt, *La Fille Elisa* A. Daudet, *Le Nabab*		*Terres vierges* d'I. Tourguéniev
1879	Ed. de Goncourt, *Les Frères Zemganno* A. Daudet, *Les Rois en exil* Jules Vallès, *L'Enfant* J.-K. Huysmans, *Les Sœurs Vatard* E. Zola, *Nana* P. Loti, *Aziyadé*		
1880	Maupassant, Zola, Hennique, etc., *Les Soirées de Médan* P. Loti, *Le Mariage de Loti*	E. Zola, *Le Roman expérimental*	
1881	G. Flaubert, *Bouvard et Pécuchet* (posthume) J.-K. Huysmans, *En Ménage* H. Céard, *Une Belle Journée* A. Daudet, *Numa Roumestan* A. France, *Le Crime de Sylvestre Bonnard* J. Vallès, *Le Bachelier*	E. Zola, *Le Naturalisme au théâtre ; Les Romanciers naturalistes ; Une Campagne ; Documents littéraires*	*Silas Marner* (1861) de George Eliot
1882	J.-K. Huysmans, *A vau l'eau* Ed. de Goncourt, *La Faustin* E. Zola, *Pot-Bouille*		
1883	G. de Maupassant, *Une Vie* A. Daudet, *L'Évangéliste* P. Loti, *Mon Frère Yves*	F. Brunetière, *Le Roman naturaliste*	

259

	ROMANS FRANÇAIS	ŒUVRES THÉORIQUES	TRADUCTIONS FRANÇAISES DES ROMANS ÉTRANGERS
1884	A. Daudet, *Sapho* J.-K. Huysmans, *A Rebours*	L. Arréat, *La Morale dans le drame, l'épopée et le roman*	*Crime et châtiment* (1866) de Fiodor Dostoïevsky *La Guerre et la Paix* (1865-1869) de Léon Tolstoï *Humiliés et offensés* de F. Dostoïevsky
1885	E. Zola, *Germinal* G. de Maupassant, *Bel-Ami* P. Bourget, *Cruelle énigme*		*Anna Karénine* (1875-1877) de L. Tolstoï *L'Ile au trésor* de Robert Stevenson
1886	Léon Bloy, *Le Désespéré* A. Villiers de l'Isle-Adam, *L'Eve future* J. Vallès, *L'Insurgé* P. Loti, *Pêcheurs d'Islande* O. Mirbeau, *Un Calvaire*	Melchior de Vogüe, *Le Roman russe*	*Souvenirs de la maison des morts ; L'Esprit souterrain* de F. Dostoïevsky
1887	E. Zola, *La Terre* G. de Maupassant, *Mont-Oriol* A. Hermant, *Le Cavalier Miserey*	« Le Manifeste des Cinq » (*Le Figaro*, 18 août 1887)	*Romola* de G. Eliot *L'Idiot* (1868-1869) de F. Dostoïevsky
1888	E. Zola, *Le Rêve* G. de Maupassant, *Pierre et Jean* O. Mirbeau, *L'Abbé Jules* M. Barrès, *Sous l'œil des Barbares*	G. de Maupassant, *Préface de Pierre et Jean*	*Les Frères Karamazov* (1880) ; *Les Pauvres Gens* de F. Dostoïevsky
1889	P. Bourget, *Le Disciple* M. Barrès, *Un Homme libre*	P. Bourget, *Études et Portraits*, 2 vol.	
1890	E. Zola, *La Bête humaine* A. Daudet, *L'Immortel* G. de Maupassant, *Notre Cœur* O. Mirbeau, *Sébastien Roch*	Ch. Le Goffic, *Les Romanciers d'aujourd'hui*	*Middlemarch* de G. Eliot *Le Cas étrange du Dr Jekyll* de R. Stevenson
1891	M. Barrès, *Le Jardin de Bérénice* A. Gide, *Les Cahiers d'André Walter* J.-K. Huysmans, *Là-Bas* E. Zola, *L'Argent* J. Renard, *L'Écornifleur*	Jules Huret, *Enquête sur l'évolution littéraire* J. Case, « La Débâcle du réalisme » (*L'Événement*, septembre-novembre 1891)	
1892	Rosny aîné, *Vamireh*		*Les Hauts de Hurle-Vent* (1847) d'E. Brontë, sous le titre : *Un Amant*. (Trad. par T. de Wyzewa)

ROMANS FRANÇAIS	ŒUVRES THÉORIQUES	TRADUCTIONS FRANÇAISES DES ROMANS ÉTRANGERS
1893 E. Zola, *Le Docteur Pascal* A. Gide, *Le Voyage d'Urien*		
1894 J. Renard, *Poil de Carotte* M. Prévost, *Les Demi-Vierges*		
1895 A. Gide, *Paludes* J.-K. Huysmans, *En route*	T. de Wyzewa, *Nos Maîtres* Albalat, *Le Mal d'écrire et le roman contemporain*	*L'Enfant de volupté* (1889) de Gabriele D'Annunzio
1896 J. Renard, *Histoires naturelles* P. Valéry, *La Soirée avec M. Teste*		*L'Éternel Mari* de F. Dostoïevsky
1897 M. Barrès, *Les Déracinés* L. Bloy, *La Femme pauvre*		
1898 J.-K. Huysmans, *La Cathédrale* P. Margueritte, *Le Désastre*		
1899 O. Mirbeau, *Le Jardin des supplices*		*Le Livre de la Jungle* (1894) de Rudyard **Kipling** *Résurrection* (1899) de Léon Tolstoï
1900 Ch.-L. Philippe, *La Mère et l'Enfant* M. Barrès, *L'Appel au soldat*		*Quo vadis ?* (1894) de Henryck Sienkievicz
1901 Ch.-L. Philippe, *Bubu de Montparnasse* A. Hermant, *Souvenirs du vicomte de Courpières*		*Jude l'Obscur* de Thomas Hardy *Tess d'Ubervilles* de Thomas Hardy *L'Homme invisible* (1897) de H. G. Wells
1902 A. Gide, *L'Immoraliste* M. Barrès, *Leurs Figures* P. Bourget, *L'Étape*		*Kim* (1901) de R. Kipling
1903 Ch.-L. Philippe, *Le Père Perdrix*		*Les Bas-fonds* (1902) de Maxime Gorki *Stalky et Cie* (1899) ; *Capitaines courageux* de R. Kipling
1904 Romain Rolland, *Jean-Christophe* (1904-1912)		

	ROMANS FRANÇAIS	ŒUVRES THÉORIQUES	TRADUCTIONS FRANÇAISES DES ROMANS ÉTRANGERS
1905	Ch.-F. Ramuz, *Aline*	L. Bethléem, *Romans à lire et romans à proscrire* Le Cardonnel et Vellay, *La Littérature contemporaine* Joachim Merlant, *Le Roman personnel de Rousseau à Fromentin*	
1906	Jules Romains, *Le Bourg régénéré* H. Céard, *Terrains à vendre au bord de la mer*		*Le Portrait de Monsieur W. H.* (1889) d'Oscar Wilde *Les Frères Karamazov* de F. Dostoïevsky (trad. complète chez Fasquelle)
1907	P. Loti, *Les Désenchantées* P. Bourget, *L'Émigré* L. Bertrand, *L'Invasion*		
1908	Colette, *Les Vrilles de la vigne* A. France, *L'Ile des pingouins*		*Henri d'Ofterdingen* (1799) de Novalis
1909	A. Gide, *La Porte étroite* M. Barrès, *Colette Baudoche*		
1911	Colette, *La Vagabonde* A. de Chateaubriant, *Monsieur des Lourdines* J. Romains, *Mort de quelqu'un* Ch.-F. Ramuz, *La Vie de Samuel Belet* Rosny Aîné, *La Guerre du feu* J.-J. Tharaud, *La Maîtresse servante* V. Larbaud, *Fermina Marquez*	A. Billy, *L'Évolution actuelle du roman* G. Clouzet, *Le Roman français*	Traduction par Gide, dans la N.R.F., de deux fragments de *Les Cahiers de Malte Laurids Brigge* de Rainer Maria Rilke
1912	A. France, *Les Dieux ont soif* J.-J. Tharaud, *La Fête arabe*	J. Bertaut, *Les Romanciers du nouveau siècle* P. Bourget, *Pages de critique et de doctrine*	
1913	M. Barrès, *La Colline inspirée* R. Martin du Gard, *Jean Barois* V. Larbaud, *Barnabooth* Alain-Fournier, *Le Grand Meaulnes* M. Proust, *Du côté de chez Swann ; (A la recherche du temps perdu* publié de 1913 à 1927)	J. Muller, *Le Roman* J. Rivière, « Le Roman d'aventure » (N.R.F., mai-juillet 1913)	

ROMANS FRANÇAIS	ŒUVRES THÉORIQUES	TRADUCTIONS FRANÇAISES DES ROMANS ÉTRANGERS
1914 P. Bourget, *Le Démon de midi* A. Gide, *Les Caves du Vatican* F. Carco, *Jésus-la-Caille*		
1916 H. Barbusse, *Le Feu* L. Hémon, *Maria Chapdelaine*		
1918 J. Giraudoux, *Simon le Pa- thétique* V. Larbaud, *Enfantines* P. Mac-Orlan, *Le Chant de l'équipage* C.-F. Ramuz, *La Guérison des maladies; Les Signes parmi nous*		*Typhon* (1903) de Joseph Conrad (Trad. par André Gide)
1919 A. Gide, *La Symphonie pasto- rale* M. Proust, *A l'ombre des jeunes filles en fleurs* R. Rolland, *Colas Breugnon*		
1920 R.-L. Dorgelès, *Les Croix de bois* H. de Montherlant, *La Relève du matin* Colette, *Chéri* M. Proust, *Du côté de Guer- mantes* G. Duhamel, *La Confession de minuit*		*Le Maître de Ballantrae* (1889) de R. Stevenson *Erewhon* (1872) de Samuel Butler (Trad. par Valery Larbaud) *Sous les yeux d'Occident* de J. Conrad
1921 J. Giraudoux, *Suzanne et le Pacifique* J.-B. Chardonne, *L'Épitha- lame* P. Morand, *Ouvert la nuit* J. Schlumberger, *Un Homme heureux*		*Ma Vie d'enfant* (1913) de Maxime Gorki *Lord Jim* (1900) de J. Conrad *Shagpat rasé* (1855) de G. Me- redith
1922 Colette, *La Maison de Clau- dine* J. Giraudoux, *Siegfried et le Limousin* M. Proust, *Sodome et Gomorrhe* R. Martin du Gard, *Le Cahier gris; Le Pénitencier* (*Les Thibault*, publiés de 1922 à 1940) M. Barrès, *Un Jardin sur l'Oronte*		*Le Village* (1910) de Ivan Bounine

	ROMANS FRANÇAIS	ŒUVRES THÉORIQUES	TRADUCTIONS FRANÇAISES DES ROMANS ÉTRANGERS
1922	H. de Montherlant, *Le Songe* R. Rolland, *L'Âme enchantée* (7 volumes, de 1922 à 1933)		
1923	J. Cocteau, *Thomas l'imposteur* V. Larbaud, *Amants, heureux amants* R. Martin du Gard, *La Belle Saison* A. Hermant, *Le Cycle de Lord Chelsea* F. Mauriac, *Génitrix ; Le Fleuve de feu*		*Les Cahiers de Malte Laurids Brigge* (1910) de R. M. Rilke (Trad. par Maurice Betz)
1924	R. Radiguet, *Le Bal du comte d'Orgel* J. Giraudoux, *Juliette au pays des hommes* G. Duhamel, *Deux Hommes* P. Morand, *Lewis et Irène*		*Jeunesse*, suivi du *Cœur des ténèbres* (1902), de J. Conrad *L'Égoïste* (1879) de G. Meredith (Trad. par Y. Canque) *Dedalus* de James Joyce *La Mort à Venise* (1913) de Thomas Mann
1925	A. Gide, *Les Faux-Monnayeurs* F. Mauriac, *Le Désert de l'amour* J. de Lacretelle, *La Bonifas* Drieu la Rochelle, *L'Homme couvert de femmes*	G. Duhamel, *Essai sur le roman*	
1926	C.-F. Ramuz, *La Grande Peur dans la montagne* G. Bernanos, *Sous le soleil de Satan* L. Aragon, *Le Paysan de Paris* J. Green, *Mont-Cinère* J. Giraudoux, *Bella* Montherlant, *Les Bestiaires*	Ramon Fernandez, *Messages* A. Gide, *Journal des Faux-Monnayeurs*	*Gens de Dublin* (1914) de J. Joyce *Les Élixirs du diable* (1815) d'E. T. W. Hoffmann *Nostromo* de J. Conrad
1927	J. Green, *Adrienne Mesurat* F. Mauriac, *Thérèse Desqueyroux* M. Proust, *Le Temps retrouvé* G. Duhamel, *Le Journal de Salavin* G. Bernanos, *L'Imposture* C.-F. Ramuz, *La Beauté sur la terre*	H. Massis, *Réflexions sur l'art du roman*	*Route des Indes* (1924) de E. M. Forster

ROMANS FRANÇAIS	ŒUVRES THÉORIQUES	TRADUCTIONS FRANÇAISES DES ROMANS ÉTRANGERS
1928 A. Breton, *Nadja* Colette, *La Naissance du jour* A. Maurois, *Climats* A. de Saint-Exupéry, *Courrier Sud* A. Malraux, *Les Conquérants*	J. Hytier, *Les Romans de l'individu* F. Mauriac, *Le Roman*	*La Flèche d'or* de J. Conrad *Manhattan Transfer* (1925) de John Dos Passos *La Carrière de Beauchamp* (1875) de G. Meredith
1929 J. Giono, *Un de Baumugnes* J. Cocteau, *Les Enfants terribles* G. Bernanos, *La Joie* R. Martin du Gard, *La Mort du père* Daniel-Rops, *L'Âme obscure* Marcel Prévost, *L'Homme vierge*	R. T. Boylesve, *Opinions sur le roman*	*Ulysse* (1922) de J. Joyce (Trad. par Morel, Gilbert et Larbaud) *Poussière* (1927) de Rosamond Lehmann *Le Tour d'écrou* (1898) d'Henry James
1930 A. Malraux, *La Voie royale* Jean Prévost, *Les Frères Bouquinquant* E. Dabit, *Hôtel du Nord* J. Giono, *Regain*	L. Lemonnier, *Manifeste du roman populiste* P. Mille, *Le Roman français*	*Contrepoint* (1928) de A. Huxley *Hesperus* (1795) de Jean-Paul (J.P.F. Richter). (Trad. A. Béguin)
1931 A. de Saint-Éxupéry, *Vol de nuit* J. Schlumberger, *Saint-Saturnin* J. Giono, *Le Grand Troupeau* J.-B. Chardonne, *Claire*	M. Barrière, *Essai sur l'art du roman* E. Dujardin, *Le Monologue intérieur*	*La Montagne magique* (1924) de Thomas Mann
1932 L.-F. D. Céline, *Voyage au bout de la nuit* J.-B. Chardonne, *Les Varais* G. Duhamel, *Tel qu'en lui-même* J. Romains, *Le 6 octobre* (*Les Hommes de bonne volonté* de 1932 à 1947) F. Mauriac, *Le Nœud de vipères* J. de Lacretelle, *Les Hauts-Ponts* (4 volumes de 1932 à 1936)		*Les Buddenbrooks* (1901) de Th. Mann (Trad. par G. Bianquis) *L'Adieu aux armes* (1929) de Ernest Hemingway (Trad. par Coindreau) *L'Amant de Lady Chatterley* (1928) de D. H. Lawrence
1933 A. Malraux, *La Condition humaine* G. Duhamel, *La Chronique des Pasquier* (10 vol, de 1933 à 1944) Van der Meersch. *Quand les sirènes se taisent*	C. Du Bos, *F. Mauriac et le problème du romancier catholique* F. Mauriac, *Le Romancier et ses personnages*	*Sanctuaire* (1931) de William Faulkner *Le Procès* (1925) de Franz Kafka *Le Soleil se lève aussi* (1927) d'E. Hemingway

	ROMANS FRANÇAIS	ŒUVRES THÉORIQUES	TRADUCTIONS FRANÇAISES DES ROMANS ÉTRANGERS
1934	H. de Montherlant, *Les Célibataires* Daniel-Rops, *Mort, où est ta victoire ?* J. Giono, *Le Chant du monde* L. Aragon, *Le Monde réel* (4 vol, de 1934 à 1944) M. Jouhandeau, *Chaminadour* C.-F. Ramuz, *Derborence*		*Tandis que j'agonise* (1930) de William Faulkner
1935	L. Guilloux, *Le Sang noir* F. Mauriac, *La Fin de la nuit* J. Giono, *Que ma joie demeure*	Léon Bopp, *Esquisse d'un traité du roman*	*Lumière d'août* de W. Faulkner
1936	J. Green, *Minuit* L.-F. D. Céline, *Mort à crédit* H. de Montherlant, *Les Jeunes Filles* (4 vol., de 1936 à 1939) G. Bernanos, *Journal d'un curé de campagne* R. Martin du Gard, *L'Été 14*		*Les Sept Piliers de la Sagesse* (1926) de T.-E. Lawrence *Le Petit Arpent du Bon Dieu* (1934) de Erskine Caldwell *La Grosse Galette* de John Dos Passos
1937	Julien Gracq, *Au Château d'Argol* A. Malraux, *L'Espoir* L. Aragon, *Les Beaux Quartiers (Le Monde réel)* J. Giono, *Batailles dans la Montagne*		*Les Vagues* (1931) de Virginia Woolf *La Route du tabac* de E. Caldwell
1938	J.-P. Sartre, *La Nausée*	Albert Thibaudet, *Réflexions sur le roman*	*Le Bruit et la Fureur* (1929) de W. Faulkner *La Métamorphose* (1916) ; *Le Château* (1926) de F. Kafka *Sartoris*, de W. Faulkner
1939	A. de Saint-Exupéry, *Terre des hommes* J.-P. Sartre, *Le Mur* Michel Leiris, *L'Age d'homme* N. Sarraute, *Tropismes*		*Pierre ou les ambiguïtés* (1852) de Herman Melville *Des Souris et des Hommes*, de John Steinbeck *Autant en emporte le vent* de Margaret Mitchell
1940	Maurice Blanchot, *Thomas l'Obscur*		
1941	M. Blanchot, *Aminadab*	R. Caillois, *Puissance du roman*	*Moby Dick* (1851) de H. Melville
1942	A. de Saint-Éxupéry, *Pilote de guerre* A. Camus, *L'Étranger*		

ROMANS FRANÇAIS	ŒUVRES THÉORIQUES	TRADUCTIONS FRANÇAISES DES ROMANS ÉTRANGERS
1942 L. Aragon, *Les Voyageurs de l'Impériale (Le Monde réel)* R. Queneau, *Pierrot, mon ami*		
1943 Simone de Beauvoir, *L'Invitée* G. Bataille, *L'Expérience intérieure*		
1944 J. Genet, *Notre-Dame des Fleurs ; Miracle de la rose ; Pompes funèbres* Céline, *Guignol's Band*		
1945 J.-P. Sartre, *Les Chemins de la liberté* (3 vol. de 1945 à 1949)	R.-M. Albérès, *Portrait de notre héros* Jean Prévost, *Les Problèmes du roman*	*Tropique du Cancer* de Henry Miller *En avoir ou pas* d'E. Hemingway
1946 G. Bernanos, *Monsieur Ouine*	Jean Pouillon, *Temps et roman*	*Kaputt* de K. S. Malaparte *Tropique du Capricorne* de H. Miller *Pas d'orchidées pour Miss Blandish* de J.-H. Chase
1947 A. Camus, *La Peste* J. Cayrol, *Je vivrai l'amour des autres* J.-L. Curtis, *Les Forêts de la nuit* Boris Vian, *L'Écume des jours ; L'Automne à Pékin* J. Giono, *Un Roi sans divertissement, Noé*	Nelly Cormeau, *Physiologie du roman*	*Les Raisins de la colère* de J. Steinbeck *Ce que savait Maisie* (1897) de Henry James
1948 M. Leiris, *Biffures (La Règle du jeu, I)* M. Blanchot, *Le Très-Haut*		*Pour qui sonne le glas* d'E. Hemingway
1949 J. Giono, *Les Ames fortes*		*Le Fond du problème* de Graham Greene *La Belle Romaine* d'Alberto Moravia
1950 R. Nimier, *Le Hussard bleu* P. Klossowski, *Roberte ce soir*		*Les Ambassadeurs* (1903) de Henry James
1951 J. Giono, *Le Hussard sur le toit, Les Grands Chemins* J. Gracq, *Le Rivage des Syrtes* R. Queneau *Le Dimanche de la vie* S. Beckett, *Molloy ; Malone meurt*	H. Bonnet, *Roman et poésie*	
1952 J. Giono, *Le Moulin de Pologne*		*Le Conformiste* d'A. Moravia
1953 A. Robbe-Grillet, *Les Gommes*		*Les Ailes de la Colombe* (1902) d'H. James *L'Attrape-cœur* de J. D. Salinger

	ROMANS FRANÇAIS	ŒUVRES THÉORIQUES	TRADUCTIONS FRANÇAISES DES ROMANS ÉTRANGERS
1954	J. Cayrol, *L'Espace d'une nuit* J.-L. Curtis, *Les Justes Causes* J. Reverzy, *Le Passage*	Ch. Plisnier, *Roman, papiers d'un romancier*	*Les Dépouilles de Poynton* (1897) d'H. James
1955	M. Leiris, *Fourbis (La Règle du jeu, I)* A. Dhôtel, *Le Pays où l'on n'arrive jamais* A. Robbe-Grillet, *Le Voyeur* M. Duras, *Le Square*		*La Puissance et la Gloire* de Graham Greene
1956	A. Camus, *La Chute* J. Cayrol, *Le Déménagement* M. Butor, *L'Emploi du temps* N. Sarraute, *Portrait d'un inconnu*	N. Sarraute, *L'Ère du soupçon*	
1957	J. Giono, *Le Bonheur fou* G. Bataille, *Le Bleu du ciel* M. Butor, *La Modification* A. Robbe-Grillet, *La Jalousie* Cl. Simon, *Le Vent*		*L'Homme sans qualités* (1925-1931) ; *Les Désarrois de l'élève Törless* de Robert Musil
1958	M. Gracq, *Un Balcon en forêt* L. Aragon, *La Semaine sainte* M. Duras, *Moderato Cantabile* Cl. Mauriac, *Le Dîner en ville* J. Giono, *Angelo* Cl. Simon, *L'Herbe*		*Le Docteur Jivago* de Boris Pasternak *La Ciociara* d'A. Moravia *Le Soleil est aveugle* de Curzio Malaparte
1959	R. Queneau, *Zazie dans le métro* P. Klossowski, *La Révocation de l'Édit de Nantes* A. Robbe-Grillet, *Dans le labyrinthe* N. Sarraute, *Le Planétarium*		*L'Anneau et le Livre* (1868-1869) de Robert Browning
1960	M. Butor, *Degrés* Cl. Simon, *La Route des Flandres*		
1961	S. Beckett, *Comment c'est* Ph. Sollers, *Le Parc*	R. Girard, *Mensonge romantique et vérité romanesque*	
1962	M. Butor, *Mobile* Cl. Simon, *Le Palace* R. Pinget, *L'Inquisitoire* M. Yourcenar, *Mémoires d'Hadrien*	R.-M. Albérès, *Histoire du roman moderne*	*Toute la vérité* de Morris West

268

	ROMANS FRANÇAIS	ŒUVRES THÉORIQUES	TRADUCTIONS FRANÇAISES DES ROMANS ÉTRANGERS
1963	H. de Montherlant, *Le Chaos et la Nuit* A. Pieyre de Mandiargues, *La Motocyclette* J.-M.-G. Le Clézio, *Le Procès-verbal* F. Nourissier, *Un Petit Bourgeois*	A. Robbe-Grillet, *Pour un nouveau roman*	*Le Quatuor d'Alexandrie* de L. Durrell *La Proie des flammes* de W Styron
1964	Céline, *Le Pont de Londres* (Guignol's Band II)	L. Goldmann, *Pour une sociologie du roman* K. Haedens, *Paradoxe sur le roman*	
1965	Aragon, *La Mise à mort* J. Borel, *L'Adoration* J. Giono, *Deux Cavaliers de l'orage* P.-H. Simon, *Histoire d'un bonheur* Ph. Sollers, *Drame*		*Le Don paisible* de Mikhaïl Cholokov
1966	J. Cabanis, *La Bataille de Toulouse* J.-M.-G. Le Clézio, *Le Déluge*		*De Sang froid* de Truman Capote
1967	Aragon, *Blanche ou l'oubli*		*Alejandra* de Sabato *Les Enfants du jazz* de F.S. Fitzgerald
1968	P. Modiano, *La Place de l'Étoile* H. de Montherlant, *La Rose de sable* M. Yourcenar, *L'Œuvre au noir* F. Nourissier, *Le Maître de maison*	*Communications*, nº 8	
1969	P. Modiano, *La Ronde de Nuit* Le Clézio, *Le Livre des fuites* R. Sabatier, *Les Allumettes suédoises*	Gérard Genette, *Figures II*	*Le Pavillon des cancéreux* de A. Soljenitsyne
1970	J. Giono, *L'Iris de Suse* J. Gracq, *La Presqu'île* M. Tournier, *Le Roi des Aulnes* F. Nourissier, *La Crève*		*Le Dieu-poisson* de Fred Chappell

	ROMANS FRANÇAIS	ŒUVRES THÉORIQUES	TRADUCTIONS FRANÇAISES DES ROMANS ÉTRANGERS
1971	Jean d'Ormesson, *La Gloire de l'Empire* J. Laurent, *Les Bêtises* H. de Montherlant, *Un assassin est mon maître* P.-J. Rémy, *Le Sac du Palais d'été*		*Une Journée d'Ivan Denissovitch* de A. Soljenitsyne *Fictions* (éd. revue et augmentée) de J.L. Borgès
1972	Aragon, *Théâtre/Roman* P. Modiano, *Les Boulevards de Ceinture* M. Tournier, *Vendredi ou les Limbes du Pacifique*		*Bech voyage* de J. Updike *Couples* de J. Updike
1973	H. de Montherlant, *Les Garçons*, édition intégrale	·Gérard Genette, *Figures III*	*Les Armes secrètes* de J. Cortázar
1974	Annie Ernaux, *Les Armoires vides*		*La Ferme* de J. Updike
1975	P. Modiano, *Villa Triste*		
1976	A. Robbe-Grillet, *Topologie d'une cité fantôme*		
1977	A. Ernaux, *Ce qu'ils disent ou rien* P. Modiano, *Livret de famille*	Malraux, *L'Homme précaire et la littérature*	*Les Aventures d'Angie March* de S. Below
1978	G. Perec, *La Vie, mode d'emploi*		
1979		Jean Decottignies, *L'Écriture de la fiction*	*Jour de fête à l'hospice* de J. Updike
1980		Henri Mitterand, *Le Discours du roman*	

2. Bibliographie

On se référera, pour tel ou tel auteur, aux bibliographies de LANSON, de THIÈME, de TALVARD et PLACE.

SUR LES XIXᵉ ET XXᵉ SIÈCLES

A défaut d'une histoire générale du genre, on trouvera des indications sur l'histoire du roman au XIXᵉ et au XXᵉ siècle chez :

ALBÉRÈS (R.-M.), *Histoire du roman moderne*, Paris, Albin Michel, 1962.
— *Métamorphose du roman*, Paris, 1966.
— *Le Roman d'aujourd'hui*, Paris, 1970.
AUERBACH (E.), *Mimesis*, 1946, trad. de l'all. par C. Heim, Paris, 1969.
BOISDEFFRE (P. de), *Métamorphose de la littérature*, Paris, 1962.
— *Où va le roman ?* Paris, 1962.
CLOUARD (Henri), *Histoire de la littérature française, du symbolisme à nos jours*, Albin Michel, 1947-1949, 2 vol.
CRÉMIEUX (B.), *XXᵉ siècle*, Paris, 1924.
CURTIUS (E.-R.), *Essai sur la littérature européenne*, trad. par C. David, Paris, 1954.
LALOU (René), *Le Roman français depuis 1900*, P.U.F., 1957.
MAGNY (Claude-Ed.), *Histoire du roman français depuis 1918*, Paris, 1950.
MAURIAC (Claude), *L'Alittérature contemporaine*, Paris, 1958.
NADEAU (M.), *Le Roman français depuis la guerre*, Paris, 1963.
PEYRE (H.), *The Contemporary French Novel*, New York, 1955.
PICON (G.), *Le Roman et la prose lyrique au XIXᵉ siècle*.
— « La Littérature au XXᵉ siècle », in R. Queneau, *Encyclopédie de la Pléiade, Histoire des Littératures*, tome III, Paris, 1959.
— *Panorama de la nouvelle littérature française*, Paris, 1968.
RAIMOND (M.), *La Crise du roman, des lendemains du naturalisme aux années vingt*, Paris, 1966.
— « De Balzac au Nouveau Roman » in article « Roman », *Encyclopaedia Universalis*, Paris, 1973.
— *Le Signe des temps* (Proust, Gide, Bernanos, Mauriac, Céline, Malraux, Aragon), Paris, 1976.
RIEUNEAU (M.), *Guerre et révolution dans le roman français de l'entre-deux-guerres*, Paris, 1975.
SAINTSBURY (George), *A History of the French Novel (to the Close of the XIXth Century)*, Londres, Macmillan, 1917-1919, 2 vol.
SIMON (P.-H.), *Histoire de la littérature française au XXᵉ siècle*, Armand Colin, 1957, 2 vol.
THIBAUDET (Albert), *Histoire de la littérature française, de 1789 à nos jours*, Stock, 1936.

PROBLÈMES GÉNÉRAUX

Sur les problèmes généraux que pose le roman, on consultera :

BARRIÈRE (Marcel), *Essai sur l'art du roman*, Paris, Durand, 1931.
BOPP (Léon), *Esquisse d'un traité du roman*, Gallimard, 1935.
BOYLESVE (René), *Opinions sur le roman*, Plon, 1929.

CAILLOIS (Roger), *Puissance du roman*, Sagittaire, 1941.
CORMEAU (Nelly), *Physiologie du roman*, La Renaissance du Livre, 1947.
DUHAMEL (Georges), *Essai sur le roman*, Marcelle Lesage, 1925.
FERNANDEZ (Ramon), *Messages*, 1re série, N.R.F., 1926.
GENETTE (G.), *Figures III*, 1972.
GIRARD (René), *Mensonge romantique et vérité romanesque*, Grasset, 1961.
GOLDMANN (Lucien), *Pour une sociologie du roman*, Gallimard, 1961.
HAEDENS (Kleber), *Paradoxe sur le roman*, Grasset, 1964.
HYTIER (Jean), *Les Romans de l'individu*, Les Arts et le livre, 1928.
LUKACS (Georges), *La Théorie du roman*, Gonthier, 1963.
MALRAUX (A.), *L'homme précaire et la Littérature*, Paris, 1977.
MASSIS (Henri), *Réflexions sur l'art du roman*, Plon, 1927.
MAURIAC (François), *Le Roman*, Artisan du livre, 1928.
— *Le Romancier et ses personnages*, Corrêâ, 1933.
MILLE (Pierre), *Le Roman français*, Firmin-Didot, 1930.
MITTERAND (H.), *Le Discours du Roman*, Paris, 1980.
PLISNIER (Charles), *Roman, papiers d'un romancier*, Grasset, 1954.
POUILLON (Jean), *Temps et roman*, Gallimard, 1946.
PRÉVOST (Jean), *Problèmes du roman*, Le Carrefour, 1945.
Roman et société, Colloque, A. Colin, 1973.
Le Roman historique, R.H.L.F., n° spécial, A. Colin, 1975.
SARRAUTE (N.), *L'Ère du soupçon*, Paris, 1956.
TADIÉ (J.-Y.), *Le récit poétique*, Paris, 1978.
THIBAUDET (Albert), *Réflexions sur le roman*, Gallimard, 1938.

CHAPITRE I : LE ROMAN FRANÇAIS AVANT BALZAC

KILLEN (Alice M.), *Le Roman terrifiant ou roman noir, de Walpole à Ann Radchiffe, et son influence sur la littérature française jusqu'en 1840*, Champion, 1924.
LE BRETON (André), *Le Roman français au XIXe siècle : avant Balzac*, Paris, Société française d'imprimerie et de librairie, 1901.
LUKACS (Georges), *Le Roman historique*, Payot, 1965.
MAIGRON (Louis), *Le Roman historique à l'époque romantique, essai sur l'influence de Walter Scott*, Hachette, 1898.
MERLANT (J.), *Senancour*, 1907.
MOREAU (Pierre), *Chateaubriand*, Hatier, 1956.

CHAPITRE II : LA NAISSANCE DU ROMAN MODERNE

Voir Pierre MOREAU, *Le Romantisme*, Éditions de Gigord, 1958.

Stendhal :

ALAIN, *Stendhal*, P. U. F., 1948.
ARAGON (Louis), *La Lumière de Stendhal*, Denoël, 1954.
BARDÈCHE (Maurice), *Stendhal romancier*, Éditions de la Table Ronde, 1947.
BLIN (Georges), *Stendhal et les problèmes du roman*, José Corti, 1954.
CARACCIO (Armand), *Stendhal, l'homme et l'œuvre*, Hatier, 1951.
DEDEYAN (Charles), *Stendhal et les « Chroniques italiennes »*, Didier, 1956.
IMBERT (Henri-François), *Les Métamorphoses de la liberté ou Stendhal devant la Restauration ou le Risorgimento*, Paris, Corti, 1967.
MARTINEAU (Henri), *L'Œuvre de Stendhal*, Albin Michel, 1951.

Balzac :

ALAIN, *Avec Balzac*, Gallimard, 1937.
ALLEMAND (André), *Unité et structure de l'univers balzacien*, Plon, 1965.
BARBERIS (Pierre), *Balzac et le Mal du siècle*, Gallimard, Bibliothèque des idées, 2 vol., 1970.
— *Mythes balzaciens*, A. Colin, 1972.

BARDÈCHE (Maurice), *Balzac romancier, la formation de l'art du roman chez Balzac jusqu'à la publication du Père Goriot (1820-1835)*, Plon, 1940.
— *Balzac romancier*, Plon, 1943.
— *Une lecture de Balzac*, Les Sept Couleurs, 1964.
BÉGUIN (Albert), *Balzac lu et relu*, Seuil, 1965.
BÉRARD (Suzanne Jean), *La Genèse d'un roman de Balzac : Illusions perdues*, A. Colin, 1961.
BERTAULT (Philippe), *Balzac, l'homme et l'œuvre*, Hatier, 1955.
BOREL (Jacques), *Personnages et destins balzaciens*, José Corti, 1958.
BRUNETIÈRE (Ferdinand), *Honoré de Balzac*, Calmann-Lévy, 1906.
CURTIUS (E.-R.), *Balzac*.
DONNARD (Jean-Hervé), *Balzac : les réalités économiques et sociales dans « La Comédie humaine »*, Armand Colin, 1961.
FARGEAUD (Madeleine), *Balzac et « La Recherche de l'Absolu »*, Hachette, 1968.
FERNANDEZ (Ramon), *Balzac*, Delamain et Boutelleau, 1943.
FOREST (H.-U.), *L'Esthétique du roman balzacien*, P. U. F., 1950.
GUYON (Bernard), *La Création littéraire chez Balzac, Genèse du « Médecin de campagne »*, Armand Colin, 1951.
GUYON (Bernard), *La Pensée politique et sociale de Balzac*, Armand Colin, 1967.
LE BRETON (André), *Balzac, l'homme et l'œuvre*, 1905.
LUKACS (Georg), *Balzac et le réalisme français*, Maspéro, 1967.
MARCEAU (Félicien), *Balzac et son monde*, Gallimard, 1955 (réédition 1971).
MAUROIS (André), *Prométhée ou la vie de Balzac*, Hachette, 1965.
WURMSER (André), *La Comédie inhumaine*, Gallimard, 1964.

George Sand :

Hommage à George Sand, (H. Bonnet, Del Litto, B. Didier, etc.) P. U. F., 1969.
KARÉNINE (W.), *George Sand, sa vie, son œuvre*, Plon, 1899-1926, 4 vol.
MAUROIS (André), *Lélia ou la vie de George Sand*, Hachette, 1952.
POMMIER (Jean), *George Sand et le rêve monastique, « Spiridion »*, Nizet, 1966.
SALOMON (Pierre), *Sand*, Hatier, 1933.
VINCENT (L.), I. *George Sand et le Berry.*
—   II. *Le Berry dans l'œuvre de George Sand*, Champion, 1919.

Sur le roman-feuilleton :

ATKINSON (N.), *Eugène Sue et le roman-feuilleton*, Nizet et Bastard, 1930.
BLAZE DE BURY, *Dumas, sa vie, son temps, son œuvre*, 1885.
BORY (Jean-Louis), *Eugène Sue*, Hachette, 1963.
NETTEMENT (Alfred), *Études sur le feuilleton-roman*, Perrodel, 1845-1846, 2 vol.

Sur le roman social :

BRUN (Charles), *Le Roman social en France au XIXe siècle*, Paris, Giard et Brière, 1910.
EVANS (David-Owen), *Le Roman social sous la monarchie de Juillet*, P. U. F., 1936.

Sur le roman personnel :

ALLEM (Maurice), *Sainte-Beuve et « Volupté »*, S.F.E.L.T., 1935.
BÉGUIN (Albert), *Gérard de Nerval*, José Corti, 1945.
CASTEX (Pierre-Georges), *Vigny*, Hatier, 1957.
CELLIER (L.), *Gérard de Nerval*, Hatier, 1956.
DURRY (Marie-Jeanne), *Gérard de Nerval et le mythe*, Flammarion, 1956.
MERLANT (Joachim), *Le Roman personnel de Rousseau à Fromentin*, 1905.
REGARD (Maurice), *Sainte-Beuve*, Hatier, 1959.
VAN TIEGHEM (P.-H.), *Musset*, Hatier, 1945.

CHAPITRE III : *L'APOGÉE DU RÉALISME*

BEUCHAT (Charles), *Histoire du naturalisme français*, Corrêa, 1949, 2 vol.
BRUNETIÈRE (Ferdinand), *Le Roman naturaliste*, Calmann-Lévy, 1883.
DEFFOUX (Léon), *Le Naturalisme, les œuvres représentatives*, 1929.
DEFFOUX et ZAVIE, *Le Groupe de Médan*, Payot, 1920.
DESPREZ (Louis), *L'Évolution naturaliste*, Tresse, 1884.
DUMESNIL (René), *Le Réalisme et le naturalisme*, Del Duca, 1962.
HENRIOT (Émile), *Réalistes et naturalistes*, Albin Michel, 1954.
JAKOB (Gustave), *L'Illusion et la désillusion dans le roman réaliste français, 1851-1890*, Jouve, 1911.
MARTINO (Pierre), *Le Roman réaliste sous le Second Empire*, Hachette, 1913.
— *Le Naturalisme français*, Armand Colin, 1923.
ZOLA (Émile), *Le Roman expérimental*, Bibliothèque Charpentier, 1880.
— *Les Romanciers naturalistes*, Bibliothèque Charpentier, 1881.

Flaubert :

BOLLÈME (Geneviève), *La leçon de Flaubert*, Julliard, 1964.
BOPP (Léon), *Commentaire sur « Madame Bovary »*, La Baconnière, 1951.
BRUNEAU (Jean), *Les Débuts littéraires de Flaubert*, Armand Colin, 1962.
DANGER (Pierre), *Sensations et objets dans le roman de Flaubert*, A. Colin, 1973.
DIGEON (Claude), *Flaubert*, Hatier, 1970.
DOUCHIN (Jacques), *Le Sentiment de l'absurde chez Gustave Flaubert*, Lettres Modernes, 1970.
— *« Madame Bovary » de Gustave Flaubert*, Mellotée, 1958.
— *« L'Éducation sentimentale » de Gustave Flaubert*, Nizet, 1963.
DURRY (Marie-Jeanne), *Flaubert et ses projets inédits*, Nizet, 1950.
GOTHOT-MERSCH (Claudine), *La Genèse de Madame Bovary*, Paris, Corti, 1966.
MAYNIAL (Ed.), *Flaubert*, Nouvelle Revue critique, 1943.
NAAMAN (Antoine), *Les Débuts de Gustave Flaubert et sa technique de la description*, Nizet, 1962.
NADEAU (Maurice), *Gustave Flaubert écrivain*, Les Lettres Nouvelles, 1969.
RICHARD (Jean-Pierre), in *Littérature et sensation*, Seuil, 1954.
RICHARD (Jean-Pierre), *Stendhal et Flaubert*, Seuil, 1970.
STARKIE (Enid), *Flaubert*, traduit de l'anglais, Mercure de France, 1970.
THIBAUDET (Albert), *Gustave Flaubert*, Gallimard, 1935.

Les Goncourt :

RICATTE (Robert), *La Genèse de « La fille Élisa » d'après des notes inédites*, P. U. F., 1960.
— *La Création romanesque chez les Goncourt*, Armand Colin, 1953.
RICHARD (Jean-Pierre), in *Littérature et sensation*, Seuil, 1954.
SABATIER (P.), *L'Esthétique des Goncourt*, 1920.
SAUVAGE (Marcel), *Jules et Edmond de Goncourt précurseurs*, Mercure de France, 1970.

Zola :

DEZALAY (Auguste), *Lectures de Zola*, A. Colin, 1973.
FRANDON (Ida-Marie), *Autour de Germinal*, Droz, 1955.
GUILLEMIN (Henri), *Présentation des Rougon-Macquart*, Gallimard, 1964.
ROBERT (Guy), *Émile Zola, principes et caractères généraux de son œuvre*, Les « Belles Lettres », 1952.
ROMAINS (Jules), *Zola et son exemple*, 1936.
TERNOIS (R.), *Zola et son temps*, Les « Belles Lettres », 1961.

Maupassant :

DUMESNIL (René), *Guy de Maupassant*, Taillandier, 1946.
SCHMIDT (Albert-Marie), *Maupassant par lui-même*, Seuil, 1962.
VIAL (André), *Guy de Maupassant et l'art du roman*, Nizet, 1954.

Daudet :

BORNECQUE (J.-H.), *Les Années d'apprentissage d'Alphonse Daudet*, Nizet, 1951.

Vallès :

GILLE (Gaston), *Jules Vallès*, Flammarion, 1941.

CHAPITRE IV : L'ÈRE DES MÉTAMORPHOSES

Ouvrages généraux :

BALDENSPERGER (F.), *L'Avant-guerre dans la littérature française 1900-1914*, Payot, 1919.
— *La Littérature française entre les deux guerres 1919-1939*, Sagittaire, 1943.
BERTAUT (Jules), *Les Romanciers du nouveau siècle*, Sansot, 1912.
— *Le Roman nouveau*, La Renaissance du Livre, 1920.
BILLY (André), *La Littérature française contemporaine*, Armand Colin, 1927.
— *L'Époque 1900 : 1885-1905*, Taillandier, 1951.
— *L'Époque contemporaine, 1900-1950*, Taillandier, 1956.
BOURGET (Paul), *Essais de psychologie contemporaine*, Lemerre, 1883.
— *Nouveaux essais de psychologie contemporaine*, Lemerre, 1886.
— *Études et Portraits*, Lemerre, 1889, 2 vol.
— *Études et Portraits*, Plon-Nourrit, 1906, 3 vol.
— *Pages de critique et de doctrine*, Plon-Nourrit, 1912.
— *Nouvelles Pages de critique et de doctrine*, Plon-Nourrit, 1922.
BUENZOD (E.), *Une Époque littéraire, 1890-1910*, La Baconnière, 1941.
CRÉMIEUX (Benjamin), *XXᵉ siècle*, 1ʳᵉ série, N.R.F., 1924.
CURTIUS (E.-R.), *Essai sur la littérature européenne*, Grasset, 1954.
EHRHARD (Jean-E.), *Le Roman français depuis Marcel Proust*, Nouvelle Revue critique, 1933.
FRASER (Élisabeth), *Le Renouveau religieux d'après le roman français de 1886 à 1914*, Les « Belles Lettres », 1934.
GIRAUD (Victor), *Les Maîtres de l'heure*, Hachette, 1911 et 1914, 2 vol.
LE GOFFIC (Charles), *Les Romanciers d'aujourd'hui*, Vanier, 1890.
MAGNY (Claude-Edmonde), *Histoire du roman français depuis 1918*, Seuil, 1950.
MONTFORT (Eugène), *Vingt-cinq ans de littérature française*, s.d., 2 vol.
MORROW (Christine), *Le Roman irréaliste dans les littératures contemporaines de langue française et anglaise*, Didier, 1941.
RAIMOND (Michel), *La Crise du roman des lendemains du naturalisme aux années vingt*, José Corti, 1966.
SÉNÉCHAL (Christian), *Les Grands Courants de la littérature française contemporaine*, Malfère, 1934.
SNEYERS (Germaine), *Romanciers d'entre-deux-guerres*, Desclée, de Brouwer, 1941.
THIBAUDET (Albert), *Trente Ans de vie française*, N.R.F., 1920-1924, 3 vol.

Anatole France :

LEVAILLANT (Jean), *Les Aventures du scepticisme*, Armand Colin, 1966.
SUFFEL (J.), *Anatole France par lui-même*, 1954.
VANDEGANS (André), *Anatole France, les années de formation*, 1954.

Pierre Loti

BRODIN (Pierre), *Loti*, Parizeau, Montréal, 1946.
TRAZ (Robert de), *Pierre Loti*, 1949.

Elémir Bourges :

SCHWAB (Raymond), *La Vie d'Elémir Bourges*, Stock, 1949.

Paul Bourget :

AUTIN (A.), « *Le Disciple* » *de Paul Bourget*, Malfère, 1930.
FEUILLERAT (A.), *Paul Bourget, histoire d'un esprit sous la Troisième République*, Plon, 1937.
MANSUY (Michel), *Un Moderne : Paul Bourget*, Les « Belles Lettres », 1961.

Abel Hermant :

THÉRIVE (André), *Essai sur Abel Hermant*, 1928.

Marcel Prévost :

Marcel Prévost et ses contemporains, Éditions de France, 1943, 2 vol.

Maurice Barrès :

BOISDEFFRE (Pierre de), *Barrès parmi nous*, Amiot-Dumont, 1952.
DOMENACH (Jean-Marie), *Barrès par lui-même*, Seuil, 1954.
FRANDON (Ida-Maurice), *L'Orient de Maurice Barrès*, Droz, 1952.
MOREAU (Pierre), *Maurice Barrès*, Sagittaire, 1946.
THIBAUDET (Albert), *La Vie de Maurice Barrès*, N.R.F., 1921.

Jules Renard :

GUICHARD (Léon), *L'Œuvre et l'âme de Jules Renard*, Paris, Nizet et Bastard, 1935.

Romain Rolland :

BARRÈRE (Jean-Bertrand), *Romain Rolland, l'âme et l'art*, Albin Michel, 1966.
BARRÈRE (Jean-Bertrand), *Romain Rolland par lui-même*, Seuil, 1955.
BONNEROT (Jean), *Romain Rolland, son œuvre*, 1921.
JOUVE (Pierre-Jean), *Romain Rolland vivant, 1914-1919*, Ollendorf, 1920.
ROBICHEZ (Jacques), *Romain Rolland*, Hatier, 1961.
SÉNÉCHAL (Christian), *Romain Rolland*, La Caravelle, 1933.
SIPRIOT (Pierre), *Romain Rolland*, Desclée, de Brouwer, 1968.

André Gide :

1. *Ouvrages.*

ALBÉRÈS (R.M.), *L'Odyssée d'André Gide*, La Nouvelle Édition, 1951.
BRÉE (Germaine), *André Gide, l'insaisissable Protée*, Belles-Lettres, 1953.
CANCALON (Elaine D.), *Techniques et personnages dans les récits d'André Gide*, Paris, Lettres Modernes, Minard, 1970.
DELAY (Jean), *La Jeunesse d'André Gide*, 2 vol., Gallimard, 1956-1957.
DU BOS (Charles), *Le Dialogue avec André Gide*, Corrêa, 1947.
FOWLIE (Wallace), *André Gide, his life and art*, New York - London, Mac Millan, 1965.
GUÉRARD (Albert J.), *André Gide*, Harvard University Press, 1969 (nouvelle édition revue et augmentée d'un chapitre).
HYTIER (Jean), *André Gide*, Charlot, 1946.
IRELAND (G.W.), *Gide*, Edinburgh and London, Oliver and Boyd, 1963.
IRELAND (G.W.), *André Gide, a study of his creative writings*, Oxford, Clarendon Press, 1970.
LAFILLE (Pierre), *André Gide romancier*, Hachette, 1954.
LÉVY (Jacques), « *Les Faux-Monnayeurs* » *d'André Gide et l'expérience religieuse*, Grenoble, Édition des Cahiers de l'Alpe, 1954.
MARTIN (Claude), *André Gide par lui-même*, Seuil, 1963.
MARTIN (Claude), *André Gide, « La Symphonie pastorale »*, édition critique, Paris, Lettres Modernes, Minard, 1970.
MARTIN (Claude), *La Maturité d'André Gide*, Klincksieck, 1977.
MOUTOTE (Daniel), *Le « Journal » d'André Gide et les Problèmes du Moi (1889-1925)*, Paris, P.U.F., 1969.
O'BRIEN (Justin), *Portrait of André Gide*, Secker, Warburg, Londres, 1953.

O'NEILL (Kevin), *André Gide and the Roman d'aventure*, Sydney University Press, 1969.
ROSSI (Vinio), *André Gide*, New York, Columbia University Press, 1968.
STARKIE (Enid), *André Gide*, Cambridge, Bowes and Bowes, New York, Yale University Press, 1954.

2. *Numéros spéciaux.*

André Gide, Études littéraires, vol. 2, n° 3, déc. 1969, Presses de l'Université Laval, Canada.
André Gide, Revue d'Histoire littéraire de la France, mars-avril 1970.
André Gide, Australian Journal of French Studies, vol. VII, numbers 1-2, 1970.
Entretiens sur André Gide, sous la direction de Marcel Arland et Jean Mouton, Paris, La Haye, Mouton et Cie, 1967.

Marcel Proust :

Entretiens sur Marcel Proust, Mouton, 1966.
BARDÈCHE (Maurice), *Marcel Proust romancier*, Les Sept Couleurs, 1971.
BOLLE (Louis), *Marcel Proust ou le complexe d'Argus*, Grasset, 1966.
BRÉE (Germaine), *Du « Temps perdu » au « Temps retrouvé », introduction à l'œuvre de Marcel Proust*, Les « Belles Lettres », 1951.
CATTAUI (Georges), *Marcel Proust*, Julliard, 1952.
CHANTAL (René de), *Marcel Proust, critique littéraire*, Presses de l'Université de Montréal, 2 vol., 1967.
CURTIUS (E.-R.), *Marcel Proust*, Éditions de la Revue Nouvelle, 1923.
DELEUZE (Gilles), *Marcel Proust et les signes*, P.U.F., 1964, nouvelle édition augmentée P.U.F., 1970.
ETIEMBLE (René), *Proust et la crise de l'intelligence*, Éditions du Scarabée, 1945.
FERNANDEZ (Ramon), *Proust*, Nouvelle Revue critique, 1943.
MAURIAC (Claude), *Proust par lui-même*, Seuil, 1953.
MAUROIS (André), *A la recherche de Marcel Proust*, Hachette, 1949.
MENDELSON (David), *Le Verre et les objets de verre dans l'univers imaginaire de Marcel Proust*, Corti, 1968.
MILLY (Jean), *Proust et le style*, Lettres Modernes, 1970.
MOUTON (Jean). *Proust*, Desclée de Brouwer, 1968.
MULLER (Marcel), *Les Voix narratives dans « A la Recherche du temps perdu »*, Genève, Droz, 1965.
PAINTER (George D.), *Marcel Proust*, Mercure de France, 1966, 2 vol.
PICON (Gaëtan), *Lecture de Proust*, Mercure de France, 1963.
PIERRE-QUINT (Léon), *Marcel Proust*, Sagittaire, 1944.
POMMIER (Jean), *La Mystique de Marcel Proust*, Droz, 1939.
POULET (Georges), *L'Espace proustien*, Gallimard, 1963.
REVEL (Jean-Francois), *Sur Proust*, Julliard, 1960.
RICHARD (J.-P.), *Proust et le monde sensible*, Seuil, 1974.
ROGERS (B.-G.), *Proust's narrative technique*, Genève, Droz, 1965.
TADIÉ (J.-Y.), *Proust et le Roman*, Paris, 1971.

Colette :

BEAUMONT (Germaine) et PARINAUD (André), *Colette par elle-même*, Seuil, 1954.
HOLLANDER (Paul d'), *Colette à l'heure de Willy*, 1978.
TRAHARD (Pierre), *L'Art de Colette*, 1941.

Charles-Ferdinand Ramuz :

BÉGUIN (Albert), *Patience de Ramuz*, Neuchâtel, 1949.
GUISAN (Gilbert), *C.F. Ramuz*, Présentation et choix de textes, Seghers, 1966.
KOHLER (Pierre), *L'art de Ramuz*, Genève, 1929.

Valery Larbaud :

AUBRY (Jean), *Valery Larbaud, sa vie et son œuvre; la jeunesse 1881-1920*, Éditions du Rocher, 1949.

Jean Giraudoux :

ALBÉRÈS (R.-M.), *Esthétique et morale chez Jean Giraudoux*, Nizet, 1957.

Alain-Fournier :

BORGAL (Clément), *Alain-Fournier*, Éditions Universitaires, 1954.
JOHR (Walter), *Alain-Fournier, le paysage d'une âme*, Les Cahiers du Rhône, 1945.

CHAPITRE V : L'ÉPOQUE DES CONTESTATIONS

Ouvrages généraux :

ALBÉRÈS (R.-M.), *Portrait de notre héros, essai sur le roman actuel*, Le Portulan, 1945.
— *L'Aventure intellectuelle au XXᵉ siècle*, Albin Michel, 1950.
— *Histoire du roman moderne*, Albin Michel, 1962.
— *Métamorphoses du roman*, Albin Michel, 1966.
ALBÉRÈS (R.-M.), *Le Roman d'aujourd'hui*, Albin Michel, 1970.
BOISDEFFRE (Pierre de), *Métamorphoses de la littérature*, Alsatia, cinquième édition 1962.
— *Où va le roman?*, Del Duca, 1962.
MAGNY (Claude-Edmonde), *Histoire du roman français depuis 1918*, Seuil, 1950.
MAURIAC (Claude), *La Littérature contemporaine*, Albin Michel, 1958.
NADEAU (Maurice), *Le Roman français depuis la guerre*, Idées, N.R.F., 1963.
PEYRE (Henri), *The Contemporary French Novel*, New York, 1955.
PICON (Gaëtan), *Panorama de la nouvelle littérature française*, N.R.F., 1960.
ZELTNER (Gerda), *La Grande Aventure du roman français au XXᵉ siècle*, Paris, Gonthier, 1967.
ZERAFFA (Michel), *Personne et personnage. Le romanesque des années 1920 aux années 1950*, Klincksieck, 1969.
Positions et oppositions sur le roman contemporain (Actes du Colloque de Strasbourg), Klincksieck, 1971.

Roger Martin du Gard :

BORGAL (Clément), *Martin du Gard*, Éditions Universitaires, 1957.
GARGUILO (René), *La genèse des Thibault*, Klincksieck, 1974.
LALOU (René), *Roger Martin du Gard*, N.R.F., 1937.
Hommage à Martin du Gard, N.R.F., 1ᵉʳ décembre 1958.

Georges Duhamel :

SIMON (Pierre-Henri), *Georges Duhamel*, Éditions du Temps Présent, 1947.

André Maurois :

FILLON (A.), *André Maurois romancier*, Malfère, 1937.

Jules Romains :

Hommage à Jules Romains, Flammarion, 1946.

CUISENIER (André), *Jules Romains et l'unanimisme*, Flammarion, 3 vol. : tome I, *Jules Romains et l'unanimisme*, 1945; tome II, *L'Art de Jules Romains*, 1946; tome III, *Jules Romains et « Les Hommes de bonne volonté »*, 1954.

François Mauriac :

1. *Ouvrages consacrés à Mauriac.*

CHOCHON (Bernard), *François Mauriac ou la passion de la terre*, Minard, 1972.
CORMEAU (Nelly), *L'Art de François Mauriac*, Grasset, 1951.
DU BOS (Charles), *François Mauriac et le problème du romancier catholique*, Corrêa, 1933.
FLOWER (J.-E.), *« Les Anges Noirs » de François Mauriac*, Minard 1969.
— *Intention and achievement, An essay on the Novels of François Mauriac*, Oxford, Clarendon Press, 1969.
GLENISSON (Émile), *L'Amour dans les romans de François Mauriac*, Ed. Universitaires, 1970.
KUSHNER (Eva), *Mauriac*, Desclée de Brouwer, 1972 (Les écrivains devant Dieu).
LACOUTURE (Jean), *François Mauriac*, Seuil, 1980.
ROBICHON (Jacques), *François Mauriac*, Ed. Universitaires, 1953.
ROUSSEL (Bernard), *Mauriac, le péché et la grâce*, Le Centurion, 1964.
SÉAILLES (André), *Mauriac*, Bordas, 1972.
SIMON (Pierre-Henri), *Mauriac par lui-même*, Seuil, 1953.
SUFFRAN (Michel), *François Mauriac*, Seghers, 1973.

2. *Ouvrages collectifs et numéros spéciaux.*

Cahiers François Mauriac : nº 2, Actes du colloque sur « François Mauriac et le Roman », Grasset, 1975.
La Table Ronde, janvier 1953 : « François Mauriac Prix Nobel ».

3. *Ouvrages en partie consacrés à Mauriac.*

Maurois André, *De Proust à Camus*, Paris, 1963.
Brasillach, Robert, *Les Quatre Jeudis*, Paris, 1964.
Rousseaux, André, *Littérature du XXᵉ siècle*, tome 2, Paris, 1939.

Georges Bernanos :

1. *Études d'ensemble.*

BÉGUIN (A.), *Bernanos par lui-même*, Seuil, 1952.
ÉSTÈVE (M.), *Bernanos*, Gallimard, 1965.
MILNER (M.), *Georges Bernanos*, Desclée de Brouwer, 1967.
PICON (G.), *Georges Bernanos*, R. Marin, 1948.
SHEIDEGGER (J.), *Georges Bernanos romancier*, Attinger, 1956.
Urs von BALTHASAR (H.), *Le Chrétien Bernanos*, Seuil, 1956, trad. M. de Gandillac.

2. *Études particulières.*

AUTRAND (Michel), *Présentation de « Monsieur Ouine »*, Classiques Bordas, 1969.
BRIDEL (Yves), *L'Esprit d'enfance dans l'œuvre romanesque de Georges Bernanos*, Minard, 1960.
BUSCH (William), *Souffrance et expiation dans la pensée de Bernanos*, Minard, 1961.
— *L'Angoisse du mystère, Essai sur Bernanos et M. Ouine*, Minard, 1966.
ESTÈVE (Michel), *Le Sens de l'Amour dans les romans de Bernanos*, Minard, 1959.
FITCH (B.), *Dimensions et structures chez Bernanos*, Minard, 1969.
GAUCHER (Guy), *Le Thème de la mort dans les romans de Bernanos*, Minard, 1965.
HOFFBECK (Gérard), *« Journal d'un curé de campagne », de Bernanos*, Hachette, Poche critique, 1972.
MESNIER (P.M.), *Univers imaginaire et poétique du surnaturel dans « Nouvelle Histoire de Mouchette »*, Minard, 1974.
NETTELBECK (C.), *Les Personnages de Bernanos romancier*, Minard, 1970.

3. *Ouvrages collectifs.*

Georges Bernanos, sous la direction de Max Milner, Centre de Cérisy-la-Salle, 10-19 juillet 1969, Plon, 1972.

ANNEXES

Études bernanosiennes chez Minard, en particulier :
n° 5, 1964, *Autour de « Monsieur Ouine »*.
n° 10, 1969, *Autour de « Monsieur Ouine »*, 2.
n° 12, 1971, *Sources et dimensions de* Sous le soleil de Satan.

Henry de Montherlant :

BEER (Jean de), *Montherlant ou l'Homme encombré de Dieu*, avec des remarques par Henry de Montherlant, Paris, Flammarion, 1963, 449 p.
BLANC (André), *Montherlant, un pessimisme heureux*, Paris, éditions du Centurion, 1968, 239 p.
BLANC (André), *Les Critiques de notre temps et Montherlant*, Choix et présentation par André Blanc, Paris, Garnier, 1973, 191 p.
BORDONOVE (Georges), *Henry de Montherlant*, essai suivi de textes choisis et d'extraits des *Carnets* de Henry de Montherlant, Paris, éditions universitaires, 1958, 140 p.
DEBRIE-PANEL (Nicole), *Montherlant, l'art et l'amour*, Lyon, Paris, 1960, 239 p.
FAURE-BIGUET (J.-N.), *Les Enfances de Montherlant*, Paris, H. Lefebvre, 1948, 250 p.
MOHRT (Michel), *Montherlant, homme libre*, Paris, Gallimard, 1943, 247 p.
MARISSEL (André), *Henry de Montherlant*, Paris, Éditions Universitaires, 1966, 127 p. Classiques du XXᵉ siècle.
PERRUCHOT (Henri), *Montherlant*, nouvelle édition revue et augmentée par Henry Mavit, Paris, Gallimard, 1969, Bibliothèque idéale, 254 p.
SAINT-PIERRE (Michel de), *Montherlant bourreau de soi-même*, Paris, Gallimard, 1949, 159 p.
SAINT-ROBERT (Philippe de), *Montherlant le Séparé*, Paris, Flammarion, 1969, 221 p.
SECRÉTAIN (Roger), *Ceux qui ont éclairé nos chemins*, Paris, Plon, 1977, 217 p.
SIPRIOT (Pierre), *Montherlant*, Paris, Seuil, 1953, Écrivains de toujours, 191 p.

Il ne faut pas oublier le numéro d'Hommage à Montherlant dû à Pierre Sipriot, *La Table Ronde*, novembre 1960.

Louis Aragon :

1. *Études d'ensemble.*

LECHERBONNIER (Bernard), *Aragon*, Bordas, 1971.
GARAUDY (Roger), *L'Itinéraire d'Aragon*, Gallimard, 1961.
GINDINE (Yvette), *Aragon prosateur surréaliste*, Droz, 1966.
JUIN (Hubert), *Aragon*, Gallimard, 1960.
LESCURE (Pierre de), *Aragon romancier*, Gallimard, 1960.
RAILLARD (Georges), *Aragon*, Éditions universitaires, 1961.
SUR (Jean), *Aragon, le réalisme de l'amour*, Le Centurion, 1966.

2. *Études particulières.*

BIBROWSKA (Sophie), *Une Mise à mort, l'itinéraire romanesque d'Aragon*, Denoël, 1972.
BOUGNOUX (Daniel), *Blanche ou l'oubli d'Aragon*, Hachette, Poche critique, 1972.

3. *Ouvrages en partie consacrés à Aragon.*

ROUSSEAUX (André), *Littérature du XXᵉ siècle*, tome 3, Albin Michel, 1949.
ROY (Claude), *Descriptions critiques*, tome I, Gallimard, 1949.

4. *Numéros spéciaux.*

Europe, février-mars 1967, Elsa Triolet et Aragon; *L'Arc, 53* : Aragon, 1973.

5. *Interviews.*

ARBAN (Dominique), *Aragon parle avec Dominique Arban*, Seghers, 1968. *Entretiens avec Francis Crémieux*, Gallimard, 1964.

Saint-Exupéry :

CHEVRIER (Pierre), *Saint-Exupéry*, Gallimard, 1958.

280

André Malraux :

Études d'ensemble.

CARDUNER (Jean), *La Création romanesque chez Malraux*, Nizet, 1968.
DORENLOT (F.-E.), *Malraux ou l'unité de pensée*, Gallimard, 1970.
GAILLARD (Pol), *Malraux*, Bordas, 1970.
LACOUTURE (Jean), *André Malraux, une vie dans le siècle*, Seuil, 1973.
PICON (Gaétan), *Malraux par lui-même*, Seuil, 1955.
VANDEGANS, *La Jeunesse littéraire d'A. Malraux*, Pauvert, 1964.

Études particulières.

DUMAZEAU (Henri), *La Condition humaine, Malraux*, Hatier, (Profil d'une Œuvre) 1970.
GAILLARD (Pol), *L'Espoir, A. Malraux*, Hatier, (Profil d'une Œuvre), 1970.

Céline :

1. *Numéros spéciaux.*

L'Herne n° 3, 1963, *Céline*, tome I.
L'Herne n° 5, 1965, *Céline II*.
Réédition en un seul volume, Louis Ferdinand Céline, *L'Herne*, 1972.

2. *Études d'ensemble.*

CHESNEAU (Albert), *Essai de psychocritique de Louis Ferdinand Céline*, Minart, 1971.
HANREZ (Marc), *Céline*, Gallimard, 1961.
OSTROVSKY (Erika), *Céline and his vision*, New York University Press, 1967.
RICHARD (J.-P.), *La Nausée de Céline*, Fata Morgana, 1973.
SMITH (André), *La Nuit de Céline*, Grasset, 1973.
VITOUX (Frédéric), *Louis-Ferdinand Céline, Misère et Parole*, Gallimard, 1973.

Giono :

La meilleure étude est celle de Robert Ricatte et de ses collaborateurs pour l'édition de la Pléiade. (Voir la Préface et les Notices).
BOISDEFFRE (P. de), *Giono*, Gallimard, 1965.
CHONEZ (Claudine), *Giono par lui-même*, Seuil, 1956.
MICHELFELDER (Christian), *Jean Giono et les religions de la terre*, Gallimard, 1938.
PUGNET (Jacques), *Jean Giono*, Éditions Universitaires (Classiques du XXe siècle), 1955.
REDFERN (W.D.), *The Private World of Jean Giono*, Durham, N-C, Duke University Press, 1967.

Jean-Paul Sartre :

ALBÉRÈS (R.-M.), *Jean-Paul Sartre*, Éditions Universitaires, 1953.
JEANSON (F.), *Sartre par lui-même*, Seuil, 1953.

Albert Camus :

CASTEX (Pierre-Georges), *Albert Camus et « l'Étranger »*, José Corti, 1965.

Alain Robbe-Grillet :

MORRISSETTE (Bruce), *Les Romans de Robbe-Grillet*, Éditions de Minuit, 1963.

Le nouveau roman :

ASTIER (Pierre), *Présences contemporaines, Encyclopédie du Nouveau Roman*, Detresse, 1968.
BARRÈRE (Jean-Bertrand), *La Cure d'amaigrissement du roman*, Albin Michel, 1964.
BUTOR (Michel), *Essais sur le Roman*, Paris, Gallimard, 1969.
COGNY (Pierre), *Sept Romanciers au-delà du roman*, Nizet, 1963.

MATHEWS (J.-H.), *Un nouveau roman?* Revue des Lettres Modernes, 1964.
RICARDOU (Jean), *Problèmes du nouveau roman*, Seuil, 1967.
ROBBE-GRILLET (Alain), *Pour un nouveau roman*, Gallimard, « Idées », 1963.
SARRAUTE (Nathalie), *L'Ère du soupçon*, Gallimard, 1956.
VAM-ROSSUM GUYON (Francoise), *Critique du roman*, Gallimard, 1971.
Nouveau roman : hier, aujourd'hui. 1. Problèmes généraux, 2. Pratiques. Colloque de Cerisy, Coll. 10/18, 1972.

3. Index

Index des auteurs

Les caractères gras renvoient aux pages plus spécialement consacrées aux œuvres et aux auteurs indiqués.

ABOUT (Edmond) : 111.
ADAM (Antoine) : 57.
ADAM (Paul) : 130, 133, 135, 166.
ALAIN : 58, 69, 146.
ALAIN-FOURNIER : 73, 105, 137, 139, 177.
ALBÉRÈS (René Marill) : 195.
ALBOUY (Pierre) : 80.
ALEXIS (Paul) : 111, 113, 120, 124.
ALFIERI : 29.
ALLEMAND (André) : 61.
ARAGON (Louis) : 139, 181, 192, 194, 196, 198, 199, **207-211.**
ARLAND (Marcel) : 137, 233.
ARNOUX (Alexandre) : 140.
AUDRY (Colette) : 227.

BALZAC : 8, 12, 14, 20-24, 26, 33, 34, 36, 38, 40-45, **46-67,** 70-73, 75-80, 82-87, 92, 93, 98, 99, 102, 103, 106-109, 112, 114, 121, 123, 124, 129, 132, 135, 139, 140, 149, 150, 154, 156, 158, 160-162, 165, 170, 171, 173, 180, 181, 183, 200, 230, 238, 241, 248.
BARBEY D'AUREVILLY : 76, 125, 129.
BARDÈCHE (Maurice) : 9, 11, 12, 34, 35, 37, 41, 44, 50, 52, 56.
BARING (Maurice) : 137.
BARRÈRE (Jean-Bertrand) : 23, 24, 77.
BARRÈS (Maurice) : 15, 17, 19, 54, 91, 110, 128, 132, 133, 136, 137, 143, 150, 190, 191.
BARTHES (Roland) : 240, 242.
BATAILLE (Georges) : 227, 239.
BAUDELAIRE : 65, 73, 80, 86, 145, 149, 235.
BAZIN (René) : 133.
BEAUMARCHAIS : 29.
BEAUVOIR (Simone DE) : 226, 227.
BECKETT (Samuel) : 239.
BÉGUIN (Albert) : 57.

BÉHAINE (René) : 183.
BENOIT (Pierre) : 138.
BERGSON : 138.
BERL (Emmanuel) : 165, 180.
BERNANOS (Georges) : 130, 137, 141, 167, 178-180, 182, 192, 194, 196, 199, 201, **214-218.**
BERNARD (Claude) : 83, 107, 111, 112.
BERTRAND (Louis) : 82, 134.
BETZ (Maurice) : 141.
BEUCLER (André) : 140.
BILLY (André) : 53.
BIZOT (Jean-François) : 250.
BLANCHOT (Maurice) : 236, 239.
BLANZAT (Jean) : 177.
BLIN (Georges) : 30, 31, 37-39.
BLONDIN (Antoine) : 237.
BLOY (Léon) : 127, 130, 132.
BOILEAU : 83.
BONNETAIN (Paul) : 127, 228.
BOPP (Léon) : 165, 197.
BORDEAUX (Henri) : 133, 134.
BOUILHET (Louis) : 82, 83, 99, 100, 120.
BOULENGER (Jacques) : 156, 166, 167.
BOURGES (Elémir) : 120, 132.
BOURGES (Michel DE) : 68.
BOURGET (Paul) : 15, 94, 99, 103, 123, 130, 132, 133, 135-137, 141, 168, 176.
BOYLESVE (René) : 41, 134, 137, 148, 168, 169.
BRASILLACH (Robert) : 153, 180, 199.
BRENNER (Jacques) : 184.
BRETON (André) : 73, 137, 139.
BRINCOURT (André) : 247.
BROWNING (Robert) : 173.
BRUNETIÈRE (Ferdinand) : 127, 128.
BUTLER (Samuel) : 165.
BUTOR (Michel) : 240, 243-247, 249.

Index des œuvres

Voyageurs traqués (Les) (H. de Montherlant) : 141.
Voyeur (Le) (A. Robbe-Grillet) : 240.

Wann-Chlore (Balzac) : 46.
Werther (Gœthe) : 10.
Wilhelm Meister (Gœthe) : 69, 188.

Xipéhus (Les) (Rosny aîné) : 129.

Yeux de dix-huit ans (Les) (J. Schlumberger) : 165.

Z. Marcas, ou le député d'Arcis (Balzac) : 56.

Index des thèmes

Absence de dramatisation : 17, 86, 90, 93-94, 101-103, 113, 122, 124-125, 131, 135-136, 142-143, 144, 148-149, 153, 187, 193, 228, 244. (Voir : *Intrigue.*)
Analyse : 18-19, 76, 132, 151-153, 160-161, 164-165, 167, 171, 177, 232.
Architecture : (Voir : *Structure.*)
Au-delà du roman : 96-98, 171-173, 238-239. (Voir : *Refus du roman.*)
Autobiographie :
 Autobiographie des possibles : 45, 174.
 Éléments autobiographiques : 14, 16, 17, 19, 33, 42-43, 57-58, 61, 67, 68, 71-74, 82, 90, 119, 126, 130-131, 140, 143, 193-194.
 Roman et autobiographie : 45-46. (Voir : *Définition du roman ; Genèse ; Création romanesque.*)
Avatars du roman : 16, 132-134, 135-136, 175-176, 177. (Voir : *Métamorphoses.*)

Biographie morale : 17, 35-36, 42, 43, 55, 58-59, 78, 130, 228, 230-237. (Voir : *Témoignage d'une génération.*)

Complexité du réel : 51, 52, 53, 56, 79, 135, 171, 172, 183, 188, 189-191, 233-234. (Voir : *Peinture d'un âge social.*)
Complexité psychologique : 15, 19, 100, 132, 159, 161-162, 164, 168-169, 244. (Voir : *Personnage.*)
Composition. (Voir : *Structure.*)
Construction. (Voir : *Structure.*)
Création romanesque : 16, 18, 21, 24-27, 31, 32-33, 40-41, 42-43, 44, 45-49, 51, 54, 55, 56, 57-58, 60-61, 63, 72, 78, 81-82, 91-92, 96-98, 107, 108, 113-115, 116-118, 126, 137-138, 143, 148, 149-150, 160, 173-174. (Voir : *Documentation ; Genèse.*)
Crédibilité : 39, 40, 80, 84, 136, 145, 159, 161, 178, 184, 198.

Définition du roman : 7, 9, 10, 12, 14, 15, 16, 17, 40-41, 43, 45-46, 49-51, 67, 71-74, 78, 79-81, 98, 107, 121-122, 133-135, 136, 144, 145, 148-149, 170-171, 172, 173-174, 180, 181-183, 192-193, 194, 231-234, 240-241.
Démiurge. (Voir : *Création romanesque.*)
Description : 19, 22, 23, 38, 40, 47, 48, 49, 50, 53, 55, 56, 86, 88, 99, 102, 104, 105, 128, 150, 169, 173, 179, 192, 198, 199, 200.
Dialogues : 12, 21, 25, 40, 41, 50, 53, 85, 93, 134, 135, 169, 171, 187, 193, 197, 198.
Doctrine du roman. (Voir : *Esthétique romanesque.*)
Documentation : 22, 60, 89, 98, 99, 100, 101, 114, 115, 116, 117, 118, 119, 126, 143, 145, 162, 184, 198. (Voir : *Création romanesque ; Description ; Vérité.*)
Durée. (Voir : *Temps.*)

Élaboration artistique : 16-17, 18, 19, 50, 53, 66-67, 85, 87-88, 93-94, 103-105, 115-116, 117, 145-146, 153-154. (Voir : *Création romanesque.*)
Épopée : 16-17, 24, 63, 78, 79-81, 91-93.
Époque. (Voir : *Peinture d'un âge social.*)
Esthétique romanesque : 12-14, 29-30, 40-41, 66-67, 83-86, 103-104, 106-107, 111-112, 144, 170-172, 198, 231-233, 240-241. (Voir : *Au-delà du roman ; Définition du roman ; Refus du roman ; Roman du roman.*)

Fresques historiques et sociales. (Voir : *Peinture d'un âge social ; Complexité du réel.*)

Genèse : 32-34, 40-41, 42-43, 78, 113-114. (Voir : *Création romanesque.*)

Héros. (Voir : *Personnage.*)

TABLE DES MATIÈRES